Bogusław
WOŁOSZAŃSKI
STRACEŃCY

D1403780

Bogusław WOŁOSZAŃSKI
STRACEŃCY

SENSACJE XX WIEKU

Opracowanie redakcyjne *Grażyna Gołąb, Jerzy Smagowski*
Redakcja techniczna *Elżbieta Bochacz*
Korekta *Barbara Cywińska, Alicja Sikorska*
Projekt okładki i stron tytułowych *Rosław Szaybo*
Zdjęcie autora na okładce *Krzysztof Jabłonowski*

© Copyright by Bogusław Wołoszański, Warszawa 1998

ISBN 83-904972-5-5

Wydawnictwo „Wołoszański" sp. z o.o.
01-217 Warszawa, ul. Kolejowa 15/17
tel. (0-22) 632 54 43
tel./fax (0-22) 862 53 71
e-mail: sensacjexxwieku@sensacjexxwieku.com.pl
Sklep internetowy: sensacjexxwieku.com.pl

Łamanie: Oficyna Wydawnicza „MH"
Druk i oprawa: Zakłady Graficzne im. KEN S.A., Brzoza k. Bydgoszczy

Od autora

Od czasów Dżingis Chana i Aleksandra Wielkiego wiadomo, że o losach naszego świata decydują jednostki. Ale żeby opryszki, zabijaki, łobuzy? A jednak. Oto jedna z galerii postaci, które wpłynęły na bieg wydarzeń.

Jego rodzina pochodziła ze Skorzenna niedaleko Kwidzyna, co dało początek rodowemu nazwisku, poprawnie wymawianemu przez Austriaków – Skorzeny, a zawsze przekręcanemu przez Niemców – Skorceny. Urodził się 12 czerwca 1908 roku w Wiedniu i tam spędził młodość, która na jego twarzy zaznaczyła się głęboką blizną. Taki był studencki obyczaj: pojedynkować się na szpady, starając się zranić przeciwnika w policzek. Gdy jednemu z walczących udało się to, przegrany polewał ranę piwem, aby w ten sposób ją zdezynfekować, i często zszywano ją na miejscu z pomocą zwykłych krawieckich przyborów. Skorzeny walczył 15 razy, ale dopiero w dziesiątym starciu zdobył swoją bliznę. Pojedynek jednak nie zrobił na nim takiego wrażenia, jak udział w wiecu w Wiedniu w 1932 roku, na którym występował Joseph Goebbels. Nazistowskie hasła tak bardzo zapadły w serce i umysł Skorzenego, że następnego dnia wstąpił do austriackiej NSDAP. Tak zaczęła się jego hitlerowska kariera, w której miał wiele zdziałać. Powołany do Wehrmachtu w 1939 roku, zgłosił się ochotniczo do przybocznej gwardii Adolfa Hitlera – SS-Leibstandarte, gdzie przyjęto go chętnie, gdyż ze względu na wzrost, 196 cm, prezentował się nad wyraz okazale.

W Europie rozpoczynał się czas, gdy o losie kontynentu i milionów jego mieszkańców miała decydować polityka Adolfa Hitlera. Teraz ludzie pokroju Skorzenego stali się potrzebni. Akcje niewielkich oddziałów, uderzających z zaskoczenia, precyzyjnie, z szaleńczą odwagą mogły dać efekty równe operacjom wielkich związków taktycznych. Tak stało się pod Eben Emael, gdzie kilkudziesięciu komandosów niemieckich zaatakowało wielki belgijski fort – uważany za niemożliwy do zdobycia – broniony przez ośmiuset żołnierzy. I tam właśnie zwyciężyło kilkudziesięciu straceńców! W ciągu 24 godzin zdobyli Eben Emael, choć bunkry, kopuły pancerne, podziemne korytarze budowano przez wiele lat, tak aby wytrzymały wybuchy największych pocisków i najcięższych bomb! W ten sposób otworzyli drogę przed niemiecką armią do Dunkierki, przyczyniając się walnie do niemieckiego zwycięstwa w kampanii na zachodzie Europy!

To pierwsza opowieść, jaką zawarłem w tej książce o działaniach niewielkich oddziałów, dobrze przygotowanych i wyekwipowanych, działających z szaleńczą odwagą.

Prezentuję takie właśnie akcje z czasów II wojny światowej, gdy niewielkie oddziały, będące – zdawałoby się – niczym wobec milionowych armii, potrafiły wpłynąć na bieg wojny. Politycy i wojskowi nie zapo-

mnieli o sile i skuteczności oddziałów specjalnych. Już w bliższych nam czasach komandosi mieli wpłynąć na bieg spraw w największym światowym mocarstwie – Stanach Zjednoczonych.

Jeszcze wiele takich akcji do dziś musi pozostawać tajemnicą prezydentów, premierów i tajnych służb. Dopiero po wielu latach dowiemy się o straceńcach wysyłanych po to, aby zmienić bieg historii.

B Wołoszański

Eben Emael

Porucznik Kurt von Roenne ostrożnie otworzył drzwi do gabinetu dowódcy 7 dywizji spadochronowej i, starając się nie zwracać na siebie uwagi, przemknął między ścianą a oficerami siedzącymi przy długim stole konferencyjnym. Generał Kurt Student* gestem dłoni przerwał oficerowi, który relacjonował postępy nad badaniem nowych spadochronów, i gniewnym wzrokiem spojrzał na adiutanta. Nie lubił, gdy zwracano się do niego z czymkolwiek w czasie odpraw. Jednak z miny adiutanta widać było, że wydarzyło się coś szczególnie ważnego i musiał wejść do gabinetu dowódcy wbrew zakazowi. Teraz podszedł do biurka generała i położył na nim kartkę z notatką:

„Marszałek Göring jest na telefonie w sprawie najwyższej wagi".

Student ruchem głowy odprawił oficera i podniósł słuchawkę:

Kurt Student

– Mówi generał Student, słucham panie marszałku...

– Student, właśnie wyszedł ode mnie generał Halder – Göring mówił o szefie sztabu generalnego wojsk lądowych. – Führer życzy sobie, żeby stawił się pan przed nim i to bezzwłocznie.

Generał zakrył dłonią słuchawkę i skinął w stronę oficerów, dając im do zrozumienia, żeby wyszli z jego gabinetu. Wiedział, że sprawa, o której mówił dowódca Luftwaffe, jest nie tylko ważna, ale i ściśle tajna.

– Panie marszałku, czy wie pan może, w jakim celu?

---

* **Kurt Student** (1890–1978), generał niemiecki, pilot I wojny światowej. Od 1935 r. służył w Luftwaffe, w 1938 r. sformował pierwszą dywizję spadochronową (lotniczą) (Fliegerdivision 7), której dowództwo objął w 1938 r. Równocześnie został inspektorem niemieckich wojsk spadochronowych. Dowodzone przez niego 7 i 22 dywizja piechoty (przystosowana do dokonywania desantu w szybowcach) walczyły w maju 1940 r. w Belgii i Holandii. 14 maja 1940 r. w Rotterdamie, w wyniku przypadkowego postrzału odniósł poważną ranę kolana. W maju 1941 r. dowodził XI korpusem lotniczym (7 dywizja spadochronowa i 5 dywizja górska), który dokonał inwazji na Kretę. W latach 1943–1944, nadal jako dowódca XI korpusu lotniczego, walczył na Sycylii, we Włoszech i Holandii. We wrześniu 1944 r. dowodzona przez niego 1 armia spadochronowa broniła z sukcesem Arnhem. Na początku 1945 r. objął dowództwo Grupy Armii „H" na froncie zachodnim. 28 kwietnia 1945 r. został wyznaczony na dowódcę Grupy Armii „Wisła", do której nie zdążył dotrzeć.

Hermann Göring

– Nie mam pojęcia, Student. Cała ta sprawa jest cholerną tajemnicą, także dla Haldera. Kiedy pan wystartuje?

– Za dwadzieścia minut. Powinienem być w Berlinie około 14.00.

– Dobrze. Niech pan się zgłosi do mnie. Czekam. – Göring odłożył słuchawkę.

Student wyszedł do sekretariatu, gdzie oczekiwali oficerowie, nieco zaskoczeni zachowaniem dowódcy.

– Niech rozgrzeją silnik mojego *Storcha*. – Podszedł do adiutanta i, pochyliwszy się nad nim, powiedział cicho, tak aby nikt z obecnych go nie usłyszał: – Oficerów zwolnić dziesięć minut po moim wyjściu. Lecę do Berlina. Nikt nie może się o tym dowiedzieć.

Był 27 października 1939 roku. Student spodziewał się, że nagłe wezwanie do Berlina może mieć związek z planowanym uderzeniem na zachód Europy. W czasie kampanii wrześniowej w Polsce jego żołnierze nie mieli wielkich możliwości wykazania swojej wartości bojowej. Nie dokonali żadnego desantu, choć było to przewidziane w planach, ale postępy wojsk pancernych były zbyt szybkie, żeby spadochroniarze zdążyli zabezpieczyć mosty i przeprawy. Podwożeni ciężarówkami, podjęli walkę z polskimi oddziałami z fatalnym dla siebie skutkiem. Ponieśli poważne straty w starciu z brygadą kawalerii w rejonie Suchej, a później w okolicy Woli Gułowskiej.

Student był przekonany, że nieudany debiut bojowy jego żołnierzy w walkach z Polakami był raczej wynikiem błędów popełnionych przez dowódców pododdziałów, którzy zlekceważyli wroga i nie zadbali o odpowiednie zabezpieczenie. Wierzył, że czas, kiedy jego oddziały pokażą na co je stać, jeszcze nadejdzie. Nie mylił się...

Adolf Hitler

W Berlinie, w Kancelarii Rzeszy, gdzie Student dojechał tuż przed 14.00, już czekał Göring, najwidoczniej powiadomiony o jego przybyciu.

– Führer czeka – powiedział, wyciągając rękę, po czym odwrócił się i skierował w stronę sekretariatu. Tam, w wielkich i miękkich fotelach ustawionych wzdłuż ściany wyłożonej orzechową boazerią siedzieli generał Wilhelm Keitel, szef Naczelnego Dowództwa Wehrmachtu, oraz generał Franz Halder. Göring, ku zaskoczeniu Studenta, zajął fotel obok

8

Keitla, podczas gdy sekretarka otworzyła drzwi do gabinetu. Daleko w głębi wielkiego pokoju Hitler pochylał się nad biurkiem, na którym były rozłożone mapy. Podniósł głowę na widok wchodzącego Studenta, który zatrzymał się tuż za drzwiami z ręką podniesioną do góry, i gestem dał znać, aby podszedł bliżej.

Lotnicze zdjęcie fortu Eben Emael; cyfry oznaczają rozpoznane obiekty bojowe

– W sprawie wojny na Zachodzie... – zaczął, ale wnet przerwał, jakby szukając odpowiednich słów. – Wiem, że dokonywał pan prób z szybowcami. Ma pan trochę szybowców w swojej dywizji.

Student przytaknął. Był wielkim entuzjastą sportu szybowcowego, choć w 1921 roku, w czasie jednego z pierwszych swoich lotów szybowcowych, miał poważny wypadek.

– Mam dla pana zajęcie – mówił dalej Hitler. – I chcę wiedzieć, czy może się pan tego podjąć...

Przerwał, sięgnął po szkło powiększające i pochylił się nad mapą, szukając na niej jakiegoś punktu. Znalazł go wreszcie i wskazał palcem.

– Belgowie mają fortecę tutaj – postukał rączką szkła powiększającego w mapę. – Czy pan ją zna?

– Tak, Mein Führer, znam ją dobrze. To potężna forteca.

– Jest tam wielka trawiasta łąka, a na niej pewne fortyfikacje. Mam raporty, że to wieże artyleryjskie i bunkry, stanowiska karabinów maszynowych. Niestety, nie znamy szczegółów.

Odszedł od mapy i stanął naprzeciwko Studenta.

9

– Czytałem o pana służbie, generale Student. Pilotował pan szybowce od początku lat dwudziestych. Wiem, że osobiście oblatywał pan szybowce bojowe.

DFS 230

Hitler był dobrze poinformowany. Generał osobiście sprawdzał możliwości szybowca *DFS 230**, choć nie on był autorem projektu wykorzystania bezsilnikowych samolotów do niespodziewanych desantów. Na ten pomysł wpadł generał Ernst Udet, inspektor lotnictwa myśliwskiego i bombowego, gdy w połowie lat trzydziestych, wizytując lotnisko w Griesheim, zainteresował się dużym szybowcem *OBS Urubu*, przeznaczonym do prowadzenia badań atmosferycznych. Generałowi przyszło wówczas na myśl, że za pomocą takich statków powietrznych można by cicho i szybko transportować żołnierzy na tyły wroga w celu dokonania zaskakującego ataku. To z jego polecenia w 1936 roku Niemiecki Instytut Rozwoju Szy-

* *DFS 230* – szybowiec skonstruowany w 1936 r. przez zespół, kierowany przez Hansa Jacobsa, produkowany seryjnie od 1938 r. W jego kadłubie mieściło się 9 żołnierzy (oraz pilot) i 270 kg ładunku. Dzięki zastosowaniu spadochronu i rakiet hamujących, skrócono drogę jego lądowania do 16 m. Szybowce tego typu wykorzystano po raz pierwszy do desantu na twierdzę Eben Emael. Mimo zakończenia produkcji w kwietniu 1942 r., ze względu na opracowanie większego szybowca, Gotha *Go 242*, *DFS 230* używano do końca wojny (m.in. w czasie desantów na Bałkanach w 1941 r., na wyspie Sarema, na Krecie, w operacji uwolnienia B. Mussoliniego), do dokonywania desantów i transportu zaopatrzenia dla oddziałów okrążonych przez wojska radzieckie.
Dane taktyczno-techniczne: załoga 1, rozpiętość 22 m, długość 11,24 m, wysokość 2,8 m, masa własna 860 kg, maksymalny udźwig 1240 kg, maksymalna prędkość holowania 209 km/h, uzbrojenie 1 karabin maszynowy MG 15 kal. 7,92 mm (niektóre egzemplarze miały dodatkowo nieruchome dwa karabiny maszynowe *MG 34*).

Radzieccy spadochroniarze skaczą z samolotów TB-3 w czasie manewrów w 1936 r.

bownictwa (Deutsche Forschungsanstalt für Segelflug – DFS) przystąpił do prac nad konstrukcją takiego samolotu. Studentowi przedstawiono jeden z prototypów i na nim odbył on kilka lotów w 1937 roku.

– Mam pewien pomysł – ciągnął Hitler. – Sądzę, że parę szybowców szturmowych może wylądować na terenie twierdzy Eben Emael i pana żołnierze mogą ją zdobyć. Czy to jest możliwe?

– Nie jestem pewny... Muszę to przemyśleć... Proszę dać mi trochę czasu – Student był wyraźnie zaskoczony pomysłem Hitlera. Nigdy nie rozważał zastosowania szybowców do ataku na twierdzę, obiekt dość mały, jak na potrzeby desantu. Jego wyobraźnia obejmowała jedynie desanty spadochroniarzy, operacje nowatorskie w tamtych latach. Największe postępy w tej dziedzinie poczynili Rosjanie, ale szybko zmarnowali cały dorobek. Student był jednym z zachodnich obserwatorów zaproszonych latem 1935 roku na manewry na poligonie pod Kijowem. Widział, jak z wielkich samolotów Tupolew *TB-1* zrzucono desant 1800 spadochroniarzy. Operacja ta zrobiła na wszystkich wielkie wrażenie. Tym większe, że na opanowanym przez desant lotnisku wylądowały samoloty transportowe, z których kadłubów wyjechały lekkie czołgi, działa, pojazdy i wysypało się 5700 żołnierzy. Bez wątpienia Armia Czerwona przodowała w tej dziedzinie, ale już wkrótce aresztowanie i rozstrzelanie, na rozkaz Stalina, marszałka Michaiła Tuchaczewskiego, twórcy tej nowej formacji, zaprzepaściło zdobyte doświadczenia i Armia Czerwona zapomniała, jak skuteczne mogą być wojska powietrznodesantowe. Choć w dniu wybuchu wojny

Niemiecki spadochroniarz (w lewej dłoni trzyma linkę desantową)

z Niemcami, 22 czerwca 1941 roku, dysponowała trzema korpusami, nie potrafiła ich użyć.

Niemcy też eksperymentowali, ale na nieporównanie mniejszą skalę. W lutym 1933 roku Hermann Göring*, piastujący wówczas urząd szefa pruskiej policji, polecił majorowi Weckemu utworzyć specjalny oddział spadochroniarzy w sile 14 oficerów i 400 żołnierzy. Używano ich z powodzeniem do likwidowania komórek partii komunistycznej i innych ugrupowań lewicowych, tam gdzie zawodziły klasyczne metody policyjnych obław i nalotów. Komuniści, świetnie zorganizowani, wystawiali posterunki obserwacyjne w rejonach, gdzie znajdowały się ich siedziby. Wystarczyło, że w pobliżu pojawiły się policyjne wozy, a czujki wszczynały alarm i, gdy policjanci docierali do melin, nie było tam już nikogo. Spadochroniarze z grupy Weckego, zrzucani w bezpośrednim sąsiedztwie tajnych lokali, atakowali niespodziewanie, nie dając czasu na podniesienie alarmu. Tuż przed Bożym Narodzeniem 1933 roku Göring kazał nazwać grupę majora Weckego swoim imieniem, a 1 kwietnia 1935 roku utworzył Pułk Policyjny „General

Hermann Göring

Göring". 29 stycznia 1936 roku, już jako dowódca niemieckich sił powietrznych, wydał rozkaz powołania nowego rodzaju wojsk: strzelców spadochronowych. Bez wątpienia wpływ na tę decyzję miały raporty, jakie Student przedstawił po obejrzeniu radzieckich manewrów w 1935 i 1936 roku.

---

* **Hermann Göring** (1893–1946), marszałek Rzeszy, niemiecki as myśliwski z I wojny światowej (22 zwycięstwa powietrzne), w 1922 r. wstąpił do nazistowskiej partii NSDAP, gdzie objął stanowisko szefa ochrony Adolfa Hitlera. W 1923 r. brał udział w nieudanym puczu w Monachium, w czasie którego został ranny od policyjnej kuli. Uciekł do Austrii, gdzie podczas rekonwalescencji uzależnił się od morfiny. Od maja 1928 r. był posłem do parlamentu niemieckiego – Reichstagu, a od 1932 r. jego przewodniczącym. Pierwszoplanowa rola, jaką odegrał w tworzeniu władzy dyktatorskiej, zapewniła mu wiele zaszczytów i pobłażliwość Führera, który nie reagował na jego zamiłowanie do wystawnego życia, niekompetencję i błędy, jakie popełniał, piastując najwyższe urzędy. Od kwietnia 1933 r. pełnił urząd premiera Prus, gdzie zorganizował tajną policję Gestapo oraz dwa pierwsze obozy koncentracyjne. Od maja 1933 r. był ministrem lotnictwa. Zorganizował lotnictwo wojskowe (Luftwaffe), którego naczelnym dowódcą został w 1935 r. W 1936 r. objął stanowisko pełnomocnika ds. planu czteroletniego, a rok

Właściwa pozycja przed skokiem

Hitler wezwał więc najbardziej kompetentnego człowieka, mającego największą wiedzę i doświadczenie w prowadzeniu operacji desantowych. Student wiedział, że na fort Eben Emael nie sposób dokonać desantu spadochronowego, a to ze względu na sprzęt i sposób działania tego rodzaju wojsk. Skoczków zrzucano z wysokości około 120 metrów, aby jak najkrócej opadali bezbronni na spadochronach, jako łatwy cel dla karabinów maszynowych wroga, i nie rozpraszali się na zbyt dużym terenie. Skok

później państwowego koncernu przemysłowego nazwanego jego imieniem. Szczytowy okres jego kariery i wpływów przypadł na rok 1940, gdy samoloty Luftwaffe przyczyniły się do zwycięstw armii hitlerowskiej w Europie; w lipcu tego roku otrzymał specjalnie dla niego utworzony stopień marszałka Rzeszy (Reichsmarschall). Klęska w bitwie o Anglię, brak należytego wsparcia powietrznego dla armii niemieckiej, okrążonej pod Stalingradem i nasilające się naloty alianckie na Niemcy, którym Luftwaffe nie była w stanie przeciwdziałać – osłabiły jego pozycję. 20 kwietnia 1945 r. Göring po raz ostatni widział się z Hitlerem w bunkrze w Berlinie, a trzy dni później ujawnił wiadomość, że gotów jest działać jako następca Führera, co ten uznał za akt zdrady; Göring, pozbawiony wszelkich stopni wojskowych i wyrzucony z partii, został aresztowany przez SS. 8 maja oddał się w ręce Amerykanów. Wyrokiem Międzynarodowego Trybunału Wojskowego w Norymberdze został skazany na śmierć, ale 15 października, na dwie godziny przed egzekucją, popełnił samobójstwo, przegryzając kapsułkę z trucizną.

Skok – wyraźnie widoczna linka desantowa
Linka desantowa zrywa pokrowiec spadochronu

z tak niewielkiej wysokości był możliwy jedynie przy automatycznym otwarciu spadochronu, czego dokonywała linka desantowa zaczepiona jednym końcem za stalowy sznur wewnątrz kadłuba samolotu, a drugim do pokrowca spadochronu.

Na znak dany przez pilota żołnierz odpowiedzialny za wyrzucenie skoczków dawał komendę „przygotować się". Spadochroniarze ustawiali się jeden za drugim, trzymając końce linek desantowych w zębach, co pozwalało im uwolnić ręce. Gdy zabrzmiał brzęczek, zapinali karabinki linek desantowych na stalowej lince rozciągniętej pod sufitem kabiny i czekali na następny sygnał. Gdy zabrzmiał, podchodzili do drzwi, łapali za uchwyty po obu stronach, szeroko zaś rozstawione nogi, lekko ugięte w kolanach, zapierali o próg. Taka postawa stwarzała im po opuszczeniu samolotu możliwość jak najszybszego zajęcia odpowiedniej pozycji. Skoczek musiał opadać poziomo, z szeroko rozpostartymi rękami i nogami, aby zmniejszać swoją szybkość. Linki spadochronu były przytwierdzone na jego plecach w dwóch miejscach do pasa obejmującego tułów. Gwałtownie rozwijająca się czasza powodowała szarpnięcie tak silne, że skoczek zginał się w pół i mógł kolanami wybić sobie zęby. Gdyby opadał zbyt szybko, wstrząs mógłby spowodować połamanie żeber.

Przy takiej technice skoku spadochroniarz nie mógł mieć broni. Chodziło również o to, aby nie zwiększać ciężaru skoczka, który uderzał o ziemię z prędkością 5,5–6 metrów na sekundę. Miał przy sobie jedynie pistolet lub granaty. Dopiero w późniejszych latach wyposażano ich w pistolety maszynowe *MP 38*. Sposób zamocowania spadochronu na środku pleców sprawiał, że żołnierz wisiał na linkach ukośnie, nie mając

Skoczek wisiał na spadochronie nie mogąc dosięgnąć do linek; nie miał żadnej możliwości kierowania opadaniem ani złagodzenia upadku

praktycznie możliwości sterowania lotem, a zetknięcie z ziemią było bardzo dotkliwe. Gdy wiał wiatr, spadochron, którego skoczek nie mógł dosięgnąć, wlókł go po ziemi, powodując groźne kontuzje. Miało wiele czasu, zanim udawało się schwycić karabinki mocujące linki spadochronu i odpiąć je lub wydobyć nóż i odciąć linki. Dopiero wtedy można było rozpocząć poszukiwania zasobnika z bronią, który był zrzucany na spadochronie oddzielnie i opadał z większą prędkością, dzięki czemu spadał na ziemię przed skoczkiem. Miało co najmniej kilkanaście minut, zanim udawało się odnaleźć zasobnik, rozpakować go, załadować broń, dołączyć do pozostałych żołnierzy z grupy

Opanowanie spadochronu po wylądowaniu było nie lada sztuką, a przy silnym wietrze – niemożliwe. Skok z reguły kończył się kontuzją. Później zaczęto stosować ochraniacze na kolana

i przystąpić do ataku. Takie działanie wewnątrz belgijskiej fortecy, wśród bunkrów z działami i karabinami maszynowymi, było nie do pomyślenia. Obrońcy twierdzy, zaalarmowani warkotem samolotów, obsadziliby wszystkie stanowiska i ogniem karabinów maszynowych zdziesiątkowali bezbronnych spadochroniarzy, którym udałoby się wylądować na wyznaczonym obszarze. Ci zaś, którzy znaleźliby jakieś schronienie przed

Zrzut zasobników z bronią i amunicją

śmiercionośnymi pociskami, nie byliby w stanie podnieść się, aby poszukiwać zasobników z bronią. Hitler miał rację: ten atak mógł się udać tylko przy wykorzystaniu szybowców. Mogły nadlecieć cicho, niezauważenie, nie dając załodze fortu czasu na przygotowanie się do obrony. A nagłe pojawienie się samolotów tego typu, całkowicie wtedy jeszcze nieznanych, potęgowałoby efekt zaskoczenia.

Student pamiętał przebieg manewrów przeprowadzonych na początku 1939 roku na lotnisku w Stendal. Z dziesięciu trzysilnikowych samolotów transportowych *Ju 52/3m** zrzucono spadochroniarzy, gdy równocześnie dziesięć szybowców podeszło do lądowania. Wiatr rozwiał spadochroniarzy na dużym obszarze i minęło wiele czasu, zanim odnaleźli broń i sformowali szyk uderzeniowy. Szybowce zaś wylądowały w wyznaczonym rejonie, a z ich kadłubów wyskoczyli żołnierze z bronią w rękach, gotowi do walki.

Junkers Ju 52/3m

---

* **Junkers Ju 52/3m** – samolot bombowy i transportowy, którego prototyp, będący transportowym samolotem jednosilnikowym, oblatano w maju 1932 r. i wkrótce wyposażono w 3 silniki. W latach 30. *Ju 52/3m* stał się powszechnie używanym samolotem pasażerskim. Doskonała opinia, jaką zyskał w służbie cywilnej, zwróciła na niego uwagę dowództwa Luftwaffe, które w 1935 r. zakupiło pierwsze samoloty *3mg3e,* zdolne przenosić 1500 kg bomb. We wrześniu 1939 r. *Ju 52/3m* używano do bombardowania Warszawy, aczkolwiek jako samoloty bombowe były już wtedy przestarzałe. Z powodzeniem natomiast sprawdzały się w zadaniach transportowych. Były również wykorzystywane do zrzucania desantu oraz eksplodowania magnetycznych min morskich. Ponad 3500 tych samolotów służyło w czasie wojny w Luftwaffe, zyskując przydomek „Tante Ju" („Ciotka Ju"). Łącznie wyprodukowano 4845 samolotów, z czego 2659 w zakładach niemieckich, a resztę we francuskich zakładach Amiot, pracujących na potrzeby Luftwaffe. Dane taktyczno-techniczne (*Ju 52/3mg7e*): 3 x silnik BMW 132T-2 o mocy 830 KM każdy, rozpiętość 29,25 m, długość 18,9 m, masa startowa 11 030 kg, maks. prędkość 286 km/h, zasięg 1300 km.

Wprost z Kancelarii Rzeszy adiutant Göringa zawiózł Studenta do hotelu „Adlon", co wskazywało, że potraktowano go jako gościa specjalnego. Generał, zmęczony lotem i stresem, jaki wywołała w nim rozmowa z Hitlerem, wziął prysznic i zszedł na dół do hotelowej kawiarni. Zamówił kawę i lampkę koniaku. Rozłożywszy na stoliku notatnik, począł kreślić plan Eben Emael, jaki pamiętał ze zdjęć lotniczych. Tylko szybowce mogły wylądować na terenie tej fortecy. Sam wielokrotnie trenował manewr, który nazywał „skróconym lądowaniem". Szybowiec zwolniony z holu na wysokości około 3 tysięcy metrów mógł dotrzeć do celu odległego o około 28-30 kilometrów. Zbliżając się do lądowiska, na wysokości około 300 metrów pilot wprowadzał samolot w lot nurkowy pod bardzo ostrym kątem, następnie wyrównywał i po zatoczeniu koła, co pozwalało wytracić prędkość, sadzał go gwałtownie. Aby skrócić drogę lądowania płozę pod kadłubem owijano drutem kolczastym, który znakomicie spełniał to zadanie.

– Tak, Mein Führer, to jest możliwe, ale po spełnieniu kilku warunków – powiedział Student, gdy następnego dnia, 28 października, stanął w gabinecie Hitlera...

– Jakie to warunki? – zapytał Hitler wyraźnie zadowolony ze słów, które usłyszał.

– Lądowanie musi nastąpić za dnia, a najlepiej o świcie. Nie wcześniej – odpowiedział.

– Dobrze! Tak to zrobimy – zgodził się Hitler.

– Wobec tego, czy mogę otrzymać rozkaz?

Pancerna kopuła fortu Douaumont (zdjęcie autora)

Tunele fortu Douaumont (zdjęcie autora)

Hitler nie odpowiedział. Ujął go pod ramię i poprowadził ku fotelom stojącym przy kominku po drugiej stronie wielkiego gabinetu. Widać było, że jest zmęczony naradami i chętnie pogawędzi ze starym żołnierzem o idei, która tak bardzo zaprzątała jego uwagę. Wskazał mu fotel, a sam usiadł na kanapie.

– Pamiętam, jako żołnierz w czasie I wojny słyszałem o oblężeniu francuskiego fortu Douaumont pod Verdun. Francuzi bronili się dzielnie i odpierali ataki, chociaż nasze wojska użyły gazów i usiłowały do wnętrza kazamatów wpompować benzynę, aby ją podpalić. Poddali się dopiero wtedy, gdy nasze działa ciężkiego kalibru rozpoczęły systematyczny ostrzał. O zwycięstwie przesądziło więc nie bohaterstwo naszych żołnierzy, lecz kaliber dział.

Student słuchał zaskoczony. Co wspólnego mogło mieć oblężenie francuskiego fortu w 1916 roku z planem zdobycia Eben Emael przez jego żołnierzy? Oni przecież nie mogli zabrać ze sobą ciężkich dział.

– Nasi eksperci amunicyjni – wydawało się, że Hitler nagle zmienił temat – wymyślili fantastyczny materiał wybuchowy. *Höhlung.*

Hitler użył słowa „wgłębienie", aby oddać istotę ładunku kumulacyjnego. Miał rację, twierdząc, że to niemieccy eksperci wymyślili ten materiał, choć dość powszechnie zasługę tę przypisuje się Amerykaninowi. To niemiecki inżynier Franz von Baader w 1792 roku zaobserwował zjawisko kumulacji, a dopiero w 1888 roku Amerykanin C.E. Munroe przypadkowo odkrył ten efekt, gdy zdetonował kostkę dynamitu na metalowej płytce. Ze zdziwieniem zauważył on, że wybite na kostce litery „USN", co było skrótem nazwy „United States Navy", zostały wypalone na płytce. Oznaczało to, że w tym miejscu materiał wybuchowy zadziałał na metal z siłą większą niż na części płaskiej. Dalsze badania prowadzone przez Munroe'a oraz naukowców niemieckich wykazały, że ładunek wybuchowy, w którym znajdowało się wgłębienie o kształcie stożka, wytwarzał w tym miejscu falę gazów, które przebijały pancerne płyty grube na wiele centymetrów. Niszczący efekt można było spotęgować, wykładając stożek blachą miedzianą.

– Ładunek kumulacyjny* – rozwijał temat Hitler – przebije płytę pancerną każdej grubości. Jednak nie można go wystrzeliwać z działa, lecz trzeba położyć na pancerzu. Musi tego dokonać dwóch lub trzech ludzi. A gdy to zrobią – nic, nic nie wytrzyma wybuchu! Próbowałem rozwiązać problem dostarczenia ładunków do Eben Emael. Szybowce są tym rozwiązaniem!

Teraz dopiero Student zrozumiał, dlaczego Führer nawiązał do losów fortu Douaumont. Ładunki kumulacyjne miały w Eben Emael spełnić to zadanie, jakie we francuskim forcie wykonały pociski ciężkich dział. Skoro jednak nowej broni nie można było wystrzeliwać z armat, mieli ją dostarczyć na miejsce i zastosować komandosi. Pomyślał przez chwilę, jak precyzyjnie funkcjonował umysł Hitlera, łączący odległe fakty i znajdujący najprostsze rozwiązania.

– Mein Führer, czy mogę otrzymać rozkaz? – ponowił pytanie Student, uznając, że czas, jaki Hitler mu poświęcił, dobiegł końca.

– Tak. Rozkazuję panu zająć fort Eben Emael. Wszystkie aspekty tej operacji muszą pozostać w całkowitej tajemnicy!

---

* **Ładunek kumulacyjny** – ładunek wybuchowy z wydrążonym otworem w kształcie stożka, wykorzystujący efekt kumulacji, czyli koncentracji fali detonacyjnej, której wysokoenergetyczne cząsteczki rozpychają cząstki metalu pancerza. Zjawisko kumulacji zaobserwował po raz pierwszy niemiecki inżynier Franz von Baader w 1792 r. W 1888 r. Amerykanin Charles E. Monroe przypadkowo odkrył ten efekt, detonując na płytce metalu kostkę materiału wybuchowego z wyciśniętymi literami USN, które w wyraźny sposób wyryły się na metalu. W 1911 r. M. Neuman przeprowadził eksperyment z użyciem dwóch cylindrycznych kostek trotylu, z których jedna o wadze 3100 g miała kształt pełnego walca, w drugiej zaś, o masie 2470 g, znajdował się wydrążony otwór. Krater, który powstał w metalu w miejscu, gdzie była wydrążona kostka, był znacznie głębszy niż w miejscu eksplozji ładunku pełnego. Efekt ten Niemcy wykorzystali po raz pierwszy w czasie wojny domowej w Hiszpanii, jednak na pełną skalę użyli ładunków kumulacyjnych w czasie ataku na belgijską fortecę Eben Emael w maju 1940 r. W okresie późniejszym ładunki kumulacyjne służyły powszechnie do niszczenia czołgów, zastosowane w pociskach wystrzeliwanych z armat oraz granatników przeciwpancernych (bazooka, Panzerfaust) oraz w ręcznych granatach przeciwpancernych.

Student zasalutował i wyszedł z gabinetu. Był zadowolony, że sam Führer powierzył mu to zadanie. Nie mógł jednak zapomnieć o ogromnej odpowiedzialności, jaką go obarczono. Operacja była nadzwyczaj ryzykowna. Szybowce podchodzące do lądowania były niemal całkowicie bezbronne. Co prawda, tuż za kabiną pilota umieszczono stanowisko karabinu maszynowego, ale broń ta była przydatna jedynie do tego, aby opędzać się przed przypadkowo napotkanymi myśliwcami lub, po wylądowaniu, osłaniać żołnierzy biegnących do ataku. Szybowce nie mogły niszczyć stanowisk obrony przeciwlotniczej. Nie mogły też mieć eskorty, gdyż warkot silników myśliwców zaalarmowałby wroga i zniweczył główny atut akcji – zaskoczenie. Jeśli nie uda się zaskoczyć obrońców, oddział lądujący w belgijskim forcie zostanie zdziesiątkowany w ciągu kilkunastu minut.

– Spadła na mnie wielka odpowiedzialność. Rozliczą mnie, jeżeli atak się nie powiedzie – pomyślał, wsiadając do samochodu.

– Na lotnisko – powiedział do kierowcy. Akcja, której nadał kryptonim „Granit", właśnie się rozpoczęła.

Tego samego dnia wieczorem esesman dostarczył do kwatery w Stendal zapieczętowaną skórzaną teczkę. Upierał się, że musi ją oddać generałowi osobiście. Wewnątrz znajdował się pisemny rozkaz ataku na Eben Emael.

Uderzać!

Hitler się śpieszył. Chciał, żeby zwycięskie oddziały Wehrmachtu, wracające po walkach w Polsce, niemalże natychmiast przerzucono na zachód Niemiec, aby uderzyły na Francję. Już wczesnym przedpołudniem 10 października 1939 roku, gdy w Kancelarii Rzeszy jeszcze panowała euforia

Najwyżsi dowódcy Wehrmachtu w gabinecie Adolfa Hitlera

zwycięstwa, nieco sztuczna, gdyż niemieckie społeczeństwo było bardziej rozgoryczone stratą 10 tysięcy żołnierzy niż uradowane podbojem Polski, Hitler wezwał do swojego gabinetu siedmiu najwyższych dowódców Wehrmachtu.

Zniszczona kolumna radzieckich czołgów T-26 na drodze do Wyborga

– Niemcy i państwa Zachodu pozostają wrogami od rozwiązania Pierwszej Niemieckiej Rzeszy w 1648 roku i walka musi trwać w ten sposób lub inny – powiedział, gdy stanęli szerokim kołem pod wielkimi oknami wychodzącymi na piękny ogród. Chciał błysnąć swą wiedzą historyczną, lecz fatalnie się zblamował. Cesarstwo Rzymskie Narodu Niemieckiego, nazywane Pierwszą Rzeszą, zostało zniesione w 1806 roku. Nikt jednak nie odważył się zwrócić uwagi Führerowi, że pomylił daty. Zresztą co innego zaprzątało myśli generałów. Z niepokojem oczekiwali słów, które miały paść. Zapewne znali zamiary, jakie Hitler wyjawił dwa tygodnie wcześniej, w przededniu kapitulacji Warszawy. 27 września 1939 roku o godzinie 17.00 uczynił to podczas rozmowy z Franzem Halderem i Waltherem von Brauchitschem. Halder zanotował w swoim dzienniku jego słowa: „Cel wojny: rzucić Anglię na kolana, rozbić Francję. Największa szansa istnieje na północy; tam też należy podjąć główny wysiłek".

Generałowie zgromadzeni w Kancelarii Rzeszy spodziewali się więc, że wezwano ich, aby ich poinformować, że mają rozpocząć nową wojnę. I to jak najszybciej.

– Naszym celem jest zniszczenie siły i możliwości zachodnich mocarstw, aby nie mogły w przyszłości przeciwdziałać konsolidacji i dalszemu rozwojowi narodu niemieckiego w Europie – mówił Hitler.

Jego zamiarem było wytrącenie broni Francji i jej sojusznikom, aby nie przeszkadzali w jego wielkim planie stworzenia na wschodzie germańskiej krainy dobrobytu i szczęśliwości, jaka miała powstać po podboju przez Niemców europejskiej części Związku Radzieckiego.

Ten kolos na glinianych nogach miał się rozpaść po pierwszym uderzeniu. Niemieccy stratedzy byli o tym przekonani, analiza zaś nieudolnych działań Armii Czerwonej w Polsce we wrześniu 1939 roku i później w Finlandii, na przełomie lat 1939/1940, potwierdziła ich przewidywania. Związek Radziecki miał wielką armię, ale pozbawioną dowódców, którzy w latach 1937–1938 zostali straceni, uwięzieni lub wydaleni z wojska na rozkaz Stalina, obawiającego się, że zagrożą jego władzy. Nowi, którzy objęli dowództwo dywizjami, nie mieli wykształcenia ani doświadczenia koniecznego do kierowania tysiącami ludzi. Musieli uczyć się w walce, jak to określił marszałek Boris Szaposznikow*, szef Sztabu Generalnego Armii Czerwonej, a to kosztowało ogromnie wiele ofiar. Wojna z maleńką Finlandią, w którą Rosjanie zaangażowali ogromne siły (średnia liczebność radzieckich wojsk każdego miesiąca od grudnia 1939 roku do marca 1940 roku wynosiła 848 570 żołnierzy wobec 400 tys. żołnierzy, jakimi dysponowały wszystkie wojska fińskie), przyniosła im zwycięstwo, ale dopiero po trzech i pół miesiąca zażartych walk, w których stracili 333 084 żołnierzy zabitych, rannych, zaginionych, wobec fińskich 24 923 żołnierzy zabitych i 43 557 rannych. Było więc oczywiste, że radzieckie dywizje niezdolne są do skutecznych działań, a zaatakowane przez wojska niemieckie, świetnie wyszkolone, wyposażone i zahartowane w walkach, o wysokim morale, jakie powstaje w zwycięskich bitwach, muszą ponieść klęskę.

Boris Szaposznikow

Po opanowaniu europejskiej części Związku Radzieckiego i zagarnięciu nieprzebranych bogactw, jakie kryły te ziemie, oraz zniewoleniu kilkudziesięciu milionów ludzi, Niemcy bardzo szybko miały rozbudować swoją potęgę militarną i gospodarczą. W swoim manifeście politycznym, „Mein Kampf", Hitler pisał: „Niemcy, raz uwolnione od śmiertelnych wrogów swego istnienia i przyszłości [tj. bolszewików – BW], posiadłyby siłę, której świat nie mógłby już nigdy zdławić". Rządy mocarstw europejskich zdawały sobie z tego sprawę. Kolonialne apetyty Niemiec były dobrze znane i należało się spodziewać, że po podboju Związku Radzieckiego wojska niemieckie ruszą po kolonie w Azji i Afryce. Hitler musiał więc brać pod uwagę, że Francja, której szczególnie nienawidził, i Wielka Brytania nie dopuszczą do takiego wzrostu potęgi swego największego wroga. Było dla niego oczywiste, że gdy niemieckie dywizje przekroczą Bug, mocarstwa demokratyczne zawrą sojusz ze Związkiem Radzieckim i uderzą na Niemcy od zachodu. Dlatego był zdecydowany rozbroić Francję, po której upadku chciał szybko usunąć zagrożenie, jakim dla Trzeciej Rzeszy pozostawałaby Wielka Brytania, proponując Londynowi sojusz. Spodziewał się, że osamotniona Brytania, nie mając wystarczających sił

---

* **Boris Szaposznikow** (1882–1945), marszałek ZSRR, szef Sztabu Generalnego Armii Czerwonej w latach 1928–1931 i 1937–1940, kierował opracowaniem planów agresji na Polskę 17 września 1939 r. i Finlandię w listopadzie tego roku. W wyniku kompromitujących go działań Armii Czerwonej w walkach z Finami został odwołany ze stanowiska w sierpniu 1940 r. i przeniesiony na stanowisko zastępcy komisarza obrony. W czerwcu 1941 r. ponownie został szefem Sztabu Generalnego i członkiem Kwatery Głównej – Stawki. W maju 1942 r. ustąpił z tych stanowisk ze względu na zły stan zdrowia. W czerwcu 1943 r. objął stanowisko dowódcy Akademii Wojskowej im. M. Frunzego, które sprawował do śmierci.

Junkers Ju 87 Stuka oraz zagony pancerne – główna broń wojny błyskawicznej w 1940 roku

lądowych, aby wygrać z Wehrmachtem, pozbawiona francuskich przyczółków, zagrożona niemieckimi nalotami, będzie musiała przyjąć hojną ofertę przymierza.

– Czas pracuje na korzyść wrogów Niemiec – przekonywał Hitler oficerów zgromadzonych w jego gabinecie. – Wielka Brytania i Francja unowocześniają przemysł zbrojeniowy, co następuje szczególnie szybko, gdyż mocarstwa kolonialne mogą sprowadzać niezbędne surowce ze swoich posiadłości na całym świecie. Niemieckie zaś źródła są ograniczone, a główny ośrodek produkcji zbrojeniowej – Zagłębie Ruhry – jest bardzo podatny na ataki powietrzne lub ostrzał ciężkiej artylerii. Musimy uniknąć błędu wojny pozycyjnej z lat 1914–1918. Uderzenie musimy oprzeć na nowej taktyce działania wojsk lotniczych i pancernych, rozwiniętej w Polsce.

Oficerowie podzielali tę opinię, jednak niepokoiła ich perspektywa podjęcia działań wojennych zbyt wcześnie, zanim Wehrmacht nie wyleczy się z ran, jakie odniósł w Polsce. A były one głębokie. Niemcy stracili 10 572 zabitych, 30 322 rannych i 3409 zaginionych, około tysiąca czołgów i samochodów pancernych, 370 dział i moździerzy oraz około 600 samolotów. Takie liczby podał Hitler w czasie swego przemówienia w Reichstagu 30 września 1939 roku, a nie można wykluczyć, że straty były jeszcze większe. Przystępując do walki na zachodzie Europy, dowódcy musieli się liczyć, że przyjdzie im przełamywać obronę wojsk o wiele silniejszych niż w Polsce. Uważali, że muszą być lepiej przygotowani. Żaden jednak nie odważył się zaprotestować, gdy usłyszeli:

– Atak nie powinien nastąpić zbyt wcześnie. Powinien mieć miejsce, zważając na wszystkie okoliczności i możliwości, tej jesieni.

Hitler się śpieszył. Wiedział, że strategia działania jego wojsk przestała być już jego tajną bronią, a zastosowana na polach bitewnych w Polsce, stała się znana mocarstwom zachodnim. Mogły ją skopiować tym łatwiej, że dysponowały odpowiednim potencjałem gospodarczym i militarnym. Mogły też, analizując przebieg działań wojennych, wypracować odpowiednie metody, pozbawiające wojska niemieckie przewagi, jaką dawała im doktryna wojny błyskawicznej.

Doktryna ta opierała się na prostej zasadzie jedności – *Einheit*. Czołgi, jako najsilniejsza broń przełamująca opór wroga, były tylko częścią polowej machiny, w której działanie wszystkich elementów: piechoty, saperów, artylerii, lotnictwa, było skoordynowane do najniższego szczebla. Dowódca batalionu czołgów mógł wesprzeć atak swoich trzech kompanii podobną liczbą kompanii piechoty, oddziałem szturmowym saperów, niszczących przeszkody terenowe i torujących drogę wśród pól minowych, baterią dział przeciwlotniczych, a także wezwać na pomoc artylerię i samoloty nurkujące, osłaniane przez myśliwce.

Przed uderzeniem czołgów trzeba było spełnić kilka warunków, od których zależało zwycięstwo w walce. Podstawowym było szybkie przerzucenie wojsk z rejonów wyjściowych do rejonów koncentracji na niewielkim odcinku frontu. Od tempa i sprawności wykonania tego zadania zależało zaskoczenie, które mogło zadecydować o zwycięstwie. Atak prowadzono z użyciem przeważających sił, działających brutalnie, mających jedyny cel: dokonać wyłomu w linii obrony nieprzyjaciela. Gdy oddziały pierwszego rzutu wdarły się w głąb obrony, dołączały do nich kolejne oddziały, aby podtrzymać tempo i siłę uderzenia oraz umocnić zdobyte pozycje.

Hitler zdawał sobie sprawę z tego, że zachodnie wywiady i oficerowie uważnie śledzili przebieg inwazji na Polskę i sposób działania wojsk niemieckich. Na przykład pułkownik Charles de Gaulle*, późniejszy pre-

Charles de Gaulle

---

* **Charles de Gaulle** (1890–1970), oficer i polityk francuski, żołnierz I wojny światowej, późniejszy wybitny mąż stanu. W książce pt. „W stronę armii zawodowej" (1934 r.) wyłożył swoje poglądy na temat funkcjonowania i kształtu armii francuskiej; przeciwstawiał się w niej dominującej koncepcji obrony na linii Maginota, ale nie znalazł zrozumienia u władz politycznych ani wojskowych Francji. W dniu wybuchu II wojny światowej był dowódcą jednostek pancernych 5 armii. W styczniu 1940 r. rozesłał do przedstawicieli władz memorandum, w którym przedstawił swoje wnioski z analizy

Char B1-bis. W maju 1940 r. armia francuska dysponowała 384 czołgami B1 i B1-bis. Załoga 4 osoby, silnik Renault o mocy 180 KM, ciężar 32 t, pancerz do 60 mm, uzbrojenie 2 działa kal. 75 mm i kal. 47 mm, 2 karabiny maszynowe kal. 7,5 mm, maks. prędkość 27 km/h

zydent Francji, sporządził szczegółowy raport na temat charakteru polskiej kampanii i rozesłał jego kopie do 80 przedstawicieli rządu i partii politycznych. Było więc oczywiste, że władze Francji i Wielkiej Brytanii zechcą wyciągnąć wnioski z przebiegu walk wrześniowych i skorzystają z niemieckich wzorów, które sprawdziły się w bojowych warunkach. Jednakże raport pułkownika de Gaulle'a nie spotkał się z zainteresowaniem francuskich władz wojskowych. Najwyżsi dowódcy, którzy zdobywali doświadczenie bojowe na polach bitewnych I wojny światowej, dobrze wiedzieli, jak ogromne ofiary pochłaniała ofensywa: w sierpniu i wrześniu 1914 roku w Ardenach, Alzacji i nad Marną zginęło 110 tysięcy żołnierzy francuskich, a 275 tysięcy odniosło rany. Pamiętali, jak straszne żniwo zbierały karabiny maszynowe i ciężkie działa pod Verdun i nad Sommą. Zapewne dlatego francuski Sztab Generalny był przeniknięty duchem obrony, który stał się wojskową religią po wybudowaniu linii Maginota. Świadomość, że wzdłuż granicy z Niemcami powstał system umocnień odpor-

przebiegu działań wojennych w Polsce. 11 maja 1940 r. objął dowodzenie formującą się 4 dywizją pancerną i kilka dni później został mianowany (tymczasowo) generałem brygady. 5 czerwca wszedł do rządu jako Podsekretarz Stanu ds. Obrony. 17 czerwca 1940 r. wyjechał do Londynu, skąd wygłosił apel o kontynuowanie walki. Wkrótce zaczął tworzyć wojsko Wolnej Francji. W czerwcu 1943 r. stanął na czele (obok gen. Giraud) Francuskiego Komitetu Wyzwolenia Narodowego (CFLN) w Algierze. Rok później, po przekształceniu Komitetu w Tymczasowy Rząd Republiki Francuskiej, objął urząd premiera. W 1945 r. został wybrany przez Zgromadzenie Konstytucyjne szefem rządu tymczasowego, ale zrezygnował z tego stanowiska w styczniu 1946 r. W 1958 r. powrócił do czynnego życia politycznego początkowo jako premier, a 8 stycznia 1958 r. jako prezydent Francji. Zrezygnował 28 kwietnia 1969 r. w wyniku niepomyślnego dla niego wyniku referendum dotyczącego reorganizacji administracji i senatu.

nych na wybuchy najcięższych bomb i pocisków, który na wiele tygodni zatrzyma i wykrwawi atakujące oddziały wroga, zniszczył wolę walki francuskiej armii. Zbudowano go w celu obrony. Francuskie czołgi, wielkie i ciężkie, silnie opancerzone i uzbrojone w działa dużego kalibru, poruszały się wolno i miały niewielki zasięg. Obrona nie potrzebowała innych maszyn. Na przykład czołg *B1-bis*, wielki, uzbrojony w haubicę kal. 75 mm, działo kal. 47 mm i dwa karabiny maszynowe, czym przewyższał wszystkie niemieckie czołgi tamtego czasu, mógł pokonać tylko 140 km i to po bitej drodze; w terenie, gdy gąsienice grzęzły w piachu lub miękkim gruncie, zasięg tych kolosów zmniejszał się do kilkudziesięciu kilometrów. Można by sądzić, że to ciężar przekraczający 32 tony tak bardzo ograniczał możliwości tych czołgów. Tak bez wątpienia było: ważący 12 ton Hotchkiss *H-39* mógł przejechać niewiele więcej – 150 km. Ale dla porównania, niemieckie lekkie czołgi *PzKpfw II Ausf. D* i *E* mogły pokonać dystans o 50 km większy, *PzKpfw 38(t) Ausf. B*, *C* i *D* miały zasięg 250 km, a *PzKpfw IV Ausf. D*, ważący 20 ton, przejeżdżał 200 km bez uzupełniania paliwa.

We francuskich czołgach, projektowanych głównie z myślą o obronie, wprowadzono jeszcze jedno rozwiązanie, które okazało się tragiczne dla ich załóg na polu bitwy: jednoosobowe wieżyczki. Zasiadał tam dowódca czołgu, który równocześnie był ładowniczym i celowniczym działa. Gdy czołg skryty między drzewami czekał na pojawienie się pojazdów wroga, dowódcy nie przeszkadzało, że musiał wykonywać parę funkcji. Jednak na polu bitewnym jeden człowiek nie mógł obserwować terenu, wydawać rozkazów załodze, ładować dział, wyszukiwać celu, śledzić i strzelać do niego. To rozwiązanie konstrukcyjne francuskich czołgów uniemożliwiało im skuteczne działanie.

Francuscy najwyżsi dowódcy generałowie Maurice Gamelin, Alphonse Georges, marszałek Philippe Pétain, bohaterowie I wojny światowej, nie chcieli zmienić swoich poglądów na sposób prowadzenia wojny. Ich czas zatrzymał się pod Verdun.

Jednak mieli powody do optymizmu. Siły po obu stronach granicy były wyrównane, a w wielu dziedzinach przodowali alianci.

Francuzi mogli wystawić 100 dywizji, Belgowie – 22, Holendrzy – 10, Brytyjczycy – 10; łącznie 142 dywizje, podczas gdy Niemcy mieli ich 157, z których do walki skierowali 128. Gdyby więc decydowała tylko liczba dywizji, wygraliby alianci. Ale podstawowe znaczenie miała ich siła bojowa i zdolności dowódców, a w tej dziedzinie alianci nie mogli się równać z Wehrmachtem, skonsolidowanym i doświadczonym w bojach w Polsce. Wojska aliantów były podzielone i nie umiały współdziałać. Belgowie gotowi byli podjąć współpracę z Francuzami dopiero po przekroczeniu przez Niemców granicy ich kraju. Brytyjczycy 4 września 1939 roku wysłali do Francji pierwsze oddziały Armii Terytorialnej, a więc rezerwowe, co oznaczało: gorzej wyćwiczone i wyposażone. Od dnia, w którym oddziały te wylądowały we francuskich portach, musiało minąć wiele miesięcy, zanim żołnierze brytyjscy mogli utworzyć formacje zdolne do odegrania jakiejkolwiek roli w wojnie na kontynencie. Alianccy dowódcy mieli nie-

wielkie szanse porozumienia się bez tłumacza, a każdy reprezentował odmienną szkołę wojenną. Jednak czasu na skoordynowanie działań już nie było.

W nadchodzącej wojnie decydującą rolę miały odegrać czołgi, a siły pancerne po obu stronach frontu były wyrównane tak pod względem liczebności, jak i jakości. Niemcy mogli rzucić do walki 3465 czołgów, z których około 1/3 miała działa kal. 37 mm i 75 mm. Alianci wystawiali do boju około 3500 czołgów, o grubszym pancerzu i silniej uzbrojonych, ale wolniejszych i dysponujących mniejszym zasięgiem działania. Jednak i w tej dziedzinie, mimo liczebnej równości, Niemcy górowali. Siłą ich wojsk pancernych była koncentracja: czołgi sformowano w 10 dywizji. Alianci rozrzucili swoje wozy bojowe po wielu jednostkach. Na przykład armia francuska miała czołgi w trzech

Propaganda i...

...posterunek armii francuskiej na granicy z Niemcami. Październik 1939

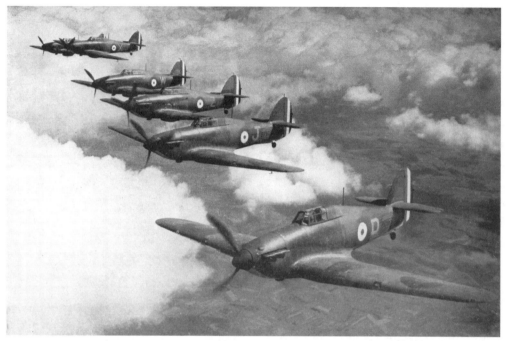

Myśliwce Hawker Hurricane I należące do Advance Air Striking Force nad Francją

dywizjach pancernych (oraz w czwartej w stadium organizacji), trzech dywizjach zmechanizowanych (D.L.M.), pięciu dywizjach kawalerii (D.L.C.), 33 batalionach czołgów i kilkunastu kompaniach. Brytyjczycy przydzielili swoje czołgi do ośmiu pułków kawalerii i dwóch batalionów. Generał Charles Delestraint powiedział: „Mieliśmy ponad trzy tysiące czołgów i tyle mieli Niemcy. Jednak my użyliśmy ich w tysiącu grup po trzy czołgi, podczas gdy Niemcy w trzech grupach po tysiąc czołgów".

Za to na niebie panowała Luftwaffe, która pod każdym względem miała przewagę nad aliantami. Niemcy mogli rzucić do walki około 3950 samolotów, w tym 1120 bombowców, 340 bombowców nurkujących *Ju 87 Stuka*, 860 myśliwców Messerschmitt *Bf 109* i 110 dwusilnikowych Messerschmitt *Bf 110*. Wszystkie te samoloty były nowoczesne, szybkie, dobrze uzbrojone, świetnie przygotowane do odegrania roli, jaką im wyznaczała doktryna wojny błyskawicznej.

Francuskie siły powietrzne, Armée de l'Air, dysponowały 1375 samolotami bojowymi, wśród których było 740 nowoczesnych myśliwców i zaledwie 140 lekkich i średnich bombowców, które z powodzeniem mogły atakować niemieckie kolumny pancerne. Cięższe bombowce, przestarzałe, zabierające mało bomb, nie mogły odegrać żadnej roli w walkach, a ze względu na niewielką prędkość i słabe uzbrojenie obronne stanowiły łatwy łup dla niemieckich myśliwców. Sytuację pogarszał niesprawny system do-

31

Blok piechoty i tunele grupy warownej Four-a-Chaux linii Maginota w rejonie Strasburga (zdjęcia autora)

wodzenia i niechęć wyższych dowódców lotnictwa do współdziałania z wojskami lądowymi.

Brytyjskie siły powietrzne RAF dysponowały 1873 samolotami, z których 416 przerzucono do Francji do maja 1940 roku. Wśród nich były tylko dwie eskadry nowoczesnych myśliwców *Hurricane*. Resztę stanowiły przestarzałe dwupłaty Gloster *Gladiator*, samoloty łącznikowe i rozpoznawcze Westland *Lysander* oraz średnie bombowce *Battle I* oraz *Blenheim IV*, które w późniejszych walkach poniosły ogromne straty. Oczywiście brytyjskie jednostki bazujące we Francji mogły liczyć na wsparcie ze strony ponad 1400 samolotów, jakie pozostały na wyspach, jednak dowodzący brytyjskim lotnictwem myśliwskim generał Hugh Dowding ani myślał pozbywać się najlepszych samolotów, przekonany, że we Francji zostaną stracone i zabraknie ich, gdy trzeba będzie bronić angielskich baz, zakładów i miast przed bombowcami Luftwaffe. Dlatego skutecznie torpedował projekty zwiększenia liczebności ekspedycyjnych sił powietrznych.

Do walki gotowe były wojska lotnicze Holandii – 175 samolotów, wśród których były 72 nowoczesne myśliwce i bombowce, oraz Belgii – 90 samolotów myśliwskich, 12 bombowych i 120 rozpoznawczych, ale tylko 50 z nich można było uznać za dość nowoczesne.

Mając przewagę w powietrzu, Hitler był pewny, że szybko wygra wojnę na Zachodzie. Na przykładzie Polski przekonał się, jak skuteczną bronią są samoloty, a zwłaszcza bombowce nurkujące, celnie uderzające na wrogie punkty oporu, paraliżujące ruch jednostek nieprzyjaciela, wspierające uderzenia oddziałów pancernych.

Jednak na drodze do Francji piętrzyły się potężne umocnienia linii Maginota*, którą Francuzi budowali przez cztery lata, aby nigdy nie powtórzyła się tragedia I wojny światowej, gdy z 8410 tys. francuskich żołnierzy powołanych pod broń w latach 1914–1918 zginęło 1375 tys., odniosło rany 4266 tys., w gruzach legły setki wsi i miast, a setki tysięcy ludzi zmarły z głodu i chorób. A przecież właśnie tamta wojna udowodniła, że żadna twierdza nie wytrzyma zmasowanego ognia artyleryjskiego dłużej niż kilka dni. Tylko trzy twierdze: Verdun, Osowiec i Przemyśl broniły się ponad dwa tygodnie. Inne, Douaumont, Vaux, forty Namur poddawały się po kilkudniowym oblężeniu. Ich mury, zbudowane w połowie XIX wieku z cegły lub kamienia spajanego cementową zaprawą, pękały pod ciężkimi pociskami, a załoga psychicznie nie wytrzymywała huku, braku snu, strachu przed zawaleniem się sklepień, zamknięcia w ciasnych kazamatach. Mimo takich doświadczeń, w okresie międzywojennym moda na bunkry opanowała wszystkie kraje Europy. W Belgii, Holandii, Grecji, Finlandii, Związku Radzieckim, Czechosłowacji, Niemczech, Polsce – wszędzie wyrastały masywy betonowych bunkrów, mocno wkopanych w ziemię, wystawiających na zewnątrz działa i karabiny maszynowe, osadzone w pancernych płytach nie do przebicia. Osłonięte polami minowymi, zaporami przeciwczołgowymi, wspierające się nawzajem ogniem, wy-

---

* **Linia Maginota** – system umocnień rozciągający się wzdłuż granicy francusko-niemieckiej (od Szwajcarii do Belgii) na przestrzeni 450 km, wybudowany w latach 1929–1934 według koncepcji ministra obrony André Maginota (1877–1932). Podstawą obrony były grupy warowne (małe, średnie i duże). Trzonem typowej średniej grupy była betonowa budowla ukryta na głębokości 15–25 m pod ziemią, zawierająca wszystkie urządzenia niezbędne do życia i samodzielnej walki załogi liczącej 800–1000 żołnierzy (koszary, kuchnie, łazienki, sale chorych, sale operacyjne). Obronę zapewniały tzw. bloki bojowe piechoty, wyposażone w ciężkie karabiny maszynowe, granatniki lub działka przeciwpancerne kal. 25 mm, oraz tzw. bloki artyleryjskie z wysuwanymi wieżami pancernymi z działami kal. 75 mm lub haubicami kal. 135 mm. Dostępu do nich broniły zapory przeciwpiechotne i przeciwczołgowe. Na całej linii Maginota wybudowano 5800 schronów. W 1940 r. wojska niemieckie nie uderzyły na linię Maginota, lecz obeszły tę potężną zaporę i skierowały się na znacznie słabiej ufortyfikowaną granicę francusko--belgijską. W czerwcu wojska Grupy Armii „C" przedarły się przez odcinek linii Maginota, a oddziały Grupy Armii „A" i „B" wyszły na jej tyły. Niemcom nie udało się jednak zdobyć żadnej z grup warownych. Ostatni obrońcy opuścili obiekty fortyfikacyjne dopiero 1 lipca 1940 r., a więc 8 dni po zawieszeniu broni.

Król Leopold III na manewrach belgijskiej armii w 1936 roku

dawały się nadzwyczaj trudną przeszkodą dla wojsk wroga. Władze francuskie, ze względu na pamięć nieszczęść, jakich nie szczędziła tamta wojna, zdecydowały się na wydanie bajońskich kwot na stworzenie systemu umocnień. Za takimi posunięciami kryła się kalkulacja kosztów jego budowy i kosztów jego zniszczenia. Otóż zdobycie bunkra było bardziej kosztowne niż jego zbudowanie. Obliczano, że do zniszczenia żelbetowego obiektu o grubości ścian i stropu wynoszącej 2 metry atakujący musi wystrzelić 600 pocisków kal. 150 mm, na co musi wydać 9 tys. dolarów. Wzniesienie zaś tej budowli było niemalże dwukrotnie tańsze, gdyż wynosiło 5 tys. dolarów. Co ważniejsze, oblężenie musiało trwać kilkanaście dni, które dla zaatakowanego kraju było wystarczającym okresem do zmobilizowania wojsk, przerzucenia ich do zagrożonych rejonów i zaatakowania wroga, już wykrwawionego i osłabionego długotrwałymi atakami na żelbetowe bastiony. Takie zadanie rząd francuski postawił przed linią Maginota, pasem umocnień ciągnącym się wzdłuż całej granicy z Niemcami, od Szwajcarii do Belgii. Wydawało się logiczne, że Francuzi nie marnowali pieniędzy na fortyfikowanie granicy ze Szwajcarią. Dla armii niemieckich przejście tamtędy nie byłoby łatwe ani szybkie. Ten niewielki kraj, liczący 4 miliony obywateli, postawił pod bronią 450 tys. żołnierzy, dla których przygotowano dobrze ukryte w górach magazyny broni, amunicji, żywności. Przedarcie się niemieckich dywizji przez środkową, górzystą część kraju, nazwaną „Redutą" z racji znajdujących się tam licznych fortyfikacji, zaminowanych tuneli, dobrze usytuowanych gniazd oporu, przyniosłoby większe straty niż sforsowanie linii Maginota. Dlaczego jednak Francja nie zdecydowała się przedłużyć umocnień linii do Morza Północnego, aby uzyskać w ten sposób pewność, że nie powtórzy się rok 1914, gdy wojska niemieckie wdarły się do Francji przez Belgię? Stało się tak z kilku powodów.

Od 1920 roku Francję i Belgię łączyła konwencja wojskowa, przewidująca współdziałanie ich wojsk na wypadek konfliktu z Niemcami. W tej sytuacji rząd francuski popełniłby niewybaczalny błąd, oddzielając się od Belgii łańcuchem potężnych umocnień, gdyż taka decyzja niewątpliwie doprowadziłaby do zaognienia stosunków między sojusznikami, dałaby mocne argumenty ludności flamandzkiej, niechętnej Francuzom, i mogłaby spowodować zbliżenie Belgii z Niemcami. Jednak rząd francuski nie przewidywał zmian, jakie zaszły w Niemczech w latach trzydziestych, kiedy do władzy doszedł Adolf Hitler, który wkrótce rozpoczął zbrojenia. Zagrożenie, jakie stwarzał ten fakt dla Belgii, stało się znakomitym pretekstem dla ugrupowań neutralistycznych, które zażądały rozluźnienia związków wojskowych z Francją. Im bardziej Niemcy się zbroiły, tym częściej w Belgii podnosiły się głosy przeciwników sojuszu z zachodnim sąsiadem. Protesty były tak silne, że 28 października 1936 roku parlament belgijski zatwierdził rządową deklarację neutralności. Sztab Generalny opracował nowy plan obrony, który przewidywał, że gdy wojska francuskie wkroczą na terytorium Belgii, zanim zrobią to Niemcy, wojska belgijskie uderzą na byłego sojusznika. Ta determinacja narastała w miarę, jak zaogniała się sytuacja w Europie. Kilka miesięcy po wkroczeniu wojsk niemieckich do Austrii, co nastąpiło w kwietniu 1938 roku, wojska belgijskie przeprowadziły w rejonie Spa manewry skierowane przeciwko Francji. 27 września 1938 roku, w szczytowym okresie kryzysu czechosłowackiego, Belgowie skoncentrowali przeciwko Francji 11 dywizji i zmotoryzowany korpus kawalerii. Dla Francji było już za późno, aby rozpoczynać budowę umocnień wzdłuż granicy z Belgią, a ponadto w dalszym ciągu uważano to za błąd polityczny. Sytuacja nie była jednak tak trudna, jak można się było spodziewać. Rząd premiera Huberta Pierlota zareagował na wybuch II wojny światowej serią oświadczeń podkreślających determinację obrony granic państwa. Już 25 sierpnia 1939 roku zarządził mobilizację i do maja 1940 roku wojska lądowe osiągnęły liczebność 650 000 żołnierzy, co stanowiło dość znaczną siłę zważywszy, że ludność Belgii wynosiła 8,2 miliona obywateli. Jednak armia belgijska miała tylko 10 czołgów, mało dział przeciwlotniczych i przeciwpancernych. Lotnictwo dysponowało 90 samolotami myśliwskimi, 12 samolotami bombowymi i 120 samolotami rozpoznawczymi, ale tylko 50 z nich można było uznać za dość nowoczesne. Nie było to dużo, choć mogło wystarczyć do opóźnienia pochodu wojsk niemieckich, tym bardziej że musiałyby one forsować kanały i rzeki pozbawione mostów, zniszczonych przed nadejściem nieprzyjaciela. Belgowie liczyli też na swoje forty, gęsto opasujące główne miasta, strzegące głównych szlaków wodnych i drogowych. Były one wystarczająco silne, aby zatrzymać wroga do czasu nadejścia posiłków francuskich i brytyjskich. Nie musiałyby się długo bronić. Wystarczyłoby sześć dni. Twierdzy

Eben Emael, obleganej w klasyczny sposób, nawet z użyciem najcięższych dział kolejowych i bombowców nie można było zdobyć w ciągu tygodnia. W ogóle nie można jej było zdobyć.

Forteca

Osobowy samochód zjechał z brukowanej drogi prowadzącej do mostu w Kanne na wysoki wał ziemny, ciągnący się nad Kanałem Alberta. Trakt na jego grzbiecie nie był utwardzony, więc kierowca jechał powoli, starając się omijać największe kałuże, spowodowane ulewnym deszczem. Zatrzymał się po kilkuset metrach, gdy drogę zagrodziły kozły z rozpiętymi drutami kolczastymi. Major Jean Fritz Lucien Jottrand wyłączył silnik. Wycieraczki znieruchomiały i szyba natychmiast pokryła się kroplami wody.

– Cholerny listopad – Jottrand zapiął dokładnie pelerynę i gdy tylko wysiadł z samochodu, nasunął kaptur, aby ochronić czapkę przed strugami zimnego deszczu. Zza nasypu wyłonił się żołnierz, który na widok dowódcy wyprężył się i zaczął składać meldunek:

– Sierżant Pirenne, dowódca posterunku Kanne, na czas jednodniowej nieobecności podporucznika Bruyere...

– Dziękuję, sierżancie – przerwał mu zniecierpliwiony Jottrand. Wyminął żołnierza i po drewnianych płytach udał się w stronę stanowiska obłożone-

Kadra oficerska fortu Eben Emael; trzeci od lewej siedzi mjr Jottrand

Skalna ściana nad Kanałem Alberta kryjąca tunele i bunkry Eben Emael. W głębi most w Kanne (zdjęcie autora)

go workami z piaskiem, nad którym rozciągnięto brezentową płachtę, chroniącą załogę przed deszczem. Wszyscy stali na baczność, wyprostowani, tak jak im na to pozwalała wysokość prowizorycznego daszku.

– Dajcie „spocznij", sierżancie – Jottrand zwrócił się do żołnierza, który postępował za nim jak cień. Rozejrzał się dookoła. – Na zimę trzeba pomyśleć o czymś porządniejszym, bo nie będziecie chcieli wychodzić poza tunele fortu.

Żołnierze wybuchnęli śmiechem, gdyż nie wypadało inaczej skwitować żartu dowódcy. Ten podszedł do szczeliny między brezentem a workami i rozejrzał się po terenie, sprawdzając, czy żołnierze wykonali polecenia z poprzedniej inspekcji i wycięli krzaki zasłaniające widok na kanał. Major Jottrand, szczupły wysoki Flamand, potrafił być bezwzględny, gdy ktokolwiek odważył się zignorować jego polecenie. Mówiono, że zależy mu na awansie, a stanowisko dowódcy fortu traktował jako niespodziewaną okazję do dalszej kariery. Przepisy wymagały, aby na czele fortecznego garnizonu, który miał liczyć 1200 żołnierzy, stał oficer w stopniu podpułkownika. Dlatego major Jottrand dbał, żeby przełożeni docenili jego zasługi i szybko naprawili błąd w obsadzie stanowiska dowódcy, awansując go. Nie bez powodu żołnierze posterunku przy moście obserwowali go z niepokojem. Tym razem sprawdzian wypadł dobrze. Nic nie zasłaniało widoczności drugiego brzegu, gdzie za ścianą deszczu ukazywały się czerwone dachy domków w Kanne. Droga między nimi zakręcała łagodnym łukiem, a dalej można było dostrzec rozległe łąki, ciągnące się aż do Mozy. Wróg nie mógł podejść nie zauważony. Z odległości wielu kilometrów można było w razie czego dostrzec spaliny i kurz wzbijany przez pojazdy niemieckie. Załoga posterunku będzie miała wystarczająco dużo czasu na wykonanie rozkazu.

Jottrand odwrócił się zadowolony i podniósł słuchawkę telefonu stojącego na ławce. Zakręcił korbką i czekał chwilę na połączenie z centralą fortu.

– Major Jottrand na inspekcji, sprawdzam łączność – powiedział i odłożył słuchawkę.

– Co byście zrobili sierżancie, gdyby nie można było nawiązać łączności, a tam za zakrętem dostrzeglibyście niemieckich żołnierzy?

– Strzelalibyśmy, panie majorze! – sierżant wskazał głową na Hotchkissa na trójnogu, z którego boku spływała taśma z dobrze naoliwionymi nabojami.

– A gdyby to były czołgi i nie moglibyście ich zatrzymać przed mostem?

– Czekałbym na rozkaz, panie majorze!

– A gdyby łączność została zerwana?

Sierżant obejrzał się bezradnie na żołnierzy. Nie do niego należało wydawanie tu rozkazów. Zastępował tylko dowódcę.

– Rozkaz wydaje dowódca posterunku, podporucznik Bruyere, akurat nieobecny z racji urlopu, panie majorze! – uśmiechnął się zadowolony, że wybrnął z opresji.

– No właśnie, nie ma go, to wy dowodzicie! Co byście zrobili?

– Uruchomilibyśmy zapalnik! – wykrzyknął sierżant.

Major odwrócił się i odsunął skrzynkę, za którą stał pomalowany na czerwono aparat zapłonowy. Wystarczyło doczepić druty, wyciągnąć uchwyt wysoko i gwałtownie go opuścić, aby dynamo wewnątrz skrzynki wytworzyło iskrę.

– Dobrze, sierżancie. Za dobry stan posterunku dostajecie pochwałę – major zasalutował, naciągnął kaptur i wyszedł na wał. Z dala widać było wysokie przęsła mostu. W kilku miejscach założono ładunki, których wybuch miał spowodować załamanie się głównego przęsła. On, dowódca twierdzy Eben Emael, był odpowiedzialny za zniszczenie tego mostu oraz Petit Lanaye, a także śluz kanału w Lanaye. Wiedział, że inny oficer, dyżurujący w koszarach w Lanaeken odpowiada za wysadzenie mostów Vroenhoven i Veltwezelt. Niemcy tędy nie przejdą.

Deszcz przestał padać, więc Jottrand raźniejszym krokiem ruszył do samochodu. Tego popołudnia chciał jeszcze sprawdzić inne posterunki.

Budowę kanału, który miał połączyć Mozę z północnymi portami belgijskimi, rozpoczęto w 1927 roku i było to przedsięwzięcie na miarę Kanału Sueskiego. Na lewym brzegu Mozy teren wznosił się gwałtownie i budowniczowie musieli przeciąć wapienne skały piętrzące się na wysokość kilkudziesięciu metrów. Wykonali to zadanie w ciągu dwóch lat. Wysoka ściana na lewym brzegu wydawała się doskonałym miejscem na wbudowanie w nią bunkrów i schronów fortu, który broniłby dostępu do zachodniej i północnej części Belgii wojskom nadciągającym ze wschodu. Belgowie dobrze pamiętali, że w tym rejonie 4 sierpnia 1914 roku przeszła 1 armia dowodzona przez generała von Klucka, która, nie mając na swoim szlaku takiej przeszkody, szybko doszła do Brukseli. Ta droga miała raz na zawsze zostać zamknięta przed najeźdźcami.

OBIEKTY FORTU EBEN EMAEL
ROZPOZNANE PRZEZ NIEMIECKI WYWIAD

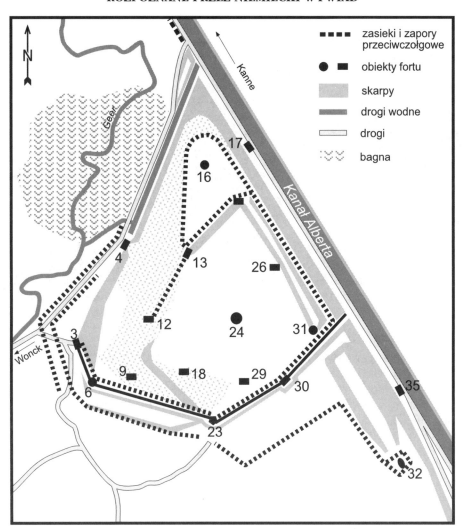

3 – blok wjazdowy z karabinami maszynowymi i działem przeciwpancernym kal.
60 mm
4 – bunkier na skarpie przeciwczołgowej
6 – bunkier
9 – „Visé 2”
12 – „Maastricht 1”
13 – bunkier z karabinami maszynowymi
16 – bunkier
17 – bunkier nad Kanałem Alberta, nazywany „Canal Sud”
18 – „Maastricht 2”

23 – kopuła pancerna z działami kal.
75 mm („Coupole Sud”)
24 – kopuła pancerna z działami kal. 120 mm
26 – „Visé 1”
29 – stanowiska przeciwlotniczych karabinów maszynowych
30 – bunkier
31 – kopuła pancerna z działami kal.
75 mm („Coupole Nord”)
32 – blok wyjściowy
35 – bunkier nad Kanałem Alberta („Canal
Sud”)

Widok z fortu Eben Emael. Na pierwszym planie kopuła obserwacyjna nad Kanałem Alberta (zdjęcie autora)

W kwietniu 1932 roku ekipy belgijskiego przedsiębiorstwa United Enterprises przystąpiły do drążenia w miękkiej skale tuneli twierdzy. Jednak nie miały dostatecznego doświadczenia, aby poradzić sobie z nadzwyczaj skomplikowanym i trudnym zadaniem, jakim było wybudowanie we wnętrzu góry wielu kilometrów betonowych chodników, koszar, elektrowni, magazynów amunicji, maszyn poruszających pancernymi kopułami. Dlatego belgijska firma wynajęła dwóch podwykonawców: niemieckie firmy „Hochtief" z Essen i „Dycherhoff und Widman" z Wiesbaden.

Po trzech latach intensywnych robót powstał fort, który wydawał się nie do zdobycia, nawet gdyby nieprzyjaciel ściągnął najcięższe działa i sprowadził bombowce rzucające najcięższe bomby. Cały kompleks został ukryty 25 metrów pod ziemią. Nie było pocisku, który mógłby się przebić przez tak grubą warstwę wapiennej skały i rozerwać żelbetowy strop o grubości 2,5 metra. Na zewnątrz twierdzy wystawało niewiele, a bunkry i pancerne kopuły ledwo wysunięte nad poziom gruntu były niezwykle trudne do zniszczenia.

Wszystkie obiekty fortu rozplanowano na obszarze przypominającym swoim kształtem grot strzały.

Od wschodu linia fortu biegła wzdłuż Kanału Alberta. Atak z tej strony oznaczał, że napastnicy musieliby pokonać kanał o szerokości 37 metrów, a następnie wspiąć się na pionową ścianę o wysokości 48 metrów i to w ogniu karabinów maszynowych z dwóch bunkrów (nr 17 i 35) wybudowanych nad kanałem, u podnóża ściany. Budowniczowie byli tak pewni, że od tej strony wróg nie będzie atakował, że w połowie wysokości ściany umieścili wylot kanału wentylacyjnego, którędy wpadało powietrze do stacji filtrów.

Od zachodu dostępu broniła fosa zasilana wodą z rzeki Geer. Od południa – czterometrowa skarpa, wzmocniona murem oporowym, na którego szczycie stały bunkry z karabinami (nr 6, 23, 30) maszynowymi i działami przeciwpancernymi. Całość systemu obrony twierdzy uzupełniały pola minowe, zasieki z drutu kolczastego, zapory i skarpy przeciwczołgowe, których nie mógł sforsować żaden pojazd.

Do wnętrza fortu prowadziła tylko jedna droga, biegnąca przez bunkier wjazdowy (nr 3). W wielkiej żelbetowej bryle wystającej na pięć metrów

Wlot do kanału filtrów powietrza (zdjęcie autora)

Blok wejściowy do twierdzy Eben Emael oznaczony na niemieckim planie numerem 3. Z lewej strony bramy strzelnica szybkostrzelnego działa przeciwpancernego kal. 60 mm (zdjęcie autora)

41

ponad gruntem widać było strzelnice karabinów maszynowych i działa przeciwpancernego kal. 60 mm. Na pozór wydawało się, że konstruktorzy

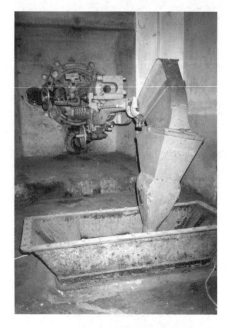

popełnili błąd, zamykając wjazd jedynie ażurową bramą ze stalowych prętów, choć każdy z nich miał grubość męskiego przedramienia. Jednak takie zamknięcie było trudniejsze do zniszczenia. Pocisk przechodził między prętami i eksplodował gdzieś daleko, już na terenie fortu. Gdyby zaś czołgowi udało się przedrzeć przez betonowe kozły blokujące drogę dojazdową, uniknąć pocisków armaty przeciwpancernej i sforsować bramę, nie mógłby pojechać ani metra dalej. Tuż za kratą elektryczne silniki uruchamiały drewniany pomost, który cofając się, ujawniał fosę o głębokości 2,5 i szerokości 6 metrów. Czołg musiałby się zatrzymać przed tą przeszkodą, gdzie zostałby łatwo zniszczony przez obrońców, a jego wrak stałby się dodatkową barykadą.

Stanowisko działa przeciwpancernego w bloku wejściowym. Koryto przy zamku ułatwiało wyrzucanie łusek (zdjęcie autora)

Stanowisko działa kal. 75 mm w bunkrze „Visé 1"; z prawej strony działa podręczny magazyn amunicji. Całe wnętrze wyłożone było stalową blachą chroniącą załogę przed odpryskami betonu, jakie mogły powstać po uderzeniu bomby lub pocisku w ścianę (zdjęcie autora)

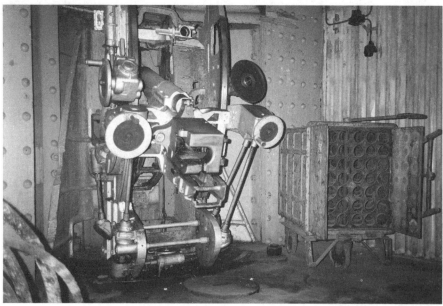

Kopuła pancerna z dwoma działami kal. 120 mm (zdjęcie autora)

Tunel 25 metrów pod ziemią w forcie Eben Emael (zdjęcie autora)

Elektrownia w Eben Emael

Kuchnia fortu Eben Emael

Za bramą teren się wznosił. W zbocza były wbudowane bunkry. Dwa z nich, każdy z trzema działami kal. 75 mm, nazwano „Maastricht 1" (nr 12) i „Maastricht 2" (nr 18) od nazwy miasta na północy, dwa pozostałe „Visé 1" (nr 26) i „Visé 2" (nr 9), od miasta na południu. W kierunku obu tych miast były skierowane lufy. W południowej części fortu ustawiono dwie kopuły pancerne, każdą z dwoma szybkostrzelnymi działami kal. 75 mm (nr 31 i 23). Niewiele wystawały nad betonowe kołnierze, w których były osadzone. To położenie znakomicie chroniło je przed bombami i pociskami artyleryjskimi. Jednak wystarczało kilkanaście sekund, aby wysunęły się na 40 cm nad beton, odsłaniając krótkie lufy.

Ich pociski mogły razić cele odległe o 7 kilometrów, co oznaczało, że w zasięgu dział Eben Emael znalazły się wszystkie mosty na Kanale Alberta i Mozie w tym rejonie.

Pośrodku twierdzy ustawiono kopułę z dwoma działami największego kalibru: 120 mm (nr 24). Pancerna powłoka ważąca 480 ton miała grubość 43 cm i wystawała niespełna metr nad ziemię. Mogła się obracać o 360° i razić cele odległe o 11 kilometrów. Oczywiście można było zainstalować w niej działa większego kalibru, ale rząd belgijski uznał, że byłoby to sprzeczne z neutralną polityką, jaką prowadził, gdyż ich pociski wylatywałyby poza granice Belgii, czyniąc z dział broń ofensywną a nie defensywną.

Przeznaczeniem drugiej baterii była obrona twierdzy. Tworzyły ją dwa bunkry na powierzchni oraz siedem bunkrów na granicy fortu. Wszystkie były uzbrojone w podwójne karabiny maszynowe (łącznie 21), działa przeciwpancerne (łącznie 11) i granatniki.

W tej potężnej twierdzy było tylko jedno stanowisko przeciwlotniczych karabinów maszynowych. Konstruktorzy postanowili nie marnować sił na wznoszenie stanowisk baterii przeznaczonych do zwalczania samolotów. Bo i po co? Bombardowanie twierdzy byłoby tylko marnowaniem bomb, gdyż żadna, nawet najcięższa, nie mogła wyrządzić większych szkód. Poza tym myśliwce belgijskie szybko mogły przepędzić wrogie bombowce. Lądowanie spadochroniarzy na tak małym obszarze było niemożliwe, nie wzniesiono więc żadnych zapór przeciwdesantowych, a wystarczyło wkopać kilkadziesiąt zwykłych słupów telegraficznych. Lądowania szybowców nie spodziewał się nikt. W 1939 roku była to broń prawie nieznana.

Przez bunkier wejściowy prowadziła jedyna droga do podziemnego systemu, który tworzyły tunele o łącznej długości 7 kilometrów, prowadzące do koszar, kuchni i stołówki, magazynów żywności, szpitala, elektrowni, filtrów powietrza, magazynów amunicji, wind, za pomocą których transportowano naboje z magazynów do bunkrów artyleryjskich.

Wdarcie się wroga do tego podziemnego kretowiska było właściwie niemożliwe. Gdyby tak się stało i żołnierze wroga zdołaliby zniszczyć pancerne osłony dział i tamtędy przedostać się do wnętrza, wówczas załoga mogłaby wycofać się na dół, barykadując za sobą drogę.

Zamykano pancerne drzwi między klatką schodową prowadzącą z bunkra do podziemnego tunelu. Następnie wsuwano ustawione poziomo szyny w pionowe prowadnice, pozwalające stworzyć stalową barykadę. Za nimi układano worki z piaskiem, tworząc drugą zaporę o grubości 5 metrów, i znowu, jedna na drugiej, ustawiano szyny. Na koniec zamykano drugie pancerne drzwi. Oczywiście żołnierze wroga, którzy stanęliby przed taką barykadą, mogliby założyć ładunki wybuchowe wystarczająco silne, aby dokonać wyłomu. Jednak w niewielkim pomieszczeniu przed pierwszymi drzwiami pancernymi nie mieliby gdzie się schronić przed wybuchem, a więc musieliby się wycofać po metalowych schodach do bunkra na górze. Wybuch zaś zamieniłby stalową konstrukcję schodów w plątaninę płyt i rur, której nikt nie mógłby pokonać.

Podobne zapory, choć bez pancernych drzwi, czekały gotowe w każdym dłuższym podziemnym korytarzu. Twierdzy Eben Emael nie można było zdobyć.

Porucznik Witzig

– Ruszać się! Szybciej, bo wam jaja pourywam, zanim tam się doczołgacie! – porucznik Rudolf Witzig* kroczył powoli za dwoma żołnierzami, czołgającymi się w błocie spływającym z niewielkiego pagórka. Każdy

Porucznik Rudolf Witzig

z nich posuwał przed sobą ciężką, choć niewielką walizkę. Kilkanaście metrów, jakie dzieliło ich od szczytu pagórka, na którym ustawiono dużą skrzynię z desek, nie wydawało się dystansem nie do przebycia. Jednak przylepna, śliska glina przyklejała walizki do podłoża i przesunięcie ich o kilkanaście centymetrów było trudnym wyczynem. Nogi żołnierzy osuwały się co chwilę, nie natrafiając na twardszy grunt. Przewieszone przez plecy pistolety maszynowe spadały na bok i żołnierze musieli baczyć, aby lufa lub zamek nie ugrzęzły w błocie, za co dowódca groził najsurowszymi karami.

– Macie jeszcze pół minuty, aby tam się znaleźć – porucznik wskazał na szczyt. Nagle nastąpił na but jednego z żołnierzy, wykręcając mu stopę tak mocno, że tamten krzyknął z bólu.

– Zostałeś trafiony w nogę, jesteś ranny, nie możesz się podpierać tą stopą. Jeszcze dwadzieścia pięć sekund!

Obszedł żołnierzy i nastąpił na dłoń drugiego, równie brutalnie.

– Dostałeś w rękę, jest bezwładna. Włóż ją za pasek i posługuj się tylko prawą ręką. Piętnaście sekund – popatrzył na stoper.

---

* **Rudolf Witzig** (ur. 1916), oficer niemiecki, służbę wojskową rozpoczął w 1935 r. w 16 batalionie saperów. 1 sierpnia 1938 r. na własną prośbę został przeniesiony do batalionu spadochronowego. W 1939 r. w stopniu porucznika (Oberleutnant) dowodził batalionem Kocha. Wsławił się podczas akcji na belgijską twierdzę Eben Emael, za co 11 maja został odznaczony Krzyżem Żelaznym, a 16 maja promowany do stopnia kapitana (Hauptman). W 1941 r. na czele 9 kompanii spadochroniarzy walczył na Krecie, gdzie odniósł ciężką ranę. Od maja 1942 r. dowodził batalionem saperów. Od listopada 1942 r. w Tunezji brał udział w walkach z wojskami amerykańskimi. 15 czerwca 1943 r. objął dowodzenie pułkiem spadochronowym, wraz z którym poddał się aliantom zachodnim 8 maja 1945 r.

Ćwiczą spadochroniarze z oddziału „Granit "

– Wstawać, bydlaki! – krzyknął, gdy minął wyznaczony czas, a żołnierzom nie udało się dotrzeć do celu.

Podnieśli się. Oblepieni błotem, nieludzko zmęczeni, usiłowali stanąć na baczność.

– Nie wykonaliście rozkazu! Świńskie ryje! Wasi koledzy przez to zginęli! Po capstrzyku zgłosić się do mnie ze szczoteczkami do zębów.

Wiedzieli już, co to oznacza: będą przez pół nocy szczoteczkami do zębów czyścić koszarowe latryny. Dobrze, że nie kazał zabrać masek przeciwgazowych, w których z reguły musieli wykonywać takie czynności, co miało swoje dobre strony.

– Na dół i jeszcze raz! Ruszać się, sukinsyny! – ryczał Witzig.

– Panie poruczniku! – zebrał się na odwagę niższy z żołnierzy. – Melduję, że ja pokonałbym ten odcinek biegiem, a nie czołgając się!

– No, wreszcie słyszę, że żołnierz zaczyna pojmować zadanie – Witzig zbliżył się do mówiącego. – A kto wam wydał rozkaz, że macie się czołgać? Ja tylko wam powiedziałem, że jesteście pod ogniem karabinów maszynowych. Muły juczne! Kiedy trzeba to biegnijcie, a jak kule są za blisko, to paść i czołgać się. Na dół! I jeszcze raz. Biegiem, inteligencja!

To było najcięższe przezwisko, jakim w swoim mniemaniu mógł dotknąć żołnierzy. Czasami tylko, gdy był szczególnie rozsierdzony, używał cięższych obelg: „artyści" albo „twórcy". W jego prymitywnym umyśle, skoncentrowanym jedynie na ćwiczeniu siły mięśni i odporności na ból, inteligencja i wrażliwość były przymiotami najbardziej szkodliwymi, które mogły zaprzepaścić najpiękniejsze cele. Jednak nie przejmował się, gdy wśród

Ćwiczenia na poligonie w górach Harzu

jego żołnierzy znalazł się maturzysta lub syn inteligenckiej rodziny. Uważał bowiem, że odpowiednia doza ćwiczeń fizycznych i poniżenia łatwo pozbawi młodego człowieka wrażliwości, którą wyniósł ze szkoły lub domu rodzinnego. Najbardziej cenił żołnierzy niskiego wzrostu, o szczupłej budowie ciała, gdyż uważał, że tacy najlepiej znoszą trudy, zmęczenie i ból. Ideałem był chłopak ze wsi, który brał udział w niejednym świniobiciu czy zarzynaniu cielaków, o niewielkiej wrażliwości na cierpienie innych, zadowalający się skromnym posiłkiem i byle miejscem do spania. Takim żołnierzom porucznik okazywał swoje względy. Pozostałych – wychowywał.

Kapitan Walter Koch

Żołnierze, taszcząc ze sobą ciężkie skrzynki, zbiegli kilkadziesiąt metrów w dół, gdzie stała prostokątna drewniana skrzynia z wyciętym z boku otworem. Zadanie, jakie otrzymali, polegało na tym, że mieli wyskoczyć z tej makiety szybowca i w ciągu minuty dotrzeć na szczyt pagórka. Tam mieli położyć walizki jedną na drugiej, klepnąć je dłonią i w ciągu 9 sekund wycofać się na jak największą odległość, a najlepiej schronić się za naturalną osłoną. Nikt im nie powiedział, czemu to ćwiczenie służy. Domyślali się, że drewniane walizki miały być ładunkami wybuchowymi, konstrukcja zaś na szczycie pagórka – bunkrem. Byli saperami. Wielokrotnie trenowali wysadzanie różnych obiektów, jednak do tej pory nikt nie kazał im kłaść miny jedna na drugą na powierzchni obiektu. Ich dowódca, porucznik Rudolf Witzig, pytany o cel tych ćwiczeń, odpowiadał, że nadejdzie czas, gdy wszystkiego się dowiedzą. Na razie każdy z dwuosobowych zespołów miał się nauczyć perfekcyjnego wykonywania swojego zadania.

Spadochroniarz na poligonie ze świecą dymną w ręku, która podczas ćwiczeń zastępowała ładunki wybuchowe

Był 7 listopada i od dwóch dni, czyli od kiedy przywieziono ich pluton do koszar w Hildesheim, niewielkiego miasta u stóp gór Harzu, ćwiczyli na miejscowym poligonie, dziesiątki razy powtarzając tę samą czynność. Cały oddział, liczący dwóch oficerów, 73 żołnierzy i 11 pilotów szybowców, został podzielony na dwuosobowe zespoły. To byli doświadczeni żołnierze. Wielu z nich służyło w pierwszym oddziale spadochronowym Wehrmachtu. Walczyli w Polsce. Ale porucznik Witzig zdawał się nie zwracać uwagi na ich bojowe doświadczenie. Żądał, aby perfekcyjnie wykonywali jego polecenia. Każdego ranka wyruszali na poligon, gdzie Witzig wytyczył zarys twierdzy Eben Emael. Na tym obszarze porozrzucano kilka zbitych z desek skrzyń, które odgrywały rolę szybowców. Każdy z zespołów otrzymał inne zadanie, a porucznik osobiście nadzorował ich wykonanie. Wiedział, że czas, jaki im pozostał do wyćwiczenia ataku, może być bardzo krótki. Wojna z Belgią i atak na Eben Emael mogły nastąpić lada moment.

2 listopada generał Student przekazał kapitanowi Walterowi Kochowi pisemny rozkaz, aby sformował oddział spadochroniarzy, który określił

Staranne planowanie miało być podstawą sukcesu. Każdy żołnierz musiał znać swoje miejsce

jako *Sturmabteilung* (oddział szturmowy), i przygotował go do opanowania kilku obiektów na terenie Belgii. Koch szybko wybrał 11 oficerów i 427 żołnierzy, których podzielił na cztery oddziały. Pluton Witziga, nazwany kryptonimem „Granit", otrzymał rozkaz zdobycia twierdzy Eben Emael. Oddział porucznika Schachta, nazwany „Betonem", liczący 96 żołnierzy, miał przechwycić most w Vroenhoven. Porucznik Altman, dowodzący dziewięćdziesięciodwuosobowym oddziałem „Stal", otrzymał rozkaz opanowania mostu w Veldwezelt. Oddział „Żelazo" – 92 żołnierzy pod dowództwem porucznika Schaechtera, został wyznaczony do zajęcia mostu w Kanne.

W ciągu bardzo niedługiego czasu żołnierze zebrani z różnych jednostek spadochronowych mieli ulec przemianie w sprawnie działający mechanizm. Ich życie nie miało znaczenia. Zostali wybrani lub zgłosili się na ochotnika do wykonania rozkazu, od którego mógł zależeć los wojny na Zachodzie.

Zamach

Późnym wieczorem SS-Obergruppenführer Reinhard Heydrich* wszedł do gabinetu swojego szefa, Heinricha Himmlera**.

– Ten dokument musi pan przeczytać natychmiast, Herr Reichsführer – powiedział, ledwo zamknąwszy za sobą wielkie drzwi, obite czarną skórą. Położył na biurku zalakowaną kopertę i, widząc przyzwalający gest zwierzchnika, usiadł w fotelu, czekając aż Himmler rozłamie pieczęć i zapozna się z treścią przesyłki.

Heinrich Himmler   *Reinhard Heydrich*

---

* **Reinhard Tristan Heydrich** (1904–1942), Obergruppenführer SS, w 1932 r., po wydaleniu z marynarki wojennej na mocy wyroku sądu honorowego, zyskał uznanie szefa SS Heinricha Himmlera i na jego polecenie stworzył struktury niemieckiej tajnej służby bezpieczeństwa (Sicherheitsdienst – SD). W 1934 r. stanął na czele tajnej policji politycznej Gestapo w Berlinie. Od 1936 r. podlegała mu jednolita Policja Bezpieczeństwa (Sicherheitspolizei, Sipo) i SD, a od 1939 r. Główny Urząd Bezpieczeństwa Rzeszy (RSHA). Z ogromną energią organizował masową likwidację przeciwników politycznych, Żydów i ludności okupowanych krajów. W lipcu 1941 r. otrzymał od Hermanna Göringa rozkaz przygotowania propozycji „ostatecznego rozwiązania" kwestii żydowskiej. W marcu 1942 r. objął stanowisko pełniącego obowiązki Protektora Czech i Moraw. Zmarł 4 czerwca 1942 r. w wyniku zakażenia po zamachu dokonanym na niego 27 maja przez przerzuconych z Wielkiej Brytanii „Cichociemnych".
** **Heinrich Himmler** (1900–1945), Reichsführer SS, rozpoczął swoją karierę w 1927 r. jako zastępca dowódcy osobistej straży Adolfa Hitlera – Schutz Staffeln (SS); od 1929 r.

- To szokujące! - żachnął się Himmler. - Nazbyt szokujące...
Ponownie zagłębił się w lekturze krótkiego dokumentu.
- Zabraniam upowszechniania jego treści - powiedział wreszcie. Złożył starannie kartki i wsunął je do koperty, którą wręczył Heydrichowi. - Coś jeszcze?
- Nie - Heydrich wstał. - Führer jutro jedzie do Monachium.
- Jak co roku... - Himmler popatrzył na niego przenikliwie.
Heydrich zasalutował, odwrócił się i wyszedł z gabinetu, wynosząc w teczce dokument, który tak obruszył jego zwierzchnika. Jego autorem był szwajcarski astrolog Karl Ernst Krafft, któremu gwiazdy powiedziały, że między 7 a 10 listopada nastąpi zamach na Hitlera.

Kilku najwyższych dowódców Wehrmachtu było zdecydowanych usunąć Hitlera, aby nie dopuścić do ofensywy wojsk na Zachód, co w ich przekonaniu zakończyłoby się klęską. Jednak nie byli gotowi posunąć się do zorganizowania zamachu. Bez wątpienia takie myśli przychodziły do głowy Waltherowi von Brauchitschowi, który był przeciwny rozpoczynaniu wojny z Zachodem w 1939 roku, jako niemożliwej do wygrania.

5 listopada zameldował się on w gabinecie Führera w Kancelarii Rzeszy. Była to niedziela, a niemieckie oddziały miały tego dnia wyruszyć do rejonów koncentracji wzdłuż zachodniego frontu, aby tydzień później uderzyć na Belgię. Generał, stojąc na baczność przed Hitlerem siedzącym za wielkim biurkiem, przedstawił mu krótkie memorandum, uzasadniające konieczność odłożenia ofensywy do czasu bardziej sprzyjającej pogody.

- Niemożliwe jest rozpoczęcie zmasowanej ofensywy w czasie jesiennych lub wiosennych deszczy - zakończył.
- Na wrogie wojska też będzie padać - odezwał się Hitler z wyraźną niechęcią w głosie. Do czasu, gdy Brauchitsch postanowił sięgnąć po ostatni argument, słuchał spokojnie, choć z wyraźną dezaprobatą na twarzy.
- Mein Führer - mówił generał - polska kampania wykazała, że duch bojowy naszych żołnierzy był słabszy niż w czasie wojny światowej - miał na myśli I wojnę światową. - Pojawiły się nawet oznaki niesubordynacji, podobne do tych z 1918 roku...

- na czele SS. Od 1936 r. szef policji (Reichsführer SS und Chef der deutschen Polizei), a od 1942 r. minister spraw wewnętrznych, co dawało mu potężną władzę policyjną, gospodarczą i administracyjną, którą uzupełniała kontrola nad armią SS (Waffen-SS). Prawdopodobnie w końcu 1939 r. otrzymał polecenie przystąpienia do „ostatecznego rozwiązania" kwestii żydowskiej, tj. likwidacji narodu żydowskiego. Jego pozycja umocniła się po nieudanym zamachu na Hitlera w lipcu 1944 r.: objął dowodzenie Armią Rezerwową i doprowadził do aresztowania szefa Abwehry adm. Wilhelma Canarisa, co pozwoliło mu przejąć kontrolę nad wywiadem i kontrwywiadem wojskowym. W styczniu 1945 r. objął dowództwo Grupy Armii „Ren", a potem „Wisła". Przypadkowo aresztowany 22 maja 1945 r., przed przesłuchaniem popełnił samobójstwo przegryzając kapsułkę z trucizną.

Hitler i jego generałowie: odmienne koncepcje – jedno zdanie. Od lewej stoją (w pierwszym rzędzie): Wilhelm Keitel, Walther von Brauchitsch, Adolf Hitler i Franz Halder

Hitler wstał zza biurka, podszedł do okna, po czym odwrócił się gwałtownie. Uwaga Brauchitscha wyraźnie go rozsierdziła.

– W jakich jednostkach wystąpił brak dyscypliny?! – krzyknął. – Co się stało?! Gdzie?! Jakie działania podjęli dowódcy armii?! Ile wydano wyroków śmierci?!

Brauchitsch, przestraszony, milczał.

Hitler krążył po gabinecie przez kilka minut, nic nie mówiąc. Aż nagle wybuchnął potokiem słów. Zarzucał generałom, że nigdy nie wierzyli w jego geniusz i starali się sabotować rozwój niemieckiej potęgi zbrojnej, czemu on poświęcił swoje życie. Nagle zamilkł i wodząc dookoła niewidzącym spojrzeniem wymaszerował z gabinetu, nie żegnając się z Brauchitschem*. Ten, zaszokowany, wrócił wolnym krokiem do samochodu czekającego na niego przed Kancelarią Rzeszy. Nie miał złudzeń, że udało

---

* **Walther von Brauchitsch** (1881–1948), feldmarszałek. Od 1921 r. zajmował wysokie stanowiska w Reichswehrze. Po dojściu Hitlera do władzy w 1933 r. udzielił mu pełnego poparcia. Od 1938 roku był naczelnym dowódcą wojsk lądowych i kierował kampaniami w Polsce, Danii, Norwegii, na zachodzie Europy i na Bałkanach. W 1940 r. awansowany do stopnia feldmarszałka. Kierował przygotowaniami do wojny ze Związkiem Radzieckim i działaniami wojennymi w 1941 r. Obarczony przez Hitlera winą za niepowodzenia pod Moskwą został 19 grudnia 1941 r. usunięty ze stanowiska dowódcy wojsk lądowych i nie powrócił już do czynnej służby. Zmarł w więzieniu 1948 r. przed rozpoczęciem procesu, w którym był oskarżony o popełnienie zbrodni wojennych.

mu się zasiać jakąkolwiek wątpliwość w umyśle Wodza co do terminu rozpoczęcia wojny. I rzeczywiście. Gdy tylko dojechał do dowództwa wojsk lądowych w Zossen, niewielkiej miejscowości pod Berlinem, zadzwonił Hitler, aby potwierdzić datę rozpoczęcia wojny z Zachodem: 12 listopada 1939 roku, godzina 7.15! Jednak już we wtorek, 7 listopada, musiał swoją decyzję odwołać. Pogoda wciąż była zła. Trzeba było czekać, aż wypogodzi się na tyle, żeby samoloty mogły uderzyć na lotniska francuskie i belgijskie.

Wydawało się, że wobec niezłomności, z jaką Hitler parł do wojny, generałom uznającym, że jej wybuch doprowadzi Niemcy do katastrofy, nie pozostało nic innego, jak tylko go odsunąć od władzy. Walther von Brauchitsch rozważał przystąpienie do opozycji antyhitlerowskiej i bez wątpienia wiedział o krokach, jakie poczynili admirał Wilhelm Canaris, szef wywiadu i kontrwywiadu wojskowego, oraz szef jego sztabu, pułkownik Hans Oster. Ci planowali obalenie Hitlera, ale zamierzali tego dokonać po uzyskaniu zapewnień Wielkiej Brytanii co do rozwoju sytuacji w Europie, gdy to nastąpi. Tajne rozmowy z Brytyjczykami, prowadzone za pośrednictwem Watykanu, dawały nadzieję, że takie porozumienie jest możliwe.

Żaden ze spiskowców nie brał pod uwagę zabicia Führera. Poza wszelkimi, nawet osobistymi względami, decydował jeden powód: zamach na zwierzchnika nie mieścił się w mentalności pruskiego oficera. Dlatego Brauchitsch, a także Halder, choć utrzymywali kontakty ze spiskowcami planującymi odsunięcie Hitlera od władzy, nie zdecydowali się na aktywne działanie.

Hitler przemawia w „Bürgerbräukeller"

Kto wobec tego stał za wydarzeniami w Monachium. Czyżby sam Hitler, który postanowił zorganizować zamach na siebie, aby wątpiącym w jego siłę i szczęśliwą gwiazdę przywrócić wiarę?

Rankiem 8 listopada Hitler przybył do Monachium. Robił to od lat, aby w rocznicę puczu spotkać się ze starymi towarzyszami broni w piwiarni „Bürgerbräukeller", skąd w 1923 roku wyruszyli na siedzibę rządu bawarskiego, aby zagarnąć władzę w tym landzie, a potem w całych Niemczech.

– Mein Führer, towarzyszy panu zaledwie dwóch żołnierzy, czy to nie za słaba ochrona w czasach wojny – powiedziała pani Gerda Troost na widok Hitlera wchodzącego do jej mieszkania. Wdowa po profesorze Paulu Ludwigu Trooście, architekcie, którego Hitler podziwiał, była zaniepokojona tak skąpą obstawą.

– Człowiek musi wierzyć w Opatrzność – odparł Hitler, klepnąwszy się ręką po kieszeni spodni. – Zawsze noszę pistolet, ale nawet to będzie bezużyteczne. Jeśli mój koniec jest wyznaczony, tylko to mnie chroni...

Położył rękę na sercu.

– ... Każdy musi się wsłuchiwać w wewnętrzny głos i wierzyć w swój los. I ja wierzę bardzo głęboko, że przeznaczenie wybrało mnie dla niemieckiego narodu. Tak długo, jak ludzie mnie potrzebują, tak długo jak, jestem odpowiedzialny za Rzeszę, będę żył.

Stał pośrodku pokoju z rękami skrzyżowanymi na piersiach.

– A gdy nie będę już potrzebny, po ukończeniu mojej misji, wtedy będę odwołany.

„Bürgerbräukeller" po wybuchu

Bywał w tym domu wielokrotnie, ale nigdy nie zachowywał się tak pompatycznie, jak tego dnia. Nawet gdy usiedli za wielkim okrągłym stołem, na którym Paul Troost zwykł rozkładać swoje projekty, i gdy rozmowa zeszła na ulubiony temat Hitlera – architekturę, w dalszym ciągu zachowywał się dziwnie. W pewnym momencie powiedział:

– Muszę zmienić dzisiejszy rozkład zajęć.

Pożegnał się dość szybko. Potem złożył krótką wizytę Unity Mitford, Brytyjce zauroczonej nazizmem, która na wieść o wybuchu wojny między jej ojczyzną i Niemcami usiłowała popełnić samobójstwo, strzelając sobie w głowę. Rana nie była groźna i Unity Mitford dochodziła do zdrowia pod troskliwą opieką w monachijskiej klinice.

Resztę popołudnia Hitler spędził, przygotowując przemówienie, jakie miał wygłosić do swoich towarzyszy partyjnych w „Bürgerbräukeller".

W tym czasie, w wielkiej i niskiej piwiarni, ozdobionej nazistowskimi symbolami i girlandami kwiatów, kończono przygotowania do wieczornego spotkania z Führerem. Wśród techników kręcących się po sali był drobny człowiek o bladej twarzy: stolarz Georg Elser.

O 20.07 Hitler przybył do „Bürgerbräukeller". Szybko dał znak, żeby ucichły powitalne owacje, i już o 20.12 rozpoczął przemówienie, które trwało do 21.08. Czternaście minut później wyszedł z piwiarni. O 21.30 eksplodowała bomba ukryta w centralnym filarze piwnicy, powodując zawalenie się stropu. Wybuch zabił osiem osób i ranił sześćdziesiąt. Führer dowiedział się o próbie zamachu na jego życie dopiero wtedy, gdy jego pociąg zatrzymał się w Norymberdze.

– Teraz jestem zadowolony – powiedział. – Fakt, że wyszedłem wcześniej niż zwykle, dowodzi, że Opatrzność chce, abym osiągnął swój cel!

Rzeczywiście zawdzięczał życie wyjątkowemu zbiegowi okoliczności, gdyż w poprzednich latach rozpoczynał przemówienie o 20.30, a kończył

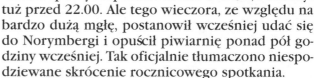

tuż przed 22.00. Ale tego wieczora, ze względu na bardzo dużą mgłę, postanowił wcześniej udać się do Norymbergi i opuścił piwiarnię ponad pół godziny wcześniej. Tak oficjalnie tłumaczono niespodziewane skrócenie rocznicowego spotkania.

Jeszcze tej samej nocy na przejściu granicznym do Szwajcarii niemiecka straż zatrzymała człowieka, u którego znaleziono fotografię piwiarni z kolumną oznaczoną krzyżykiem. Georg Elser, stolarz, przyznał się, że chciał zgładzić Hitlera za to, że prowadził Niemcy do wojny, która nie mogła zakończyć się zwycięstwem. Przez ostatni miesiąc co noc zakradał się do piwiarni, gdzie drążył wnękę w filarze, po czym umieścił w niej ładunek wybuchowy uruchamiany mechanizmem zegarowym, schowanym w korkowej obudowie, aby nikt nie usłyszał tykania. Wszystko zaplanował bardzo precyzyjnie, ale nie mógł przewidzieć, że tego dnia Hitler wyjdzie wcześniej.

Georg Elser

Zbieg okoliczności? Tak szczęśliwy dla Hitlera? Być może. Żadne z ugrupowań opozycyjnych nigdy nie przypisało sobie zasługi zorganizowania tego zamachu. Brakowało im wtedy determinacji, jaka pojawiła się w 1943 roku, gdy pod Stalingradem wyginęła cała 6 armia, a bieg wojny wskazywał, że zakończy się ona straszliwą klęską dla Niemców. Spiskowcy dopiero wtedy uwierzyli, że mogą uzyskać poparcie społeczeństwa i wojska, i dlatego w lipcu 1944 roku przystąpili do realizacji planu usunięcia Führera i przejęcia władzy. W 1939 roku, gdy wszyscy Niemcy byli dumni ze swojego Hitlera, który naprawił krzywdy wyrządzone im przez traktat wersalski, przywrócił dumę narodową, powiększył Rzeszę o Austrię, Czechy i Polskę, było to niemożliwe.

Heinrich Himmler

Czy za zamachem mógł stać wywiad brytyjski? O ile w czasie wojny rząd brytyjski chciałby może ukryć ten fakt, to po wojnie musiałoby to wyjść na jaw. Nie ma żadnych, najmniejszych poszlak, które by wskazywały, że wybuch w monachijskiej piwiarni zorganizowały brytyjskie tajne służby. Taki krok, zamach na szefa państwa, nie mieścił się w mieszczańskiej wyobraźni premiera Neville'a Chamberlaina. Tym mniej można o to posądzać Stewarta Menziesa, szefa brytyjskiego wywiadu, który dopiero co objął to stanowisko. Zaczynać karierę od organizowania zamachu na Hitlera byłoby przedsięwzięciem tak ryzykownym, że aż głupim, o co Menziesa nie sposób podejrzewać.

Pozostają więc dwie możliwości: Elser działał sam lub wykonywał polecenie Himmlera lub Heydricha.

Nie można wykluczyć, że komunista, jakim był Elser, sam postanowił uwolnić świat od Hitlera. Skonstruował bombę, o co w czasie wojny nie było trudno, i podłożył ją w piwiarni, wiedząc, że Hitler przybędzie tam jak co roku, 8 listopada. Jedynie przypadek sprawił, że ze względu na mgłę Führer postanowił wyjść wcześniej i uniknął w ten sposób śmierci. To wszystko jest bardzo prawdopodobne. Jednak Elser był znany policji i więziony w obozie w Dachau. Został stamtąd zwolniony, co może nie powinno dziwić, gdyż takie wypadki zdarzały się w Niemczech. Ale nie wydaje się prawdopodobne, aby tak podejrzany człowiek uzyskał dostęp do bezpośredniego otoczenia Hitlera, mógł wejść do piwiarni przygotowywanej na jego przyjęcie i nie zauważony majstrować coś przy filarze.

Czy więc Elser działał na polecenie Himmlera i Heydricha, którzy chcieli usunąć Hitlera i przejąć władzę? Jest to absolutnie niemożliwe, gdyż zawsze, do ostatnich dni wojny, szef SS pozostawał bałwochwalczo wierny swojemu Führerowi. Trwał niezłomnie w swojej lojalności nawet wówczas, gdy Trzecia Rzesza rozpadała się, bomby alianckich samolotów wypalały całe dzielnice niemieckich miast, a ze wschodu nadciągały „azjatyckie hordy" i było oczywiste, że lada miesiąc zajmą dużą część Niemiec.

Himmler, mając wówczas władzę nad Waffen-SS, potężną armią, liczącą kilkaset tysięcy świetnie wyszkolonych i uzbrojonych żołnierzy całkowicie mu oddanych, kierując policją i tajnymi służbami, nie zdobył się na nielojalność wobec Hitlera. Dopiero w końcu kwietnia 1945 roku zbuntował się, ale nawet wtedy bardziej chodziło mu o ratowanie własnej skóry niż wystąpienie przeciwko Führerowi.

Zorganizowanie zamachu w listopadzie 1939 roku nic by nie dało Himmlerowi. Po śmierci Hitlera władza przeszłaby w ręce wojska, z fatalnym skutkiem dla szefa SS, gdyż wielu generałów Wehrmachtu chętnie postawiłoby go przed sądem za zbrodnie, jakich esesmani dopuszczali się na froncie i wobec polskiej ludności.

Himmler mógł być jedynie wykonawcą poleceń swojego wodza. Może nakazał zorganizowanie zamachu w ten sposób, żeby Führerowi nic się nie stało. Co prawda zginęło wielu wiernych nazistów, ale było to konieczne, bo cóż to za zamach bez ofiar? Krew budziła poruszenie wśród ludzi i dawała władzy pretekst do działania. Hitler, a tym bardziej Himmler, nigdy nie byli sentymentalni. Złożenie życia starych, i już niepotrzebnych, towarzyszy „na ołtarzu sprawy narodowo-socjalistycznej" mogło im dawać szczególną satysfakcję, jaką jest wypełnienie trudnego, bolesnego obowiązku.

Zyskiwali wiele. Cudowne ocalenie przywracało społeczeństwu wiarę w Führera i zwiększało jego popularność. Tym samym wytrącało broń z ręki tym generałom, którzy chcieli odsunąć go od władzy. On zaś dobrze wiedział, że są tacy ludzie. Hermann Göring ostrzegał go wprost:

– Mein Führer, pozbądź się tych złowróżbnych ptaków – mając na myśli Brauchitscha i Haldera.

Oni jednak byli potrzebni. Nie mógł się pozbyć ludzi tak cennych tylko dlatego, że mieli wątpliwości co do kierunku jego polityki; on sam też miał wątpliwości. Zamach dawał mu broń przeciwko tym, którzy zwątpili lub nawet przystąpili do opozycji. Przesłuchiwany Elser miał podać ich nazwiska jako swoich mocodawców. Protokół zeznań podpisany przez zamachowca to bardzo skuteczna broń. Wystarczyło im go pokazać, aby zmusić ich do całkowitego posłuszeństwa. Tak się jednak nie stało. Zamachowiec uparcie twierdził, że działał sam. Ktoś z SD sfuszerował robotę.

– Co za idiota prowadzi przesłuchanie! – krzyknął Hitler, czytając raport Gestapo z prowadzonego śledztwa.

Himmler był niezadowolony do tego stopnia, że postanowił zająć się sprawą osobiście. Według jednego ze świadków, podczas przesłuchania kopał Elsera skutego kajdankami. Ten jednak, nawet poddany hipnozie, uparcie powtarzał, że działał sam. W tej sytuacji jedyną korzyścią dla organizatorów nieudanego zamachu mogło być oskarżenie rządu brytyjskiego. Dzięki temu można by przerwać tajne rokowania prowadzone w Watykanie przez opozycję antyhitlerowską z wysłannikami Londynu, o których Hitler i Himmler wiedzieli. Ponadto, oskarżenie o zorganizowanie zamachu na głowę państwa w przeddzień ofensywy na Zachód pozwalało usprawiedliwić agresywne działanie Niemców, tak jak prowokacja gliwicka* miała dać pretekst do agresji na Polskę. I tak się stało.

Bez względu na to, na ile cała sprawa została spartaczona przez SD, przez co wytrąciła Hitlerowi broń przeciwko swoim generałom, to jednak niezmiernie umocniła jego pozycję. Przeciwnicy wojny z Zachodem musieli zamilknąć, opozycja musiała zaprzestać tajnych rokowań z Wielką Brytanią. Wojna zbliżała się coraz bardziej.

Szybowce

Pilot Heiner Lange przecisnął się między żołnierzami siedzącymi w wąskim kadłubie szybowca, sprawdzając, czy dobrze zamontowali swój ekwipunek, żeby nie latał po kabinie w czasie gwałtownych manewrów, po czym zasiadł za sterami. Rozwój wydarzeń w ostatnich godzinach oszołomił go. Tego dnia, 9 listopada 1939 roku, przyjechał do Hildesheim, gdyż

Szybowce desantowe DFS 230 w locie treningowym holowane przez Ju 87 Stuka

* **Prowokacja gliwicka** – 31 sierpnia 1939 r. rzekomy atak polskiego oddziału na niemiecką radiostację w Gliwicach (Gleiwitz) stał się pretekstem do wojny z Polską. Atak przeprowadził 8-osobowy oddział esesmanów (dowódca: SS-Sturmbannführer Alfred Naujocks) przebranych w polskie mundury. Radiosłuchacze usłyszeli strzały, a następnie oświadczenie w języku polskim, że nadszedł czas dokonania agresji na Niemcy. Dla uprawdopodobnienia napaści esesmani pozostawili na miejscu ciało więźnia obozu koncentracyjnego przebranego w niemiecki mundur.

Na początku stycznia 1940 roku spadochroniarzy grupy „Granit" przerzucono do Czech, aby tam mogli przekonać się o niszczącej sile ładunków kumulacyjnych podczas ćwiczeń na czeskich bunkrach zajętych przez Niemców w 1938 roku

takie otrzymał wezwanie. W ogóle nie wiedział, o co chodzi. Na miejscu kazano mu pilotować bojowy szybowiec, który zobaczył po raz pierwszy w życiu. Był mistrzem szybowcowym, ale nigdy nie latał samolotem tak dużym, z dziewięcioma ludźmi na pokładzie, w dodatku objuczonych bronią i jakimiś skrzynkami, których przeznaczenia nie znał.

Rozejrzał się po kabinie. Była bardzo prymitywna: drążek sterowy, busola i parę podstawowych zegarów: wysokościomierz i pochyłomierz. Nic poza tym. Po obu stronach jego samolotu stały dwa inne szybowce, których hole biegły do ogona transportowego samolotu *Ju 52/3m*. Nigdy nie startował w ten sposób. Jego sportowy szybowiec wznosił się w powietrze za pomocą wyciągarki lub holowany przez niewielki, jednosilnikowy samolot. Start za trzysilnikowym Junkersem musiał być o wiele trudniejszy ze względu na zawirowania powietrza wytwarzane przez śmigła. Nie miał jednak czasu, aby się nad tym zastanawiać, gdyż Junkers zwiększył obroty silników i powoli ruszył. Liny holownicze napięły się, kadłub szybowca drgnął i potoczył się po betonowym pasie.

Lange skupił całą uwagę na sąsiadach, dbając, żeby nie zboczyć z kursu i nie zajechać im drogi, co by się zakończyło katastrofą. Gdy wyczuł, że prąd powietrza zaczyna go unosić, przyciągnął drążek, zaskoczony łatwością, z jaką duży szybowiec oderwał się od pasa i wzbił się w powietrze. Silne drgania kadłuba przypomniały mu o konieczności odrzucenia kołowego podwozia, które nie było potrzebne przy lądowaniu, gdyż do tego celu jego szybowiec miał doczepioną płozę. Drgania nasilały się. Słusznie obawiał się silnych turbulencji w locie za dużym transportowcem, aczkolwiek nie było tak źle, jak myślał. *DFS 230* dawał się prowadzić bardzo miękko, posłusznie poddając się ruchom drążka. Lange mógł to docenić, gdy zwolnił hol i kłopotliwy Junkers poszybował w górę. Szum wiatru, który znał tak dobrze z samotnych lotów w małym szybowcu sportowym, przywrócił mu pewność siebie. Zatoczył nad poligonem duże koło, potem drugie i zniżył się do lądowania w miejscu oznaczonym białym krzyżem.

Na dole kapitan Koch przyglądał się jego manewrom z uwagą. Był zaniepokojony. Zgromadzenie doświadczonych pilotów szybowcowych okazało się największym problemem w organizacji jego oddziału szturmowego. Młodzi chłopcy, którzy zasiedli za sterami *DFS 230*, nie mieli co prawda problemów z pilotowaniem, ale nie radzili sobie zupełnie z lądowaniem w terenie. Byli przyzwyczajeni do sadzania sportowych szybowców na betonowych pasach lotnisk lub dobrze wyrównanych i oznakowanych trawiastych lądowiskach w klubach sportowych. Próby lądowania na poligonie w Hildesheim kończyły się fatalnie. Szybowce zatrzymywały się daleko od wyznaczonych miejsc, albo w ogóle przemykały nad zaznaczonymi na trawie granicami fortu Eben Emael. Taki brak precyzji w warunkach bojowych musiał ich skazywać na porażkę. Żołnierze wysypujący się z kadłuba szybowca, osiadłego o kilkadziesiąt metrów dalej od wyznaczonego celu, mieliby niewielkie szanse dotarcia do bunkra i zniszczenia go. Jeszcze gorsze dla wyniku bitwy byłoby nietrafienie na lądowisko na obszarze fortu, gdyż oznaczałoby to poważne osłabienie sił oddziału. Koch obawiał się, że kłopoty, jakie mieli jego piloci z precyzyjnym lądowaniem, nie wynikały z braku ich umiejętności, lecz wadliwej konstrukcji samolotów.

Szukając rozwiązania tego problemu, zwrócił się do DFS, skąd przysłano mu dwóch doświadczonych pilotów, Kartusa i Opitza, którzy szybko go przekonali, że szybowce są dobre. Latali pewnie i lądowali w odległości najwyżej kilku metrów od miejsc wyznaczonych na poligonie. Należało więc znaleźć odpowiednich pilotów. Idąc za radą doświadczonych oblatywaczy z DFS, którzy sporządzili dla niego listę pilotów szybowcowych, zaczął sprowadzać ich do Hildesheim. Przyjeżdżali, nie wiedząc o co chodzi, ale szybko dowiadywali się, że ojczyzna i Führer doceniają ich ochotniczy akces do oddziału szturmowego. Nie mieli innego wyjścia, jak tylko założyć mundury.

Pomoc Kartusa i Opitza okazała się bezcenna, o czym Koch się przekonał, widząc lądowanie szybowca pilotowanego przez Langego. Samolot zatrzymał się dokładnie na białym krzyżu, jaki namalowano na trawie poligonu. Wkrótce do grupy Witziga dokooptowano 11 pilotów szybowcowych, którzy przed wojną zdobywali w tym sporcie największe trofea krajowe i międzynarodowe.

Na początku stycznia 1940 roku żołnierze z oddziału Witziga mogli się wreszcie dowiedzieć, dlaczego dowódca na ćwiczeniach kazał im targać ciężkie skrzynki i układać je jedna na drugiej przed zdetonowaniem. Pokazano im ładunki kumulacyjne. Największe z nich, o kształcie półkuli, ważyły po 50 kilogramów i dlatego każda była podzielona na dwie części. W ten sposób żołnierze łatwiej mogli je przenieść i umieścić na stropie bunkra lub pancernej kopule. Potem saper musiał włożyć zapalnik i mocno uderzyć weń ręką. Od tego momentu miał 9 sekund na odczołganie się w bezpieczne miejsce. Eksplozja pozostawiała na pancerzu kilkucentymetrowy otwór, przez który wdzierał się do wnętrza bunkra strumień gazów pod ciśnieniem około 20 tysięcy atmosfer. Wewnątrz nikt nie mógł przeżyć.

Saperów wyposażono też w mniejsze ładunki kumulacyjne o wadze 12,5 kg każdy, służące do niszczenia obiektów słabiej opancerzonych.

Wkrótce oddział Witziga wyruszył do Protektoratu Czech i Moraw, gdzie na wielkich umocnieniach, około 150 km na zachód od Pragi, żołnierze mieli wypróbować ładunki kumulacyjne i wyćwiczyć ich zakładanie.

Odznaka niemieckich wojsk spadochronowych

Fatalny lot

– Źle z nami... – pilot łącznikowego samolotu Messerschmitt *Bf 108**
obrócił głowę w stronę siedzącego obok majora Helmutha Reinbergera
– zgubiliśmy się...

Pochylił samolot na skrzydło, aby lepiej widzieć ziemię, ale mgła, jak
biała płachta zakrywała wszelkie obiekty, które mogłyby im pomóc w zorientowaniu się, gdzie są.

– Może lecieć niżej. Może nad ziemią mgła będzie rzadsza i coś dostrze
żemy – Reinberger też usiłował przeniknąć wzrokiem mgłę. Jeszcze nie

Messerschmitt Bf 108 Tajfun

zdawał sobie sprawy, jak trudna jest ich sytuacja, gdyż pilot nie powiedział mu o wszystkim.

– Ryzykowne! Tu, w Zagłębiu Ruhry, co kawałek jest komin albo linia
wysokiego napięcia. Ale to nie wszystko – zdecydował się wreszcie poinformować pasażera. – Kończy nam się paliwo!

– Czy pan kpi, Hoenmans?! – Reinberger aż podskoczył na fotelu. – Czy
pan wie, jak ważne wiozę dokumenty! Za to grozi panu sąd wojenny!

– Co na to poradzę? Mieliśmy przelecieć tylko 130 kilometrów, a panu
się spieszyło, więc nie kazałem tankować. Myślałem... byłem przekonany,
że wystarczy – pilot, major Erich Hoenmans, usiłował się tłumaczyć, choć
doskonale zdawał sobie sprawę, jak beznadziejne jest jego położenie.

– Przynajmniej niech pan leci na wschód! – krzyczał Reinberger. – Jak
najdalej od belgijskiej granicy! Jeżeli moje dokumenty wpadną w ich ręce,
zostanie pan rozstrzelany!

Pilot posłusznie skręcił, ale w tym momencie silnik na moment przerwał pracę.

---

* **Messerschmitt *Bf 108 Tajfun*** – czteromiejscowy samolot skonstruowany specjalnie
do udziału w zawodach Challenge de Tourisme Internationale w 1934 r.; w czasie wojny
wykorzystywany przez Luftwaffe jako samolot łącznikowy i komunikacyjny.

- Na wschód, Hoenmans! Na wschód! - krzyczał Reinberger.

Był wściekły na siebie, że dał się namówić na tę wyprawę samolotem. Poprzedniego wieczora, 9 stycznia 1940 roku, w Münster otrzymał rozkaz udania się do dowództwa 2 floty powietrznej w Kolonii, aby wziąć udział w naradzie. Planował, że pojedzie pociągiem, ale na swoje nieszczęście spotkał majora Ericha Hoenmansa, który miał lecieć do Kolonii i zaproponował, że zabierze go do swojego samolotu. Początkowo odmówił, ale ostatecznie dał się przekonać i rankiem 10 stycznia wsiadł do przestronnej kabiny Messerschmitta *Bf 108 Tajfun*.

Silnik znowu przerwał. Tym razem warkot ustał na dobre i śmigło zatrzymało się w pół obrotu. Pilot rozglądał się z rozpaczliwą nadzieją, że zdoła dostrzec miejsce, na którym mogliby bezpiecznie wylądować. Na wysokości 150 metrów mgła była na tyle rzadka, że zobaczyli szeroko rozlaną Mozę i skupisko domków.

- To jest chyba Vucht! - krzyknął Hoenmans, jakby zadowolony, że udało mu się określić położenie. Nie mylił się. Lądowali w pobliżu belgijskiej osady, którą można było rozpoznać po charakterystycznej wieży kościoła. Oznaczało to, że oddalili się od granicy o około 12 kilometrów.

Przemknęli nad nadbrzeżnymi krzakami, jeszcze z zapasem wysokości wystarczającym na ominięcie kępy drzew i skierowanie Messerschmitta w stronę rozległej łąki, równej i twardej na tyle, żeby wylądować bez szwanku. Zanim samolot stanął, Reinberger rozpiął pasy i otworzył kabinę, gotów uciekać jak najdalej w stronę niemieckiej granicy. Szybko jednak uzmysłowił sobie, że w styczniu nie ma żadnej szansy na przepłynięcie rzeki i dotarcie do niemieckiego posterunku. Jeszcze liczył, że belgijscy strażnicy nie zauważyli ich samolotu. Jednak nie trwało to długo.

- Dostrzegli nas! Biegną! - Hoenmans, który wydostał się z kabiny, stał bezradnie na skrzydle, nie wiedząc, czy wydobyć z kabury pistolet, czy też bez oporu oddać się do niewoli.

Reinberger zeskoczył ze skrzydła i przykucnął za kadłubem, który miał go osłonić od wiatru. Wydobył z teczki plik papierów i rozłożył je na ziemi tak, żeby ogień łatwiej objął kartki.

- Niech pan ich powstrzyma! Choć na minutę! - krzyknął do Hoenmansa. Nerwowo potarł kółko zapalniczki, ale jak na złość iskra była zbyt mała, aby knot mógł się od niej zająć.

Pilot też zeskoczył na ziemię i rozkładając szeroko ręce, ruszył w stronę zbliżających się żołnierzy. Zignorowali go jednak, kiedy dostrzegli skuloną sylwetkę człowieka za samolotem, który usiłował spalić jakieś dokumenty.

Reinberger ponawiał próby wykrzesania ognia, coraz bardziej zrozpaczony, że nie uda mu się zniszczyć tajnych dokumentów, aż wreszcie buchnął płomień, który po chwili objął papiery. W tym samym momencie ktoś go odepchnął, po czym dwaj belgijscy żołnierze zaczęli zadeptywać ogień, który ledwo zdążył osmalić górne kartki z grubego pliku. Inni otoczyli ich szerokim kołem z uniesionymi karabinami.

- Jesteście w Belgii i zostaniecie aresztowani - powiedział sierżant dowodzący oddziałem.

– Zgubiliśmy się we mgle. Czy możecie nas odwieźć do granicy?

– Reinberger usiłował ratować sytuację, ale zdawał sobie sprawę, że niewielkie są szanse na odzyskanie dokumentów, które Belgowie starannie zebrali. Zauważył jednak, że nie byli to żołnierze straży granicznej, lecz piechoty. Miał więc nadzieję, że będą go traktować pobłażliwie, a może nawet odeślą do Niemiec, aby nie zadrażniać stosunków między oboma państwami. Sierżant pokręcił jednak głową, krzyknął coś do żołnierzy, a następnie wskazał zabudowania nieopodal, dając znać, że tam zmierzają. Otoczeni z obu stron żołnierzami, ruszyli w stronę wioski, gdzie mieścił się sztab 13 dywizji piechoty.

Kapitan Arthur Rodrique, do którego przyprowadzono lotników, spojrzał bez większego zainteresowania na papiery i wezwawszy protokolanta zabrał się do przesłuchiwania więźniów.

W izbie było gorąco. Oficer, spodziewając się, że przesłuchanie będzie trwało wiele godzin, kazał dorzucić drew do stojącego w kącie żelaznego piecyka.

Marszałek Hermann Göring. Czy udało się zniszczyć tajne dokumenty?

– Czy mogę zdjąć kurtkę, panie kapitanie? Tu gorąco... – Reinberger, stojąc przed stołem, za którym zasiadł kapitan, wskazał na rozpalony piecyk, aby uzasadnić swoją prośbę, a widząc, że przesłuchujący kiwnął głową, rozpiął szybko guziki. Gdy zrzucał kurtkę z ramion pochylił się gwałtownie i zgarnął papiery leżące na brzegu stołu. Jednym susem dopadł piecyka, strącił stojący na nim czajnik i wcisnął plik kartek do wnętrza. Były za duże, aby zmieścić się w otworze, lecz buchające płomienie szybko ogarnęły papier. Kapitan Rodrique nie stracił głowy i sekundę później odepchnął Reinbergera, wsadził ręce do piecyka, wyciągnął dokumenty, rzucił je na podłogę i począł deptać, aby stłumić ogień.

– Związać go! – krzyknął do strażnika, który oszołomiony sytuacją stał przy drzwiach. W tym samym momencie Reinberger rzucił się na kapitana, usiłując wyrwać z jego kabury pistolet. Nie zamierzał walczyć, lecz postanowił odebrać sobie życie. Zanim jednak wydobył broń, strażnik

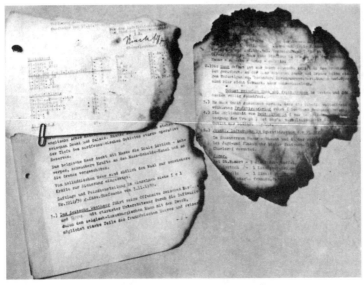

Resztki dokumentów przewożonych przez mjr. Reinbergera

chwycił go z tyłu, odepchnął, a następnie ciosem kolby powalił na ziemię.

W Berlinie był już wieczór, gdy do gabinetu dowódcy lotnictwa, Hermanna Göringa, wszedł adiutant i zameldował, że z ambasady niemieckiej w Brukseli nadeszła wiadomość o przymusowym lądowaniu samolotu Luftwaffe, którego pasażer przewoził tajne dokumenty.

– Co to były za papiery? – Göring wstał z fotela, jakby przeczuwając, że sprawa jest poważna. Tego dnia, 10 stycznia, Adolf Hitler wydał rozkaz inwazji na Belgię, która miała nastąpić za siedem dni. Göring słusznie przypuszczał, że wiadomość z Brukseli ma związek z tym faktem.

– Rozkazy operacyjne dla Luftflotte 2, szczegółowe plany działań desantowych 7 dywizji na zachód od Mozy, w rejonie Charleroi i Dinant...

– Co dalej? Co dalej? – Göring usiadł ponownie w fotelu. Chwycił się za głowę, ale wnet się zorientował, że ten gest załamania i desperacji nie przystoi dowódcy Luftwaffe, więc tylko odgarnął włosy i położył ręce na blacie biurka.

– ... major Helmuth Reinberger, który przewoził te dokumenty, usiłował je spalić – mówił dalej adiutant. – Jak stwierdził w rozmowie telefonicznej z przedstawicielem naszej ambasady, „prawie mu się to udało". Pozostały... – adiutant podniósł depeszę i odczytał – „nieistotne fragmenty, wielkości dłoni".

Göring się nie poruszył. Nie wierzył, że lotnikowi udało się zniszczyć papiery.

– Niech attaché wojskowy w Brukseli natychmiast tam pojedzie i spróbuje wydobyć dokumenty lub to, co z nich pozostało. Sprawdźcie w Kolonii, jak wielki był to pakiet, i przygotujcie taki sam. Musimy mieć pewność, że zniszczenie dokumentów było możliwe. Nie możemy wykluczyć, że ten major, w obawie przed karą, chce nas wprowadzić w błąd i kłamliwie dowodził, że zniszczył wszystko.

Adiutant powrócił za kilka minut, niosąc pod pachą gruby plik kartek. Göring bez słowa wstał i skierował się do wygasłego kominka. Jeszcze przez kilka godzin tego wieczora powtarzali próby spalenia pakietu kartek, za każdym razem uzyskując inny rezultat. W efekcie nie udało im się stwierdzić,

Sojusznicy gotowi do współdziałania: od lewej admirał Jean Darlan, premier Edouard Daladier i generał Maurice Gamelin

Niechętni sojuszowi: armia belgijska maszeruje przed Pałacem Królewskim w Brukseli

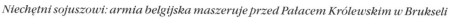

czy pilot mógł zniszczyć dokumenty w takim stopniu, że ich treść stała się nieczytelna. Nie mogli więc wykluczyć, że przypadek majora Reinbergera zniweczy wielki plan strategiczny Hitlera: uderzenie na Zachód, pierwszy krok do realizacji marzenia o niemieckiej krainie szczęśliwości i dobrobytu.

Göring obawiał się godziny, w której Führer dowie się, że plany wpadły w ręce wroga, i miał rację.

– Był to największy sztorm, jaki widziałem w moim życiu – zeznał w czasie procesu norymberskiego feldmarszałek Wilhelm Keitel. – Hitler był opętany, miał pianę na ustach, walił w ścianę pięściami i rzucał największe zniewagi pod adresem tych „partaczy i zdrajców ze Sztabu Generalnego", którym groził karą śmierci. Nawet Göring tak był przejęty tą straszną sceną, że następnego dnia Kesselring określił jego stan jako najbardziej depresyjny ze wszystkich, w jakich go widział. Generał Helmuth Felmy, dowodzący drugą flotą powietrzną, który był odpowiedzialny [za niefortunny lot, w którego wyniku dokumenty wpadły w ręce Belgów – BW], został zwolniony ze stanowiska i zastąpiony przez Kesselringa.

11 stycznia do Vucht, gdzie wciąż przetrzymywano majora Reinbergera, przybył generał Wenninger, attaché wojskowy niemieckiej ambasady w Brukseli. Pozwolono mu na widzenie z więźniem sam na sam.

– Jak pana traktują? – rozpoczął Wenninger rozmowę z majorem Reinbergerem, wyraźnie przybitym i oczekującym najgorszych wieści na temat swojego dalszego losu.

– Dobrze, nie mogę narzekać... – nie wydawał się rozmowny.

Generał pochylił się nad stolikiem, zbliżając usta do ucha majora.

– Co się stało z dokumentami? – zapytał bardzo cicho. Spodziewał się, że w pokoju mogą być mikrofony podsłuchowe. Miał rację, choć nie przypuszczał, że ulokowano je na tyle blisko, żeby wychwyciły nawet jego zniżony głos.

Reinberger skinął głową, dając znać, że rozumie, dlaczego generał mówi tak cicho.

– Zniszczyłem... – powiedział bez przekonania.

– Całkowicie? – upewniał się generał.

– Dwa razy próbowałem je spalić. Pozostało niewiele...

– Jak dużo?

– Strzępy, wielkości dłoni...

– Czy mogą odczytać treść?

Reinberger pokręcił głową. Uspokojony generał wstał. Zadał jeszcze kilka nieistotnych pytań i wyszedł z pokoju.

Ta rozmowa została nagrana. O ile do tego czasu rząd belgijski mógł się zastanawiać, czy lądowanie samolotu z ważnymi dokumentami na pokładzie nie zostało zaplanowane przez wywiad niemiecki, żeby wprowadzić Belgów w błąd, to podsłuchana rozmowa przekonywała, że był to autentyczny wypadek i dokumenty są prawdziwe. Należało się więc spodziewać, że wobec tak oczywistego dowodu, że zbliża się czas agresji na Belgię, zabrzmi w tym kraju alarm. Na zbrojenia nie było już wiele czasu, ale rząd powinien zmienić swoją politykę nieufności wobec Francji, a Sztab Generalny przystąpić do współdziałania z aliantami. Tymczasem w Brukseli panował spokój. Duch appeasementu* tak bardzo opanował zachodnią Europę, że belgijscy politycy nie zdobyli się na żadne energiczniejsze działania, bojąc się zaognić sytuację. Odrzucili nawet inicjatywy, z jakimi wystąpiły władze Francji. Na propozycję generała Maurice'a Gamelina, żeby wprowadzić wojska francuskie do Belgii, Paul-Henri Spaak**, belgijski minister spraw zagranicznych, odparł 15 stycznia, że taka propozycja jest całkowicie niemożliwa do zaakceptowania i sprzeczna z polityką jego rządu. Dzień później powiedział do niemieckiego ambasadora, Vicca von Bülowa-Schwantego, że Belgia podjęła zapobiegawcze działania wobec „ewidentnego dowodu intencji ataku", ale równocześnie zapewnił go „solennie, że rząd Belgii nigdy nie pozwoli sobie na tak nierozważne działanie, jak wezwanie aliantów do swojego kraju"; tak ambasador streścił rozmowę z belgijskim ministrem w depeszy do Berlina.

Belgijski Sztab Generalny, nieco trzeźwiej oceniając sytuację, podjął pewne współdziałania z aliantami, ale w bardzo ograniczonym zakresie: wysłano mapy belgijskich lotnisk do Londynu i Paryża, przystąpiono do organizowania kolejowego transportu francuskich czołgów do Holandii i poczyniono parę innych drobnych kroków.

Kluczowe dla przebiegu kampanii na Zachodzie nadejście francusko-brytyjskich oddziałów i połączenie ich z wojskami belgijskimi zależało od tego, jak długo Eben Emael zatrzyma niemieckie dywizje. Potrzeba było sześciu dni...

Nadzwyczajny generał Manstein

Czyżby przechwycenie przez Belgów tajnych planów majora Reinbergera skłoniło Hitlera do zmiany planów dotyczących wojny z Belgią? Zapewne miało to istotny wpływ. Führer od początku nie był przekonany do

Erich von Manstein

---

* **Appeasement** (ang. uspokojenie, ugłaskanie) – termin określający politykę ugody i ustępstw prowadzoną w drugiej połowie lat 30. przez rządy Wielkiej Brytanii i Francji wobec Niemiec i Włoch.

** **Paul-Henri Spaak** (1899–1972) – polityk belgijski, w latach 1936–1938 minister spraw zagranicznych, w latach 1938–1939 premier i ponownie, w latach 1939–1947, minister spraw zagranicznych (w latach 1940–45 w rządzie emigracyjnym w Londynie). Po wojnie sprawował m.in. urząd premiera (1947–1950), ministra spraw zagranicznych (1954–1957 i 1961–1966), sekretarza generalnego NATO (1967–1971).

planu zakładającego, że główny ciężar uderzenia niemieckich wojsk powinno się skupić na północy Belgii. Było to w istocie odtworzenie planu Schlieffena, według którego w sierpniu 1914 roku wojska niemieckie uderzyły na Belgię i posuwały się szerokim łukiem na południe w stronę Paryża.

W 1939 roku niemieccy planiści chcieli przeprowadzić trzon wojsk niemieckich – 37 dywizji (w tym osiem pancernych) z Grupy Armii „B", tą samą trasą przez Belgię, aczkolwiek dywizje te miały skręcić nie na południe w stronę Paryża, jak w 1914 roku, lecz utrzymywać kierunek północny, aby dojść do wybrzeży kanału La Manche i uniemożliwić lądowanie wojskom brytyjskim. Dopiero w drugim etapie wojny miały ruszyć na Paryż.

„FALL GELB" – PIERWOTNY PLAN UDERZENIA OPRACOWANY 19 PAŹDZIERNIKA 1939 ROKU

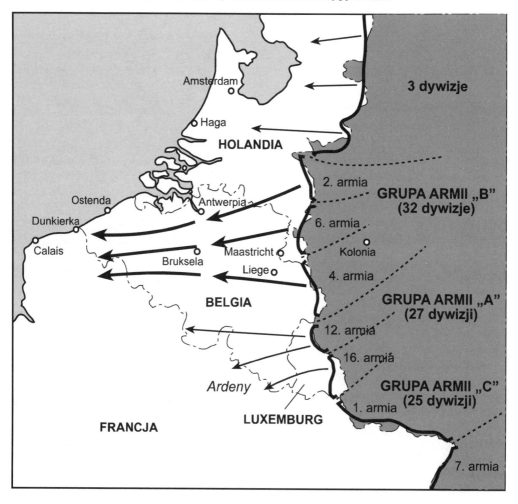

Hitler zaakceptował ten plan, ale bez entuzjazmu. Brakowało w nim fortelu, niekonwencjonalnego posunięcia, które tak cenił jako warunek politycznych i militarnych zwycięstw. Rozumiał, że jego wojska będą tak działać, jak spodziewali się tego alianci, a więc bez elementu zaskoczenia, na którym opierała się doktryna wojny błyskawicznej. W miarę wyczekiwania na sprzyjające warunki atmosferyczne, Hitler coraz częściej napomykał o przeniesieniu ciężaru uderzenia na południową Belgię. Jednak brakowało mu odwagi do dokonania tak diametralnej zmiany, a także sojusznika, który utwierdziłby go w przekonaniu, że poprowadzenie wojsk przez południe Belgii jest lepszym rozwiązaniem. Za to zderzał się z jednoznaczną opinią, że przejście czołgów przez leżące na

„FALL GELB" – OSTATECZNY PLAN UDERZENIA
OPRACOWANY 24 LUTEGO 1940 ROKU

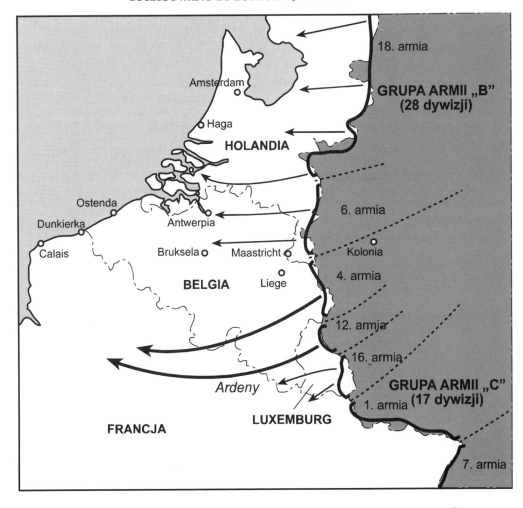

Generał Gerd von Rundstedt z Adolfem Hitlerem

południu Ardeny jest niemożliwe. W tym górzystym, pociętym wąwozami i zalesionym terenie czołgi byłyby zmuszone posuwać się w kolumnach, nie mogłyby wykorzystać swojej siły, za to byłyby narażone na ataki lotnicze. Hitler dawał się przekonać. Do czasu...

Nie wiedział, że jego pogląd podzielało wielu znaczących oficerów, gdyż ich propozycje do niego nie docierały. Dowódca Grupy Armii „A", generał Gerd von Rundstedt*, i szef jego sztabu, generał Erich von Manstein**, często kierowali do dowództwa wojsk lądowych raporty, w których uzasadniali, że główne uderzenie powinno pójść południem Belgii. Nadaremnie. Ich propozycje nie zostały wykorzystane. Prawdopodobnie zaważyły na tym względy osobiste: dowódca wojsk lądowych, generał Walther von Brauchitsch, nie znosił ani Mansteina, ani większego znaczenia dla historii, ale Halder uważał ponadto ich pomysły za nie-

---

* **Gerd von Rundstedt** (1875–1953), feldmarszałek niemiecki, kombatant I wojny światowej, poparł publicznie Hitlera po jego dojściu do władzy w styczniu 1933 r. We wrześniu 1938 r. przeszedł w stan spoczynku, lecz w sierpniu 1939 r. powołano go do służby. W czasie kampanii w Polsce dowodził Grupą Armii „Południe". Od października 1939 r. dowodził Grupą Armii „A", która odegrała istotną rolę w przełamaniu obrony alianckiej w maju 1940 r. W lipcu tego roku otrzymał stopień feldmarszałka i objął dowodzenie wojskami lądowymi, przygotowywanymi do inwazji na Wielką Brytanię. W marcu 1941 r. utworzył we Wrocławiu dowództwo Grupy Armii „Południe", którą dowodził w walkach na Ukrainie. 1 grudnia tego roku został odwołany ze stanowiska za wycofanie swoich wojsk spod Rostowa. Powrócił do czynnej służby w marcu 1942 r., obejmując dowództwo obszaru operacyjnego „Zachód". 2 lipca 1944 r. ponownie przeszedł na emeryturę. Po zamachu na Hitlera 20 lipca 1944 r. przewodził sądowi honorowemu, badającemu sprawy oficerów zaangażowanych w spisek. 9 września 1944 r. ponownie objął dowodzenie wojskami niemieckimi we Francji. Po przechwyceniu przez wojska amerykańskie mostu na Renie w Remagen został ostatecznie zdymisjonowany. Schwytany przez żołnierzy amerykańskich 1 maja 1945 r., ze względu na zły stan zdrowia nie stanął przed sądem i w maju 1949 r. wyszedł na wolność.

** **Erich von Manstein** (1887–1973), feldmarszałek niemiecki, syn pruskiego oficera, gen. Eduarda von Lewinskiego (przyjął nazwisko wuja, który go adoptował). Żołnierz I wojny światowej, po jej zakończeniu służył w Reichswehrze. Od 1936 r. był zastępcą szefa sztabu wojsk lądowych Wehrmachtu. W 1938 r. był szefem sztabu wojsk zajmujących Sudety. We wrześniu 1939 r. był szefem sztabu Grupy Armii „Południe", a następnie szefem sztabu Grupy Armii „A". 24 lutego 1940 r. przedstawił Hitlerowi plan ataku na Francję przez Ardeny, co zyskało akceptację Führera. Jego projekt, wykorzystany w planie gen. Franza Haldera, stał się podstawą sukcesu sił niemieckich w kampanii na zachodzie Europy. W czasie walk we Francji dowodził XXXVIII korpusem, który pierwszy przekroczył Sekwanę. W 1941 r., w czasie agresji na Związek Radziecki dowodził LVI korpusem pancernym. Od września 1941 r. dowodził 11 armią, która zajęła Krym, a w lipcu 1942 r. zdobyła Sewastopol. W uznaniu jego zasług awansowa-

trafione, więc z czystym sumieniem chował ich plany do szuflady.

Pierwszym, najpoważniejszym impulsem skłaniającym Hitlera do ostatecznej zmiany planów było przechwycenie dokumentów przez Belgów. 13 lutego 1940 roku, w rozmowie z generałem Alfredem Jodlem* powiedział:

– Siły pancerne powinny zostać skoncentrowane w kierunku Sedanu [tj. południa Belgii – BW], gdzie nieprzyjaciel nie spodziewa się naszego głównego uderzenia. Dokumenty, jakie znaleźli w samolocie, który wylądował w Belgii, utwierdziły ich w opinii, że naszym celem jest zajęcie północnych wybrzeży Belgii i Holandii.

Generał Jodl poinformował o tej wypowiedzi Brauchitscha, który uznał, że już dłużej nie powinien ukrywać projektu Mansteina i Rundstedta. Tym bardziej

Adolf Hitler i generał Erich von Manstein (w środku) nad planami wojny z Zachodem

że gra wojenna, przeprowadzona następnego dnia w Mayen, potwierdziła skuteczność uderzenia na południe.

17 lutego Manstein, dopiero co mianowany dowódcą XXXVIII korpusu, jedząc obiad z Hitlerem, miał okazję przedstawić mu swój projekt. Hitler był szczęśliwy. Jego pomysły, nieśmiało dotychczas wyrażane wobec naj-

no go do stopnia feldmarszałka. Od sierpnia 1942 r. dowodził wojskami nacierającymi na Leningrad. W listopadzie tego roku objął dowodzenie Grupą Armii „Don", która miała uwolnić 6 armię, okrążoną pod Stalingradem. W lutym 1943 r. stanął na czele Grupy Armii „Południe", która odbiła Charków i zajęła Biełgorod w marcu 1943 r. W lipcu tego roku poniósł klęskę w bitwie pod Kurskiem, przełomowej dla zmagań na froncie wschodnim. W 1944 r. popadł w niełaskę Hitlera, opowiadając się za elastyczną strategią, i w marcu tego roku odszedł w stan spoczynku. Po wojnie uwięziony, skazany w 1949 r. przez sąd brytyjski na 18 lat więzienia za zbrodnie popełnione przez podległe mu jednostki na terenie ZSRR, wyszedł na wolność w 1952 r.

* **Alfred Jodl** (1890–1946), generał niemiecki, żołnierz I wojny światowej, w 1932 r. objął kierownictwo wydziału operacyjnego Truppenamtu (Sztabu Generalnego) Reichswehry. W sierpniu 1939 r. został mianowany szefem oddziału operacyjnego zarządu, a następnie sztabu dowodzenia w Oberkommando der Wehrmacht. Chociaż nie aprobował nazizmu – pozostawał wiernym wykonawcą planów Hitlera. Ranny w czasie lipcowego zamachu w Kętrzynie. W maju 1945 r. podpisał kapitulację Niemiec. W 1946 r. Międzynarodowy Trybunał Wojskowy w Norymberdze uznał go winnym udziału w planowaniu wojny i skazał na śmierć; wyrok wykonano.

Niemieckie czołgi skoncentrowane na granicy z Belgią

wyższych oficerów Sztabu Generalnego, znalazły niespodziewanie potwierdzenie ze strony fachowca pierwszej wody. Manstein, wezwany do Kancelarii Rzeszy 24 lutego, stawił się przed Hitlerem, aby wyłożyć mu swój plan szczegółowo. Udowodnił, że przeciwnicy kierowania czołgów przez Ardeny nie mają racji. Zauważył, że dowódcy francuscy, przekonani, że Niemcy nie skierują swoich wojsk do tego rejonu, przeznaczyli do obrony Ardenów jednostki rezerwowe swojej 2 i 9 armii, słabe, źle wyszkolone i uzbrojone, które nie stanowiły równego przeciwnika dla niemieckich dywizji pancernych. A gdy te przedrą się przez Ardeny, zatrzymanie ich na równinach Francji nie będzie już właściwie możliwe – dowodził. Hitler zaakceptował tę strategię, która włączona do planu wojny z Zachodem generała Haldera, przyniosła Niemcom zwycięstwo.

Stojąca na północy Grupa Armii „B", która utraciła swoją główną rolę, jaką dotychczas wyznaczał jej „Fall Gelb", zachowała dwie armie, z których 18 miała uderzyć na Holandię, 6 zaś pójść przez północną Belgię. Miały one ściągnąć na siebie brytyjskie i francuskie wojska, aby jak najdłużej utrzymać aliantów w przekonaniu, że plan niemiecki nie uległ zmianie. Gdyby jednak 6 armia utkwiła przed zerwanymi mostami, zatrzymana przez działa Eben Emael, wówczas dywizje niemieckie, które łatwo miały się przedrzeć przez Ardeny i szybko posuwać w stronę kanału La Manche, znalazłyby się w śmiertelnym niebezpieczeństwie, pozbawione ochrony wojsk podążających na lewym skrzydle. Była to klasyczna sytuacja, która wielokrotnie w historii wojen prowadziła do klęski atakujących. Tak było na przykład w 1920 roku pod Warszawą, gdy dowodzący wojskami bolszewickimi Michaił Tuchaczewski, licząc na nadejście spod Lwowa 1 armii konnej Budionnego, skoncentrował wszystkie siły na prawym skrzydle i w centrum wielkiego frontu. Armia Budionnego spóźniła się i bolszewicy poszli na Warszawę z odsłoniętym lewym skrzydłem, co wykorzystali polscy dowódcy, uderzając tam i przesądzając o klęsce wojsk Tuchaczewskiego, które, zagrożone okrążeniem, musiały cofać się w popłochu.

Zdobycie twierdzy Eben Emael zachowało więc decydujące znaczenie dla powodzenia wielkiej operacji podbicia Zachodu.

Gotowi

W końcu lutego oddział Witziga był już gotów do walki. Przez miesiąc żołnierze trenowali niszczenie bunkrów na terenie Czech. Używali miotaczy płomieni, klasycznych ładunków wybuchowych i ciągle biegali z drewnianymi skrzynkami, które musieli klepać dłonią, gdy położyli je na stropie bunkra. Wiedzieli wszystko o działaniu ładunków kumulacyjnych, lecz nie wolno im było ich używać w obawie przed zbyt wczesnym ujawnieniem nowej broni. A zachowanie tajemnicy, obok zaskoczenia, było podstawowym warunkiem powodzenia operacji, w której kilkudziesięciu ludzi miało się zmierzyć z najpotężniejszą fortecą świata. I zdobyć ją.

Dopóki szybowce latały nad Hildesheim, nie było większego niebezpieczeństwa dekonspiracji. Jednak w pewnym momencie trzeba było przerzucić kilkadziesiąt szybowców na lotniska Ostheim i Butzweilerhof pod Kolonią, skąd oddział Kocha miał wystartować do ataku na mosty i twierdzę.

Późnego lutowego wieczoru 1940 roku policyjne patrole otoczyły lotniska. Zamknięto pobliskie drogi, z których usuwano przypadkowych przechodniów i kierowano samochody na odległe objazdy. Tego samego wieczoru przed główne bramy nadciągnęły wielkie ciężarówki, wiozące na

Karabiny Mauser 98k – podstawowa broń oddziałów niemieckich strzelców spadochronowych

75

Niemieccy spadochroniarze; u żołnierza z lewej strony widać ładownice z nabojami do Mausera

swoich skrzyniach długie, szczelnie okryte brezentem kontenery. Wjeżdżały wprost do hangarów, gdzie technicy ściągali brezenty, ujawniając drewniane rusztowania, ustawione na skrzyniach ciężarówek po to, aby ukryć kształt rozmontowanych kadłubów i skrzydeł szybowców. Przez pięć dni składano tę cichą armadę, przed hangarami zaś ustawiono 45 generatorów zasilających wielkie wytwornice dymu. To na wypadek, gdyby nad lotniskiem pojawił się jakiś aliancki samolot rozpoznawczy. Prasa wyjaśniała mieszkańcom pobliskich wiosek, na które wiatr znosił gęsty dym, że trwają próby nowych urządzeń do wytwarzania zasłon dymnych na polu walki.

Żołnierze z grupy „Granit" porucznika Witziga pozostali w Hildesheim, gdzie wciąż trenowali te same czynności.

– Szybowiec na ziemi! – Na ten okrzyk dowódcy musieli się zerwać z ławek i chwycić za sprzęt. W czasie lotu wszystkie przedmioty musiały być dokładnie przymocowane do metalowych rur konstrukcji szybowca, aby przy gwałtownych wstrząsach, jakie z reguły towarzyszyły schodzeniu do lądowania i samemu przyziemieniu, nie zamieniły się w pociski latające po kabinie. A w każdym samolocie był spory arsenał: pięć min kumulacyjnych 50-kilogramowych i 12,5-kilogramowych (cały zespół Witziga przewoził 56 tych ładunków), ładunki trotylu na długich tyczkach do wsuwania w lufy dział, ładunki do niszczenia zasieków, miotacz płomieni, karabin maszynowy *MG 34**. Ponadto każdy z żołnierzy miał pistolet maszynowy

---

* *Maschinengewehr MG 34* – karabin maszynowy, zmodyfikowana w 1934 r. wersja karabinu *MG 30*, produkowanego od 1930 r., który nie zyskał uznania dowództwa wojsk niemieckich. Na dwunożnej podstawie był lekkim karabinem maszynowym, a zamontowany na podstawie trójnożnej spełniał wymagania stawiane ciężkiemu karabinowi maszynowemu. Jego „wadą" było bardzo dobre wykonanie, co wymagało dużego nakładu pracy przy produkcji oraz troskliwej konserwacji w warunkach bojowych. Z tego względu nie był produkowany ani używany na masową skalę; od 1942 r. zastąpiono go karabinami *MG 42*. Dane taktyczno-techniczne: kal. 7,92 mm, długość 1222 mm, długość lufy 628 mm, magazynek taśmowy lub siodłowy z 75 nabojami, ciężar z trójnogiem 19,19 kg, szybkostrzelność 800–900 strzałów/min, prędkość początkowa pocisku 756 m/s.

Karabin maszynowy MG 34

MP 38* lub karabinek Mauser *98 k***, granaty, brezentowe „bandoliery" –
ładownice na 120 nabojów do karabinu, rakietnicę, składany nóż grawi-
tacyjny.

Od chwili usłyszenia okrzyku musieli działać jak automaty. Nie wolno
im było myśleć, gdyż wówczas mogliby zacząć się bać. Mieli odpiąć swój
ekwipunek i w dokładnie zapamiętanej kolejności wyskoczyć z szybowca. Pozostały im sekundy na zorientowanie się, gdzie wylądował szybowiec i gdzie znajduje się ich cel. Od tego momentu musieli rzucić się do

---

* *MP 38 Schmeisser* – pistolet maszynowy, skonstruowany w 1938 r. przez zespół
kierowany przez Bertholda Giepela, nazwany – z nieznanych powodów – od nazwiska
konstruktora innych pistoletów maszynowych, Hugo Schmeissera. Była to pierwsza
broń tego rodzaju, w której zastosowano składaną kolbę metalową. Mimo wielu nowa-
torskich rozwiązań, proces produkcyjny tego pistoletu był oparty na tradycyjnych
metodach obróbki skrawaniem, co podrażało koszty i przedłużało czas wytwarzania.
Nową wersję, oznaczoną *MP 40*, dostosowano do wymogów produkcji masowej, wykorzystując wiele elementów z tłoczonej blachy i spawanych. Do 1945 r. wyprodukowano ok. 1 mln egzemplarzy.
Dane taktyczno-techniczne: kal. 9 mm, długość 833 mm, długość lufy 251 mm, poj.
magazynka 32 naboje, ciężar 4,02 kg, szybkostrzelność 500 strzałów/min.
** **Mauser 98 k (kurz)** – odmiana karabinu Mauser wz. 1898, wprowadzona do uzbrojenia Wehrmachtu w 1935 r. jako podstawowe uzbrojenie strzeleckie.
Dane taktyczno-techniczne: kal. 7,92 mm, długość całkowita 1100 mm, długość lufy
599,4 mm, ciężar 3,8 kg.

Most w Danii, którego spadochroniarze nie musieli zdobywać

Żołnierze niemieccy przybywają do Oslo

przodu jak zgłodniałe wilki na krwawiące zwierzę. Liczyło się tylko dotarcie do celu i zniszczenie go. Nic więcej. Dlatego powtarzali te same czynności dziesiątki razy każdego dnia, zbierając dotkliwe kary za błędy. Nagród nie było.

Każdy z nich doskonale wiedział, jak wygląda obiekt, do którego mieli dotrzeć, gdzie znajdują się strzelnice, ile jest dział i co trzeba zrobić, aby nie mogły strzelać. Ta wiedza pochodziła z analizy zdjęć lotniczych i raportów niemieckich firm, które budowały Eben Emael. Żołnierze Witziga jednego tylko nie wiedzieli: jak nazywa się forteca, którą mieli zniszczyć, i gdzie się znajduje. O tym mieli się dowiedzieć dopiero przed startem.

Codzienny rytm tych samych ćwiczeń. Mozolny, nudny, przerywany wyzwiskami podoficerów prowadzących ćwiczenia, upokarzającymi karami, miał ich utwardzać i wyrobić w nich chęć do walki, wyrwania się z codziennej mordęgi ćwiczeń, które w pewnym momencie stały się jeszcze jedną formą znęcania się nad nimi.

9 kwietnia nadeszły wiadomości, że ich koledzy z 7 dywizji spadochronowej walczą. Co prawda w Danii nie narażali się zbytnio, ale tylko dlatego, że duńscy żołnierze strzegący mostu między wyspami Falster i Fiona, który Niemcy mieli zająć, nie rozpoznali niemieckich spadochroniarzy (ich hełmy różniły się kształtem od hełmów noszonych przez żołnierzy wojsk lądowych) i nie stawiali oporu. Dopiero w Norwegii, gdzie spadochroniarze mieli opanować lotniska i dotrzeć do Oslo, aby schwytać króla i członków rządu, rozpoczęły się walki.

Spadochroniarze w Hildesheim nadal trenowali i czekali na rozkaz, który nie nadchodził.

„Danzig"

Sztaby niemieckich armii stojących nad granicą z Belgią, Luksemburgiem i Francją odebrały około godziny 13.00 zaszyfrowaną wiadomość „Fall Gelb, 10.05.40, 5.35 Uhr". Oznaczało to, że następnego dnia, 10 maja, mają uderzyć. Czekały jeszcze na hasło „Danzig" – ostateczny rozkaz ataku, lub „Augsburg" – odwołanie akcji.

W tym samym czasie z Kancelarii Rzeszy wyruszyła kawalkada samochodów, w których zasiedli Hitler i jego najbliżsi współpracownicy. Po kilkunastu minutach dojechali na lotnisko, gdzie na płycie z daleka zobaczyli samolot Führera nazwany „Immlemann III", na cześć niemieckiego pilota z I wojny światowej. Jednak kolumna samochodów przemknęła obok dworca lotniczego i zatrzymała się dopiero na niewielkiej stacji kolejowej Finkenkrug, gdzie pasażerowie wsiedli do pociągu Führera i wyruszyli na północ. Niewielu wiedziało, dokąd zmierzają.

Goście Hitlera zdawali sobie sprawę, że tajemnica wynika z potrzeby zachowania maksymalnego bezpieczeństwa, co było oczywiste po za-

Maszyna szyfrująca „Enigma" w polowym stanowisku dowodzenia

machu 8 listopada 1939 roku w „Bürgerbräukeller" w Monachium. Ci, którzy znali cel podróży, jak generał Wilhelm Keitel, zachowywali tajemnicę. Pozostały więc tylko przypuszczenia. Skoro pociąg zmierzał na pół-

Gotowi do ataku...

noc, podejrzewano, że zmierzają do Kilonii, skąd samolotem wyruszą do Oslo.

W Hanowerze pociąg zatrzymał się, a do wagonu Führera wsiadł pułkownik Diesing, szef służby meteorologicznej Wehrmachtu. Przyniósł ze sobą raporty meteorologiczne: 10 maja 1940 roku będzie piękna słoneczna pogoda. Uradowało to Hitlera tak bardzo, że nagrodził posłańca złotym zegarkiem. Dopiero wtedy pasażerowie pociągu jadącego w nieznane dowiedzieli się, że rankiem następnego dnia wojska niemieckie wyruszą na Belgię, Holandię, Francję i z tym wielkim wydarzeniem wiąże się ich podróż.

W koszarach bazy lotniczej Ostheim pod Kolonią, gdzie zakwaterowano żołnierzy z grupy „Granit", panował nastrój podenerwowania. Nie było to związane z żadną konkretną wiadomością na temat terminu akcji, ale od 1 maja, gdy przyjechali z poligonu Hildesheim, było oczywiste, że wyruszą do akcji lada moment.

Wieczorem 9 maja około godziny 19.00 zdarzyło się coś dziwnego. Do

Spadochroniarze wyruszający z lotnisk w Ostheim i Butzweilerhof mieli zaatakować mosty po opanowaniu ich przez desant szybowcowy

grupy żołnierzy odpoczywających na trawniku obok placu apelowego podszedł sierżant Heinemann. Nie krzyczał, żeby stanęli w szeregu, nie kazał im biec na plac. Powiedział cicho:

- To jutro.

Zapanowała cisza.

- Więcej instrukcji dostaniecie bardzo szybko - dodał i odszedł w stronę sztabu. Wrócił o 20.35. Zebrał żołnierzy dookoła siebie jak trener drużyny piłkarskiej udzielający ostatnich rad przed meczem.

- Załóżcie ekwipunek i insygnia. Wyślijcie ostatnie listy. Pozostawać w zasięgu głosu.

Kilka minut później we wszystkich budynkach pogasły światła i lotnisko ogarnęła ciemność, którą rozpraszały tylko niewielkie lampki z kloszami owiniętymi tak, aby promienie padały na ziemię i nie były widoczne z powietrza. W bramie pojawiły się światła reflektorów ciężarówek, które przywiozły pilotów samolotów *Ju 52/3m*.

W tych ciemnościach lotnisko zaczęło ożywać. Z polowej kuchni, która rozłożyła się na placu apelowym, wydawano kiełbasę, ziemniaki i kawę. Z hangarów wypychano samoloty transportowe, których silniki wnet wypełniły otoczenie hukiem i dymem spalin wydobywających się z rur, w których błyskały niebieskie ogniki. Jeden po drugim samoloty kołowały w stronę pasa startowego, gdzie ustawiały się w kolejce. W tym czasie naziemna obsługa wyprowadzała z hangarów szybowce, toczyła je w kierunku pasa startowego i ustawiała je zgodnie z numerami widocznymi na kadłubach samolotów. Inni rozciągali liny holownicze, które mocowali do kadłubów Junkersów i dziobów szybowców. Technicy sprawdzali mechanizmy zwalniające hole. O 21.30 na schodach budynku sztabu pojawił się porucznik Witzig.

- Ładować się! - krzyknął.

Ustawili się w grupy i gęsiego, objuczeni bronią i amunicją, skierowali się do swoich szybowców. Jeden po drugim siadali na wyznaczonych miejscach. Troczyli pasami ekwipunek pod brezentowymi siedzeniami. Nikt się nie odzywał. Czekali.

- Gotowi do startu! - piloci szybowców jeden po drugim wysuwali głowy przez boczne okienka w kabinach i meldowali gotowość. Jednak start nie nastąpił. Porucznik Witzig podchodził do każdego z szybowców i kazał żołnierzom wysiadać. Nie wiadomo, dlaczego tak się stało. Być może była to próba generalna przed prawdziwym startem. Być może Witzig zapomniał odczytać rozkaz.

Gdy stanęli ponownie na murawie lotniska Witzig odczytał:

- Oddział „Granit" ma dotrzeć szybowcami i zająć twierdzę w belgijskim systemie obronnym. W Ostheim godziną zero jest 3.25 - miał na myśli godzinę, o której wystartują szybowce. - To wasze zadanie. To wszystko!

- Nie oddalać się poza płytę hangaru - krzyknął sierżant. - Rozejść się!

W tym samym czasie, około 22.00, sztaby trzech grup armii gotowych do wyruszenia do walki otrzymały zaszyfrowane depesze; „Stichwort Danzig". Ostateczny rozkaz do uderzenia na Belgię.

Zaczynała się wielka wojna, w której Niemcy rzucały wyzwanie największym mocarstwom świata. Siły były wyrównane.

Żołnierze z oddziału „Granit" siedzieli na betonowej płycie przed hangarem. Niektórzy zdjęli hełmy i położyli się, opierając na nich głowy. Sierżant Heinemann chodził od jednego do drugiego, dając im niewielkie szklane fiolki.

– To wam doda energii – wyjaśniał.

Podobno zawierały Pervitin, zestaw witaminowy, ale na dobrą sprawę nikt nie wiedział, co jest we wnętrzu fiolki z brązowego szkła.

– Jeden z pilotów szybowców wziął takie trzy – powiedział któryś z żołnierzy. – Zmieszał je z kawą. I dostał takiego kopa, że przez trzy dni nie mógł spać.

O 3.00 poderwał ich na nogi nowy rozkaz. Sierżant wyczytał nazwiska i kazał iść do szybowców, których numery, podświetlone naftowymi lampami, były widoczne z daleka. Wkrótce narastający huk silników Junkersów i szarpnięcie kadłuba dało im znać, że misja właśnie się rozpoczęła i nie ma już odwrotu. 84 żołnierzy wyruszało do walki z największą fortecą świata, której załoga miała liczyć 1200 żołnierzy.

W tym samym czasie szybowce trzech innych grup wystartowały z Ostheim i Butzweilerhof, położonego na północnych przedmieściach Kolonii. Kierowały się w stronę mostów na Mozie i Kanale Alberta, które miały opanować, zanim strzegące ich posterunki nie uruchomią zapalników ładunków wybuchowych zamontowanych w filarach. Do startu była też gotowa druga grupa samolotów *Ju 52/3m*, ze spadochroniarzami, którzy po 40 minutach od wylądowania szybowców mieli dotrzeć w rejon mostów i wyskoczyć na spadochronach, aby wzmocnić siły żołnierzy, którzy do tej pory mieli już opanować przyczółki mostowe.

Szybowiec Witziga wystartował punktualnie o 3.35. Szybko nabierał wysokości. W dali piloci zobaczyli pierwsze z wielkich ognisk, jakie rozpalono na trasie przelotu samolotów, aby ułatwić im nawigację. Zbliżali się do punktu, gdzie powinni zwolnić linki holownicze i rozpocząć swobodny lot.

Nagle przez kadłub samolotu przebiegło gwałtowne drżenie, a jego nos pochylił się. Pilot, kapral Pilz, krzyknął coś i odepchnął drążek, aby utrzymać się za holującym samolotem. Dopiero po chwili stało się jasne, że pilot Junkersa, widząc inny samolot przelatujący bardzo nisko nad jego kabiną, musiał gwałtownie nurkować, aby uniknąć zderzenia. Pilz usiłował utrzymać swój szybowiec na kursie, ale nie wiedząc dokąd zmierza Junkers, manewrował zbyt wolno. Lina holownicza naprężyła się gwałtownie i pękła z suchym trzaskiem. Jej urwany koniec po uderzeniu w pleksi kabiny powiewał bezradnie obok kadłuba. Pilot szybko opanował samolot i wyrównał lot.

Witzig zerwał się z miejsca i pochylił się nad pilotem. Siedząc z przodu, widział, co się stało.

– Dolecimy do fortu?

– Absolutnie nie! – pokręcił głową Pilz.

– Jesteś pewny?

– Oczywiście! – Pilz stuknął palcem w wysokościomierz. – Jesteśmy na tysiącu metrach. To za mało, aby dolecieć.

Witzig poczerwieniał z wściekłości. Wiele miesięcy ciężkiej pracy idzie na marne, a w dodatku mogli się stać pierwszymi jeńcami w tej wojnie, zanim się jeszcze rozpoczęła.

Ju 52 holujący szybowiec desantowy DFS 230

– Wracaj na wschodnią stronę Renu i postaraj się dotrzeć do Ostheim – rozkazał.

– Tak jest! – Pilz nie dodał nic więcej. Zdawał sobie sprawę, że ten rozkaz jest również niewykonalny, ale wolał nie rozsierdzać dowódcy bardziej. Pochylił samolot na skrzydło i wykonał płynny skręt. Podciągnął lekko drążek, sprawdzając czy szybowiec może się unieść, ale po chwili zrezygnował z tych prób. Wiatr był wyjątkowo niekorzystny.

– Jesteśmy nad Renem – odezwał się w pewnym momencie. Nie musiał niczego dodawać. Witzig widział przez okno kabiny, jak nisko lecą. Nie mieli szans powrotu na lotnisko odległe zaledwie o 7–8 kilometrów.

Pilz wypatrzył pole, wystarczająco duże i równe, aby mogli wylądować, i posadził szybowiec tak ostrożnie, że nie odnieśli żadnego uszkodzenia.

– Będziemy mogli stąd wystartować? – Witzig rozejrzał się po okolicy. Myślał oczywiście o wezwaniu samolotu, który mógłby wziąć ich szybowiec na hol i wyciągnąć w powietrze.

– Sądzę, że tak – odparł po namyśle pilot. – Pole jest wystarczająco duże i równe, żeby mógł tu wylądować Junkers. Trzeba tylko wyciąć te krzaki i usunąć płot.

– Oczyścić pole! – krzyknął Witzig do swoich żołnierzy, sam zaś ruszył w stronę zabudowań widocznych za drogą. Tam zarekwirował samochód i dotarł do lotniska w Ostheim, gdzie obiecano mu, że wkrótce przyleci samolot z innej bazy lotniczej i weźmie jego szybowiec na hol. Musiał czekać.

Oprócz tego, jeszcze jeden szybowiec nie doleciał do celu, gdyż jego pilot źle zrozumiał znaki świetlne nadawane z ciągnącego ich samolotu i za wcześnie zwolnił hol. Siły atakujących gwałtownie zmalały do 70 żołnierzy. Mieli przed sobą dziesięciokrotnie silniejszego wroga, ukrytego za ścianami z betonu i stali.

W tym czasie pociąg Führera zatrzymał się na stacji w Euskirchen, niewielkiej miejscowości położonej 50 kilometrów na zachód od Bonn. Hitler, rześki i wypoczęty, przesiadł się z wagonu do opancerzonego mercedesa, który go zabrał do nowej polowej kwatery nazwanej „Felsennest"

– „Skalne gniazdo", w lesie w pobliżu Münstereifeld, 45 kilometrów od belgijskiej granicy. Stamtąd, z bunkra wbudowanego w skały, miał kierować wojskami zmierzającymi w stronę kanału La Manche.

Zapoznał się już z doniesieniami wywiadu, że Belgowie, zauważywszy wzmożony ruch niemieckich oddziałów wzdłuż swoich granic, około 1.00 w nocy ogłosili alarm. Czy zezwolili również oddziałom francuskim i brytyjskim na wkroczenie na swoje terytorium? Tego Hitler nie wiedział.

Jak w każdej wielkiej operacji, które podejmował: w 1936 roku, gdy kazał wprowadzić niemieckie wojska do zdemilitaryzowanej strefy Nadrenii, w 1938 roku, gdy wysłał swoje dywizje do Austrii, w 1939 roku, gdy kazał im wkroczyć do Pragi – ryzyko było ogromne. Czy alianci dadzą się zwieść i uwierzą, że główne niemieckie uderzenie pójdzie w kierunku północnej Belgii? Czy niewielki oddział komandosów opanuje i zniszczy gigantyczną twierdzę, uniemożliwiając jej zatrzymanie niemieckich dywizji? Czy rząd belgijski, mając oczywiste dowody, że Niemcy szykują się do wojny, nie zmieni swojej polityki i nie zgodzi się wcześniej na wprowadzenie wojsk aliantom do Belgii? Wydawało się, że szansa na powodzenie była niewielka.

Alianci obserwowali wojska niemieckie rozłożone wzdłuż zachodnich granic Belgii. Z łatwością mogli zauważyć przesuwanie wielu dywizji z północy na południe, co było oczywistym znakiem, że główne uderzenie zostanie skierowane na Ardeny.

Noc przed bitwą

Dzwonek telefonu wyrwał majora Jottranda ze snu pół godziny po północy.

– Oficer dyżurny, panie majorze – usłyszał. – Dowództwo w Liége ogłosiło alarm dla fortu.

Półprzytomny Jottrand mruknął coś do słuchawki i odłożył ją na aparat. W ciągu ostatnich kilku dni trzykrotnie ogłaszano alarm, nie widział więc powodu do niepokoju. Najchętniej pozostałby w łóżku w swojej kwaterze w Wonck, niewielkiej wiosce oddalonej o cztery kilometry od Eben Emael, jednakże zawodowa sumienność mu na to nie pozwoliła. Wziął prysznic, aby pozbyć się resztek snu, ubrał się i ruszył do samochodu zaparkowanego na podwórzu. Po kilku minutach szybkiej jazdy był już w forcie.

Z dwóch baraków koszarowych przed blokiem wjazdowym wychodzili żołnierze kierujący się do wejścia do podziemi, gdzie przebywała tylko nieliczna załoga pełniąca służbę. Ogółem w podziemiach i w koszarach na powierzchni na terenie twierdzy było tylko 780 żołnierzy. Pozostali byli na urlopach, w szpitalach lub na kwaterach w okolicznych wioskach. Wielu podoficerów, którzy założyli rodziny, mieszkało we własnych domach. Było to logiczne, gdyż w czasie pokoju trzymanie pod ziemią 1200 ludzi byłoby i kosztowne, i niepotrzebnie obciążało psychikę żołnierzy;

Widok na twierdzę Eben Emael od strony Kanału Alberta

nikt nie wytrzymałby wielomiesięcznej służby 25 metrów pod ziemią. Dlatego wewnątrz pozostawali tylko żołnierze, którzy utrzymywali w sprawności wszystkie urządzenia i zabezpieczali twierdzę przed niespodziewanym atakiem. Po zakończeniu ośmiogodzinnej służby wychodzili na zewnątrz i przebywali w dwóch budynkach koszarowych. Po tygodniu służby w forcie przenoszono ich na kwatery do okolicznych wsi, a ich miejsca zajmowali ci, którzy dotychczas przebywali w oddalonych koszarach. Rozproszenie załogi było podyktowane obawą przed niespodziewanym nalotem bombowym, który mógłby zabić większość żołnierzy, zanim zdołaliby się schronić do bezpiecznych tuneli pod ziemią. Wymagało jednak kilku godzin, żeby po ogłoszeniu alarmu wszyscy dotarli na swoje miejsca i fort osiągnął pełną obsadę.

– Ogłoszono alarm, gdyż zaobserwowano ruchy wojsk niemieckich wzdłuż granicy – wyjaśnił oficer dyżurny. – Brak bardziej szczegółowych informacji.

– Postępujcie według instrukcji – odpowiedział Jottrand i skierował się do swojego pokoju. Zastanawiał się, czy ma wydać rozkaz wysadzenia mostu w Kanne i śluz w Lanaye, jednak doszedł do wniosku, że jest na to za wcześnie. Do granicy było około 50 kilometrów i Jottrand uznał, że ma wystarczająco dużo czasu, zanim pojawią się niemieckie pojazdy.

Instrukcja przewidywała, że niemal natychmiast po ogłoszeniu alarmu działa południowej kopuły pancernej powinny oddać 20 strzałów ślepymi nabojami, aby zaalarmować obrońców mostów i ludność w okolicz-

85

nych wioskach. Minęła godzina 3.00, a załoga jeszcze tam nie dotarła. Zgłosiła się co prawda obsada innego działa, ale nie mieli ślepych nabojów. Forteca Eben Emael milczała. Dopiero o 3.25 ślepaki dotarły do innego bunkra i działa oddały pierwsze strzały alarmujące.

Tuż przed godziną 4.00 posterunek obserwacyjny położony kilka kilometrów na wschód od Kanne zameldował, że dostrzeżono kilkadziesiąt samolotów lecących na wysokości 1200–1600 metrów w kierunku Maastricht.

W tym czasie szybowce oddziału „Granit", po 31 minutach lotu, wciąż na holach, przelatywały nad Vetschau, nieco na północny zachód od Aachen. Na ziemi pod nimi płonęło wielkie ognisko, którego blask miał pomóc pilotom w określeniu pozycji. Powinni już osiągnąć wysokość 2600 metrów i zwolnić linki holownicze, aby bezgłośnie polecieć w stronę Eben Emael. Tymczasem wysokościomierze pokazywały, że lecą o 500 metrów za nisko, czego powodem był silny wiatr wiejący od tyłu. W tych warunkach odczepienie szybowców było zbyt ryzykowne: mogły nie dolecieć do celu. Dowódca wyprawy podjął decyzję, że będą ciągnąć szybowce, aż wzbiją się na wymaganą wysokość, co jednak rodziło niebezpieczeństwo, że warkot silników zaalarmuje obrońców. Jednak innego wyjścia nie było.

Major Jottrand wyszedł ze swojego pokoju i biegiem dotarł do centrali, gdzie zbiegały się wszystkie linie telefoniczne z punktów obserwacyjnych i wysuniętych posterunków. Czuł, że nie potrafi opanować sytuacji, która rozwijała się gdzieś wysoko nad jego głową.

– Mówi burmistrz Kanne – usłyszał nagle w słuchawce. – Panie majorze, wobec zbliżania się samolotów wroga żądam, żeby pan udostępnił bezpieczne schrony dla naszej ludności.

Jottrand odwiesił słuchawkę, nie powiedziawszy ani słowa.

– Tu Vroenhoven – zgłosił się posterunek strzegący mostu – w pobliżu lądują samoloty. Czy mamy otworzyć ogień?

Ten posterunek nie podlegał Jottrandowi, mimo to machinalnie powiedział „tak".

Rozwidniało się i liczba raportów gwałtownie wzrastała.

– Zbliżają się samoloty – meldował obserwator z punktu tuż nad skarpą przy moście w Kanne. – Lecą z wyłączonymi silnikami. Nadlatują z różnych stron!

– Nie możemy zidentyfikować samolotów, nie mają żadnych oznaczeń! – meldował drugi.

Jottrand odnosił wrażenie jakby z nieba po cichu spływała na nich gromada duchów. Pochylił się nad telefonistą:

– Przekaż posterunkom przy mostach i śluzie, żeby uruchomili zapalniki. Wysadzić!

Sierżant Pirenne z posterunku przy moście w Kanne wpatrywał się jak urzeczony w samoloty, które bez żadnego odgłosu pojawiły się na niebie.

– Czy to niemieckie samoloty? – zwrócił się do żołnierza, równie jak on przejętego tym widokiem.

– Nie widzę swastyk. Może to Anglicy? – odparł żołnierz.

– Rozkaz z fortu, wysadzić most! – krzyknął telefonista.

Sierżant w pierwszym odruchu odsunął skrzynkę kryjącą zapalnik, ale zawahał się. On tylko zastępował porucznika. Nie jego sprawą było wysadzanie mostu. A jeżeli okaże się, że to pomyłka i taki piękny, stalowy most wyleci w powietrze. To jego postawią przed sądem, a może nawet rozstrzelają. Przeżegnał się i postanowił zaczekać, licząc, że porucznik Bruyere wróci lada moment z Kanne, dokąd pojechał, aby założyć ładunki wybuchowe na niewielkim mostku na skraju wsi.

Oparł się ponownie na workach i przez lornetkę obserwował samoloty, usiłując dostrzec, czy mają na kadłubach znak swastyki.

– Major Jottrand! – telefonista podał mu słuchawkę.

– Dlaczego nie wysadzacie mostu? – usłyszał głos dowódcy.

– Panie majorze, melduję, że porucznik Bruyere jeszcze nie wrócił.

– A co za dureń przy telefonie?!

– Sierżant Pirenne – powiedział niepewnie.

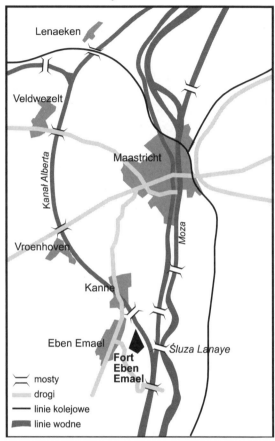

SZKIC REJONU EBEN EMAEL

Lenaeken
Veldwezelt
Kanał Alberta
Maastricht
Moza
Vroenhoven
Kanne
Eben Emael
Śluza Lanaye
Fort Eben Emael

mosty
drogi
linie kolejowe
linie wodne

– Każę cię rozstrzelać ośle, jeżeli natychmiast nie wykonasz rozkazu! Wysadzać, durniu! To jest wojna!

Sierżant nie czekał już ani chwili. Jednym susem dopadł do zapalnika, wyciągnął rączkę i z impetem ją opuścił. Sekundę później most przysłonił tuman dymu. Wielkie stalowe przęsło zadrżało, uniosło się i z łomotem runęło w nurt Kanału Alberta.

Tymczasem na terenie fortecy szeregowiec Remy obrócił podwójnie sprzężony karabin maszynowy w stronę ciemnej sylwetki samolotu, który bezgłośnie zbliżał się w jego stronę. Potem dostrzegł inne: pięć, może sześć gwałtownie zniżało lot. Rozkaz otwarcia ognia nie nadchodził, choć jego najcięższy karabin maszynowy był jednym z dwóch, które mogły podjąć walkę z niemieckimi samolotami. Czekał, patrząc zaskoczony, jak zbliżają się w ciszy. Mijały bezcenne sekundy, z których każda zmniejszała szanse na odparcie ataku. Gdzieś daleko strzelała artyleria przeciwlotnicza. Remy

Wysadzony przez Belgów most w Kanne

sądził, że to działa i karabiny maszynowe 7 dywizji piechoty stacjonującej w pobliżu.

– Strzelać! – usłyszał głos sierżanta. Przymrużył oko, naprowadził celownik z odpowiednią poprawką i nacisnął spust. Samolot przybliżał się już bardzo szybko. Był tak nisko, że Remy zobaczył twarz pilota.

Heiner Lange, pilotujący szybowiec piątego zespołu, dostrzegł z góry stanowisko karabinu maszynowego.

– Jest! – krzyknął wyraźnie zadowolony do dowódcy grupy. Ich pierwszym zadaniem było odnalezienie i zniszczenie dwóch przeciwlotniczych karabinów maszynowych.

Obniżył lot, jak tylko to było możliwe. Widział coraz wyraźniej obsługę karabinu za workami z piaskiem. W pewnym momencie, gdy byli już bardzo blisko, u wylotów luf pojawiły się ogniki i świecące na żółto pociski smugowe poleciały w ich stronę. Jeszcze bardziej zniżył lot, żeby uniknąć ognia przeciwlotniczego, ale na niewiele to się zdało. Usłyszał, jak pociski rykoszetują od metalowej ramy konstrukcji kadłuba. Nadlatywał. Był już za nisko, aby wykonać jakikolwiek manewr, który by mu pozwolił umknąć spod gradu pocisków. Mógł tylko liczyć na szczęście, że nie trafi go żadna kula, zanim wylądują. Ziemia zbliżała się coraz szybciej. Poczuł gwałtowne uderzenie płozy o grunt i szarpnął za dźwignię wysuwającą lemiesze hamulców. Zaryły się w trawę, hamując dobieg. Szybowiec po kilkunastu metrach przechylił się na skrzydło i znieruchomiał.

Szeregowiec Remy widział, jak z szybowca, który stanął tuż obok jego stanowiska, wyskakują żołnierze. Pochylił lufy karabinu, ale do naziemnego celu nie mógł strzelać. W tej samej chwili zobaczył pierwszego z Niemców z pistoletem w dłoni, wyskakującego zza worków. Podniósł ręce do góry, kątem oka dostrzegając, że jego czterej koledzy z obsługi karabinu maszynowego robią to samo. Byli pierwszymi jeńcami w bitwie o Eben Emael.

To pilot Heiner Lange, który pierwszy wyskoczył z szybowca, dopadł do stanowiska karabinu maszynowego i wziął czterech Belgów do niewoli. Ta gorliwość mogła go wiele kosztować, gdyż jego kolega, sierżant Haut, nie zauważywszy jego skoku rzucił granat. Belgowie i Lange mieli wyjątkowe szczęście, gdyż granat stoczył się po workach, po czym wybuchł z tak niewielką siłą, że nie uczynił nikomu krzywdy.

Haut odwrócił się i popędził w stronę stanowiska drugiego karabinu maszynowego, który ostrzeliwał lądujące szybowce. Przebiegł kilkanaście kroków i gdy tylko uznał, że jest wystarczająco blisko, rzucił granat, który poleciał szerokim łukiem i wpadł prosto do okopu. Eksplozja przerwała strzelaninę i gdy Haut wdrapał się na osłonę okopu, zobaczył pięć poszarpanych ciał i przewrócony karabin. Obrona przeciwlotnicza fortu została zlikwidowana.

Najważniejszym zadaniem, jakie musieli wykonać żołnierze z oddziału „Granit", było uciszenie dział, których ostrzał mógł zatrzymać czołgi 4 dywizji pancernej, nie dopuszczając ich do mostów na Mozie i Kanale Alberta. Miały one nadjechać za cztery godziny.

Tymczasem Belgowie szybko ochłonęli z zaskoczenia. Ogień karabinów maszynowych ze strzelnic bunkrów na obrzeżach twierdzy zaczął się nasilać, choć wciąż był chaotyczny, jakby obrońcy nie byli zdecydowani, czy strzelać do lądujących szybowców, czy do wybiegających z nich żołnierzy.

Pole na terenie twierdzy, na którym lądowały niemieckie szybowce. Pośrodku pola kopuła z działami kal. 120 mm (zdjęcie autora)

89

W tym miejscu zaczęła się bitwa: na dole bunkier nr 22, w centrum szybowiec Langego w pobliżu stanowisk przeciwlotniczych karabinów maszynowych, w lewym górnym rogu – kopuła 120 mm, w prawym górnym rogu – bunkier nr 26

Kapral Raschke prowadził swój szybowiec nisko, tuż nad ziemią. Sądził, że w ten sposób uniknie pocisków baterii przeciwlotniczych fortu, nie wiedząc, że już ich tam nie ma. Jego niski lot sprawił, że stał się celem dla karabinów maszynowych bunkrów. Widział, jak otwiera się pod nim głęboki wąwóz, jaki tworzyły ściany Kanału Alberta. Obiekt, który mieli opanować – bunkier z trzema działami kal. 75 mm, oznaczony na jego mapie numerem 18, znajdował się na południowym krańcu twierdzy. Lokalizacja nie była trudna, gdyż z wysokości kilku metrów na jakiej lecieli, łatwo było dostrzec masywną szarą sylwetkę. Był to bunkier „Maastricht 2".

Raschke przemknął wzdłuż południowej skarpy fortecy, przeskoczył nad bunkrem oznaczonym na jego planie numerem 23 i gwałtownie skierował nos szybowca w dół, aby amortyzatory płozy dziobowej wzięły na siebie największy impet uderzenia. W ostatniej chwili wyrównał lot. Zorientował się, że wylądował zbyt daleko od celu i postanowił nie używać hamulców, aby jego samolot ślizgał się jak najdłużej. Drut kolczasty, jakim była obwiązana płoza, wbił się w miękką murawę i prując ją na odcinku trzydziestu metrów, wyhamował samolot. Dowódca grupy, porucznik Egon Delica, nie mogąc się doczekać, kiedy szybowiec stanie, zerwał się z miejsca i usiłował otworzyć drzwi, ale jego plecak zaklinował się w wąskim otworze. Inny z żołnierzy, widząc, że drzwi są zablokowane, rozciął nożem płócienne poszycie kadłuba i między rurami szkieletu szybowca wypełzł na zewnątrz. Do bunkra mieli około trzydziestu metrów. Pierwszy dopadł go kapral Niedermeier, niosący górną część 50-kilogramowego ładunku kumulacyjnego. Wspiął się na szczyt bunkra i podczołgał do kopuły obserwacyjnej. Z wnętrza, skąd doszły go głosy belgijskich żołnierzy, nikt do niego nie strzelał. Nie zauważyli go. Zapewne nawet nie widzieli szybowca, który zatrzymał się w martwym polu obserwacji.

Przywarł do betonowego stropu i spojrzał za siebie. Szeregowiec Druck nadbiegał schylony, niosąc podstawę miny. Ułożyli obie części na górze kopuły, Niedermeier wkręcił zapalnik, uderzył z góry, wbijając wystający pręt, i odskoczyli, aby schronić się za bunkrem, obok strzelnic dział. Po dziewięciu sekundach fala potężnego wybuchu obsypała ich piaskiem i kamieniami wyrwanymi z betonu. Pod miną strumień gazów o straszliwym ciśnieniu 20 tysięcy atmosfer wyrwał w grubym na 15 centymetrów pancerzu otwór wielkości pięści i wpadł do wnętrza.

Znajdujący się tam sierżanci René Marchoull i Martin David widzieli wspinającego się na bunkier niemieckiego żołnierza. Uważali, że nie mają się czego obawiać. Szczeliny obserwacyjne były za wąskie, aby można było przez nie wepchnąć granat, a pancerz doskonale chronił ich przed wybuchami. Któryś z nich sięgnął po karabin, zamierzając wystawić lufę przez szczelinę obserwacyjną, gdy żołnierz skrył się w martwym polu. Dostrzegli go ponownie, gdy zeskakiwał z bunkra. Pozostało im 9 sekund życia...

Fala wybuchu, która rozniosła ich na strzępy, poszła na dół szybu prowadzącego z kopuły obserwacyjnej do tunelu, nie wyrządzając szkody załodze bunkra.

– Powiedz centrali, niech skierują na nas ogień. Jesteśmy atakowani! – krzyknął do telefonisty dowódca bunkra, sierżant Poncelet. – Powiadom też, że straciliśmy kopułę ob-

Kopuła obserwacyjna przepalona wybuchem ładunku kumulacyjnego (zdjęcie autora)

serwacyjną! Nie możemy samodzielnie prowadzić ognia artyleryjskiego, niech podadzą współrzędne!

O wiele gorsza była dla nich całkowita bezradność wobec żołnierzy, którzy schronili się pod ścianami bunkra. Nie było strzelnic, przez które mogliby wyrzucać granaty i w ten sposób powstrzymać atakujących. Mogli tylko czekać na dalszy rozwój wypadków.

Kramer i Graf podczołgali się do lufy pierwszego działa, osadzonej w stalowej płycie strzelnicy bunkra. Przytwierdzili mały ładunek kumulacyjny i uruchomili zapalnik. Siła eksplozji była tak wielka, że wcisnęła całą płytę z działem do wnętrza i odrzuciła żołnierzy, którzy się tam znajdowali, na tylną ścianę. Dwaj z nich zginęli na miejscu, trzeci rzęził, śmiertelnie ranny. Działo wyrwane z oprawy zablokowało drzwi do kabiny telefonicznej, gdzie dwaj żołnierze, choć przeżyli wybuch, nie mieli szans, żeby się wydostać.

– Wszyscy na dół! Na dół – sierżant Poncelet wyciągnął pistolet z kabury, gotów strzelać do żołnierzy niemieckich, którzy lada moment mogli się ukazać w wielkiej dziurze, jaka powstała po wyrwanym dziale.

Zbiegli schodami na niższą kondygnację. Tam zamknęli pierwsze pancerne drzwi i zaczęli budować ścianę barykady, ustawiając szyny jedna na drugiej.

Efekt wybuchu zaskoczył Niemców. Liczyli, że zniszczą działo, ale nie spodziewali się, że w bunkrze powstanie wyłom tak duży, że będą mogli dostać się przezeń do środka. Stracili kilkadziesiąt sekund, zanim zdecydowali się na wejście. Dobiegli do klatki schodowej prowadzącej na dół. Któryś zaczął strzelać na oślep. Pociski nie mogły zrobić krzywdy Belgom, chronionym przez pancerne drzwi, ale dały im znać, że niemieccy żołnierze lada moment znajdą się na dole. Przerwali więc układanie worków i drugiej barykady z szyn, co mogło potrwać kilka minut. Zamknęli tylko zasuwy drugich pancernych drzwi i schronili się w tunelu prowadzącym do magazynu amunicji.

Niemcy ostrożnie zeszli na dół po metalowych schodach, które oplatały szyb windy dowożącej pociski do dział. Było cicho.

Dotarli do pancernych drzwi, za którymi nie słyszeli żadnych odgłosów. Ustawili kilogramowy ładunek trotylu wyposażony w zapalnik czasowy i pobiegli schodami na górę.

Eksplozja wyrwała z zawiasów pierwsze pancerne drzwi, rozerwała zaporę z szyn. Gdyby za nimi były worki z piaskiem, wytraciłaby pewnie swą siłę, lecz napotykając pustkę,

Drzwi pancerne zamykające dojście do bunkra; za nimi układano zaporę z szyn, worki z piaskiem, kolejną zaporę, po czym zamykano drugą parę takich drzwi

uderzyła w drugie pancerne drzwi, już za słaba, aby je wyrwać. Wywaliła tylko zasuwy i otworzyła drzwi z takim impetem, że wbiły się w betonową ścianę, pozostawiając na niej swój odcisk. Wejście do podziemnego systemu było otwarte.

Niemieccy komandosi nie przewidzieli jednak, że podmuch wybuchu pójdzie także w drugą stronę i zniszczy metalową klatkę schodową. Gdy już w liczniejszej grupie wrócili do bunkra, aby ponownie zejść na dół, zobaczyli po-

Winda amunicyjna i schody prowadzące do bunkra z trzema działami kal. 75 mm

krzywione słupy stalowe i skręcone stopnie, które zamknęły szyb prowadzący do podziemnego tunelu. Usunięcie tej barykady było niemożliwe. Ale najważniejszy cel osiągnęli: trzy działa bunkra „Maastricht 2", oznaczonego na ich mapach jako obiekt nr 18, zostały zniszczone! Jeszcze tylko działa z „Maastricht 1" mogły zagrozić niemieckim czołgom.

W pobliżu tego bunkra o 4.25 wylądował szybowiec pilotowany przez kaprala Suppera. Do celu pierwszy dotarł sierżant Peter Arent. Przymocował do pancernej osłony działa mały ładunek kumulacyjny, wbił trzpień uruchamiający zapalnik i odskoczył na bok. Eksplozja nie była tak silna, jak w bunkrze „Maastricht 2", lecz unieruchomiła działo i zabiła jednego z belgijskich żołnierzy. Dopiero wybuch dużego, 50-kilogramowego ładunku kumulacyjnego całkowicie zniszczył bunkier, choć jego załoga zdążyła zbiec na dół i znaleźć schronienie za barykadami.

Korytarz prowadzący do magazynu amunicji i wózki do przewożenia nabojów z magazynu windą do bunkra artyleryjskiego

93

Wysunięta kopuła z działami kal. 75 mm

Kopuła pancerna z dwoma działami kal. 120 mm; nad lewym działem widać ślad po wybuchu ładunku kumulacyjnego, który nie zdołał przebić pancerza

Komandosi stali się celem dla belgijskich dział dużego kalibru. Na próżno...

Wybuch ładunku założonego na szybie wentylacyjnym bunkra „Visé 1", oznaczonego przez Niemców numerem 26, wypłoszył załogę, która przerwała ogień i uciekła na dół, gdzie się zabarykadowała. Niedaleko żołnierze z szybowca nr 8, który wylądował tuż obok pancernej kopuły nr 31, usiłowali zniszczyć ją za pomocą dużych ładunków kumulacyjnych, które wykazały swoją śmiercionośną moc w innych bunkrach. Jednak w tym przypadku im się nie powiodło. Pierwsza eksplozja nie przebiła pancerza. Zawiódł też drugi ładunek. Dopiero eksplozja kilogramowej miny trotylowej podłożonej pod lufy dział wystające z kopuły wyłączyła je z akcji.

Dochodziła godzina 5.00 i już po półgodzinnej walce 70 komandosów przeciwko fortecy obsadzonej przez 780 żołnierzy było wiadomo, że wyprawa oddziału „Granit" zakończyła się sukcesem. Bunkry „Maastricht 1" i „Maastricht 2" – całkowicie zniszczone; załoga „Visé 1", przepłoszona, zabarykadowała się na dole i nie miała ochoty powracać na stanowiska; bunkra „Visé 2" nie atakowano, gdyż jego działa, skierowane na południe, nie mogły wyrządzić krzywdy niemieckim kolumnom pancernym; kopuła nr 31 z dwoma działami kal. 75 mm – uszkodzona i wyłączona z akcji. Większość dział potężnej fortecy została zniszczona lub ich załogi zmuszono do porzucenia swych stanowisk bojowych. Walczyła jeszcze kopuła nr 23 i kopuła główna, wielka, o średnicy 6 metrów, uzbrojona w dwa największe działa kal. 120 mm. Dopóki funkcjonowała, ruch niemieckich kolumn pancernych był bardzo zagrożony, jednak zniszczenie jej było nadzwyczaj trudne. Jej pancerz o grubości 43 cm składał się z dwóch warstw stali przełożonych betonem. Po raz pierwszy Niemcy mieli się przekonać, że taka konstrukcja jest najbardziej odporna na wybuchy ładunków kumulacyjnych. Załoga obrońców ostrzeliwała się, wystawiając lufy karabinów przez szczeliny obserwacyjne. W ten sposób zginął pierwszy z belgijskich jeńców, prawdopodobnie szeregowy Haug z obsady przeciwlotniczego karabinu maszynowego. Komandosi posłużyli się kilkoma jeńcami, za którymi, jak za tarczą, usiłowali zbliżyć się do kopuły z działami 120 mm. Udało im się to, choć 50-kilogramowy ładunek kumulacyjny, położony tuż nad lufami, nie przebił pancerza. Dopiero wybuch trotylu podsuniętego pod lufę uszkodził działo i spowodował wycofanie się załogi, ale na krótko.

Wkrótce też Niemcy wyłączyli z akcji wysuwaną kopułę nr 23, choć dwa duże ładunki kumulacyjne nie przebiły jej pancerza. Komandosi, bezradni wobec niezniszczalnej kopuły, wezwali na pomoc bombowce nurkujące. Jedna z bomb eksplodowała o metr od kopuły, nie czyniąc krzywdy załodze, jednak wybuch tak przestraszył belgijskich żołnierzy, że zamknęli kopułę i nie podnieśli jej do końca walki.

Major Jottrand nie zdawał sobie sprawy, jak poważna jest sytuacja. Uważał, co prawda, że na terenie fortecy wylądowało co najmniej kilkuset niemieckich żołnierzy, jednak meldunki z bunkrów pozwalały sądzić, że istnieje możliwość naprawienia ich i podjęcia walki. Poza tym, system obrony twierdzy przewidywał, że może zostać ostrzelana przez pobliskie belgijskie forty. Pociski eksplodujące na terenie Eben Emael nie mogły zaszkodzić bunkrom, ale mogły razić napastników.

O 4.55, gdy sytuacja stawała się coraz poważniejsza, major Jottrand zaapelował o pomoc do fortu Barchon, który wnet odpowiedział, otwierając ogień z ciężkich dział kal. 150 mm, oraz Pontisse i Evegnée dysponujących działami kal. 105 mm. Artyleryjska nawała, która spadła na Eben Emael, mogła roznieść w puch kolumnę czołgów, ale okazała się całkowicie nieskuteczna wobec kilkudziesięciu komandosów, którzy potrafili znaleźć schronienie przed wybuchami i odłamkami. Kryli się w lejach i za ścianami bunkrów. Groza tej artyleryjskiej nawałnicy miała wpływ tylko na ich morale, gdyż ukazała im, że wróg dysponuje jeszcze siłami wystarczającymi, aby ich unicestwić. Zaczynali się bać. Tempo akcji spadało.

„Skalne gniazdo"

– Mein Führer, meldunki z Eben Emael – adiutant, schylając głowę w niskich drzwiach, wszedł do pokoju konferencyjnego w „Felsennest". Hitler niecierpliwie wyciągnął rękę. Przebiegł wzrokiem treść i jego twarz rozpromienił uśmiech. Bez słowa podał kartki generałowi Keitlowi i zatarł ręce. Sytuacja rozwijała się tak, jak zaplanował.

Meldunek informował, że grupa komandosów dotarła do celu i za pomocą nowej broni niszczyła bunkry, których unieszkodliwione działa już nie mogły zatrzymać postępu 4 dywizji pancernej.

Świt 10 maja 1940 roku. Niemieckie bombowce Dornier Do 17 uderzają...

Jeszcze większą radość sprawiły Hitlerowi meldunki donoszące, że alianckie dowództwo nie zorientowało się, iż główne niemieckie siły uderzają na południu Belgii, i nie przegrupowało swoich wojsk. A rząd belgijski wciąż zastanawiał się, czy wezwać na pomoc Francuzów i Brytyjczyków, choć ta opieszałość mogła przesądzić o przebiegu całej kampanii.

Już o godzinie 1.00 w nocy generał Maurice Gamelin wiedział, że uderzenie niemieckie nastąpi o świcie. Spodziewał się natychmiastowej reakcji w Belgii i zgody na przekroczenie przez wojska francuskie jej granic. Tymczasem nic takiego nie nastąpiło. Zapewne dlatego generał wstrzymał wydanie rozkazów „Alerte 1" i „Alerte 2", nakazujących gotowość do przesunięcia wojsk nad granicę z Belgią. Czekał na oficjalną reakcję rządu belgijskiego. Mijały godziny.

...i znowu groza wojny w belgijskim mieście. Mieszkańcy opuszczają płonące domy bombardowane przez niemieckie samoloty

97

Francuski posterunek obserwacyjny nad granicą z Niemcami

Oddziały Brytyjskiego Korpusu Ekspedycyjnego w belgijskim mieście

Oddziały brytyjskie przekraczają granicę Belgii

Belgijska stacja zniszczona przez żołnierzy francuskich; gruzy miały spowolnić pochód niemieckich wojsk

Niemiecki oddział skręca przed wysadzoną drogą w Belgii

O godzinie 4.30 stało się oczywiste, że wojna się rozpoczęła. Rząd w Brukseli milczał.

Dopiero o 6.25 francuskie dowództwo odebrało oficjalną prośbę rządu belgijskiego o pomoc i dwadzieścia minut później generał Gamelin wydał rozkaz „Alerte 4" – przekroczyć granicę z Belgią.

Dwie francuskie armie: 7 i 1, oraz oddziały Brytyjskiego Korpusu Ekspedycyjnego, zgodnie z planem ruszyły na północ Belgii, pozostawiając obronę południa słabej, rezerwowej 9 armii.

Hitler, stojąc przed wielką mapą zawieszoną na ścianie, na której adiutanci zaznaczali chorągiewkami ruchy wojsk własnych i nieprzyjaciela, oczekiwał z niepokojem odpowiedzi na najważniejsze pytanie: czy alianci skierują swoje wojska na północ.

Widząc wreszcie oznaki sugerujące, że francuskie armie nie zmieniły planu działania, wykrzyknął:

– To był kawał dobrej roboty ten atak na Liége! – Miał na myśli ruchy części wojsk niemieckich na północy Belgii. – Sprawiliśmy, że uwierzyli, iż pozostaniemy wierni staremu planowi Schlieffena!

Reszta zależała od sprawności i bezwzględności jego wojsk. Był przekonany, że pancerne dywizje, mając przed sobą słabego przeciwnika, przejdą bez większych strat na lewą stronę Mozy i podążą dalej, aż do brzegów kanału La Manche. Nie mógł jednak lekceważyć dwóch francuskich armii na północy. Wiedział, że francuscy dowódcy szybko się zorientują we właściwych zamiarach Niemców i skierują swoje wojska na południe. Opanowanie Eben Emael i szybki ruch 6 armii na północy nabierał coraz większego znaczenia. Czy grupka jego komandosów walczących w wielkim forcie może zwyciężyć?

Żołnierze niemieccy przeprawiają się obok mostu na Mozie wysadzonego przez żołnierzy belgijskich

Niemiecka kolumna pancerna w oczekiwaniu na sygnał o zdobyciu belgijskich fortyfikacji

Decydujący czas

W każdej bitwie nadchodzi moment kryzysu, gdy atakujący zaczyna się czuć zmęczony i wątpi w szybkie zwycięstwo, atakowany zaś odzyskuje siły. Bardzo często jest to moment, który przesądza o wyniku batalii.

Major Jottrand otrząsnął się z szoku i załamania, jakich doznał na widok szybowców, które pojawiły się jak nocne duchy, a następnie pod wpływem meldunków nadchodzących z bunkrów niszczonych jeden po drugim za pomocą nieznanej broni, wobec której pancerze i beton wydawały się za słabe. Miał pod swoimi rozkazami 780 żołnierzy. Mógł ich posłać do walki na zewnątrz fortu i sądził, że wciąż ma przewagę liczebną nad atakującymi oddziałami. Przez myśl mu nie przeszło, że Eben Emael zaatakowało ledwie 70 komandosów. Tak niewielu, że gdyby cała belgijska załoga wyszła na zewnątrz, to napastnicy poddaliby się na widok tylu chłopa. Miał ponadto około 300 żołnierzy w koszarach Wonck, odległych o 4 kilometry. Nawet gdyby wyruszyli niespiesznym marszem, to po godzinie dotarliby do fortecy. Dlaczego więc, słysząc odgłosy walki, nie ruszyli z odsieczą? Odpowiedź może być tylko jedna. Bali się. Nad fortecą krążyły *Stukasy**, które widząc na bunkrach rozpostarte flagi ze swastyką, oznaczające, że obiekt został już zdobyty, wyrzucały bomby na wieś Eben Emael i na wszystko, co poruszało się po okolicznych drogach. Żołnierze z Wonck

---

* **Junkers *Ju 87*** – samolot bombowy, znany powszechnie pod nazwą „Stuka" (skrót od *Sturzkampfflugzeug* – bombowiec nurkujący), zaprojektowany w 1933 r. przez Hermanna Pohlmanna. Produkcję seryjną, po wielu próbach i zmianach (polegających m.in. na rezygnacji z podwójnego usterzenia), rozpoczęto w 1936 r. Wojna w Hiszpanii umożliwiła przeprowadzenie testów bojowych, ale siły powietrzne i przeciwlotnicze Republikanów były zbyt szczupłe, aby można było ujawnić wszystkie wady nowego samolotu. W rezultacie, po doświadczeniach hiszpańskich do rozwiązań konstrukcyjnych tego samolotu wprowadzono niewielkie poprawki. W wersji *Ju 87B* zastosowano silnik o większej mocy 1200 KM i te samoloty były produkowane na masową skalę. Na podstawie doświadczeń z eksploatacji, w 1941 r. ruszyła produkcja samolotów *Ju 87D*. Zmieniono w nich system chłodzenia, zainstalowano mocniejszy silnik i potężniejsze uzbrojenie (4 karabiny maszynowe); udźwig bomb wzrósł do 1800 kg. Pierwsze wersje dotarły do jednostek Luftwaffe na wiosnę 1941 r. W następnych miesiącach wchodziły do uzbrojenia następne warianty *D*. Najliczniej był produkowany szturmowiec *D-3*. Samolot w wersji *D-4* był wyposażony w dwa pojemniki z 12 karabinami maszynowymi (po 6 każdy) *MG-81*. W wersji *D-5* w miejsce karabinów maszynowych w skrzydłach zainstalowano działka kal. 20 mm. Walki na froncie wschodnim, do których Rosjanie wprowadzili dobrze opancerzone czołgi *T-34* i *KW-1*, nakazały Luftwaffe wprowadzić do boju samoloty *Ju 87G-1* przystosowane specjalnie do zwalczania celów opancerzonych: pod skrzydłami zainstalowano w nich dwa pojemniki, z których każdy zawierał działo kal. 37 mm. Do 1944 r., gdy zaprzestano produkcji *Ju 87*, skonstruowano 5700 tych samolotów, które walczyły na wszystkich frontach Europy i Afryki Północnej. Dane taktyczno-techniczne (*Ju 87B-2*, produkowane od grudnia 1939 r.): silnik Jumo–211a o mocy 100 KM, rozpiętość 13,8 m, długość 10,8 m, waga startowa 4250 kg, prędkość maksymalna 380 km/h, uzbrojenie 1 lub 2 karabiny maszynowe kal. 7,9 mm, bomby do 100 kg.

Junkers Ju 87

woleli nie ryzykować; można było nieźle oberwać, wychodząc na drogę do Eben Emael. Wojna to bardzo niebezpieczna sprawa.

Jottrand też nie chciał ich narażać. Nie wzywał ich na odsiecz, tym bardziej że koło siódmej ataki komandosów zaczęły gwałtownie słabnąć. Niem-

Stukasy bombardują rejon Eben Emael

com wyczerpywała się amunicja, mieli kilku rannych, ostrzał prowadzony przez sąsiednie forty zmusił ich do ukrycia się i zaprzestania walki. Nastąpił kryzys, który mogła przełamać ta strona, która pierwsza otrzyma posiłki.

I wtedy na niebie pojawił się szybowiec. Niemcy obserwowali, jak zatoczył krąg nad fortecą, wylądował dokładnie pośrodku, jak z jego wnętrza wyskakują żołnierze. To przybywała grupa porucznika Witziga. Dopiął swego. Na lotnisku w Ostheim doczekał się Junkersa, wsiadł do niego, doprowadził na pole, gdzie oczekiwali jego żołnierze. Samolot wylądował, wziął na hol szybowiec i wyciągnął go na wysokość 1500 metrów, wystarczającą, aby dolecieć do Eben Emael.

Pojawienie się dowódcy i grupy wypoczętych, gotowych do walki żołnierzy podziałało na pozostałych, których przycisnął do ziemi ogień z bunkrów, jak łyk wody na umierającego z pragnienia. Odzyskali odwagę i chęć walki. Zdawali sobie sprawę, że choć odnieśli wielki sukces, eliminując wiele bunkrów artyleryjskich, to nie zniszczyli żadnego z bunkrów obrony fortecy. Spodziewali się również, że wróg ochłonie z zaskoczenia i szoku, jaki wywołały wybuchy ładunków kumulacyjnych przebijających grube pancerze, zmobilizuje siły i przystąpi do kontrataku.

Major Jottrand około godziny ósmej postanowił zbadać, jaki jest stan obrony fortecy, możliwość usunięcia szkód i szansa na podjęcie walki na powierzchni. Uważał, że to trudna decyzja, gdyż jego chłopcy byli szkoleni do obsługiwania dział i karabinów maszynowych zamontowanych w bunkrach, nie zaś do toczenia boju na otwartym polu. Dowództwo wojsk belgijskich, choć przez wiele lat rozważało zakwaterowanie w każdym forcie oddziału piechoty przeznaczonego do obrony obiektów na zewnątrz, ostatecznie się na to nie zdecydowało.

Blok wejściowy i mur oporowy chroniący twierdzę przed czołgami. Widok od strony południowej; tędy szła grupa wypadowa

Zasobniki z amunicją, bronią i żywnością umożliwiały komandosom prowadzenie walki

Major Jottrand postanowił odwołać się do ochotników. Miał przecież pod swoimi rozkazami 780 ludzi, więc zorganizowanie kilkudziesięcioosobowego oddziału wypadowego nie powinno stanowić większego problemu. Na jego apel zgłosiło się... czterech żołnierzy gotowych do wyjścia i podjęcia walki z Niemcami. Kilku bardziej energicznych sierżantów znalazło jeszcze paru „ochotników" i w ten sposób powstał dwunastoosobowy oddział.

Uzbrojeni w karabiny wyszli ostrożnie i ruszyli wzdłuż muru po stronie południowej. Wybrali tę drogę, gdyż najłatwiej tam było dojść i wydawała im się najbezpieczniejsza. Nie widzieli Niemców, a odgłosy strzałów wskazywały, że walka toczyła się w północno-wschodnim kwartale. Zamierzali tam dotrzeć szerokim łukiem, aby zajść Niemców od tyłu i wziąć ich w dwa ognie. Nagle, na dachu bunkra dostrzegli skuloną sylwetkę. Przywarli do ziemi. Zanim któryś z nich zdecydował się podnieść karabin, postać zniknęła. Był to prawdopodobnie kapral Peter Arent, który zakładał ładunek

W ogniu z belgijskich bunkrów dotarcie do zasobników było niemożliwe. Dlatego komandosi wysyłali jeńców, aby zbierali zasobniki rozrzucone na terenie fortu

kumulacyjny na dachu bunkra oznaczonego na jego mapie numerem 4, którego karabiny maszynowe dobrze dały się we znaki komandosom. Po kilku sekundach podmuch potężnej eksplozji wstrząsnął powietrzem i Belgowie poczuli na sobie piach i kawałki betonu wyrwanego z bunkra. Przerażeni rzucili się do ucieczki i szybko schronili w bezpiecznych podziemiach fortecy.

Jednak rankiem nadeszła odsiecz. O godzinie 9.45 ze stacjonującej nieopodal 7 dywizji dotarł patrol czterdziestu żołnierzy.

– Otrzymaliśmy pomoc! – meldował major Jottrand dowódcy Position Fortifiée de Liége przez telefon. – Daję im dwóch oficerów, aby pokazali im drogę.

– Czy pan oszalał, Jottrand?! – krzyknął pułkownik Maurice Modard. – Od paru godzin ma pan te diabły nad głową, rozwalają jedno stanowisko po drugim, jest ich kilkuset, a pan chce posłać do walki czterdziestu naszych żołnierzy? Proszę im dać wsparcie ze swoich ludzi.

– Tak jest! –powiedział Jottrand i odłożył słuchawkę. Nie mógł przecież zameldować, że już próbował zorganizować grupę wypadową, która nie dość, że liczyła tylko dwunastu żołnierzy, to jeszcze ledwo co wyszła na powierzchnię, a już wróciła.

Tym razem był bardziej stanowczy wobec swoich podwładnych i zdołał znaleźć czterdziestu ochotników. O 12.30 osiemdziesięcioosobowy oddział ruszył do walki, uderzając na Niemców od strony stoku północno-zachodniego.

Atak zaskoczył komandosów. Liczebnie siły były wyrównane, ale przewaga była po stronie Belgów. Żołnierze z 7 dywizji byli wypoczęci, dobrze wyszkoleni i uzbrojeni. Prowadzili ich żołnierze oddziału fortecznego, nie bardzo przydatni w walce na otwartym polu, ale dobrze znający teren. Niemcy zaczęli się cofać w kierunku Kanału Alberta. Musieli oszczędzać amunicję. Ostrzeliwali się krótkimi seriami, starając się blisko dopuszczać atakujących. Gdy już się zdawało, że za kilka minut ich wielka akcja zakończy się niepowodzeniem pod ogniem karabinów maszynowych z bunkrów i naporem oddziału, spychającego ich coraz bardziej ku przepaści, pojawiły się samoloty.

To była najsilniejsza broń oddziału „Granit". Lotniska bombowców nurkujących *Ju 87* znajdowały się niedaleko, 50 kilometrów od Eben Emael. Przybycie na pomoc komandosom zajęło im kilka minut, a mając duży zapas paliwa, mogły długo wisieć w powietrzu i osłaniać żołnierzy. Gdy kończyło się im paliwo i amunicja, mogły szybko wrócić na lotnisko i uzupełnić braki. Atakowały z zabójczą precyzją, z bardzo niewielkiej wysokości. Piloci mogli dokładnie identyfikować cele. Już samo pojawienie się tych samolotów o łamanych skrzydłach i sylwetce przypominającej drapieżnego ptaka podziałało fatalnie na belgijskich żołnierzy. Nie czekając, aż staną się celem karabinów maszynowych i bomb, zaczęli się szybko wycofywać w stronę bloku wejściowego, nie bacząc, jak blisko było zwycięstwo.

– Morale żołnierzy w silnym ogniu jest niewielkie – powiedział kapitan van der Auwera, gdy relacjonował majorowi przebieg walk. Tamten skinął głową. Nie dodał ani słowa. Czekał na odsiecz z koszar Wonck. Oddział 230 żołnierzy wyruszył stamtąd o 13.45. Powinni przybyć już daw-

Szybowce na powierzchni fortu Eben Emael

no. Od Eben Emael dzieliło ich cztery kilometry. O godzinie czwartej przed blokiem wejściowym fortu pojawiło się... 16 żołnierzy. Pozostali rozproszyli się po drodze lub pochowali w rowach, obawiając się ataków niemieckich bombowców nurkujących, które rzeczywiście nadlatywały często i ostrzeliwały drogi prowadzące do Eben Emael.

Do wieczora jeszcze kilkakrotnie Belgowie ruszali do ataku na niemieckich komandosów. Nie starczało im jednak woli walki, a może umiejętności. Wieczorem zaprzestali bezowocnych wysiłków. Żołnierze Witziga mogli spokojnie kontynuować unieszkodliwianie bunkrów. Chcieli całkowicie zniszczyć te, które pozbawili możliwości rażenia rano. Musieli ponadto zablokować ich wyjścia. Nadchodzące ciemności dawały im dobrą osłonę. Mogli, nie zauważeni przez załogi bunkrów, przemykać się między nimi, przywierając do ziemi jedynie wtedy, gdy na niebie rozbłyskiwały flary oświetlające teren. Radio przekazało im wiadomość, że nadchodzi pomoc. Ich szaleńcza misja miała się ku końcowi.

Gloria Victis...

Świt był cichy, bezwietrzny, co potęgowało grozę pobojowiska na terenie fortu. Dym wydostający się z wnętrza zniszczonych bunkrów kładł się ciężkimi pasami na poszarzałej murawie, a promienie słońca wstającego nad blokiem wjazdowym z trudem przebijały się przez tę zasłonę. Komandosi wygrali pierwszą bitwę, ale nie był to jeszcze koniec walki. Musieli oszczędzać amunicję. Co prawda przed zmierzchem samoloty zrzuciły pojemniki z zaopatrzeniem, ale niewiele udało się przechwycić. Widzieli białe spadochrony leżące w odległości kilkudziesięciu metrów, ale dotrzeć do nich było nie sposób. Każdy ruch wywoływał wzmożony ogień z bunkrów w zachodniej części fortu. Nie wiadomo, który ze spadochroniarzy wpadł na pomysł wykorzystania jeńców, więc przystawili lufy do skroni i wskazali na pojemniki. Belgowie, unosząc wysoko ręce, lub powiewając białymi płachtami szli wyprostowani, licząc że koledzy z bunkrów dostrzegą ich i nie będą strzelać. W ten sposób komandosom udało się odzyskać parę pojemników. Znaleźli w nich 50-kilogramowe ładunki kumulacyjne, za pomocą których dokończyli dzieła zniszczenia bunkra „Maastricht 1" oraz bunkrów nr 19 i 13.

Przewaga była po ich stronie, ale do zwycięstwa było jeszcze daleko. Obrońcy zabarykadowali się w rozległych podziemiach fortu i mogli się tam bronić całymi miesiącami. Ponadto dwa bunkry, 17 i 35, ustawione tuż nad Kanałem Alberta, były całe i gotowe do walki. Ich karabiny maszynowe ostrzeliwały spadochroniarzy przy wysadzonym moście w Kanne i blokowały nadejście pomocy zza kanału.

Nie udało się też zdobyć bloku wejściowego ani bunkra nr 4 nad fosą, a ich działa przeciwpancerne i karabiny maszynowe mogły skutecznie powstrzymać pomoc dla spadochroniarzy nadchodzącą z zachodu, gdyby jakiemuś oddziałowi niemieckiemu udało się przeprawić przez Mozę lub Kanał Alberta i szerokim łukiem zbliżyć do fortu. Kopuła pancerna z dwoma działami kal. 75 mm nie została zniszczona, lecz jedynie opuszczona przez załogę, która przelękła się huku bomb wybuchających u wylotów ich dział. W każdej jednak chwili stalowy grzyb mógł się unieść ponad powierzchnię gruntu i rozpocząć ostrzał komandosów lub oddziałów idących im z pomocą.

Noc w podziemiach też była ciężka. Żołnierze nie spali, przerażeni wspomnieniami minionego dnia, gdy ładunki o nieznanej mocy przepalały pancerze kopuł pancernych, które miały oprzeć się najcięższym pociskom artyleryjskim i bombom lotniczym. Szczególnie wstrząsnął nimi los załogi bunkra „Maastricht 2", gdzie zginęło pięciu ich kolegów. Wybuchy, jakie słyszeli w nocy, mogły sugerować, że Niemcy torują sobie drogę wśród żelastwa w szybach wind i rano wedrą się do tuneli. Co prawda ustawiono tam barykady i zamknięto przejścia, ale nikt już nie wierzył w ich siłę. Żołnierze, oglądając pancerne drzwi otwarte przez wybuch ładunków podłożonych przez komandosów w „Maastricht 2" i ślady zasuw odciśnięte w betonie ściany tunelu, nie wierzyli, że barykady mogą się oprzeć sile ładunków wybuchowych. Bali się.

Sierżant Lecluse, artylerzysta z kopuły z działami 120 mm, nigdy nie lubił służby w tym ciasnym okrągłym pomieszczeniu. Czuł duszność, gdy wspinał się tam po wąskiej metalowej drabince. Zawsze chciał wyrwać się z tego zamknięcia i gdy kończyła się służba ześlizgiwał się po uchwytach drabinki, nie dotykając butami szczebli, aby jak najprędzej znaleźć się w mrocznym korytarzu, w którym było nieco więcej powietrza niż w niewielkiej, rozpalonej promieniami słońca kopule. Miał jednak świadomość, że jest to najbezpiecz- niejsze miejsce na ziemi. Nie było pocisku, który mógłby się prze- wiercić przez półmetrowy pan- cerz. Dowódca zawsze powtarzał załodze, że są wyjątkowymi szczęściarzami, gdyż w czasie na- lotu piechota umyka po rowach przed odłamkami eksplodują- cych bomb, a oni mogą grać w karty, mając jedynie za złe lot- nikom, że ich bomby czynią za dużo huku.

I nagle poczucie bezpieczeń- stwa zamieniło się w dziki strach. Pancerne drzwi i przegrody sta- ły się niepewne, a nawet niebez- pieczne. Żołnierze wyobrażali sobie, że lada moment, za sprawą tych niezwykłych ładunków, jakie przywieźli ze sobą Niemcy, roz-

Południowy bunkier nr 17 nad Kanałem Alberta

padną się one jak przepierzenie z desek i, siejąc tysiącami odłamków betonu i blachy, potną na części każdego, kto znajdzie się w pobliżu, jak się to stało z ich pięcioma kolegami w „Maastricht 2". Głuche wybuchy niosące się w nocy po korytarzach wzmagały lęk. Znaleźli się w pułapce, z której nie było ucieczki. Można się było jedynie poddać...

Porucznik Witzig ocknął się po krótkiej drzemce, w jaką zapadł zmęczony koło godziny drugiej w nocy. Wszyscy jego żołnierze zgromadzili się w północnej części fortu. Czuwali, gotowi odeprzeć atak. Wzmocnili okopy dla karabinów maszynowych i przygotowali granaty ręczne, ale po potyczkach poprzedniego dnia obrońcy Eben Emael najwidoczniej stracili ochotę wychodzenia na powierzchnię. Ciemność dawała przewagę komandosom, ukrytym w lejach po pociskach. Nie można było jednak wykluczyć, że z nastaniem świtu w okolicy bunkra wejściowego pojawi się tyraliera belgijskich żołnierzy, pochylonych, skokami posuwających się do przodu, przywierających do ziemi na odgłos karabinów maszynowych i znowu susami zbliżających się do nich. Jak długo mogli się bronić? Jeszcze kilka godzin. Co potem? Kiedy nadejdzie pomoc? Plan przewidywał, że żołnierze ze 151 pułku saperów rozpoczną forsowanie Kanału Alberta wieczorem. Jednak się nie pojawili. Witzig otrzymał przez radio wiadomość, że trzy grupy uderzeniowe, każda w sile kompanii, zbliżyły się do kanału. Miały uderzyć o świcie.

– Poruczniku, za 15 minut rozpoczynają atak! – radiotelegrafista przycisnął słuchawki do głowy. – Pytają, czy jesteśmy gotowi do wysadzenia bunkra 17 – mówił o bunkrze nad kanałem – i czy uciszyliśmy bunkier 4 nad fosą. Zamierzają się tamtędy przedrzeć.

– Odpowiedz, że atakowaliśmy bunkier 4. Efekt nieznany. Uderzamy na nr 17 – rozejrzał się wokoło. Machnął na dwóch żołnierzy leżących najbliżej.

– Weźcie dwa ładunki! – krzyknął.

Wyskoczyli chyłkiem z leja. Któryś rzucił świecę dymną i ciężki szary dym zasłonił ich przed Belgami. Nie padł żaden strzał. Na wszelki wypadek przywarli do murawy, ale nie słysząc strzałów, poderwali się znowu. Od skarpy, stromo opadającej do kanału dzieliło ich kilkadziesiąt metrów. Dobiegli tam zdyszani i ponownie upadli na ziemię. Witzig doczołgał się do skarpy i spojrzał na dół. 48 metrów poniżej widać było szarą bryłę bunkra z wystającą kopułą obserwacyjną.

Dostrzegł skulone sylwetki po drugiej stronie kanału. To żołnierze ze 151 pułku saperów spychali do wody gumowe pontony, na których zamierzali pokonać tę przeszkodę. Być może uważali, że bunkier został zniszczony. Witzig dostrzegł, jak lufa karabinu maszynowego obróciła się w ich stronę i zaczęła drgać, wyrzucając setki świetlistych igieł w stronę pontonu, który wysforował się do przodu. W tym momencie obok eksplodował pocisk, zarzucając ich ziemią. Skulili się instynktownie, czekając na następne wybuchy, ale nie nastąpiły.

Witzig zsunął z ramienia linę i począł ją rozwijać.

– Dajcie ładunki – rozkazał. Któryś podsunął mu kostki trotylu owinięte sznurkiem.

– Więcej! – Wbił zapalnik i doczepił pozostałe kostki. Zawiązał je na końcu liny i wyrwał zawleczkę. Wychylił się za krawędź urwiska i zaczął szybko rozwijać linę, starając się tak wcelować, aby kostki trotylu opadły tuż przed szczelinami kopuły obserwacyjnej. Zdawał sobie sprawę, że ładunek jest za mały, aby zniszczyć kopułę, jednakże miał nadzieję, że wybuch uszkodzi peryskopy lub przestraszy obserwatora i bunkier wstrzyma ogień. A wystarczyło kilka minut, aby saperzy w pontonach mogli przeprawić się przez kanał.

Eksplozja okryła bunkier dymem i zarzuciła kamieniami wyrwanymi ze skalnej ściany, ale nie wyrządziła mu żadnej szkody.

– Nie przeprawią się tędy – jęknął Witzig. Czuł się całkowicie bezsilny wobec tej niewielkiej betonowej budowli kilkadziesiąt metrów pod nim.

– Niech przekażą przez radio, że nie możemy zniszczyć bunkra 17! – odwrócił się do żołnierza, który zaczął się czołgać z powrotem do stanowiska, z którego wybiegli. I wtedy dostrzegł skulone sylwetki nadbiegające z zachodu. Przymrużył oczy. Widział wyraźnie charakterystyczne hełmy piechoty, różniące się od ich, spadochroniarskich, szerokim okapem.

– Przedarli się! – krzyknął. Poczuł wielką ulgę i radość, jaką może dać tylko świadomość nadchodzącego zwycięstwa.

Zbliżali się szybko, objuczeni ładunkami. U jednego z nich dostrzegł butle miotacza płomieni.

Żołnierze niemieccy podejmują próbę przeprawy przez Kanał Alberta. Biała plama w górnej części zdjęcia to dym wystrzałów z bunkra nr 17

Po kilku minutach pierwszy żołnierz dopadł zagłębienia, w którym leżał Witzig. Odpiął pasy i ostrożnie zsunął z pleców miotacz.

– Kapral Josef Portsteffe z 51 batalionu saperów, melduję się porucz-niku! – zasalutował.

– Jak się tu znaleźliście?

– Przedarliśmy się od strony Kanne. Doszliśmy do fosy i tam zalegliśmy pod ogniem bunkra nr 4. Udało mi się zajść z boku i walnąć z miotacza ogniem w strzelnice. Uspokoili się na parę minut, a to wystarczyło, żebyś-my założyli ładunek 50-kilogramowy. Jak wybuchł, to już nie strzelali – zaśmiał się. – Droga z tamtej strony, to znaczy z północy, jest otwarta i wkrótce powinno nadejść więcej chłopców – mówił podekscytowany zwycięstwem jakie odniósł w walce z potężnym bunkrem. Nawet nie zda-wał sobie sprawy, jak wielkie wrażenie zrobiła jego akcja na obrońcach twierdzy. W bunkrze nr 4 zginął jeden żołnierz, a sześciu odniosło rany. Jednakże Belgowie zrozumieli, że od tej strony nadchodziła pomoc dla komandosów walczących na górze ich fortu. Widmo śmierci stało się bardzo bliskie. Tracili ochotę do walki. Cofali się do mrocznych tuneli. Bali się.

– Wystarczy was, żeby mnie utrzymać na zboczu! – Witzig zaczął się obwiązywać liną. Rzucił jej koniec kapralowi i wetknął do torby przerzu-conej przez ramię kostki trotylu i zapalniki. – Trzymajcie sznur! Opuśćcie mnie do połowy wysokości góry!

Bunkier nad fosą unieszkodliwiony przez kaprala Josefa Portsteffego. Z prawej strony widoczny ślad ognia z miotacza płomieni

Saperzy z 51 batalionu saperów przeprawiają się przez fosę na zachodnią stronę Eben Emael

Metr po metrze, odbijając się stopami od skalnej ściany, zaczął się osuwać do bunkra. Karabiny drugiego bunkra nie strzelały do niego. Być może obserwatorzy zajęci pilnowaniem brzegu kanału nie zwracali uwagi na ścianę nad ich głowami. Może dymy opadające z góry zamaskowały go na tyle, że stał się dla nich niewidoczny. Bezpiecznie dotarł do połowy wysokości zbocza. Spojrzał do góry na wychylonego do połowy Portsteffego. Wskazał na dół, dając w ten sposób znać, żeby opuścili go niżej. Mieli jeszcze zapas liny, gdy zjechał w stronę bunkra o dobrych kilka metrów.

– To wystarczy – powiedział do siebie. Przesunął torbę na piersi. Musiał teraz znaleźć szczelinę wystarczająco głęboką, aby wsunąć w nią trotyl. Dostrzegł taką w odległości dwóch metrów. Odbił się stopami i udało mu się chwycić ręką za jej krawędź. Przesunął się w tamtą stronę. Saperką szybko pogłębił otwór na tyle, że mógł tam zmieścić kilogram trotylu. Podpalił lont i dał znać, żeby wciągali go do góry. Już prawie chwytał występ, na którym stali komandosi, gdy poczuł jak ziemia drgnęła. W tej samej chwili fala podmuchu rzuciła nim tak mocno, że osunął się o metr lub dwa. Kołysząc się na lince, zobaczył jak masa ziemi, wyrwana ze zbocza leci na dół i zasypuje bunkier, który skrył się w tumanie pyłu.

– Wciągać! – krzyknął do żołnierzy.

Pomoc dla żołnierzy grupy „Granit" nadeszła zza Kanału Alberta

Wygramolił się na brzeg urwiska i nie bacząc na niebezpieczeństwo grożące ze strony eksplodujących opodal pocisków począł przytupywać z radości.

– Aaaa! – Portsteffe, krzycząc, podskoczył ku niemu i razem zaczęli krążyć w groteskowym wojennym tańcu. Zlikwidowali najgroźniejszą zaporę dla saperów po drugiej stronie kanału. Zwyciężyli!

Wiadomość o zniszczeniu bunkra nr 4 nad fosą zrobiła przygnębiające wrażenie na oficerach. Wiedzieli, że najpóźniej za kilka godzin przez tę wyrwę w północnej części fortu zaczną wlewać się wrodzy żołnierze z tymi strasznymi ładunkami wybuchowymi. Zejdą do tuneli i, tak jak wysadzali pancerze dział, zaczną wysadzać barykady zamykające przejścia.

Zwycięzcy spod Eben Emael

Żołnierze z oddziału „Granit" kilka godzin po bitwie

Major Jottrand czuł się całkowicie bezradny. Widział, jak upada bojowy duch, i nie mógł zrobić niczego, co mogłoby poderwać żołnierzy do walki, dać im nadzieję wytrwania.

– Nie możemy już zapewnić obrony północnego i północno-zachodniego podejścia do fortu. Ponadto obrona przeprawy przez Kanał Alberta jest praktycznie niemożliwa – powiedział do oficerów, którzy zebrali się w największym pomieszczeniu fortu. Tworzyli Radę Obrony i postanowił odwołać się do nich, w ostatniej próbie znalezienia innego wyjścia niż kapitulacja. Na sali panowała cisza. Czuło się przygnębienie. Bali się tego, co mogło nastąpić już za chwilę, gdy zza kanału zaczną przybywać nowe oddziały. O ile Jottrand liczył, że wśród oficerów uda mu się znaleźć poparcie lub zachętę do dalszej walki, to stracił wszelkie nadzieje, gdy wysłuchał ich opinii. Wszyscy mówili to samo: najwyższy czas poddać się, dalsza walka nie ma sensu, ryzykujemy życie prawie ośmiuset żołnierzy!

Jeszcze gorszy był przebieg zbiórki części żołnierzy, którą zarządził w tunelu wejściowym. Mówił o znaczeniu ich twierdzy dla obrony ojczyzny, gdy padł pierwszy okrzyk. Zduszony, wydany przez żołnierza, który skrył głowę za plecami kolegi, aby nikt nie mógł rozpoznać jego głosu:

– Poddajmy się!

Jottrand przerwał i myślał przez chwilę, czy nie odszukać tego, który ośmielił się wypowiedzieć takie słowa, gdy usłyszał inny okrzyk, z innej strony.

– Kapitulacja!

Potem inne:

– Nie będziemy ginąć! Dość tego! Zabiją nas wszystkich!

Głosów nie było wiele, ale stawało się oczywiste, że tak myśli większość żołnierzy. Oni już nie chcieli walczyć. Szkolono ich do obsługi dział i skomplikowanych mechanizmów fortu. Byli sprawni i dobrze wyszkoleni do podawania pocisków, poruszania pokrętłami ustawiającymi działa, ale beton i stal, za którymi się chowali, odebrały im siłę ducha. Umieli celować, ale nie umieli walczyć. Za późno to zrozumiał.

– Rozejść się! Na stanowiska! – wydał rozkaz, obawiając się, że za chwilę zbiórka zamieni się w wiec. Odwrócił się na pięcie i podszedł do oficera stojącego pod ścianą.

– Kapitanie – zwrócił się do Alfreda Hotermansa. – Wyjdzie pan na górę i nawiąże kontakt z nieprzyjacielem w celu ustalenia warunków kapitulacji. Nie widzę innego wyjścia. To rozkaz.

Podał mu rękę i udał się wprost do centrali łączności.

– Od tego momentu nie przyjmować żadnych informacji z Eben Emael – kazał przekazać do dowództwa w Liegé. To była ostatnia wiadomość z fortu.

Po kilkunastu minutach zadzwonił kapitan Hotermans, który dotarł do bloku wyjściowego.

– Panie majorze, proszę zwolnić mnie z wykonania tego rozkazu. Nie mogę tego zrobić. Proszę o to – mówił. Jottrand zgodził się. Nie pytał o powody. To już nie miało sensu.

Tuż po godzinie 12.00 nad kilkoma bunkrami pojawiły się białe flagi i zabrzmiała trąbka. Kapitan Georges Vemecq, w towarzystwie trębacza niosącego białą flagę wyszedł z bunkra nr 3, kierując się w stronę pobliskich stanowisk nieprzyjaciela. To trzecia kompania z pułku saperów, która przeprawiła się przez kanał obsadzała stanowiska do ataku.

Droga do Dunkierki

– Dokonali tego! Dokonali! – Hitler uderzał pięścią w otwartą dłoń. Otoczony oficerami szedł wąską żwirową ścieżką prowadzącą do bunkra „Felsennest". – Chcę ich osobiście wynagrodzić.

Któryś z adiutantów odszedł szybko, kierując się do bunkra łączności, aby przekazać decyzję Hitlera do Maastricht.

Hitler doskonale zdawał sobie sprawę, jak wspaniałe zwycięstwo ofiarowała mu grupka straceńców, którzy wylądowali na dachu ogromnego fortu, obsadzonego przez dziesięciokrotnie silniejszą załogę. Otworzyli drogę przez Maastricht, co pozwalało niemieckim czołgom wyjechać na otwarty, płaski teren między Wavre i Namur, stwarzający znakomite warunki do pancernego ataku w kierunku kanału La Manche. Następnym krokiem miało być zdobycie tamtejszych portów i odcięcie pomocy brytyjskiej dla korpusu ekspedycyjnego. A może nawet zamknięcie drogi ewa-

Droga do Dunkierki

Zwycięzcy spod Eben Emael z Adolfem Hitlerem. Drugi od lewej – porucznik Rudolf Witzig, trzeci – kapitan Walter Koch

Major Mitosch, dowódca 151 pułku, przyjmuje gratulacje od generała Wilhelma Keitla

kuacji dla Brytyjczyków? To było marzenie Hitlera: otoczyć trzysta tysięcy żołnierzy brytyjskiego korpusu ekspedycyjnego i nękać ich nalotami i ostrzałem z ciężkiej artylerii. Ich szeregi topniałyby każdego dnia, a rząd brytyjski, słysząc zewsząd wezwania „ratujcie naszych chłopców!" nie miałby innego wyjścia, jak tylko prosić o zawarcie pokoju. Oczywiście na warunkach, które podyktowałby Hitler. Nie byłby dla nich surowy. Musieliby oczywiście pozbyć się tego wojowniczego Winstona Churchilla i oddać tron księciu Windsoru.

Pokój na Zachodzie umożliwiłby Hitlerowi wcześniejsze zerwanie taktycznego sojuszu ze Stalinem i zrealizowanie swojego wielkiego zamierzenia marszu na Wschód.

– Otrzymałem dokładny raport na temat strat w Eben Emael – adiutant, który powrócił z bunkra łączności, wyciągnął rękę z kartką.

– Proszę, niech pan czyta – Hitler nie miał okularów i, choć dzień był słoneczny, zapewne nie potrafiłby odczytać drobnego pisma maszynowego.

– Z 86 żołnierzy oddziału „Granit" zginęło sześciu, a 15 odniosło rany. Ponadto w ataku na Eben Emael straciliśmy 11 zabitych i 47 rannych ze 151 pułku piechoty oraz jednego zabitego i 14 rannych z 51 batalionu saperów. Łącznie 18 zabitych, 76 rannych.

– Straty wroga?

– 23 zabitych, 59 rannych i 700 wziętych do niewoli...

Hitler pokiwał głową. Szturmujący, którzy nie mieli żadnej zbroi ponieśli mniejsze straty niż żołnierze broniący fortu, osłonięci wielometrową osłoną betonu, ziemi, stali.

– Mieli więcej stali, ale mniej ducha – powiedział jakby do siebie. – Umieścić nazwisko dowódcy oddziału „Granit" w rozkazie dziennym. Chcę

Żołnierze francuscy i brytyjscy ewakuują się spod Dunkierki

119

poznać tych żołnierzy i ich odznaczyć – powiedział i szybszym krokiem ruszył w stronę bunkra. Niepokoiły go wieści z Holandii, której armia stawiała silniejszy opór, niż się spodziewał. To mogło spowolnić marsz jego wojsk w stronę kanału La Manche. Postanowił złamać opór Holendrów za wszelką cenę, a wiedział, że nic tak bardzo nie wpływa na decyzje rządów demokratycznych jak ofiary wśród ludności cywilnej.

Epilog

Kapitan Walter Koch, dowódca oddziału szturmującego mosty i fort Eben Emael, odznaczony 15 maja Krzyżem Żelaznym, nie przeżył wojny, ale nie zginął śmiercią bohatera. Zakochany w szybkich samochodach, rozbił się na autostradzie pod Monachium w 1943 roku.

Porucznik Rudolf Witzig, też odznaczony Krzyżem Żelaznym w kwaterze Hitlera Felsennest, walczył do ostatnich dni II wojny światowej. Zmarł w Niemczech prawdopodobnie w końcu lat siedemdziesiątych.

Major Jottrand wyszedł z niewoli w 1944 roku.

Teheran

Był późny wieczór, gdy dwaj esesmani wprowadzili do sekretariatu Ministerstwa Spraw Wewnętrznych drobnego mężczyznę w szarym garniturze w prążki. Zatrzymał się tuż przy drzwiach i patrzył przelękniony, podczas gdy jeden ze strażników podszedł do biurka sekretarki, pochylił się i coś do niej cicho powiedział. Podniosła głowę i obrzuciła bacznym spojrzeniem człowieka przy drzwiach, nie mogąc ukryć obrzydzenia, jakie wyzwała obawa przed powalaniem rąk czymś odrażająco brudnym.

– Pani się nie obawia, jest niegroźny – zaśmiał się esesman, dostrzegając jej wzrok.

Mężczyzna skulił się. Zareagował na śmiech esesmana jak pies na świst bata.

– Wejdźcie! – sekretarka wskazała na drzwi do gabinetu. – Herr Reichsführer jest już wolny.

Esesmani ujęli mężczyznę mocniej pod ręce i skierowali się do wejścia.

– Będziesz rozmawiał z Reichsführerem SS – powiedział cicho jeden z nich. – Jeżeli zrobisz, Żydzie, coś nie tak i przyniesiesz mi wstyd, to cię powieszę na całą noc za kciuki, a rano zatłukę. Pięścią zatłukę!

Beguin skinął głową, starając się patrzeć w oczy esesmana z taką wiernością, aby ten nie miał żadnych obaw, że on, Żyd, wprowadzony do gabinetu szefa SS może zrobić coś nieodpowiedniego. W wielkim, choć urządzonym z przesadną surowością pokoju siedział za biurkiem, twarzą do wejścia, szczupły mężczyzna z wysoko podgoloną głową.

– Herr Reichsführer, melduję... – zaczął jeden z esesmanów, lecz Himmler nie pozwolił mu dokończyć.

– Niech pan siada, Beguin – wskazał na krzesło przed biurkiem.

Mężczyzna spojrzał na swoich strażników, szukając u nich potwierdzenia, że może skorzystać z zaproszenia, ale dostrzegł jedynie twarze bez wyrazu, ze wzrokiem wbitym gdzieś w przestrzeń. Niepewnie zrobił parę kroków i usiadł ostrożnie, jakby w obawie, że może poplamić skórzane obicie krzesła. Tylko nogi mocno zaparł w podłogę, aby ukryć drżenie kolan.

Heinrich Himmler – człowiek, którym zawładnęły złe moce

- Pan Jean-Jacques Beguin – Himmler poprawił okulary i zerknął do akt leżących przed nim. – Jest pan francuskim Żydem...

Mężczyzna skinął głową. Trzy miesiące wcześniej, w kwietniu 1943 roku został aresztowany przez francuskich policjantów i przekazany Niemcom, którzy wysłali go do obozu koncentracyjnego.

- ...jest pan hipnotyzerem i jasnowidzem – mówił dalej Himmler – o sławie wybiegającej przed wojną poza granice Francji...

- Tak jest, Herr Reichsführer – odpowiedział dość płynnie po niemiecku Beguin. – Występowałem w Wintergarten i Kroll – wymienił niemieckie sale koncertowe – ale to było na początku lat trzydziestych...

- Zapali pan? – Himmler przesunął w jego stronę wielką papierośnicę z kutego srebra ze znakiem SS na wieku. Beguin znowu zerknął na strażników i szybko sięgnął po papierosa. Gdy włożył go do ust, rozejrzał się za ogniem. Jeden z esesmanów na znak Himmlera zapalił zapałkę i podsunął mu ogień.

- Wiem, gdzie i kiedy pan występował, panie Beguin. Mam to wszystko w pańskich aktach – kontynuował Himmler. – Teraz będzie pan występował dla mnie. Nie dla pieniędzy ani dla sławy. Dla życia! Pan rozumie?

Beguin skinął głową. Po trzech miesiącach w obozie koncentracyjnym doskonale rozumiał, co znaczy walczyć o życie. Gotów był na wszystko, aby tam nie wrócić. Kolana znowu zaczęły mu dygotać. Czego od niego chce szef SS? Jedno słowo tego człowieka mogło oznaczać życie albo kaźń i śmierć. Beguin gotów był spełnić każdy rozkaz.

- Jeżeli wykona pan swoje zadanie, zwolnię pana i odeślę do neutralnego państwa, które pan wybierze. Rozumiemy się?

Józef Stalin – zaciekły komunista

Winston Churchill – zaciekły antykomunista

Charles de Gaulle – chciał walczyć o honor Francji

Franklin D. Roosevelt chciał stworzyć Nowy Świat

– Tak jest, Herr Reichsführer – Beguin przytaknął skwapliwie.

Himmler spojrzał na esesmanów i dał im znać, że mają opuścić jego gabinet. To, co miał powiedzieć Beguinowi, mógł usłyszeć tylko jego asystent, który starannie zamknął drzwi za wychodzącymi.

– Niech pan słucha uważnie – mówił Himmler. – Kilka ważnych osób ma zamiar spotkać się w najbliższej przyszłości. Za kilka tygodni, może miesięcy. Pan mi powie, gdzie i kiedy to spotkanie będzie miało miejsce!

Beguin spojrzał na Himmlera zaskoczony. Jak miał odgadnąć, o kogo chodziło? Czy Himmler miał na myśli zamachowców przygotowujących spisek przeciwko niemu lub Hitlerowi? To niemożliwe. Od tego było Gestapo, a nie jasnowidz. Bez wątpienia nie po to go tutaj ściągnęli – myślał gorączkowo. Musiało chodzić o ludzi będących poza władzą Himmlera i jego morderców.

– Muszę poznać parę szczegółów, Herr Reichsführer... – zaczął, starając się nadać swojemu głosowi jak najbardziej zdecydowane brzmienie. – Nawet astrolog, aby opracować dla kogoś horoskop, musi poznać jego datę urodzin. To konieczne.

– Tak, rozumiem to – odpowiedział Himmler i zamilkł. Nie miał zamiaru ułatwiać Beguinowi zadania. Przyglądał mu się lekko zmrużonymi oczami.

Wierzył głęboko, że świat jest wypełniony mocą, łaskawą dla wybranych jednostek, do których siebie zaliczał. Odnajdywał jej szczodrość w sposobie, w jaki pozwoliła mu nawiązać kontakt z królem Henrykiem I, pogromcą Słowian, który zginął przeszyty madziarską strzałą w 936 roku. To jego duch nawiedzał go w bezsenne noce, aby stojąc przy jego łóżku, pod-powiadać mu, co ma robić, aby uwolnić świat od Żydów i słowiańskich podludzi. Tak bardzo wierzył w realność tych objawień, że rano oznajmiał swoim współpracownikom:

– Król Henryk I postąpiłby w następujący sposób...

Od lat pragnął i dążył do tego, aby duchy wielkich przodków towarzyszyły mu przez cały czas, nie tylko w nocy. Chciał mieć miejsce, gdzie mógłby przychodzić o każdej porze, przywoływać wielkich przodków i pytać ich o zdanie. Niemal od pierwszych dni, gdy dzięki łaskawości Adolfa Hitlera uzyskał nieograniczoną władzę, budował taką świątynię.

Kiedyś usłyszał przepowiednię, że w Westfalii jest zamek, który przetrwa najazd wschodnich hord. Zawzięcie szukał tego miejsca, aż uznał, że jest nim górska forteca w pobliżu Büren, niegdyś należąca do rycerza--rabusia Wewela von Bürena, od którego wziął nazwę Wewelsburg. 27 lipca 1934 roku wynajął ten zamek od miejscowego Landratamtu. Urząd, zadowolony, że może się pobyć zabytku, na którego utrzymanie i konserwa-

Biurko prezydenta F. D. Roosevelta w Białym Domu

cję nie miał pieniędzy, wyznaczył symboliczny czynsz w wysokości jednej marki rocznie. Himmler natychmiast polecił architektowi SS, Hermannowi Bartelsowi, przebudowanie twierdzy, tak aby stała się przybytkiem nowej religii, której on miał być najwyższym kapłanem.

Gdy przeczytał, że król Artur, legendarny władca Celtów, zbierał przy okrągłym stole 12 najdzielniejszych i najszlachetniejszych rycerzy, postanowił ożywić tę legendę w swoim zamku. Wyznaczył dwunastu Obergruppenführerów, z których każdy otrzymał dębowe krzesło z wysokim oparciem krytym świńską skórą i niewielką srebrną tabliczką z nazwiskiem, ustawione przy okrągłym dębowym stole, w komnacie szerokiej na 30 i długiej na 40 metrów. W tym magicznym kręgu, w którym wszyscy byli sobie równi, mieli radzić i medytować w sprawach SS i nowego porządku na świecie. W długich dyskusjach szczególną rolę odgrywały przepowiednie astrologów, dla których urządzono pracownie w wieży w południowym skrzydle zamku, gdzie znajdowały się również prywatne apartamenty Himmlera. On sam bezgranicznie wierzył w wyrocznie gwiazd. Sięgał po ich radę z ufnością równą tej, jaką obdarzał nocne widzenia króla Henryka. To dlatego w 1943 roku doszedł do wniosku, że tylko jasnowidz może rozwiązać zagadkę, jaką miał do wyjaśnienia, i dlatego kazał sprowadzić Beguina, którego występowi przyglądał się w Berlinie w 1932 roku i który zrobił na nim niezapomniane wrażenie.

– De Gaulle... – powiedział nagle Beguin i zamilkł, jakby spłoszony słowem, które bezwiednie wymknęło się z jego ust. Himmler nie potrafił ukryć zainteresowania, co dla jasnowidza stanowiło potwierdzenie, że zmierza we właściwym kierunku. Sam nie wiedział, dlaczego przyszedł mu na myśl generał Charles de Gaulle, który tuż przed podpisaniem przez Francję zawieszenia broni, 22 czerwca 1940 roku uciekł do Wielkiej Brytanii i tam stanął na czele „Wolnych Francuzów".

– Churchill... – podał drugie nazwisko. I znów z miny Himmlera, choć ten starał się zachować kamienną twarz, wyczytał, że zmierza we właściwym kierunku.

– Roosevelt... – nazwisko prezydenta Stanów Zjednoczonych było oczywistą konsekwencją tych, które dotychczas wymienił.

Wyczuwał napięcie. Himmler czekał na jeszcze jedno nazwisko. Czyżby chodziło o spotkanie wszystkich szefów mocarstw prowadzących wojnę z Niemcami? To przecież niemożliwe, żeby Churchill i Roosevelt spotkali się ze Stalinem! Ale czego oczekuje Himmler?

– Stalin... – powiedział już cicho i udając wyczerpanego osunął się na krześle. Miał nadzieję, że w ten sposób zniechęci Himmlera do dalszych indagacji.

– On to powiedział, Reichsführer! – adiutant stojący przy drzwiach był wyraźnie zadowolony. Himmler poderwał się z krzesła.

– Brawo! Podałeś właściwe nazwiska – krzyknął. – Nie zawiodłeś mojego zaufania.

– Dziękuję, Herr Reichsführer – Beguin pochylił nisko głowę. – Jestem wyczerpany, czy mogę nabrać sił przed następnymi sesjami?

- Tak, zostaniesz przewieziony do apartamentu w Berlinie. Jutro odbędziemy dalsze spotkania, w czasie których będę chciał się od ciebie dowiedzieć istotnych szczegółów; przede wszystkim, gdzie i kiedy zamierzają się spotkać osoby, których nazwiska wymieniłeś. Musisz pamiętać, że jest to tajemnica. Największa tajemnica w twoim życiu, jeżeli masz zamiar jeszcze pożyć – skinął na adiutanta, który otworzył drzwi i gestem wezwał strażników.

Pierwsze informacje o planowanym spotkaniu przywódców mocarstw Himmler uzyskał za pośrednictwem specjalnego wydziału Niemieckiej Poczty (Deutschen Reichspost) – Forschungsanstalt, podsłuchującego rozmowy prowadzone przez radiotelefon przez prezydenta Stanów Zjednoczonych i brytyjskiego premiera.

Franklin D. Roosevelt nie znosił dyplomatycznej korespondencji, zabierającej czas, wymagającej wielogodzinnego oczekiwania, zanim wiadomość zostanie zaszyfrowana, przesłana do adresata, odszyfrowana i zanim wreszcie nadejdzie odpowiedź. Poza tym brak osobistego kontaktu uniemożliwiał śledzenie reakcji rozmówcy, co dla prezydenta Stanów Zjednoczonych zawsze było nadzwyczaj istotne. Taką możliwość dawała rozmowa telefoniczna, ale jak w czasach wojny można się było posługiwać tak niepewnym środkiem łączności? Amerykanie, a zwłaszcza Brytyjczycy notorycznie podsłuchujący transatlantyckie rozmowy i przechwytujący depesze przesyłane podoceanicznym kablem, doskonale wiedzieli, jak niepewna jest to droga porozumiewania się. Jednakże już w latach dwudziestych w Stanach Zjednoczonych wiele firm telekomunikacyjnych oferowało swoim klientom proste urządzenia zniekształcające mowę, dzięki którym mąż mógł spokojnie rozmawiać z kochanką, nie obawiając się, że detektyw wynajęty przez zazdrosną żonę dowie się wszystkiego, podłączywszy się do skrzynki telefonicznej na słupie przed domem. Te zabezpieczenia, dobre dla amatorów, absolutnie nie oparłyby się zawodowcom i w poważniejszych sprawach, na przykład gdy chodziło o utajnienie rozmów handlowych, dekodery nie dawały żadnej gwarancji bezpieczeństwa. Wiele przedsiębiorstw telekomunikacyjnych potraktowało to jako wyzwanie i przystąpiło do pracy nad bardziej skomplikowanymi aparatami. W grudniu 1937 roku na linii San Francisco–Honolulu, a kilka dni później także San Francisco–Tokio zaczęły działać tak doskonałe urządzenia zniekształcające słowa, że specjaliści od podsłuchiwania rozmów telefonicznych rozłożyli bezradnie ręce.

Oczywiście wynalazkiem tym natychmiast zainteresowało się wojsko. Już wówczas US Army z ogromnym powodzeniem stosowała specjalne metody kodowania rozmów telefonicznych i radiowych. Użyto środka tak skutecznego, że wrogowi nigdy nie udało się złamać szyfru, jaki powstawał... w ustach indiańskich nadawców. Na ten pomysł wpadł w 1918 roku kapitan E. W. Horner, który w swojej kompanii piechoty jako radiotelegrafistów i telefonistów zatrudnił Indian z plemienia Choctaws. Tylko oni potrafili zrozumieć słowa wypowiadane przez współplemieńców. W okresie międzywojennym, po próbach przeprowadzonych z Komanczami i indiańskimi plemionami ze stanów Michigan i Wisconsin, wybrano Indian Navaho. Było to 50-tysięczne plemię, a więc wystarczająco duże, aby dostarczyć siłom zbrojnym odpowiedniej liczby radiooperatorów i telefonistów, a jednocześnie bardzo zamknięte i ksenofobiczne. Poza nimi zaledwie 28 osób znało ich trudny język. Byli to etnografowie, antropologowie i misjonarze, a więc można się było nie obawiać, że mogą zostać wykorzystani przez wroga jako tłumacze. Poza tym tajemnica języka Navaho polegała na bardzo specyficznej wymowie. To samo słowo, w zależności od tego, jak było wymawiane, uzyskiwało różne znaczenia. Jak pisał antropolog Clyde Kluckhorn: „Dźwięki [w języku Navaho – BW] muszą być oddawane w pedantyczny sposób, zupełnie jakby mówił robot. Mowa tych, którzy nauczyli się tego języka jako dorośli, jest natychmiast rozpoznawalna przez Navaho".

Na początku II wojny światowej US Army zatrudniała 30 Indian z tego plemienia, pod koniec – już 420. Nie zdarzyło się, żeby Japończycy lub Niemcy zdołali odczytać wiadomość przesyłaną przez Navaho.

Trudno jednak sobie wyobrazić, że obok Roosevelta i Churchilla zasiadają Indianie, którzy przekazują ich słowa i je tłumaczą. Było to oczywiście możliwe, ale nie o to chodziło.

Prezydent Roosevelt w swoim dążeniu do bezpośredniej wymiany zdań z Churchillem uzyskał pomoc ze strony specjalistów z Bell Telephone Laboratories, którzy zapewnili go, że urządzenie wynalezione przez młodego inżyniera Williama Robertsa of Trenton jest całkowicie bezpieczne i że za pośrednictwem tego aparatu będzie można rozmawiać, nie obawiając się, że wróg zdoła się dowiedzieć, czego dotyczą rozmowy.

Głos prezydenta wypowiadany do mikrofonu normalnego telefonu biegł kablem do urządzenia nazwanego „A-3" w jednym z pomieszczeń w podziemiach Białego Domu, gdzie był zniekształcany w taki sposób, aby nikt, kto

Tajna broń amerykańskiej armii – radiotelegrafiści Navaho

by się podłączył do linii telefonicznej, nie mógł go zrozumieć. Zakodowany sygnał był przesyłany do centrali rozmów międzynarodowych firmy telekomunikacyjnej AT&T przy Walker Street 47 w Nowym Jorku, skąd był kierowany do radiowej stacji nadawczej, która wysyłała w eter niezrozumiałe dźwięki, a w dodatku co dwadzieścia sekund zmieniała częstotliwość. Odbiorca, który przypadkowo przechwyciłby tę falę, wnet by ją stracił, a ponowne jej namierzenie zabrałoby mu dużo czasu. W Wielkiej Brytanii sygnały z radiowej stacji odbiorczej trafiały do pomieszczeń w piwnicach domu towarowego Selfridge's w Londynie, gdzie maszyna „A-3" odkodowywała je i specjalnym kablem przesyłała do niewielkiego pokoju w schronie rządu brytyjskiego, pod gmachem Ministerstwa Spraw Zagranicznych. Tę samą trasę pokonywały słowa premiera Churchilla wypowiadane do Roosevelta. W ten sposób przywódcy dwóch mocarstw szczerze i otwarcie mogli dyskutować na najważniejsze tematy pewni, że nikt ich nie słucha.

Prezydent Roosevelt, który po raz pierwszy skorzystał z telefonu podłączonego do urządzenia „A-3" rankiem 1 września 1939 roku, aby dowiedzieć się od Williama C. Bullitta, amerykańskiego ambasadora w Paryżu, co stało się w Polsce, chętnie i często sięgał po słuchawkę.

Niemcy szybko się dowiedzieli o tym urządzeniu. Nie było to trudne, gdyż prasa amerykańska nie czyniła tajemnicy z istnienia „A-3". W październiku 1939 roku Simon Emil Koedel, niemiecki agent działający w Nowym Jorku, przeczytał w „The New York Timesie" artykuł, który natychmiast wysłał do

Roosevelt – Churchill, rozmowy ważne... dla Niemców

Niemiec, do wydziału technicznego Abwehry w Bremie. Po paru dniach artykuł zatytułowany „Roosevelt pewny, że jego rozmowy dzięki radiowemu »szatkowaniu« zmylą szpiegów" przeczytał Niko Bensmann, szef wydziału. Znalazł tam szczegółową informację o zainstalowaniu tajnego urządzenia w Białym Domu oraz o pierwszej rozmowie prezydenta z ambasadorem Bullittem. Bensmann udał się z tą wiadomością do komandora Carlsa, szefującego komitetowi zajmującemu się problemami podsłuchiwania międzynarodowych rozmów telefonicznych. Komitet ten miał już na swoim koncie pewne osiągnięcia, gdyż udało mu się opracować metodę podsłuchiwania rozmów przesyłanych podoceanicznym kablem, na który założono urządzenie odbierające impulsy na zasadzie indukcji. Członkowie komitetu zdecydowali, że sprawą odszyfrowania rozmów prezydenta Roosevelta powinna się zająć placówka badawcza Deutsche Reichspost. Tam, latem 1941 roku, inżynier Vetterlein zabrał się do

Minister Wilhelm Ohnesorge

pracy i już 1 marca 1942 roku mógł zademonstrować urządzenie, które przywracało sens niezrozumiałym sygnałom „A-3". Wkrótce, w pobliżu Eindhoven w okupowanej Holandii Niemcy wybudowali wielką antenę, mającą za zadanie przechwytywanie sygnałów radiowych, które aparat Vetterleina błyskawicznie odszyfrowywał. Ponadto potrafił on zmieniać częstotliwość w kilka sekund po zmianie dokonanej przez anglo-amerykańskie urządzenia, co sprawiało, że tylko niewielkie partie tekstu umykały nasłuchowi. 6 marca 1942 roku minister Wilhelm Ohnesorge wysłał do Hitlera pismo następującej treści:

Mein Führer!

Biuro Badań Poczty Niemieckiej zakończyło ostatnie przedsięwzięcie, jakim była budowa instalacji przechwytującej wymianę telefoniczną między USA i Anglią, wykorzystującą najnowocześniejszą wiedzę technologii komunikacyjnej. Dzięki poświęceniu naszych naukowców Poczta Niemiecka stała się jedyną instytucją w Niemczech, która sprawiła, że sygnały, stające się niezrozumiałymi za pomocą najnowocześniejszych metod, można zrozumieć. Przekazałem wyniki przechwycenia sygnałów Reichsführerowi SS, towarzyszowi Himmlerowi (...).

Ograniczę obieg informacji o pozyskiwaniu danych z rozmów telefonicznych, gdyż gdyby nasz sukces stał się znany Anglikom, wówczas skomplikowaliby system przesyłania sygnałów telefonicznych i przesyłali je kablem.

Heil Mein Führer!

Ohnesorge (podpis)

Stenogramy z telefonicznych rozmów napływały jak wiosenna powódź. Churchill, podobnie jak Roosevelt, ubóstwiał osobiste pogawędki i łapał za słuchawkę przy lada okazji, choć kabina telefonu „A-3" znajdowała się w schronie pod gmachem Ministerstwa Spraw Zagranicznych i aby się tam dostać ze swojego gabinetu na Downing Street, musiał przejść około 200 metrów.

Obsługa stacji nasłuchowej w Eindhoven za pomocą specjalnego dalekopisu G-Schreiber, który szyfrował treść, wysyłała stenogramy rozmów Churchilla z Rooseveltem do Berlina. Kilka godzin później na biurku Heinricha Himmlera pojawiały się ich zapisy. W ten właśnie sposób, w październiku 1943 roku dowiedział się on o planowanym spotkaniu premiera i prezydenta. Prawdopodobnie w rozmowie padło nazwisko de Gaulle'a i Reichsführer uznał, że przywódca „Wolnych Francuzów" także weźmie udział w konferencji. Nie wiedział jednak, kim jest „Wujek J.", o którym wspomniał Roosevelt, oraz gdzie i kiedy odbędzie się konferencja. Miał też niewielkie szanse dowiedzenia się na ten temat czegoś więcej. Organizacje, którymi kierował: Gestapo* i Sicherheitsdienst**, ograniczały się do szpiclowania na terenie Trzeciej Rzeszy i państw okupowanych. Wywiad zagraniczny pozostawał w rękach Abwehry*** i Ministerstwa Spraw

---

* **Gestapo** (skrót od **Ge**heime **Staa**ts**po**lizei) – tajna policja państwowa utworzona w 1933 r. w Prusach przez premiera tego kraju Hermanna Göringa, który w 1934 r. przekazał jej zwierzchnictwo Heinrichowi Himmlerowi. W 1936 r. podporządkował on Gestapo policji politycznej w innych landach Niemiec i wkrótce połączył policję polityczną (Gestapo) z policją kryminalną (Kriminalpolizei – Kripo) w jedną organizację – Policję Bezpieczeństwa (Sicherheitspolizei – Sipo) i zwierzchnictwo nad nią oddał Reinhardowi Heydrichowi. Od 1939 r. Gestapo stanowiło Departament IV Głównego Urzędu Bezpieczeństwa Rzeszy (RSHA), którego szefowie (Reinhard Heydrich, a po jego śmierci Ernst Kaltenbrunner) byli również szefami Sicherheitsdienst (SD).

** **Sicherheitsdienst** (SD) – partyjna służba bezpieczeństwa SS, wywodząca się z informacyjnej służby Ic zorganizowanej w 1931 r. przez Reinharda Heydricha. W pierwszych latach działała jako organizacja ochrony partii nazistowskiej, a po przejęciu władzy przez Adolfa Hitlera umacniała w Niemczech system faszystowski. Od chwili utworzenia Głównego Urzędu Bezpieczeństwa Rzeszy (RSHA), działalność SD była realizowana w trzech wchodzących w jego skład urzędach: III – działalność wewnątrz kraju, VI – działalność za granicą, VII – badania światopoglądowe. W lutym 1944 r. równocześnie z usunięciem Wilhelma Canarisa ze stanowiska, SD przejęła niemal wszystkie jej agendy.

*** **Abwehra** (Abwehr) – niemiecki wywiad wojskowy powstały po I wojnie w ramach Ministerstwa Reichswehry. Ze względu na zakazy traktatu wersalskiego nadano tej organizacji charakter kontrwywiadu, co miała potwierdzać nazwa „Abwehr" – „obrona". W styczniu 1921 r. powstał wydział Abwehrgruppe, składający się z kilkunastu osób. Jednocześnie przy siedmiu dowództwach okręgów utworzono placówki terenowe. W styczniu 1935 r. stanowisko szefa Abwehry objął kpt. Wilhelm Canaris, który w następnych latach utworzył potężną i sprawną organizację wywiadowczą zatrudniającą 30 tys. stałych pracowników. Na terenie Rzeszy istniały oddziały Abwehry – (Abwehrstelle). W niemieckich przedstawicielstwach dyplomatycznych funkcjonowały Organizacje Wojenne (Kriegsorganisationen), których pracownicy byli zatrudnieni jako radcy, attaché itd. Na czas wojny przygotowano oddziały wywiadowcze (Abwehrkommando lub Abwehrgruppe), które miały zbierać informacje o wojskach

Zagranicznych. Himmler nie dowierzał szefowi wywiadu, admirałowi Wilhelmowi Canarisowi, a ministra spraw zagranicznych, Joachima von Ribbentropa, nie znosił i słusznie uważał go za swojego największego rywala w walce o względy Führera. Tym bardziej więc nie miał zamiaru informować go o swoim odkryciu, obawiając się, że sprytny minister wyprzedzi go w dalszych poszukiwaniach. Jednakże musiał się zgodzić na pewną współpracę z tymi instytucjami, choć najpierw postanowił skorzystać ze swoich źródeł: z astrologów i jasnowidzów. Beguin był jednym z nich, jednak zawiódł on swojego „dobroczyńcę". Kilka dni po pierwszym seansie u Himmlera zahipnotyzował swoich strażników i uciekł z berlińskiego apartamentu. Udało mu się przedostać do Szwajcarii, a następnie do Wielkiej Brytanii. Tam jednak nikt nie dał wiary jego informacjom o zainteresowaniu Himmlera konferencją szefów mocarstw.

Nieznośny Wujek J.

Generał Aleksiej Innikientyjewicz Antonow* przebył sprężystym krokiem długi korytarz na drugim piętrze głównego kremlowskiego gmachu i zatrzymał się przed drzwiami sekretariatu Stalina. Strzepnął pyłki z przodu munduru i przejechał ręką po ramionach jakby w obawie, że mógł się tam

nieprzyjaciela i likwidować szpiegów. Po 1939 r. Abwehra tworzyła również jednostki specjalne, z których z czasem powstała dywizja (od grudnia 1942 r.) „Brandenburg". W łonie Abwehry powstała silna opozycja przeciwko Hitlerowi, na czele której stanął Wilhelm Canaris i szef jego sztabu, Hans Oster. Po wykryciu opozycji, 12 lutego 1944 r. Hitler przekazał służbę wywiadowczą Reichsführerowi SS i 19 lutego zwolnił Canarisa ze stanowiska. Większość aparatu Abwehry wcielono do Głównego Urzędu Bezpieczeństwa Rzeszy (RSHA).

* **Aleksiej I. Antonow** (1896–1962) – generał, od 1919 r. w Armii Czerwonej. Ze względu na pochodzenie – był synem carskiego oficera – dopiero w 1928 r. pozwolono mu wstąpić do partii komunistycznej WKP(b). Absolwent Akademii im. Michała Frunzego (1931 r.). Od 1933 r. służył na stanowiskach sztabowych, m.in. w Charkowskim Okręgu Wojskowym i Kijowskim Specjalnym Okręgu Wojskowym. W sierpniu 1941 r. został mianowany szefem sztabu Frontu Południowego, a następnie szefem sztabu Frontu Kaukaskiego, od 1942 r. – Frontu Transkaukaskiego. Od grudnia 1942 r. był pierwszym zastępcą szefa Sztabu Generalnego, gen. Aleksandra Wasilewskiego, który bardzo często wyjeżdżał na front, co sprawiało, że faktyczne kierowanie sztabem pozostawało w rękach Antonowa. 17 lutego 1945 r. Antonow przejął stanowisko szefa Sztabu Generalnego. W 1946 r. powrócił na stanowisko zastępcy szefa Sztabu Generalnego. Mimo oczywistych osiągnięć i zasług, jakie przyczyniły się do zwycięstwa Armii Czerwonej, nie został mianowany marszałkiem, co było prawdopodobnie następstwem nieufności, jaką wywoływało jego pochodzenie. W 1948 r. odszedł na stanowisko pierwszego zastępcy dowódcy Transkaukaskiego Okręgu Wojskowego, co było oczywistą degradacją, i dopiero w kwietniu 1954 r., już po śmierci Stalina, powrócił do Moskwy jako zastępca szefa Sztabu Generalnego. Zmarł w swoim gabinecie 18 czerwca 1962 r.

Gen. Aleksiej I. Antonow

zebrać łupież. Jego dłoń zawadziła o jeden z masywnych epoletów, do których nie zdążył się przyzwyczaić. Po rewolucji październikowej 1917 roku nie stosowano ich w Armii Czerwonej, a carskich oficerów, którzy przeszli na stronę bolszewików, pogardliwie nazywano „pagońszczykami", choć wiernie służyli pod czerwonym sztandarem. Dopiero na początku 1943 roku Stalin polecił przywrócić pagony, a w lipcu zgodził się na przywrócenie stopni wojskowych w miejsce komdiwów, kombrygów, komandarmów itp. Dawał w ten sposób do zrozumienia, że wybaczył dowódcom wojskowym zawód, jaki mu sprawili w 1941 roku, gdy cofnęli się przed nacierającymi wojskami niemieckimi. Ale nie był to jedyny powód, dla którego zdecydował się przywrócić wojskowe dystynkcje. Był to bowiem także ważny sygnał dla zachodnich sojuszników.

– Towarzysze właśnie się schodzą – poinformowała go sekretarka i wskazała dłonią na wysokie dwuskrzydłowe drzwi po lewej stronie pokoju. Generał jeszcze raz przygładził włosy, obciągnął mundur i zdecydowanie przekroczył próg.

„W miejsce każdej zniszczonej dywizji Rosjanie wystawiali tuzin nowych" – pisał gen. Franz Halder

Każdy, kto wchodził do gabinetu Stalina, nawet na naradę w wieloosobowym gronie, nie wiedział, jak bardzo odmieni to jego los. Antonow co prawda przypadł do gustu Stalinowi i wytrwał jako zastępca szefa Sztabu Generalnego już 10 miesięcy, co było swego rodzaju rekordem, gdyż wszyscy jego poprzednicy wytrzymywali na tym stanowisku zaledwie dwa, trzy miesiące, jednak zawsze czuł, że otacza go nieufność, nawet z pewnym odcieniem wrogości. Wiedział, dlaczego tak jest: jego ojciec był carskim oficerem, a on rozpoczął służbę w carskiej armii w 1916 roku. Wiedział, że z tego powodu tysiące jego kolegów oddało głowy, trafiło do więzienia lub w najlepszym wypadku musiało odejść z wojska, co wówczas oznaczało los jeszcze gorszy niż więzienie: poniewierkę i głód dla całej rodziny. Może dlatego, czując na sobie ciężar przeszłości, starał się postępować tak, aby nie ściągnąć na siebie gniewu Stalina.

Po wejściu do gabinetu zatrzymał się tuż za drzwiami, oczekując na pozwolenie podejścia do stołu ustawionego pod lewą ścianą, gdzie siedziało już paru oficerów. Kątem oka dostrzegł marszałka Gieorgija Żukowa, zastępcę naczelnego wodza, co zapowiadało, że narada będzie dotyczyła spraw najważniejszych. Stalin, który siedział za biurkiem i przeglądał papiery, podniósł wzrok i odchylił się na fotelu.

– Jakie są najnowsze raporty?

– Faszyści, Grupa Armii „Południe", zakończyli ewakuację na zachodni brzeg Dniepru – zameldował. – Po wschodniej stronie pozostawili pas spalonej ziemi o szerokości około 30 kilometrów.

– Niewiele to im pomoże... – Stalin podniósł się z miejsca. Lubił wygłaszać takie nic nie mówiące opinie lub podsumowywać raporty, co miało sugerować jego wiedzę wojskową. W rzeczywistości była ona bardzo powierzchowna. Co prawda od 1941 roku nauczył się wiele, ale ta nauka kosztowała życie setek tysięcy żołnierzy, którzy ginęli zmuszani do wykonywania bezsensownych rozkazów, jakie wydawał.

– To przedłuży walki o Kijów – odezwał się Żukow.

– Kijów należy zdobyć na rocznicę rewolucji! To wielkie miasto i wielka rocznica – powiedział cicho Stalin.

Powoli przybywali następni oficerowie. Antonow patrzył nieco zdziwiony na tak wysokie grono, które gromadziło się w gabinecie. Nie mógł wiedzieć, że Stalin kazał przyjechać na naradę tego październikowego wie-

Gen. Reinhard Gehlen

133

czora nawet dowódcom frontowym, aby uzyskać jak najlepszy obraz sytuacji. Był zaniepokojony. Nie o sytuację nad Dnieprem ani pod Kijowem. Nie o wynik nadchodzących walk. Niemcy już w grudniu 1941 roku pod Moskwą stracili impet, który pozwalał im wygrywać kampanie w Polsce, Norwegii, Belgii, Holandii i Francji. Zostali zmuszeni do wojny na wyczerpanie, a takiej wojny wygrać nie mogli i musieli mieć pełną tego świadomość.

Generał Reinhard Gehlen*, dowódca Fremde Heere Ost, wywiadu Sztabu Generalnego, kalkulował: w dniu wybuchu II wojny światowej w ZSRR było 170 mln obywateli. Do 22 czerwca 1941 roku ich liczba wzrosła (także w wyniku aneksji ościennych krajów: m.in. części Polski, Litwy, Łotwy, Estonii) do 199 mln. Połowę tej liczby stanowili ludzie młodzi, poniżej 20. roku życia. W wyniku działań wojennych po 22 czerwca Związek Radziecki stracił 66 mln obywateli: zabitych oraz tych, którzy pozostali na terenach zajętych przez Niemców. Około 52% pozostałej części społeczeństwa stanowiły kobiety. Zeznania jeńców wskazywały, że pod broń powoływano mężczyzn w wieku 18–45 lat, ale częste były przypadki wcielania do wojska ludzi w innym wieku. Ta kalkulacja dowodziła, że w dniu wybuchu wojny Związek Radziecki miał w wojsku 17 mln żołnierzy. W dalszych obliczeniach Gehlen odjął liczbę zabitych, kalek i jeńców, jakich Armia Czerwona straciła od listopada 1939 roku, gdy uderzyła na Finlandię, szacowaną na 7530 tys. żołnierzy. Oznaczało to, że mundury nosiło 7800 tys. ludzi, a „aktywna rezerwa", jak to określił Gehlen, a więc mężczyźni, których można było z dnia na dzień wysłać na front, stanowili 1700 tys. obywateli. Niewiele. Na podstawie takich wyliczeń Niemcy mogli myśleć z optymizmem o wynikach dalszych walk. W tym czasie Wehrmacht liczył 6330 tys. żołnierzy. Jednakże generał Gehlen nie dał się zwieść tak optymistycznym wyliczeniom. Pisał w raporcie do OKW:

Jest oczywiste, że wróg poniósł duże straty w ciągu ostatnich dwunastu miesięcy. Walki wykazały, że niemiecki żołnierz ma powody do uznania, że jest lepszy od wroga (...). Jednak przewagi wroga w liczebności wojsk i ekwipunku nie można nie doceniać. Jeżeli mamy doprowadzić

---

* **Reinhard Gehlen** (1902–1979) – generał niemiecki, po studiach uniwersyteckich w 1920 r. rozpoczął służbę wojskową. Po ukończeniu w 1935 r. szkoły wojskowej rozpoczął służbę w Sztabie Generalnym. W czasie kampanii wrześniowej był oficerem sztabowym w dywizji piechoty, która nie brała udziału w walkach. W 1940 r. służył w sztabach 16. armii i później grupy pancernej Guderiana. Od 1 lipca 1940 r. był adiutantem gen. Franza Haldera. Od 7 października 1940 r. był szefem wschodniej sekcji w OKH. 1 kwietnia 1942 r. objął kierownictwo wywiadu Fremde Heere Ost. 9 kwietnia 1945 r. został zdymisjonowany przez Hitlera, któremu nie odpowiadały jego raporty przedstawiające powagę sytuacji na froncie wschodnim. 22 maja 1945 r. oddał się w ręce Amerykanów. Przewieziony do USA utworzył w Centralnej Agencji Wywiadowczej oddział zajmujący się sprawami wschodniej Europy, z którego 1 kwietnia 1956 r. powstała zachodnioniemiecka organizacja wywiadowcza BND. Nie udało mu się uchronić swojej organizacji przed masową infiltracją przez wywiad radziecki i 30 kwietnia 1968 r. musiał się podać do dymisji.

operacje na Wschodzie do ostatecznego zwycięstwa, musimy się zdobyć na najwyższy wysiłek.

Nie można było zapominać, że w Związku Radzieckim, totalitarnym państwie przygotowującym się w latach trzydziestych do podboju i okupacji Europy, wszyscy przechodzili intensywne wojskowe przeszkolenie w szkołach, klubach sportowych, w osiedlach. To nadzwyczajnie przyspieszyło mobilizację i przeszkolenie żołnierzy już w czasie działań wojennych. W efekcie Rosjanie potrafili bardzo szybko uzupełniać straty na froncie.

Oczywiście sprawność mobilizacyjna i rezerwy „armatniego mięsa" nie miałyby większego znaczenia, gdyby powołanym pod broń mężczyznom nie można było dostarczyć broni, z powodu zniszczenia lub zajęcia zakładów zbrojeniowych przez Niemców. Jednak w czasie działań wojennych Rosjanie zdołali przeprowadzić ogromną operację: od lipca do grudnia 1941 roku ewakuowali z obszarów objętych walkami 1523 przedsiębiorstwa przemysłowe, w tym 1360 wielkich zakładów, z których 667 uruchomiono na Uralu, 322 na Syberii, 308 w Kazachstanie i Środkowej Azji. Radzieccy robotnicy, źli i mało wydajni w czasie pokoju, nagle potrafili się zdobyć na nieprawdopodobny wysiłek i pracować nadzwyczaj ofiarnie przy budowie nowych zakładów, instalowaniu maszyn i uruchamianiu produkcji. Odlewnia, którą w czasie pokoju budowano co najmniej dwa lata, w czasie wojny powstawała w ciągu 28 dni. Zakłady lotnicze im. Czkałowa przeniesione z Moskwy do Taszkientu wypuściły pierwsze samoloty już po czterdziestu dniach! Zdarzało się, że robotnicy stawali przy maszynach, w których była tylko podłoga i betonowe słupy, przygotowane do podtrzymywania stropów, i pracowali tak wydajnie, jak nigdy się im to nie zdarzało w czasie pokoju.

Tych fabryk Wehrmacht zniszczyć nie mógł, gdyż dysponował jedynie bronią nadającą się do prowadzenia wojny błyskawicznej. Bombowce, konstruowane z myślą o atakowaniu nieprzyjaciela na froncie lub tuż poza nim, miały za mały zasięg i zabierały za mało bomb, nie mogły więc dokonywać nalotów na zakłady zbrojeniowe, huty, zapory i elektrownie daleko na tyłach.

Wielka i krwawa kampania 1941 roku nie umożliwiła Niemcom osiągnięcia żadnego ze strategicznych celów, jakie sobie stawiali, zanim wyruszyli na podbój Wschodu: zadali Armii Czerwonej ogromne straty, lecz na początku 1942 roku jej potęga zaczęła odżywać. Zniszczyli lub zajęli tysiące zakładów przemysłowych wroga, a w pierwszej połowie 1942 roku produkcja zbrojeniowa Związku Radzieckiego zaczęła bardzo szybko rosnąć. Niemcy nie opanowali żadnego z głównych radzieckich ośrodków przemysłowych: Moskwy, Leningradu, Stalingradu. Po pół roku zażartych walk zdobyli tylko przestrzeń. Tę straszną wschodnią przestrzeń z błotnistymi drogami, torami kolejowymi o rozstawie szerszym od europejskiego, wysadzonymi mostami i spalonymi polami. Przed nimi było jeszcze więcej przestrzeni. Doszli do Kaukazu, pozostawiając poza sobą ogromnie długie linie komunikacyjne i wielkie obszary ziemi, na których musieli rozmieszczać okupacyjne dywizje, gdyż ideologia nie pozwalała im na

Rok 1941 – fabryki jadą na wschód

zawieranie sojuszy z podbitymi narodami, które witały żołnierzy niemieckich jako wyzwolicieli spod bolszewickiego terroru. Gdy terror radziecki
przeistaczał się w terror niemiecki, szybko brały one stronę Rosjan i roz-
poczynały zaciętą walkę partyzancką, która dodatkowo wyczerpywała siły
Niemców.

Na początku 1943 roku pod Stalingradem Niemcy stracili całą armię
i inicjatywę strategiczną. Pół roku później pod Kurskiem, gdy zamierzali
odzyskać inicjatywę i zadać Armii Czerwonej tak duże straty, żeby Rosjanie nie mogli ich wyrównać i byli zmuszeni prosić o zawieszenie broni,
zostali pokonani. To oni stracili w tych dwóch bitwach: pod Stalingradem
i Kurskiem, tak wielu żołnierzy, tak dużo samolotów, czołgów, dział i samochodów, że osłabieni nie mogli zatrzymać Armii Czerwonej, która
przechodziła do ofensywy. Zwycięstwo Rosjan stało się już tylko kwestią
czasu i liczby ofiar, jakie musieli złożyć na drodze do Berlina. Co potem?

Stalin kalkulował: w Związku Radzieckim Niemcy mieli 192 dywizje,
w tym 33 pancerne i grenadierów pancernych. W Norwegii trzymali
10 dywizji, obawiając się, że tam nastąpi inwazja zachodnich aliantów,
w Danii – 2, we Francji, Belgii i Holandii – 43 dywizje, w tym 4 pancerne
i grenadierów pancernych, we Włoszech – 16 dywizji, w tym 5 pancernych, na Bałkanach – 15 dywizji; łącznie 86 dywizji. Wypoczęte, dobrze
wyposażone i uzbrojone. Co by się stało, gdyby ta siła wsparła wymęczo-
ne dywizje walczące na wschodzie? Mogłoby to odmienić losy wojny.

Stalin obawiał się, że ta groźba staje się coraz bardziej realna, gdyż dla
aliantów zachodnich wojna z Niemcami miała się ku końcowi. Przystąpili
do niej, aby uniemożliwić Hitlerowi stworzenie największego światowe-
go mocarstwa, a doszłoby do tego, gdyby podbił on Związek Radziecki.
Bogactwa, jakie kryła ziemia tego kraju, urodzajne pola i mało wymaga-
jąca, a nawykła do ciężkiej pracy ludność stałyby się dla Niemców budul-
cem gospodarczej potęgi, z którą nawet Stany Zjednoczone nie mogłyby

konkurować. Druga, wolna od niemieckiej okupacji część Związku Radzieckiego, rozciągająca się na wschód od Uralu, pozbawiona przemysłu, a zamieszkana przez kilkadziesiąt milionów ludzi, stałaby się ogromnym rynkiem zbytu. Jak to oceniał Hitler: byłoby to korzystniejsze dla Niemiec niż Indie dla Wielkiej Brytanii.

Jednakże w połowie 1943 roku, gdy wielkie plany Hitlera zawaliły się ostatecznie, rosyjski walec pancerny ruszył na zachód. Roosevelt i Churchill wiedzieli, że miesiąc po miesiącu będzie się on niepowstrzymanie toczył, zgniatając niemieckie wojska. Dokąd dotrze? Czy Stalin, dysponując wielką armią, zaprawioną w bojach, świetnie wyposażoną, nie skorzysta z tej okazji, aby urzeczywistnić marzenie Lenina, Trockiego i każdego szczerego komunisty: doprowadzić swoje dywizje do wysuniętego najbardziej na zachód krańca Europy, przekroczyć kanał La Manche i zatknąć czerwony sztandar na wieży brytyjskiego Parlamentu? Przecież strach przed takim rozwojem wypadków w latach trzydziestych wyznaczał kierunek polityki brytyjskiej i francuskiej. Premier Neville Chamberlain traktował Hitlera jako człowieka, który może powstrzymać wschodnie hordy, i dlatego brytyjscy politycy przez palce patrzyli, jak Niemcy łamią ograniczenia traktatu wersalskiego i odbudowują swoją potęgę wojskową.

W 1943 roku dla Winstona Churchilla, polityka o wiele mądrzejszego niż Chamberlain, zagrożenie ze strony Związku Radzieckiego musiało być o wiele bardziej widoczne i realne. Historia by mu nie wybaczyła, gdyby wspierał rozwój radzieckiej potęgi do czasu, aż ta obróci się przeciwko Wielkiej Brytanii.

Poza tym Anglicy zrealizowali już swoje cele wojenne: nie dopuścili do utworzenia niemieckiego imperium na Wschodzie i przejęli kontrolę nad brzegami Morza Śródziemnego. Bliski Wschód i Afryka Północna od Egiptu do Maroka były w ich rękach, co miało podstawowe znaczenie dla bezpieczeństwa szlaków komunikacyjnych prowadzących z metropolii do Indii i kolonii na Dalekim Wschodzie. Opanowali Sycylię, południe Włoch i raźno przygotowywali się do inwazji na Grecję. To miał być ostatni akt wojny. Potem Churchill mógł się już spokojnie przyglądać, jak w ciężkich walkach wypalają się siły dwóch największych wrogów Wolnego Świata: Niemiec i Związku Radzieckiego.

Trzeci z wojennych sojuszników, prezydent Franklin D. Roosevelt, wydawał się bardziej skłonny do kontynuowania wojennego sojuszu z Rosjanami aż do momentu wspólnego zwycięstwa nad Niemcami, ale czy mógł wytrwać w tym postanowieniu? W 1944 roku w Stanach Zjednoczonych miały się odbyć wybory, a przeciętnego Amerykanina mało obchodziło, dokąd ich wojska zaszły w Europie. Najbardziej go interesowało, czy syn wróci cały i zdrowy albo czy nie będzie musiał iść do wojska i narażać się nie wiadomo po co na dalekim kontynencie za Wielką Wodą.

W czasie operacji „Torch" w Afryce Północnej, w listopadzie 1942 roku w rejonie Casablanki Amerykanie stracili 1400 żołnierzy zabitych i rannych, po czym prasa amerykańska oskarżyła dowództwo o złe przygotowanie operacji i kierowanie wojskami. Gdy generał George Patton spoliczkował żołnierza, o mało nie wyleciał z wojska mimo niezaprzeczalnych zasług, jakie położył w tej wojnie. W Armii Czerwonej mordobicie było codziennym zwyczajem, a im niższy stopniem był oficer, tym bardziej był skłonny zdzielić pięścią żołnierza (niektórym marszałkom też się to zdarzało) i nikogo to nie dziwiło. W czasie walk pod Kurskiem każdego dnia Armia Czerwona traciła 9360 żołnierzy (łącznie w tej bitwie Rosjanie stracili 177 847 żołnierzy). Dla amerykańskich wyborców oczywiście nie było to żadnym argumentem.

Czy więc Roosevelt nie ugnie się przed opinią publiczną, oczekującą jak najszybszego zakończenia wojny, i nie będzie dążył do zawarcia pokoju z Niemcami?

W ocenie Stalina mogło do tego dojść. Od 1942 roku otrzymywał niepokojące informacje wywiadu: alianci zaczęli paktować z wrogiem! Pierwsze raporty sugerowały, że latem 1942 roku z inicjatywy papieża Piusa XII, kardynał Roncalli, nuncjusz papieski w Ankarze, spotkał się z niemieckim ambasadorem Franzem von Papenem, aby przedyskutować możliwości zawarcia pokoju między Niemcami, Wielką Brytanią i Stanami Zjednoczonymi. W tym samym czasie rezydentura NKWD w Rzymie donosiła, że papież przyjął Myrona Tylora, wysłannika prezydenta Roosevelta, aby przedyskutować wyniki spotkania kardynała Roncalliego z Papenem. Stalin tak poważnie potraktował te informacje, że polecił zamordować Franza von Papena, którego uznał za czołowego kandydata na stanowisko kanclerza nowego rządu niemieckiego, jaki by ewentualnie powstał po obaleniu Hitlera i zawarciu pokoju z aliantami zachodnimi. Do Ankary wysłano bułgarskiego zamachowca, który jednak spartaczył robotę: zginął podczas wybuchu bomby, której odłamki ledwo raniły Papena.

W 1943 roku nadeszły do Moskwy nowe niepokojące wieści z Włoch, gdzie zachodni sojusznicy rozpoczęli negocjacje z Niemcami. Co prawda powiadomili oni o tym lojalnie Stalina, ale nie dopuścili do negocjacji jego przedstawicieli. Jeszcze bardziej niepokoiło Stalina odwlekanie przez zachodnich aliantów otwarcia drugiego frontu w Europie. Gdy minął pierwszy termin podany przez prezydenta Roosevelta, wrzesień 1942 roku, Stalin był wściekły i nawet nie próbował tego ukryć, gdy 10 sierpnia 1942 roku do Moskwy przybył Winston Churchill, aby powiadomić go o tej decyzji.

– Kiedy macie zamiar zacząć walczyć? – zapytał Stalin z przekąsem. – Czy może zwalicie na nas całą robotę?

Po chwili, chytrze się uśmiechając, dodał:

– Jak zaczniecie [walczyć – BW], nie okaże się to takie złe.

Churchill, który już wcześniej usłyszał wiele ironicznych uwag, nie wytrzymał tych złośliwości. Huknął pięścią w stół.

– Tylko uznanie dla dzielności rosyjskich żołnierzy skłania mnie do wybaczenia niewybaczalnych słów, które padły – mówił podniesionym głosem, szybko, bardzo poirytowany. – Jaki jest cel takich rozmów? Przyjechałem do Moskwy, aby spotkać przyjaciół, ale nie znalazłem partner-

Sierpień 1942 roku – Winston Churchill przybywa do Moskwy, aby powiadomić Stalina, że otwarcie drugiego frontu nastąpi później (od prawej: W. Churchill, A. Harriman, W. Mołotow)

stwa. Przez rok Brytania samotnie walczyła przeciwko hitlerowcom. Teraz, gdy Rosja dołączyła do Brytanii i Stanów Zjednoczonych, zwycięstwo jest pewne, ale...

Tłumacz nie zdążył przełożyć gniewnych słów. Stenograf przyglądał się brytyjskiemu premierowi z zaciekawieniem.

Nagle Stalin odchylił głowę do tyłu i zaczął się śmiać.

– Nie wiem, co pan mówi – powiedział – ale, na Boga, podoba mi się pana reakcja.

Napięcie opadało. Tego wieczora Stalin zaprosił Churchilla do swojego czteropokojowego apartamentu na Kremlu. Tam przedstawił mu swoją córkę Swietłanę, która przygotowała kolację. Przyszedł również, wezwany przez Stalina, komisarz spraw zagranicznych Wiaczesław Mołotow. („Zawołajmy Mołotowa, to niezły pijak" – powiedział Stalin. – „Poza tym napiszemy komunikat"). Siedzieli do późna w nocy przy suto zastawionym stole. O godzinie 2.30 Churchill nie wytrzymał już tempa, w jakim ze stołu znikała wódka i jedzenie, i pod jakimś pretekstem wrócił do swojego apartamentu. Stalin zjadł jeszcze pieczone prosię i udał się do gabinetu, aby zapoznać się z najnowszymi raportami. Sojusz został uratowany. Ustalono, że zachodni alianci uderzą na kontynent w 1943 roku. Jeszcze na początku tego roku Churchill wysłał do Stalina pismo, w którym go informował, że po zakończeniu walk w Afryce Północnej i opanowaniu Sycylii alianci

Sierpień 1942 roku – Winston Churchill i Averell Harriman (drugi z lewej) w rozmowie ze Stalinem

zachodni w sierpniu lub wrześniu dokonają inwazji przez kanał La Manche. Jednak już miesiąc później powiadomił Stalina, że walki w Tunezji są cięższe niż się spodziewano. Dla Stalina było oczywiste, do czego zmierzał brytyjski premier. Zareagował gniewnie. W marcu wysłał depesze do Churchilla i Roosevelta. Pisał:

Muszę przedstawić najbardziej stanowcze ostrzeżenie, w interesie naszej wspólnej sprawy, przed wielkim niebezpieczeństwem, z jakim wiąże się dalsze odwlekanie otwarcia drugiego frontu we Francji.

O co mu chodziło? Cóż to za „wielkie niebezpieczeństwo"? Czyżby Stalin rozważał zawarcie pokoju z Niemcami? To było prawdopodobne. Przywódcy zachodnich mocarstw pamiętali, że ledwie cztery lata wcześniej Związek Radziecki i Niemcy podpisały układ o nieagresji, najechały Polskę, w Brześciu ich oddziały wojskowe defilowały ramię w ramię, a we wrześniu podpisały układ dzielący podbite polskie ziemie. Dlaczego więc Stalin nie miałby powrócić do sytuacji sprzed czterech lat? Jednakże w 1943 roku jego pozycja była jeszcze za słaba, aby wystąpić z taką propozycją wobec Hitlera i uzyskać dobre warunki zawarcia pokoju. Niemniej w Sztokholmie spotykali się tajni wysłannicy Niemiec i Związku Radzieckiego. Choć byli to urzędnicy niskiego szczebla, to najważniejsze znaczenie miał fakt, że działali z polecenia dyktatorów. Hitler, który od grudnia

1941 roku wiedział, że tej wojny nie wygra, gotów był zadowolić się układem ustalającym granice między Niemcami i Związkiem Radzieckim z 1939 roku. Stalinowi to nie odpowiadało. Powrót do przedwojennej sytuacji niczego mu nie dawał oprócz zagrożenia, że za 10–15 lat Niemcy zregenerują swoje siły i znowu ruszą na Wschód. Jego przewidywania i brak zaufania wobec Hitlera były całkowicie uzasadnione, chociaż nie mógł on wiedzieć, że Führer w rozmowie ze swoimi najbliższymi współpracownikami mówił:

– Jeżeli dogadam się ze Stalinem, to tylko po to, aby zaraz potem skoczyć mu do gardła. Taki już jestem.

Dla Stalina o wiele korzystniejszym rozwiązaniem było nakłonienie zachodnich sojuszników do otwarcia drugiego frontu we Francji, który ściągnąłby niemieckie dywizje ze Związku Radzieckiego, a następnie pochłaniał paliwo, amunicję, zaopatrzenie, jakie do czasu rozpoczęcia walk w Europie Zachodniej Niemcy wysyłali głównie na front wschodni. Dzięki temu Armia Czerwona szybciej i łatwiej mogłaby dojść do Berlina i zająć połowę Niemiec.

Czy Stalin przewidywał rozpoczęcie wojny z Zachodem w kilka lub kilkanaście lat po zakończeniu II wojny światowej? Planował to w latach trzydziestych, gdy tworzył gigantyczną Armię Czerwoną, przygotowaną

Tak niedawny czas: listopad 1940 roku – komisarz spraw zagranicznych W. Mołotow przyjeżdża do Berlina, aby dzielić świat między zwycięskie mocarstwa; od lewej w pierwszym rzędzie: W. Keitel, J. von Ribbentrop, W. Mołotow

do agresji, o czym świadczyła ilość broni typowo ofensywnej: czołgów, bombowców, okrętów podwodnych. Dlaczego miałby zrezygnować z tego planu w końcu lat czterdziestych czy w latach pięćdziesiątych? Wówczas, po zwycięstwie nad Niemcami, jego dywizje stałyby nad Łabą, o tysiąc kilometrów bliżej celu niż przed wojną. Gdyby ruszyły w stronę kanału La Manche, nie musiałyby toczyć zaciętych walk w Polsce, Czechosłowacji czy na Węgrzech. Wprost przeciwnie, armie tych państw, zmuszone do sojuszu, wsparłyby wojska radzieckie idące na zachód Europy.

Tak, bez wątpienia korzystniejsze dla Stalina było dogadanie się z zachodnimi sojusznikami co do terminu i miejsca inwazji na Europę niż paktowanie i zawarcie pokoju z Hitlerem. Choć wiedział on, że Churchill nie ufa mu ani za grosz, to jednak mógł liczyć na Roosevelta. Był mu potrzebny. Przede wszystkim do wygrania wojny na Pacyfiku. Tam od połowy 1942 roku, gdy Amerykanie przerwali pasmo japońskich zwycięstw i zatrzymali japoński pochód, ich wojska przeszły do kontrataku. Już walki na Guadalcanal* wykazały, z jaką samobójczą odwagą walczą w obronie japońscy żołnierze. Do końca, do ostatniego naboju. A gdy ładownice są puste, wyskakują z jam i jaskiń z uniesionymi szablami i, nie bacząc na ogień karabinów maszynowych i wybuchy granatów, gnają przed siebie licząc, że zanim zginą, zdążą dobiec do amerykańskich stanowisk i rozpłatać głowę któregoś z wrogów. Tak walczyli na wyspach oddalonych o tysiące kilometrów od Honsiu i Kiusiu. A z jaką zaciekłością broniliby swoich domów i cesarskiego pałacu? Straty w amerykańskich dywizjach, które dokonywałyby inwazji na Nizinę Tokijską, byłyby ogromne. Amerykańscy stratedzy nie mieli co do tego żadnych wątpliwości. Co prawda naukowcy amerykańscy pracowali nad nową bronią o niezwykłej sile – bombą atomową, ale w połowie 1943 roku nikt nie potrafił określić, kiedy uda się tę broń wyprodukować i jak wielka będzie jej siła niszcząca.

Dlatego amerykańscy stratedzy planowali użycie gazów, które miały uniemożliwić obronę wysp macierzystych Japonii i uchronić własne wojska przed ogromnymi stratami. Za cel pierwszego uderzenia gazowego wybrano dzielnicę Tokio o obszarze 45,5 km^2, na północ od pałacu cesarskiego, zamieszkaną przez 948 tys. osób. Spodziewano się ponadto, że gaz zwiewany przez wiatr zatruje dalszych 776 tys. osób mieszkających w promieniu trzech kilometrów. Nalot miał się rozpocząć o godzinie 8.00 rano, gdy ruch na ulicach jest szczególnie duży, a większość mieszkańców Tokio znajduje się poza domem, a więc jest najbardziej narażona na działanie broni chemicznej. Samoloty miały zrzucić 21 680 bomb o wadze 225 kg każda lub 5420 bomb 450-kilogramowych wypełnionych fosgenem atakującym drogi oddechowe. Bomby z gazem musztardowym, powodującym odpadanie skóry i paraliżującym drogi oddechowe, miały spaść na Yawatę, Tobatę, Wakamatsu i Kokurę. W innych miastach samoloty miały rozpylać gaz musztardowy w stanie płynnym, aby nasycić nim drewniane ściany budynków, co miało na dłuższy czas uniemożliwić ich zamieszkiwanie lub wytwarzanie tam sprzętu dla wojska. Po masowych nalotach amerykańskich bombowców na japońskie fabryki produkcję broni przeniesiono właśnie do budynków mieszkalnych, szkół i sal teatralnych. Ogółem samoloty amerykańskie miały zrzucić 56 580 ton gazowych bomb. Przed zejściem na ląd żołnierzy amerykańskich miały otworzyć ogień działa okrętowe, wystrzeliwując pociski wypełnione gazem. Przewidywano, że ogółem na japońskie cele spadnie 120 tys. ton bomb i pocisków gazowych, które zatrują ludność na obszarze 650 km^2. Specjalny raport opra-

---

* **Guadalcanal** – wyspa w archipelagu Salomona na Oceanie Spokojnym o powierzchni 6470 km^2, zajęta w 1942 r. przez Japończyków. 7 sierpnia 1942 r. żołnierze 1 dywizji piechoty morskiej wylądowali na brzegach Guadalcanalu (oraz wysp Tulagi i Gavutu), rozpoczynając długą kampanię o zdobycie tej ważnej strategicznie wyspy. Walki na lądzie oraz bitwy morskie na wodach okalających Guadalcanal trwały do lutego 1943 r. Amerykanie stracili 6111 żołnierzy, w tym 1752 zabitych, oraz 24 okręty. Długotrwała bitwa o Guadalcanal stała się, po bitwie pod Midway, przełomem w wojnie na Pacyfiku.

Czy tak miały wyglądać japońskie wyspy po inwazji w 1945 roku?

cowany pod kierunkiem pułkownika M. E. Beckera, szefa Służby Chemicznej wojsk amerykańskich, stwierdzał: w Japonii zginie pięć milionów ludzi, a znacznie więcej odniesie rany.

Prezydent Roosevelt liczył jednak na to, że nie zajdzie potrzeba sięgania po tę potworną broń, która unicestwi, zadając straszliwe cierpienia, pięć milionów Japończyków, co mogło w oczach światowej opinii publicznej na zawsze zniszczyć wizerunek Stanów Zjednoczonych pragnących uchodzić za państwo kierujące się zasadami sprawiedliwości i humanitaryzmu.

18 czerwca 1945 r. w Białym Domu odbyła się narada w sprawie użycia broni chemicznej. Nieznane są decyzje, jakie wówczas zapadły, jednakże wobec wyników próby ładunku nuklearnego przeprowadzonej 16 lipca tego roku, która wykazała, że wybuch będzie miał moc równą wybuchowi 17 tys. ton trotylu uznano, że będzie to skuteczniejszy i bardziej niż gaz humanitarny środek, który skłoni rząd japoński do kapitulacji.

Udział Armii Czerwonej w wojnie z Japonią miał więc dla prezydenta Roosevelta ogromne znaczenie. Zależało mu więc na dobrej komitywie ze Stalinem. To był ważny powód, ale nie jedyny.

Prezydent Roosevelt zdecydowany był wprowadzić w powojennym świecie „Nowy Ład", aby nigdy potworności wojny nie mogły się powtórzyć. Podstawą stabilności pokoju miała być Organizacja Narodów Zjednoczonych, a warunkiem jej utworzenia i skuteczności działania był udział

Nowy Jork, 1941 rok – wiec poparcia dla Związku Radzieckiego – ten nastrój utrzymał się w USA do końca wojny

w niej Związku Radzieckiego. Nie można było myśleć o bezpieczeństwie i rozwoju świata, gdyby drugie największe mocarstwo pozostawało poza tą organizacją. Dlatego podczas gdy Roosevelt był zdecydowany pójść na wielkie ustępstwa wobec Stalina, ten zdawał sobie z tego sprawę i postanowił to wykorzystać. Bardzo zręcznie prowadził wobec Roosevelta wypróbowaną politykę „kija i marchewki".

Prezentował swoją dobrą wolę i szczere zamiary wobec demokratycznego świata. Pragnął, aby Brytyjczycy i Amerykanie przestali widzieć w Armii Czerwonej rewolucyjną masę, która spychając Niemców na zachód nie zatrzyma się w Berlinie, ale realizując idee Lenina pójdzie dalej, do kanału La Manche. W 1942 roku zlikwidował w oddziałach wojskowych stanowiska komisarzy, co bardzo usprawniło dowodzenie, a jednocześnie zrobiło doskonałe wrażenie na Zachodzie. Późnej przywrócił w wojsku dystynkcje oficerskie, co zacierało obraz rewolucyjnej tłuszczy i nadawało wojskom radzieckim bardziej zawodowy charakter. 15 maja 1943 roku ogłosił rozwiązanie Kominternu, organizacji powołanej do życia w marcu 1919 roku, stawiającej sobie za cel stworzenie międzynarodowej republiki komunistycznej. Oczywiście rozwiązanie tej dywersyjnej organizacji, destabilizującej życie w krajach Zachodu, zostało przyjęte z zadowoleniem i ulgą.

Z drugiej strony umiejętnie podsycał niepokój prezydenta Roosevelta co do powojennej współpracy dwóch supermocarstw. Na przykład pewnego lipcowego dnia 1943 roku wicekomisarz spraw zagranicznych, Aleksander Kornejczuk, rzucił ot tak, od niechcenia Aleksandrowi Werthowi, amerykańskiemu korespondentowi w Moskwie:

– Sprawy na naszym froncie biegną tak dobrze, że byłoby lepiej nie otwierać drugiego frontu aż do następnej wiosny. Gdyby drugi front powstał już teraz, Niemcy mogliby się poddać okupacji anglo-amerykańskiej. Głupio byśmy na tym wyszli.

Było oczywiste, że Kornejczuk nie wyrażał swojej prywatnej opinii, lecz otrzymał polecenie jej przekazania od komisarza spraw zagranicznych.

Zaniepokojony Roosevelt skłonny był spotkać się ze Stalinem, aby twarzą w twarz ustalić zasady dalszego postępowania, choć początkowo nie wykluczał udziału Churchilla w tym spotkaniu. Już w listopadzie 1942 roku uznał, że Algieria byłaby odpowiednim miejscem konferencji z obydwoma mężami stanu. Jednocześnie odrzucił propozycję Churchilla, żeby generał George Marshall, szef sztabu US Army, w drodze do Algierii za-

Wojska alianckie lądują na Sycylii

trzymał się w Londynie, aby ustalić wspólne, anglo-amerykańskie stanowisko.

– Nie chcę, aby Stalin odniósł wrażenie, że ustaliliśmy wszystko między sobą zanim się z nim spotkaliśmy. Sądzę, że rozumiemy jeden drugiego tak dobrze, iż wcześniejsza konferencja między nami jest niepotrzebna – odparł.

Churchill nie rezygnował:

– [Jeżeli nie spotkamy się wcześniej, aby poczynić niezbędne ustalenia – BW] Stalin powita nas pytaniem: „Macie plan otwarcia drugiego frontu w Europie, który obiecaliście mi na 1943 rok?".

Spór przeciął sam Stalin, który na propozycję odbycia konferencji odpowiedział chłodno, że w styczniu nie może opuścić Związku Radzieckiego ze względu na wagę operacji wojennych. Rzeczywiście pod Stalingradem rozstrzygały się losy frontu wschodniego. Może więc w marcu? – dopytywał Roosevelt. Odpowiedź z Kremla była podobna: sprawy frontowe uniemożliwiają Stalinowi wyjazd nawet w marcu.

Roosevelt, nie zrażony, nie rezygnował ze spotkania ze Stalinem. Postanowił wysłać do Moskwy osobę znaną tam i poważaną, byłego ambasadora Josepha Daviesa, którego zaopatrzył w dość osobisty list. Proponował w nim, aby zostawić na boku wielką naradę z udziałem licznego grona doradców i całym dyplomatycznym ceremoniałem. „Najprostszym i najbardziej praktycznym wyjściem byłoby krótkie nieformalne spotkanie w czasie nadchodzącego lata". Gdzie mogliby się spotkać? W Afryce jest zbyt gorąco. Na Islandii? „Całkiem szczerze, to trudno byłoby nie zaprosić tam pana Churchilla" – pisał Roosevelt do Stalina i proponował, aby spotkali się w jakimś miejscu nad brzegami Cieśniny Beringa, po amerykańskiej lub radzieckiej stronie. Proponował, że zabierze ze sobą tylko doradcę, Harry'ego Hopkinsa*, tłumacza i stenografa. Mieliby dokonać zwykłej wymiany myśli, bez wypowiadania żadnych oficjalnych zgód czy deklaracji.

Davies wrócił z Moskwy 26 maja 1943 roku w minorowym nastroju.

– Stalin jest nastawiony podejrzliwie i niechętnie – relacjonował prezydentowi.

Harry Lloyd Hopkins

---

* **Harry Lloyd Hopkins** (1890–1946) – najbardziej zaufany doradca prezydenta F. D. Roosevelta, traktowany jako członek jego rodziny. W 1941 r. ze względu na stan zdrowia musiał zrezygnować ze stanowiska ministra handlu i zajął się kierowaniem dostawami materiałów wojennych w ramach Lend-Lease'u. Znany był ze swojej sympatii do Związku Radzieckiego i Stalina. Bez wątpienia jego poglądy miały istotny wpływ na politykę prezydenta wobec Związku Radzieckiego. W sierpniu 1941 r. zrezygnował ze stanowiska, zostając asystentem i doradcą prezydenta do spraw międzynarodowych. Od grudnia 1941 r. był prezesem Zarządu Rozdziału Amunicji, a następnie członkiem Rady Wojennej Pacyfiku i Zarządu Produkcji Wojennej. Po śmierci Roosevelta działał na rzecz utrzymania dobrych stosunków z ZSRR.

Na propozycję, ponawianą wielokrotnie i z wielkim naciskiem, że powinien się spotkać w Rooseveltem w cztery oczy, aby rozważyć sprawę wojny i pokoju, odpowiedział:

– Nie jestem pewien.

Szanowny Panie Roosevelt – zaczynał Stalin list, który przywoził z Moskwy Davies. – *Tego lata, prawdopodobnie na początku czerwca, oczekujemy, że hitlerowcy rozpoczną nową wielką ofensywę na froncie radziecko-niemieckim. (...) Dopóki nie wiem, jak rozwinie się sytuacja na froncie radziecko-niemieckim w czerwcu, nie będę w stanie opuścić Moskwy w tym miesiącu. Dlatego sugeruję spotkanie w lipcu lub sierpniu. (...) Pan Davies osobiście poinformuje Pana o miejscu spotkania.*

Jednakże 8 sierpnia Roosevelt otrzymał następną depeszę:

Wbrew naszym oczekiwaniom Niemcy rozpoczęli ofensywę w lipcu nie w czerwcu i teraz walki toczą się z całą mocą na froncie radziecko-niemieckim. (...) Łatwo dostrzec, że w obecnej kluczowej sytuacji na froncie radziecko-niemieckim radzieckie dowództwo musi się zdobyć na wielki wysiłek i wykazać najwyższą czujność w sprawie nieprzyjacielskich działań. Z tego powodu ja również jestem zmuszony odłożyć na bok inne problemy i obowiązki do pewnego stopnia, z wyjątkiem obowiązku naczelnego wodza, jakim jest kierowanie frontem. Muszę częściej udawać się do różnych miejsc na froncie (...). Mam nadzieję, że docenia Pan, iż w tych okolicznościach nie mogę rozpocząć dalekiej podróży i nie będę mógł, niestety, w czasie tego lata i jesieni spełnić obietnicy, jaką przekazałem przez pana Daviesa. Bardzo mi przykro z tego powodu, ale okoliczności, jak Pan wie, są silniejsze niż ludzie i musimy się przed nimi ugiąć. Uważam za bardzo wskazane, aby spotkali się odpowiedzialni przedstawiciele naszych krajów. W obecnej sytuacji militarnej spotkanie mogłoby się odbyć w Astrachaniu lub Archangielsku.

Wydawało się zrozumiałe, że w warunkach zaciętych walk naczelny dowódca nie chce opuszczać frontu, ale w tym samym czasie Stalin odwołał swoich ambasadorów: Maksyma Litwinowa z Waszyngtonu i Iwana Majskiego z Londynu, na konsultacje do Moskwy. To już była manifestacja braku zaufania do sojuszników i demonstracja niezadowolenia.

I nagle, jak za dotknięciem czarodziejskiej różdżki, Stalin zmienił swoje postępowanie. Niechętny, wręcz wrogi, tworzący wrażenie, że gotów jest paktować z Hitlerem, nagle wyraził wielkie zainteresowanie spotkaniem z Rooseveltem i Churchillem.

Co się stało?

Wojska alianckie 17 sierpnia zakończyły zdobywanie Sycylii*. Dwa tygodnie później, 3 września, kanadyjskie oddziały poprzedzające brytyj-

---

* **Sycylia** – włoska wyspa na Morzu Śródziemnym, gdzie w nocy z 9 na 10 lipca wojska brytyjskie dokonały desantu szybowcowego, a następnie morskiego. Do godziny 8.00 pierwszorzutowe oddziały brytyjskiej 5 dywizji opanowały miasto Cassibile. W zachodniej części rejonu lądowania oddziały amerykańskiej 7 armii napotkały bardziej zdecydowaną obronę wojsk włoskich, ale silny ogień dział okrętowych zmusił je do

▶

ską 8 armię wylądowały w rejonie Reggio de Calabria*, rozpoczynając kampanię włoską. Tego samego dnia rząd włoski, kierowany przez marszałka Pietra Badoglio, zgodził się na kapitulację przed aliantami. Ze względu na reakcję Niemców akt ten trzymano w tajemnicy do 8 września, ale bez wątpienia Stalin się o tym dowiedział.

Cóż to oznaczało? Alianci utworzyli mocny przyczółek do dalszej ofensywy. W którą stronę mogła być ona skierowana: na północ – do Niemiec, czy na wschód – na Bałkany? Stalin doskonale zdawał sobie sprawę, że brytyjski premier będzie zabiegał u prezydenta Roosevelta o wysłanie alianckich armii inwazyjnych na wschód. Tylko w ten sposób, opanowując Grecję, Wielka Brytania uzyskiwałaby mocną kontrolę nad wybrzeżami morza tak ważnego dla imperium. Z Grecji wojska alianckie skierowałyby się na północ, aby wypierać Niemców z Bułgarii, Rumunii, Węgier, Czechosłowacji i Polski, krajów, które Stalin widział jako powojenną strefę wpływów Związku Radzieckiego. Wyzwolenie ich przez wojska alianckie przekreśliłoby jego plany. Miał świadomość, że alianci z Grecji szybciej dojdą do Bałtyku niż jego armie do Bugu, albowiem Niemcom trudniej będzie bronić ziem na południu Europy choćby ze względu na sieć kolejową. Była dobrze rozbudowana równoleżnikowo, a znacznie gorzej południkowo, co oznaczało, że Niemcy łatwiej i szybciej mogli przewieźć swoje dywizje ze Związku Radzieckiego do Francji niż do Grecji.

Tymczasem premier Churchill nasilał działania mające na celu skierowanie ofensywy na wschód. Zabiegał o opanowanie Dodekanezu, grupy wysp na Morzu Egejskim, z których największe znaczenie miała Rodos, gdzie znajdowała się włoska baza lotnicza. Jej przechwycenie przez aliantów było szczególnie istotne dla operacji inwazji na Bałkany. Dlatego 8 września 1943 roku zrzucono tam na spadochronie brytyjskiego oficera, aby przekonał dowódcę 30-tysięcznego włoskiego garnizonu do zaakceptowania kapitulacji ogłoszonej przez rząd włoski i przystąpienia do wojny po stronie aliantów. Misja się nie powiodła, gdyż zanim Włosi zdecydowali się uznać Brytyjczyka za sprzymierzeńca, niemiecki garnizon liczący 7000 żołnierzy przystąpił do ataku i szybko przejął pełną kontrolę

wycofania się na północ. Wobec załamania się obrony włoskiej w połowie lipca Niemcy skierowali na Sycylię XIV korpus pancerny, który zorganizował obronę w rejonie wulkanu Etna. 17 sierpnia alianci przełamali niemiecką obronę i zdobyli Messynę, ale wojska niemiecko-włoskie zdołały ewakuować na Półwysep Apeniński 100 tys. żołnierzy, 10 tys. pojazdów, 47 czołgów i tysiące ton materiałów wojennych. Bezpośrednim następstwem sukcesu aliantów na Sycylii było obalenie 25 lipca Benito Mussoliniego i objęcie władzy przez marsz. Pietra Badoglio. W czasie operacji sycylijskiej wojska niemiecko-włoskie straciły ok. 167 tys. żołnierzy (zabitych, rannych, w niewoli); alianci stracili ok. 31 tys. żołnierzy oraz kilkadziesiąt małych okrętów.

* **Reggio de Calabria** – miasto nad południu Włoch, nad Cieśniną Messyńską, zaatakowane 3 września 1943 r. przez 3 kanadyjskie brygady, idące w czołówce brytyjskiej 8 armii. Niemcy, uznając, że obrona pociągnie zbyt duże ofiary, nie bronili tego rejonu.

Zwolennik niekonwencjonalnych działań W. Churchill wizytuje oddział komandosów

nad Rodos. Brytyjczycy wzmogli wysiłki mające na celu opanowanie Dodekanezu. Nasilili działania komandosów, przerzucili w ten rejon brygadę piechoty z Bliskiego Wschodu. Do początku października prawie cztery tysiące żołnierzy brytyjskich zostało włączonych do walk o opanowanie wysp. Miesiąc później było już ich pięć tysięcy. Niemcy, zdając sobie sprawę ze strategicznego znaczenia tego obszaru, nie mieli zamiaru się stamtąd wycofać i też wzmocnili swój garnizon. Walki przybierały na sile*. O ich skali i zażartości, z jaką Brytyjczycy dążyli do opanowania wysp, świadczą straty, jakie wojska brytyjskie poniosły w tej kampanii: 4800 żołnierzy zabitych, rannych i zaginionych, 4 uszkodzone krążowniki, 6 zatopionych niszczycieli i 4 uszkodzone, zatopione 2 okręty podwodne oraz 10 mniejszych jednostek, 113 samolotów.

Stalin nie mógł mieć najmniejszych wątpliwości, do czego zmierza Churchill. Musiał przeciwdziałać, gdyż w przeciwnym wypadku wschodnia Europa wymknęłaby mu się z rąk. W takiej sytuacji udawanie obrażonego sojusznika i grożenie zawarciem ugody z Hitlerem już nie wystarczało. Na początku października zdecydował się przyjąć uprzejme

---

* Niemcy stracili 1184 żołnierzy i 15 małych jednostek morskich.

zaproszenie Roosevelta na spotkanie na szczycie. Miał tam do rozegrania partię, w której stawka była bardzo wysoka: przyszłość Europy. Nie wiedział tylko, co zrobić z tym nieznośnym Churchillem, który przejrzał jego grę i zamierzał uprzedzić go w zabiegach o łaski Roosevelta. Jak pozbyć się tego Brytyjczyka?

Przyjaciele i wrogowie

Walther Schellenberg* wysiadł z samochodu wiele przecznic przed miejscem, do którego zmierzał. Widząc długie sznury samochodów straży pożarnej, które, przemieszane z sanitarkami, brały udział w wielkich ćwiczeniach przeciwlotniczych, doszedł do wniosku, że szybciej dotrze do celu piechotą. Postawił kołnierz płaszcza i ruszył przed siebie szybkim krokiem. Dzień był zimny i deszczowy. Mgła mieszała się z popiołem rozdmuchiwanym przez jesienny wiatr z ruin, które pozostały po nalotach alianckich samolotów. Rozpoczęły się z wielką intensywnością 23 sierpnia 1943 roku. Brało w nich udział ponad półtora tysiąca samolotów RAF, a niemieckim myśliwcom udało się zestrzelić ledwie 126 z nich. Na szczęście dla berlińczyków na początku września dowództwo brytyjskie wstrzymało naloty, choć było oczywiste, że ponownie uderzą późną jesienią, gdy noce będą dłuższe i uda się zastosować nowe środki zakłócania niemieckich radarów.

Walther Schellenberg

Po kilku minutach szybkiego marszu Schellenberg doszedł do szerokich schodów hotelu „Eden". Już z daleka dostrzegł charakterystyczną

---

* **Walther Schellenberg** (1910–1952) – SS-Brigadeführer, od 1935 r. był funkcjonariuszem kontrwywiadu w kwaterze głównej Sicherheitsdienst (SD). Jednym z pierwszych jego zadań było zapewnienie bezpieczeństwa Benito Mussoliniemu, włoskiemu dyktatorowi w czasie wizyty w Berlinie w 1938 r., co wykonał wzorowo, otwierając sobie drogę do dalszej kariery. Z chwilą powołania Głównego Urzędu Bezpieczeństwa Rzeszy (RSHA) w 1939 r. został szefem wydziału kontrwywiadu (Amt IVE) w IV Urzędzie (Gestapo). 9 listopada 1939 r. wsławił się porwaniem dwóch agentów brytyjskich z holenderskiego miasteczka Venlo, za co otrzymał Krzyż Żelazny (wręczony przez Hitlera) oraz promocję do stopnia Standartenführera SS. Wkrótce otrzymał nierealne zadanie uprowadzenia księcia Windsoru Edwarda VIII, sympatyka Hitlera, przebywającego w Portugalii, czego nie wykonał. 21 czerwca 1941 r. objął szefostwo wywiadu zagranicznego (Urząd VI RSHA); największym jego osiągnięciem było wykrycie działalności radzieckiej siatki wywiadowczej „Czerwona Orkiestra". W 1944 r., po zlikwidowaniu Abwehry i utworzeniu z jej I i II wydziałów Amt Mil, Schellenberg w końcu lipca stanął na czele nowej organizacji wywiadowczej. Pod koniec wojny w Szwecji podjął próbę wynegocjowania z aliantami warunków traktatu pokojowego. Wydany aliantom był świadkiem na procesie norymberskim. W styczniu 1948 r. amerykański sąd wojskowy skazał go na 6 lat więzienia. Wyszedł na wolność w 1951 r.

Wilhelm Canaris

sylwetkę admirała Canarisa*, który podobnie jak on miał na sobie cywilne ubranie. Stał na szczycie schodów i obserwował kolumnę sanitarek.

– Ileż te wróble złego narobiły... – powiedział, widząc Schellenberga, i wyciągnął rękę.

Schellenberg uśmiechnął się. On też pamiętał słowa Hermanna Göringa, dowódcy Luftwaffe, który zapewniał Hitlera, że bez jego zgody nawet wróbel nie przedostanie się nad Berlin. Od tego czasu minęły trzy lata, a alianckie bombowce coraz częściej nadlatywały nad Berlin.

– Wie pan równie dobrze jak ja, że to dopiero początek zła – powiedział cicho Schellenberg. Canaris pokiwał głową. Raporty wywiadowcze wykazywały, że generał Arthur Harris** przygotowuje plany wielkiej ofensywy powietrznej na Berlin. Nikt nie zdawał sobie jednak sprawy, że fala nalotów, która miała się rozpocząć 18 listopada, będzie trwała przez wiele miesięcy, a alianckie samoloty dokonają 16 wielkich zmasowanych nalotów.

* **Wilhelm Canaris** (1888-1945) – admirał niemiecki, wsławiony bohaterskimi czynami, których dokonał w czasie I wojny światowej jako oficer marynarki wojennej, po wojnie prowadził działalność wywiadowczą w organizacji zakonspirowanej pod nazwą Oddział Transportu Morskiego. W końcu grudnia 1934 r., gdy był komendantem garnizonu w Schwenemünde (Świnoujście), Hitler powierzył mu kierowanie wywiadem wojskowym – Abwehrą i awansował do stopnia kontradmirała (a następnie w latach 1930-1940 do stopnia wiceadmirała i admirała). Canaris stworzył potężną organizację wywiadowczą, ale jednocześnie usiłował przeciwdziałać wojennym planom Hitlera; skupił wokół siebie wielu najwyższych rangą niemieckich oficerów przekonanych, że polityka nazistów doprowadzi Niemcy do zguby. Bezskutecznie usiłował nawiązać kontakt z rządem brytyjskim, co uważał za niezbędny warunek dokonania zamachu stanu i obalenia Hitlera. Po wybuchu II wojny światowej Canaris przeciwdziałał wielu planom Hitlera i wielokrotnie świadomie przekazywał mu fałszywe informacje. We wrześniu 1943 r., gdy szef wywiadu SS Walther Schellenberg zebrał dowody spiskowej działalności pracowników Abwehry, Canaris został pozbawiony stanowiska. Po zamachu na Hitlera w lipcu 1944 r., gdy wyszły na jaw nowe dowody jego działalności, aresztowano go i po doraźnym procesie powieszono w więzieniu we Flossenburgu 8 kwietnia 1945 r.

** **Arthur Harris** (1892-1984) – marszałek (Air Chief Marshal), od lutego 1942 r. był szefem brytyjskiego Dowództwa Lotnictwa Bombowego (Bomber Command). Wierzył, że naloty bombowe na Niemcy będą miały decydujący wpływ na bieg wojny, ale uważał, że ciężkie bombowce nie mogą precyzyjnie niszczyć wybranych celów i dlatego organizował naloty dywanowe. Pierwszy „rajd 1000 bombowców" na Kolonię zorganizował już w 3 miesiące po objęciu stanowiska. 3 listopada 1943 r. przekonywał premiera Winstona Churchilla: „zamienimy Berlin w ruiny, jeżeli tylko Amerykanie się do tego włączą. Nas będzie to kosztować 400-500 bombowców. Niemców będzie to kosztować przegraną wojnę". Jego konsekwentnie realizowana strategia niszczenia niemieckiego przemysłu i miast miała wpływ na bieg drugiej wojny światowej. W sierpniu 1945 r. odszedł ze stanowiska dowódcy Bomber Command. Rok później, awansowany do stopnia maszałka, przeszedł w stan spoczynku i przeniósł się do Afryki Południowej.

Amerykańskie bomby lecą na centrum Berlina

– Chodźmy, czekają – powiedział Canaris i odwrócił się do drzwi. Schellenberg podążył za nim. Czuł się nieswojo w towarzystwie tego drobnego człowieka o siwych włosach. Kilka tygodni wcześniej doprowadził do usunięcia go ze stanowiska szefa wywiadu i kontrwywiadu wojskowego i ten zapewne o tym wiedział, choć zachowywał się tak, jakby spotkał starego przyjaciela. Nie było w tym nic nowego. Schellenberg wielokrotnie obserwował z pewnym zaskoczeniem nadzwyczaj przyjazne kontakty Canarisa z Reinhardem Heydrichem, choć obydwaj prowadzili walkę na śmierć i życie. Często się zastanawiał, czy przypadkiem Canaris nie maczał palców w organizację zamachu w Pradze, w wyniku którego Heydrich zmarł. Podjął nawet śledztwo w tej sprawie, ale nie udało mu się znaleźć żadnych na to dowodów. Jednak inne, które zebrał, wystarczyły, aby postawić admirała przed sądem za zdradę. Z nieznanych powodów Heinrich Himmler nie zdecydował się na to, zadowoliwszy się jedynie usunięciem Canarisa ze stanowiska szefa Abwehry. Schellenberg wolał nie dochodzić, co stało za taką decyzją jego szefa. W październiku otrzymał polecenie, aby się spotkać z Canarisem, który wówczas kierował nic nie znaczącym urzędem do spraw walki ekonomicznej, ale wciąż trzymał w ręku nici wielu akcji wywiadowczych. Z tego powodu Schellenberg wybrał na spotkanie kawiarnię hotelu „Eden", a nie biuro, gdyż uważał, że na neutralnym gruncie Canaris i jego byli współpracownicy będą bardziej szczerzy. Poza tym nie chciał, żeby Canarisa widziano w jego biurze.

W kawiarni panował półmrok, jaki tworzyły ciężkie pluszowe lambrekiny, rozświetlany przez kryształowe kinkiety. Canaris skierował się wprost do stolika w rogu sali, gdzie w fotelach z wysokimi oparciami siedzieli już Ernst Kaltenbrunner, szef Głównego Urzędu Bezpieczeństwa Rzeszy, i pułkownik Hansen, nowy szef Wydziału I Abwehry, który kierował siecią szpiegowską poza Rzeszą, gromadził i przekazywał sztabom najważniejsze informacje, sporządzał analizy potencjału militarnego i gospodarczego innych państw.

Teraz dopiero Schellenberg zrozumiał, dlaczego spotkał Canarisa przed wejściem do hotelu: on też nie chciał wcześniej usiąść obok Kaltenbrunnera*, i całkowicie podzielał jego odczucia.

Był to wyjątkowo odrażający typ: chamski, brutalny i głupi, choć przebiegły i sprytny, torował sobie drogę do kariery z bezwzględnością, która uznawała tylko jedną zasadę: zajść wyżej, posiąść więcej.

Canaris zajął fotel, witając się z pozostałymi jedynie skinieniem głowy. Musiał przyjść na to spotkanie. W jego sytuacji odmowa dawałaby wrogom dodatkowe argumenty. Wiedział, że przegrał dopiero pierwszą rundę: walkę o stanowisko. Czekała go jeszcze runda druga: walka o życie.

Schellenberg spojrzał na Kaltenbrunnera, oczekując przyzwolenia na przewodniczenie tej nieformalnej konferencji.

– Proszę panów, musimy połączyć nasze wysiłki w Teheranie – zaczął, widząc przyzwalający gest szefa. – Mamy tam dwa zespoły SD i Abwehry.

– I pierwszy konflikt... – odezwał się Hansen.

– Tak, wiem – uciął Schellenberg. – Został zażegnany.

Hansen chciał jeszcze coś powiedzieć, ale kątem oka dostrzegł, że Canaris opuścił głowę, jakby dając znak, że nie należy kontynuować tego wątku.

SS przerzuciło do Iranu oddział komandosów pod dowództwem SS-Hauptsturmführera Kurmisa. Wylądowali w rejonie gór Baarmi-i-Firuz. Na miejscu działał już niewielki oddział brandenburczyków**, którymi do-

---

* **Ernst Kaltenbrunner** (1903–1946) – od 1935 r. szef SS w Austrii. Tuż przed zajęciem Austrii przez Niemcy w 1938 r. objął stanowisko dowódcy SS i policji (Hoherer SS und Polizeiführer) w Wiedniu. Od 1941 r. był szefem SS i Policji w Austrii (Ostmark). Po śmierci Reinharda Heydricha (27 maja 1942 r.) objął po nim stanowisko szefa Głównego Urzędu Bezpieczeństwa Rzeszy (RSHA). W 1946 r. został skazany przez Międzynarodowy Trybunał Wojskowy w Norymberdze na karę śmierci i stracony.

** **Brandenburczycy** – niemiecki oddział dywersyjny zorganizowany w październiku 1939 r. w Brandenburgu przez wywiad wojskowy, Abwehrę, pod nazwą Baulehr-Kompanie zbV 800. Szybko rozrósł się do rozmiarów batalionu i zmienił nazwę na Baylehr-Battalion zbV 800. Podlegał bezpośredniemu dowództwu szefa Abwehry, ale podczas specjalnych misji komandosi byli przydzielani do jednostek regularnego wojska. Pierwszy poważny sukces zanotowali w kwietniu 1940 r., gdy opanowali most Belt w Danii,

Góry Baarmi-i-Firuz

wodził major Schultze-Holthus. Zabezpieczali oni operację lądowania esesmanów i wówczas doszło do pierwszego poważnego konfliktu.

– Przejmuję dowództwo! – oświadczył Kurmis, ledwo wysiadł z samolotu. – Jest poza dyskusją, aby formacja SS była dowodzona przez oficera Wehrmachtu. W porównaniu z SS oficerowie Wehrmachtu są obywatelami drugiej kategorii.

Major Schultze-Holthus popatrzył na niego przez chwilę nic nie mówiąc. Potem odwrócił się do tubylców stojących kilka kroków dalej i krzyknął coś do nich w ich narzeczu. Zdjęli karabiny z pleców, ale ich nie unieśli.

---

a następnie w Belgii most nad Mozą w rejonie Gennep. Sukcesy te sprawiły, że władze zgodziły się na dalszą rozbudowę jednostki, która osiągnęła rozmiary pułku i objęła specjalne jednostki: oddział morski (Küstenjägerabteilung) oraz spadochronowy (Fallschirmjägerbattalion). W czasie kampanii bałkańskiej w 1941 r. brandenburczycy ochraniali szyby naftowe w rejonie Ploesti (Rumunia) oraz most nad rzeką Vardar w Jugosławii. W czasie agresji na ZSRR przechwycili most na Dźwinie w Dyneburgu. W 1942 r. pułk uległ rozbudowie i reorganizacji; uzyskał nazwę Sonderverband 800 (jednostka specjalna) i objął 5 pułków, a wkrótce uzyskał status dywizji. Na wiosnę 1943 r. dywizję „Brandenburg" przerzucono na front wschodni. Dowództwo tej jednostki przeszło w ręce dowództwa Wehrmachtu, a przy Abwehrze pozostał tylko pułk „Kurfürst". Jednym z głównych zadań brandenburczyków było zwalczanie ruchu oporu w 13 krajach Europy. W lutym 1944 r., w związku z reorganizacją Abwehry, dywizja pod nazwą Panzergrenadier Division „Brandenburg" została włączona do wojsk regularnych.

Wrzesień 1941 roku – A. Harriman (siedzi) podpisuje w Moskwie umowę Lend-Lease (od lewej: pochylony lord Beaverbrook, W. Mołotow, Laurence Steinhardt – amerykański ambasador, adm. W. H. Standley, Ch. Thayer – urzędnik ambasady amerykańskiej)

Armia perska była za słaba, aby chronić szlaki Lend-Lease

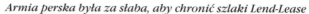

– Hauptsturmführer – powiedział spokojnie – za taką niesubordynację mógłbym natychmiast wydać rozkaz rozstrzelania pana.

Odwrócił się i odszedł. Zaskoczony Kurmis spojrzał bacznie na kilkudziesięciu rosłych tubylców, gotowych w każdej chwili wykonać rozkaz swojego dowódcy. Uznał, że nie ma szans, więc ruszył w stronę swoich ludzi, którzy wyładowywali sprzęt.

– Abwehra ma w rejonie Teheranu i samym mieście cztery grupy, prawda panie pułkowniku? – Canaris zwrócił się do Hansena, akcentując, że jest tylko gościem na tym spotkaniu. – Dość dobrze spenetrowali teren i nawiązali kontakty z antybrytyjskimi ugrupowaniami.

Niemcy początkowo zakładali, zapewne po uzyskaniu informacji na temat konferencji w Casablance, dokąd oprócz Churchilla i Roosevelta przybył także generał de Gaulle, że w Teheranie spotkają się wszyscy czterej przywódcy koalicji antyhitlerowskiej: Roosevelt, Churchill, Stalin i de Gaulle, i dlatego wysłali cztery zespoły.

– Jak duże mamy wpływy na miejscowe ugrupowania? – zapytał Schellenberg.

– Wystarczające, aby w odpowiedniej chwili wyprowadzić na ulicę tłumy, które sparaliżują działania alianckich służb bezpieczeństwa – włączył się do rozmowy Hansen.

W czasie tego spotkania lub kilka dni później, w biurze Walthera Schellenberga, już bez Canarisa ustalono, że do Teheranu uda się generał Hans Oster*, aby na miejscu zorganizować i nadzorować działania agentów i oddziałów Abwehry.

Gestapo i Sicherheitsdienst miały wobec niego podejrzenia równie poważne jak wobec Canarisa, ale w sytuacji, gdy Abwehra trzymała w ręku wszystkie nici prowadzące do tajnych organizacji proniemieckich w Iranie, Kaltenbrunner i Schellenberg musieli zapomnieć o swoich uprzedzeniach. Bez pomocy agentów Abwehry,

Hans Oster

dobrze znających miasto, przeprowadzenie zamachu było niemożliwe. Poza tym Schellenberg miał dowody jedynie na to, że Canaris i Oster pro-

* **Hans Oster** (1888–1945) – generał, pracownik niemieckiego wywiadu wojskowego Abwehry, od 1938 r. szef sztabu adm. Wilhelma Canarisa. Był jednym z organizatorów opozycji antyhitlerowskiej. W sierpniu 1939 r. przekazał holenderskiemu attaché militarnemu Jacobowi G. Sasowi materiały z tajnej narady w kwaterze Hitlera na górze Kehlstein na temat planowanej agresji na Polskę. W 1940 r. ostrzegł aliantów zachodnich o planach niemieckiej agresji na Norwegię, Danię, Belgię i Holandię. Przez całą wojnę prawdopodobnie pozostawał cennym informatorem radzieckiej siatki wywiadowczej „Lucy" działającym pod pseudonimem Werther. Związany z organizatorami zamachu na Hitlera w lipcu 1944 r. został aresztowany i stracony w kwietniu 1945 r.

Benito Mussolini, uwolniony z więzienia na górze Gran Sasso, w otoczeniu niemieckich spadochroniarzy

wadzą działalność opozycyjną skierowaną przeciwko Hitlerowi i partii nazistowskiej. Prawdopodobnie nawet przypuszczał, że obydwaj nawiązali kontakty z wywiadem anglo-amerykańskim i radzieckim.

Nie sposób powiedzieć, czy Niemcy wiedzieli, kto będzie organizował i odpowiadał za bezpieczeństwo prezydenta Stanów Zjednoczonych, gdy ten przybędzie do Teheranu. Mogli się jednak tego domyślić, gdyż najlepszym do tego kandydatem był pułkownik H. Norman Schwarzkopf*, przebywający w Iranie od 1942 roku. Żołnierz I wojny światowej, po jej zakończeniu był dowódcą żandarmerii w jednym z niemieckich miast, a po powrocie do Stanów Zjednoczonych w 1921 roku, gdy miał 25 lat, zajął się organizacją policji stanowej. Brał wówczas udział w bardzo popularnym programie radiowym „Gang Busters", co sprawiło, że stał się postacią dobrze znaną Amerykanom i niemieckim szpiegom, bardzo aktywnie działającą w Ameryce zwłaszcza w drugiej połowie lat trzydziestych. Do służby wojskowej powrócił w 1940 roku, a dwa i pół roku później wysłano go do Iranu z zadaniem zwalczania band atakujących na górskich drogach ciężarówki jadące z pomocą dla Związku Radzieckiego. Znał teren i ludzi, a jego policyjne doświadczenie mogło się okazać bezcenne w tropieniu niemieckich szpiegów i ich perskich pomocników. Z tego powodu wydawał się najlepszym człowiekiem do ochrony prezydenta.

Jego przeciwnikiem miał zostać człowiek opromieniony sławą tego, który uwolnił włoskiego dyktatora Benito Mussoliniego, obalonego 25 lipca 1943 roku i uwięzionego w hotelu „Campo Imperatore" na górze Gran Sasso,

---

* Był ojcem generała H. Normana Schwarzkopfa dowodzącego wojskami podczas operacji „Pustynna Burza" w Kuwejcie i Iraku w 1992 r.

Hauptsturmführer w rozmowie z Adolfem Hitlerem

na wschód od Rzymu – Otto Skorzeny. 12 września 1943 roku grupa spadochroniarzy z 7 dywizji powietrznodesantowej i garstka komandosów z oddziału Skorzenego wylądowały w szybowcach na niewielkiej łące tuż przy hotelu, błyskawicznie opanowały budynek, nie dając włoskim strażnikom szansy na obronę, i uwolniły Mussoliniego. Pewnie spadochroniarze poradziliby sobie równie dobrze bez pomocy Skorzenego, choć to on zaplanował całą akcję. Potrafił jednak całą zasługę przypisać sobie i pozyskać uznanie Führera. Gdy więc parę tygodni później Kaltenbrunner i Schellenberg rozważali, kto może poprowadzić grupy uderzeniowe w Teheranie, wybór był jednoznaczny.

Nowa misja Hauptsturmführera Skorzenego

Skorzeny otrzymał rozkaz przeprowadzenia akcji w Teheranie niespodziewanie, w połowie października, gdy przebywał w Vichy, niewielkim mieście na południu Francji, które po zakończeniu działań wojennych we Francji i podpisaniu zawieszenia broni w 1940 roku stało się siedzibą rządu marszałka Philippe'a Pétaina*. Napływały stamtąd sygnały, które zaniepokoiły Hitlera. Rząd Vichy zdecydował się nawiązać stosunki z nowym rządem włoskim marszałka Pietra Badoglio, który podpisał kapitulację z aliantami, odmówił zaś utrzymywa-

Philippe Pétain

---

* **Philippe Pétain** (1856–1951) – polityk francuski, jako oficer zdobył sławę w czasie I wojny światowej, gdy dowodził obroną Verdun. W latach 1918–1931 był generalnym inspektorem armii oraz wiceprzewodniczącym Najwyższej Rady Wojennej i Najwyższej Rady Obrony Narodowej (1920–1931). Jako minister wojny i przewodniczący Najwyższej Rady Wojennej (od 1934 r.) uznawał linię Maginota za podstawę obrony Francji. W 1939 r. został ambasadorem w Madrycie. Odwołany do kraju 18 maja 1940 r. objął urząd wicepremiera. Przekonany o nieuchronności klęski, stanął na czele większości rządowej domagającej się podpisania zawieszenia broni. Po wkroczeniu Niemców do Paryża (16 czerwca) objął urząd premiera i zaoferował Niemcom zawarcie zawieszenia broni, co nastąpiło 22 czerwca. 1 lipca jego rząd przeniósł się do Vichy, którego nazwa

Rząd Vichy – od lewej w pierwszym rzędzie: marsz. Ph. Pétain, adm. F. Darlan, P. Laval

P. Laval w gabinecie Hitlera 29 kwietnia 1943 roku

stała się określeniem rządu Pétaina. 10 lipca otrzymał od Zgromadzenia Narodowego pełnię władzy jako Chef d'Etat. W październiku 1940 r. spotkał się z Adolfem Hitlerem w Montoire i zaproponował „kolaborację". Po wylądowaniu aliantów w Normandii w czerwcu 1944 r. został wywieziony przez Niemców do Belfort, a następnie do Sigmaringen i internowany. Wrócił do Francji na własne życzenie w kwietniu 1945 r. Oskarżony o zdradę, został skazany na karę śmierci, którą premier Charles de Gaulle zamienił na wyrok dożywotniego więzienia. Zmarł na wysepce Ile d'Yeu na Atlantyku.

nia stosunków z faszystowskim rządem, jaki Mussolini utworzył w Salo*. Wywiad niemiecki donosił ponadto, że marszałek był zdecydowany usunąć ze swojego rządu Pierre'a Lavala**, faszystę i gorącego zwolennika sojuszu z Niemcami. Te posunięcia wskazywały jednoznacznie, że Pétain ma zamiar zerwać współpracę z Niemcami. W październiku informacje wywiadowcze z Vichy stały się jeszcze bardziej alarmujące, gdyż pozwalały sądzić, że marszałek zamierza uciec do Algierii opanowanej przez aliantów lub dać się uprowadzić agentom de Gaulle'a. Byłoby to nad wyraz niekorzystne dla Niemców, którzy utracili już jednego sojusznika w basenie Morza Śródziemnego. Przejście rządu Vichy na stronę aliantów mogło się stać zaraźliwym przykładem dla innych szefów rządów państw satelickich, takich jak Rumunia, Węgry czy Bułgaria, skłonnych do wypowiedzenia posłuszeństwa Führerowi. Ponadto w sytuacji, gdy alianci wylądowali na Półwyspie Apenińskim, przejście na ich stro-

Heinkel He 177 Greif

---

* **Salo** – miasto w północnych Włoszech, które od września 1943 r. było siedzibą rządu faszystowskiej republiki utworzonej przez Benito Mussoliniego pod nazwą (od grudnia 1943 r.) Republica Sociale Italiana. Państewko to upadło po schwytaniu Mussoliniego przez partyzantów w kwietniu 1945 r.

** **Pierre Laval** (1883–1945) – wielokrotny minister spraw zagranicznych i premier rządu francuskiego w okresie międzywojennym, był przeciwny przystąpieniu Francji do wojny z Niemcami. 10 lipca 1940 r. wszedł do rządu Philippe'a Pétaina i objął stanowisko wicepremiera, które sprawował do grudnia tego roku. W 1942 r. został premierem rządu Vichy i prowadził politykę współdziałania z Niemcami. Po wyzwoleniu Francji przez wojska alianckie uciekł do Niemiec, następnie do Austrii i Hiszpanii. Wydany władzom francuskim w 1945 r. stanął przed sądem i został skazany na karę śmierci; 9 października 1945 r. zginął rozstrzelany przez pluton egzekucyjny.

nę rządu Vichy mogło im ułatwić inwazję na południową Francję, której Hitler się spodziewał. To wszystko sprawiło, że Führer polecił uprowadzić starego marszałka.

Skorzeny bardzo starannie przygotował całą akcję. Z Paryża zabrał dwa bataliony z dywizji SS „Hohenstaufen" oraz dwa bataliony policyjne. Nie były to duże siły, ale wystarczające do opanowania małego Vichy. Policjanci stanęli na rogach ulic, niby kierując ruchem. Czekali na sygnał z Paryża, którym miało być hasło „Wycie wilków". Na to hasło policjanci mieli zablokować ulice, aby nikt nie mógł wyjechać z miasta, a do działania miały przystąpić trzy kompanie esesmanów, których zadaniem było otoczenie rządowych budynków. Mijały dni, a kolejne sygnały do rozpoczęcia akcji wysyłane z Paryża natychmiast dementowano.

W tym samym czasie Skorzeny przystąpił do przygotowań akcji w Teheranie.

Pierwszym problemem, który miał rozwiązać, był sposób dotarcia do Teheranu. Komandosi z jego oddziału, startując z lotnisk na terenie Związku Radzieckiego, mogli dolecieć do Iranu tylko na pokładach samolotów dalekiego zasięgu. Wybór był niewielki. Ciężkie bombowce Heinkel *He 177 Greif**, choć miały odpowiedni udźwig i zasięg, okazały się samolotami bardzo nieudanymi i były tak zawodne, że istniało realne niebezpieczeństwo, iż akcja w ogóle nie dojdzie do skutku. Pozostało użycie Junkersów *Ju 290***, jednak było ich za mało. Do połowy

---

* **Heinkel *He 177 Greif*** – ciężki czterosilnikowy bombowiec, jeden z najbardziej nieudanych samolotów II wojny światowej. Największą jego wadą był sposób ustawienia czterech silników jeden za drugim tak, że para napędzała jedno śmigło. Sterowanie silnikami wymagało od pilota niesłychanej wprawy, powtarzające się groźne usterki układu olejowego powodowały pożary, zawodziło podwozie, a cała konstrukcja kadłuba była bardzo słaba. W efekcie 50 prototypów rozbiło się w czasie lotów lub spłonęło. Z 1094 samolotów wyprodukowanych do 1944 r. zaledwie 200 użyto na froncie i to głównie do transportu zaopatrzenia. Na froncie wschodnim, gdzie skierowano większość tych samolotów i wykorzystywano m.in. do zaopatrywania wojsk okrążonych pod Stalingradem, piloci nazywali je „płonącymi trumnami".
Dane taktyczno-techniczne (He 177A-5): silniki 2 x Deimler-Benz DB 610A-1 i B-1 o mocy 2950 KM, rozpiętość 31,44 m, długość 22,0 m, maks. masa startowa 31 000 kg, maks. prędkość 488 km/h, zasięg 4000–5500 km, uzbrojenie 3 karabiny maszynowe MG 81J kal. 7,9 mm, 3 najcięższe karabiny maszynowe MG 131 kal. 13 mm, 2 działka MG 151 kal. 20 mm, 3 pociski sterowane radiem Hs 293 i 2 pociski Hs 294 lub 2 Fritz X (inne wersje – do 6000 kg bomb).
** **Junkers *Ju 290*** – samolot transportowy i rozpoznawczy zbudowany w 1942 r. w wyniku wprowadzenia zmian konstrukcyjnych w samolocie *Ju 90*. Pierwsze egzemplarze użyto w styczniu 1943 r. do przewożenia zaopatrzenia dla wojsk okrążonych pod Stalingradem. Samoloty tego typu przeznaczano do zadań transportowych, patrolowych i morskich, w czym miały zastąpić *Fw 200 Condor*. Samoloty w wersji B miały być bombowcami, lecz opracowano tylko prototypy. Ogółem wyprodukowano 55 egzemplarzy wersji A.
Dane taktyczno-techniczne (*Ju 290* A-5): 4 silniki BMW 801 o mocy 1700 KM każdy, załoga 9 osób, rozpiętość 42,00 m, długość 28,64 m, wysokość 6,83 m, maks. masa startowa 45 000 kg, maks. prędkość 440 km/h, zasięg 6100 km, uzbrojenie 6 działek MG 151 kal. 20 mm, 1 karabin maszynowy MG 131 kal. 13 mm.

Junkers Ju 290

1943 roku wyprodukowano zaledwie kilkanaście egzemplarzy tych samolotów, które rozpoczęły służbę w styczniu tego roku, przerzucając
zaopatrzenie dla wojsk niemieckich okrążonych pod Stalingradem.
Trudno się więc dziwić, że do jednostki Skorzenego przydzielono tylko jeden lub dwa.

Nie wiadomo, kto podsunął pomysł wykorzystania amerykańskich ciężkich bombowców *B-17* i *B-24 Liberator* spośród tych, które uszkodzone
ogniem artylerii przeciwlotniczej i niemieckich myśliwców musiały przy-
musowo lądować lub rozbiły się na terenie Niemiec. Okazało się, że wiele
z nich można naprawić i przygotować do lotu. Generał Koller z Luftwaffe
obiecał Skorzenemu, że zostanie uruchomiony specjalny warsztat remon-
tujący amerykańskie bombowce. Czy jednak ciężki samolot będzie mógł
wylądować w Iranie? Znalezienie odpowiedniego terenu i przygotowanie lądowiska na pustyni, choć możliwe, wydawało się nadzwyczaj trud-

Szybowce Go 242 w locie na holu

ne i czasochłonne. Skorzeny postanowił rozwiązać ten problem, używając bombowców do holowania szybowców, które przecież mogły lądować na każdym terenie. Jednak musiałyby pokonać trasę liczącą około 2500 kilometrów, a szybowce *DFS 230*, z których każdy mógł pomieścić dwunastu żołnierzy ze sprzętem, były zbyt powolne: mogły lecieć na holu z prędkością maksymalną 210 km/h. Większe *Gotha 242* można było holować szybciej, z prędkością do 290 km/h, ale Skorzeny uznał, że to również jest zbyt wolno. Poza tym, jak by miały wystartować po skończonej akcji? Dla żołnierzy wyruszających do walki świadomość bezpiecznego powrotu była nadzwyczaj ważna: dawała im nadzieję, bez której można było rzucać w bój tylko samobójców. Przedzieranie się przez Iran nie dawało praktycznie żadnych szans na powrót do domu. Początkowo wydawało się, że będzie można rozwiązać ten problem wykorzystując urządzenie, którego prototyp sprawdzano na lotnisku Ainring, pozwalające samolotowi bez lądowania wyciągać w powietrze szybowce stojące na ziemi. Jednak rychło się okazało, że można było unieść w powietrze jedynie małe szybowce sportowe, a nie ciężkie, ważące ponad dwie tony *DFS 230* czy jeszcze cięższe, siedmiotonowe *Gotha 242*.

Nie wiadomo, jak Skorzeny rozwiązał problem dowiezienia swoich żołnierzy do Iranu i ewakuowania ich stamtąd. Jedno jest pewne: podchodził do całego przedsięwzięcia z ogromną niechęcią i zmuszony do wykonania tego rozkazu, gotów był zrobić wszystko, aby do akcji nie doszło.

W październiku 1943 roku jedynie fanatycy zaślepieni wiarą w Hitlera i nazizm mogli liczyć na zwycięstwo Niemiec. Skorzeny do nich nie należał.

Co by Niemcom dało zabicie Roosevelta? Wybory prezydenckie w Stanach Zjednoczonych miały się odbyć w listopadzie 1944 roku, zaprzysiężenie zaś nowego prezydenta w styczniu 1945 roku. Do tego czasu najwyższy w Stanach Zjednoczonych urząd sprawowałby wiceprezydent

Henry Agard Wallace*, polityk, który wielokrotnie otwarcie dawał dowody swej sympatii dla Związku Radzieckiego i wzywał do udzielenia mu jak najdalej idącej pomocy. Czynił to tak gorliwie, że spotkał się z krytyką zarówno ze strony Partii Republikanów, jak i Demokratów, które oskarżały go o brak politycznego realizmu, a nawet o sympatie prokomunistyczne. Krytyka Wallace'a tak się nasiliła, że Roosevelt zmuszony był do dokonania zmiany na stanowisku wiceprezydenta po wygraniu wyborów w 1944 roku. Tak więc Niemcy nie mogli liczyć, że po usunięciu Roosevelta jego miejsce zajmie przeciwnik współpracy ze Związkiem Radzieckim, który świadom groźby, jaką stwarza dla świata komunizm, zawrze pokój z Niemcami. Być może Hitler liczył, że zabójstwo Roosevelta wywoła

Szybowiec DFS 230 zdobyty przez Brytyjczyków w Afryce Północnej

* **Henry A. Wallace** (1888–1965) – absolwent uczelni rolniczej, od 1921 r. był wydawcą rolniczego pisma „Wallace's Farmer". W 1932 r. wsparł F. D. Roosevelta w wyborach prezydenckich. W latach 1933–1940 był sekretarzem rolnictwa, a w latach 1941–44 – wiceprezydentem. W 1946 r. usunięty z rządu przez prezydenta Trumana zajął się wydawaniem pisma „New Republic", w którym wypowiadał się przeciwko zimnej wojnie. W wyborach prezydenckich 1948 r., popierany przez komunistów, zebrał 1,1 mln (2,4%) głosów.

Pierwszy gabinet Roosevelta (od lewej zgodnie z ruchem wskazówek zegara): F. D. Roosevelt, H. Morgenthau – sekretarz skarbu, H. S. Cummings – prokurator generalny, C. A. Swanson – sekretarz marynarki, H. A. Wallace – sekretarz rolnictwa, F. Perkins – sekretarz pracy, D. C. Roper – sekretarz handlu, H. L. Ickes – sekretarz spraw wewnętrznych, J. A. Farley – poczmistrz generalny, G. H. Dorn – sekretarz wojny, C. Hull – sekretarz stanu

gwałtowne ożywienie w politycznym obozie przeciwników angażowania się Stanów Zjednoczonych w wojnę w Europie i nowy prezydent zostanie zmuszony do wycofania wojsk z Europy i skupienia całego wojennego wysiłku na walkach z Japonią.

Jednakże najbardziej prawdopodobne wyjaśnienie decyzji Hitlera, który wydał rozkaz dokonania zamachu, może być całkiem inne. Ani on, ani jego najbliżsi współpracownicy: minister spraw zagranicznych, Joachim von Ribbentrop, czy minister propagandy, Joseph Goebbels, nie rozumieli Stanów Zjednoczonych i nie zdawali sobie sprawy z gospodarczego potencjału tego państwa. Było to charakterystyczne dla Hitlera, który snując plany podboju świata, lekceważył potęgę wrogów. Dzięki temu, paradoksalnie, odnosił zwycięstwa. Bo czy zdobyłby się na uderzenie na Francję w maju 1940 roku, gdyby się obawiał, że przeciwko Wehrmachtowi ruszą połączone siły dwóch największych światowych mocarstw: Francji i Wielkiej Brytanii, wsparte przez wojska kilku innych państw?

Czy mógłby się zdecydować na rozpoczęcie wojny ze Związkiem Radzieckim, którego ogrom terytorialny przytłaczał już po pierwszym rzucie oka na mapę, a świadomość, że wojska radzieckie mogą rzucić na front ponad 20 tysięcy czołgów i osiem tysięcy samolotów, nakazywała utrzymywanie przyjacielskich stosunków z tym państwem?

Z tego samego powodu nie obchodziło go, ile czołgów, samolotów, dział i karabinów mogą wyprodu-

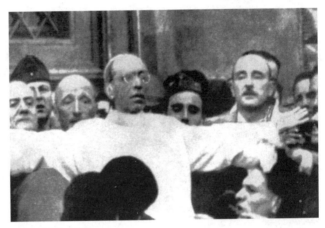

kować amerykańskie zakłady. Podejmując decyzje, kierował się intuicją i uważał, że stanowi to o jego sile. Tam, gdzie inni politycy gubili się w zawiłych kalkulacjach i spekulacjach, on działał niekonwencjonalnie. Zaskakiwał ich, przestraszał, realizował swoje cele, zanim oni zdołali uruchomić wielką i powolną machinę rządowej biurokracji. Gdy 9 grudnia 1941 roku wypowiedział wojnę Stanom Zjednoczonym, był przekona-

Papież Pius XII

Josip Broz-Tito

Admirał Miklós Horthy

167

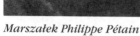
Marszałek Philippe Pétain

Józef Stalin

ny, że zanim uruchomią one swój gigantyczny potencjał, zmobilizują, uzbroją i przeprawią swoje armie przez Atlantyk, na którym królowały U-booty, niemieckie wojska będą już panowały nad całą Europą. I amerykańscy żołnierze nie będą mieli gdzie wylądować. Poza tym wykluczał, że prezydent Stanów Zjednoczonych zdecyduje się wesprzeć Stalina, krwawego dyktatora, którego wojska zajęły m.in. dużą część Polski, zagrabiły ziemie Finlandii, Litwę, Łotwę, Estonię i eksterminowały ludność tych krajów.

Ale w połowie 1943 roku Hitler już wiedział, że jego rachuby okazały się chybione, a intuicja zawiodła w zderzeniu z regułami rzeczywistości. Nie zdołał powalić Związku Radzieckiego ani zmusić Wielkiej Brytanii do zawarcia pokoju. Stany Zjednoczone z miesiąca na miesiąc przeobrażały się w potęgę militarną, której gigantyczny przemysł zaczął wspomagać kraje antyfaszystowskiej koalicji w Europie: Wielką Brytanię i Związek Radziecki, a także armie podbitych krajów, które nie złożyły broni: Polskę, Czechosłowację, Jugosławię, „Wolnych Francuzów", a na Dalekim Wschodzie – Chiny. Dla ich wysiłku wojennego amerykańskie czołgi *Sherman* i *Grant*, myśliwce, bombowce *B-17 Latające Fortece*, *B-24 Liberatory*, *B-25 Mitchelle*, karabiny maszynowe i pistolety maszynowe *Thompson*, ciężarówki *Studebacker* i samochody terenowe *Jeep*, proch i konserwy miały wielkie znaczenie.

Hitler wiedział, że w czasie kryzysu o biegu historii decydują jednostki. Tak było w końcu lat trzydziestych, gdy on, dyktator Włoch Benito

Mussolini, brytyjski premier Neville Chamberlain, francuski premier Edouard Daladier i radziecki dyktator Józef Stalin przesądzili o losie Europy. Gdy wybuchła wojna, decyzje ludzi stojących na czele państw lub rządów zyskały jeszcze na znaczeniu. Dlatego w połowie 1943 roku Hitler postanowił uderzać w tych, którzy podejmowali decyzje.

We wrześniu 1943 roku kazał porwać papieża Piusa XII, lecz człowiek, który miał zorganizować akcję uprowadzenia Ojca Świętego, Obergruppenführer Karl Wolff, dowódca Waffen-SS we Włoszech, doszedł do wniosku, że wojna jest już przegrana i nie warto się narażać na ziemskie i wieczne potępienie.

W tym samym czasie wydał rozkaz uprowadzenia marszałka Pétaina, a tuż potem zamordowania Josipa Broz-Tity, przywódcy jugosłowiańskich komunistów.

Franklin D. Roosevelt

W połowie 1944 roku z jego polecenia niemieckie tajne służby przystąpiły do operacji „Zeppelin", której celem było zamordowanie Józefa Stalina, czego miał dokonać były radziecki oficer, który przeszedł na stronę niemiecką, i jego żona. Jednakże para zamachowców, która pewnej wrześniowej nocy po dramatycznym locie wylądowała pod Moskwą, została przypadkowo schwytana.

Również we wrześniu 1944 roku Skorzeny wyruszył do Budapesztu, aby porwać regenta Miklósa Horthy'ego i jego syna, co miało zapobiec zawarciu przez Węgry pokoju ze Związkiem Radzieckim.

Hitler przekonany, że usunięcie głowy państwa rozwiąże problem, zapewne się nie zastanawiał, co się stanie po śmierci Roosevelta: Kto zajmie jego miejsce? Jak zachowa się społeczeństwo? Czy zabójstwo prezydenta nie wywoła reakcji odwrotnej od spodziewanej i nie zjednoczy wszystkich amerykańskich ugrupowań przeciwko Niemcom? Uważał, że pozbycie się tego polityka, którego nienawidził i obarczał winą za niemieckie niepowodzenia, zmieni całkowicie politykę Stanów Zjednoczonych.

Otto Skorzeny musiał patrzeć inaczej na plan usunięcia amerykańskiego prezydenta.

We wrześniu 1943 roku uwolnił włoskiego dyktatora Benito Mussoliniego i nikt nie mógł mieć mu niczego za złe, ponieważ z galanterią przeprowadził akcję, w której padło wiele strzałów, ale ani jeden trup. W październiku chętnie wyruszył do Vichy, aby uprowadzić sędziwego marszałka Pétaina, uważanego przez aliantów za zdrajcę, którego mieli zamiar postawić przed sądem. Jednak zamach na Roosevelta, Churchilla

Brandenburczycy

lub Stalina mógł Skorzenego kosztować życie i to w niedalekiej przyszłości. Nie miał wątpliwości, że po wygranej wojnie, a to było już pewne, alianci zrobią wszystko, aby odnaleźć tego, kto strzelał do ich przywódców. Nie będzie miejsca na ziemi, gdzie mógłby się ukryć i wieść spokojne życie. Nie! W swojej wyobraźni Skorzeny, zawadiaka i żołnierz z krwi i kości, pielęgnował wizję bohaterskiej śmierci od kuli wroga na polu bitwy lub w czasie akcji specjalnej. Ale zginąć na szubienicy lub na krześle elektrycznym. A taka śmierć mogła go przecież spotkać po procesie przed amerykańskim sądem. Na to zdecydowanie nie miał ochoty, ale rozkaz był jednoznaczny. Pozostało więc tylko czekać na korzystny bieg wypadków.

Zdarzenie w Winnicy

– Halt! – żandarm stojący przed wielką wyrwą w jezdni podniósł rękę, zatrzymując pojazdy wyjeżdżające z miasta, a torując drogę kolumnie ciężarówek jadących z przeciwnej strony.

– Co tam się stało? – siedzący obok kierowcy porucznik Paul Zibert przysunął twarz do szyby zachlapanej błotem, na której wycieraczki pozostawiały niewielkie pole widzenia.

- W nocy partyzanci włożyli ładunek wybuchowy do studzienki telekomunikacyjnej. Pewnie sądzili, że tędy biegną kable z kwatery Hitlera – wyjaśnił kierowca. Otworzył drzwi i wystawił nogi na zewnątrz. Kolumna ciężarówek była długa, jechały wolno i ostrożnie przez wąski pas jezdni wiszącej nad wyrwą. Zapowiadał się dłuższy postój. Kierowca zapalił papierosa i podsunął papierośnicę porucznikowi, ale ten pokręcił przecząco głową.

- Nie palę, szkodzą zdrowiu.

- Nie bardziej niż służba na froncie wschodnim – zaśmiał się kierowca. Zamknął oczy i wystawił twarz do słońca.

Zibert wysiadł z volkswagena, manifestując uczucie ulgi, jakie go opanowało po opuszczeniu wąskiego siedzenia pokrytego szorstką tkaniną. Było niewygodne, a z przodu niewiele miejsca pozostawało na nogi. Nikogo nie dziwiło, że korzystając z chwili przerwy w podróży postanowił pospacerować. Obszedł samochód dookoła i usiadł na pochyłej masce. Znudzony przyglądał się mijającym go ciężarówkom, na których skrzyniach siedzieli żołnierze. Nie wyglądali na frontowe wojsko. Hełmy pokryte tkaniną, panterki, granaty wetknięte za pasy nadawały im zawadiacki wygląd, odbiegający od widoku normalnych żołnierzy Wehrmachtu. Nie jechali też na front ani stamtąd nie wracali.

- Co to za wojsko? – zapytał kierowcę. – Nie wyglądają na frontowych.

- To jakaś jednostka specjalna. Przywieźli ich parę dni temu. Same tylko kłopoty z nimi – odpowiedział kierowca. Od kilkunastu dni woził szefa intendentury i dość dobrze orientował się w sprawach winnickiego garnizonu.

- Przydałoby się, żeby odnieśli jakieś zwycięstwo – powiedział Zibert. Ostatnia z ciężarówek przejechała obok wyrwy i żandarm podniósł rękę, nakazując, aby oczekujące samochody przygotowały się do startu. Porucznik wsiadł do volkswagena. Nie pytał już o żołnierzy, którzy zwrócili jego uwagę. Sięgnął do leżącej z tyłu teczki, długo ją otwierał i wyciągał jakieś papiery. Zajęło to wystarczająco dużo czasu, aby przyjrzeć się, dokąd jadą ciężarówki. Zauważył, że skręciły w jedną z ulic po prawej stronie.

Nie miał większych trudności ze sprawdzeniem, co to za żołnierzy widział rano. Co prawda otaczała ich ścisła tajemnica, ale oficerowie w kasynie, do którego poszedł wieczorem, wspominali, że w Winnicy pojawił się, wezwany przez Hitlera, sam Otto Skorzeny. Wielu twierdziło, że mieli okazję uścisnąć prawicę tego bohatera, który okazał się człowiekiem bezpośrednim, choć dość szorstkim.

Zibert wierzył w te opowieści, ale dlaczego Skorzeny został wezwany do Winnicy, a jego żołnierze rozpoczęli ćwiczenia na podmiejskim poligonie? Czyżby chodziło o akcję w Moskwie? Zamach na Stalina? Nie mógł tego wykluczyć. Było bardzo prawdopodobne, że sukces akcji przeprowadzonej przez Skorzenego we włoskich górach mógł nasunąć Hitlerowi pomysł wysłania komandosów do Moskwy i uprowadzenia lub zamordowania Stalina. Przecież radziecki dyktator miał taki sam pomysł pozbycia się Hitlera.

W grudniu 1941 roku dotarł do Berlina znany radziecki bokser Boris Miklaszewski*. Twierdził, że uciekł ze Związku Radzieckiego, gdzie był prześladowany za antykomunizm. Zadanie ułatwił mu wuj, który od lat przewodził w Berlinie antybolszewickiej organizacji rosyjskich imigrantów, więc Miklaszewskiego przyjęto bez większych podejrzeń. Wkrótce potem stał się osobą bardzo popularną, gdy zmierzył się na pięści z niemieckim mistrzem Maxem Schmelingiem i pojedynek wygrał. Czekał na okazję, jaką dawałoby mu zbliżenie się do Hitlera. Informacje z Moskwy wskazywały, że w tym przedsięwzięciu może być mu pomocny książę Janusz Radziwiłł, zmuszony przez NKWD do współpracy po aresztowaniu jesienią 1939 roku i odesłany do Berlina w 1940 roku. Znał Hermanna Göringa z przedwojennych polowań, na które szef Luftwaffe przyjeżdżał do jego posiadłości, i Miklaszewski liczył, że przy jego pomocy dotrze do najwyższych urzędników Trzeciej Rzeszy i samego Hitlera. Już w 1942 roku Miklaszewski raportował z Berlina, że dotarł do otoczenia Göringa i nie będzie miał większych trudności z wyeliminowaniem go. Jednak Kreml nie wyraził na to zgody. Głównym celem miał być Hitler, ale nagle w połowie 1943 roku zarzucono ten plan, gdyż Stalin obawiał się, że zamordowanie Hitlera otworzy drogę do władzy niemieckiej opozycji, a ta szybko może się dogadać z aliantami zachodnimi w sprawie zawarcia pokoju.

Czyż więc Skorzeny nie otrzymał podobnego zadania od Hitlera?

Wieczorem Zibert wyszedł z kasyna i zatrzymał się przy zielonym kiosku na rogu ulicy. Prowadził go Rosjanin, Iwan. Tak go nazywali Niemcy, ale oni wszystkich Rosjan nazywali tym imieniem, nikt więc nie wiedział, czy było to jego prawdziwe imię. Kiedy w 1941 roku Niemcy wkroczyli do Winnicy, Iwan zaczął manifestować swoją nienawiść do Stalina i bolszewików. Wkrótce, gdy tylko obok komendantury miasta, w dużej willi w ogrodzie, pojawiła się placówka Gestapo, poszedł tam i doniósł na dwoje swoich sąsiadów, których nieletni synowie uciekli do lasu, do partyzantów, ale czasem nocą zakradali się do mieszkania rodziców. Aresztowano tych ludzi, a Iwan dostał pozwolenie na prowadzenie kiosku.

- Jak zwykle „Signal" - Zibert pochylił się nad niewielkim otworem w dykcie, za którym widać było porozkładane niemieckie gazety i zarośniętą twarz Iwana.

- Odłożyłem dla pana, panie oficerze - powiedział Iwan uniżonym głosem. Przez niewielki otwór Zibert widział tylko dolną część jego twarzy z obwisłą wargą odsłaniającą pożółkłe zepsute zęby.

Wziął pismo, przerzucił parę kartek i oddał kioskarzowi.

- To już mam, nie dostałeś nowego?

- Nie, jeszcze nie dowieźli. Odłożę dla pana oficera, jak tylko...

---

* **Boris Miklaszewski** w 1944 r. uciekł do Francji, gdzie zajął się tropieniem żołnierzy armii Własowa. W 1947 r. powrócił do ZSRR; odznaczony Orderem Czerwonego Sztandaru, podjął karierę bokserską.

Adolf Hitler i Hermann Göring – cele radzieckiego agenta

Zibert nie słuchał, co mówił kioskarz. Machnął ręką, jakby żegnając go lub opędzając się przed jego uniżonością, i wrócił szybkim krokiem do kasyna oficerskiego.

Nikt, nawet człowiek stojący tuż za jego plecami, nie mógł zauważyć, jak umieścił między kartkami czasopisma bibułkę używaną do skręcania papierosów. Były na niej tylko 4 cyfry: 1114.

Kioskarz przerzucił strony pisma „Signal". Odczytał cyfry, zmiął bibułkę w niewielką kulkę i połknął ją. Wiedział, co oznaczał szyfr. Pierwsza cyfra podawała dzień spotkania: „0" – oznaczało – dziś, „1"– jutro, „2"– za dwa dni. Następne dwie cyfry wskazywały godzinę: 11.00. Ostatnia cyfra – oznaczała miejsce spotkania. W poleceniu, które przekazał Zibert, cyfra „4" oznaczała dorożkę o tym numerze, na wyznaczonym postoju.

Odczekał, aż się Zibert oddalił i zniknął za rogiem, i wtedy wyszedł z kiosku. Zamknął starannie drzwi na kłódkę, rozejrzał się po ulicy i, nie dostrzegając niczego niepokojącego, spiesznym truchtem podążył w stronę rynku. Spodziewał się, że spotka tam o tej porze dorożkarza nr 4. Nie pomylił się. Z daleka zauważył czarną dorożkę z opuszczoną budą. Woźnica siedział na koźle, ale na widok Iwana zlazł na bruk i począł wiązać koniowi worek z obrokiem.

– Jutro o jedenastej – rzucił Iwan, gdy się z nim zrównał, i nie zwalniając kroku przeszedł mimo.

Centrala poleciła najwyższą dbałość o porucznika Ziberta, działającego w trudnym terenie. Oficer Wehrmachtu nie mógł się spotykać na ulicy z Rosjanami, chodzić do ich domów, gdyż szybko zwróciłoby to uwagę Gestapo lub Abwehry. Musiał zawsze korzystać ze starannie przygotowanej legendy, jak w języku szpiegów nazywano uzasadnienie podejmowanych działań. Przeglądanie pisma przed kioskiem było doskonałą legendą, jazda dorożką również nie budziła podejrzeń.

Następnego dnia punktualnie o 11.00 Zibert wyszedł z gmachu komendantury i stanąwszy przy krawężniku rozglądał się, aż dostrzegł dorożkę. Skinął w jej stronę.

– A szanowny pan oficer dokąd każe? – dorożkarz usiłował sklecić parę słów po niemiecku.

– Jedź, pokażę! – krzyknął Zibert.

Potem zaś powiedział cicho:

– Musisz szybko przekazać Dimie, że w mieście jest oddział specjalny. Mówi się, że to oddział Skorzenego. Zapamiętaj: Skorzeny. Skorzeny, zapamiętałeś?

Dorożkarz skinął głową.

Oddział Miedwiediewa

– Skorzeny – powtórzył.

– ... ten, który uwolnił Mussoliniego kilka tygodni temu – mówił dalej Zibert. – Sprawa jest poważna. Niech Dima natychmiast zawiadomi centralę. Więcej wiadomości pojutrze. Przekażę Katii, gdy przyjdzie po bieliznę – mówił o praczce, która była drugim łącznikiem z oddziałem partyzanckim. Dowódca, Dmitrij Miedwiediew*, był doświadczonym funkcjonariuszem NKWD** i, jak bardzo wielu pracowników tego resortu, został uwięziony, gdy w 1937 roku z rozkazu Stalina rozpoczęła się czystka w szeregach tej organizacji. Aresztowano go ze względu na brata, oskarżonego o sympatie trockistowskie i rozstrzelanego. Kilka lat spędził w obozie na Syberii, ale kiedy wybuchła wojna z Niemcami kierownictwo NKWD zaczęło wyciągać z więzień i obozów swoich ludzi, aby za linią frontu organizowali wywiad i dywersję. Wśród tych, którym dano szansę

Zrzut radzieckich agentów na tyły frontu

* **Dmitrij Miedwiediew** (1898–1954) – oficer NKWD, w 1920 r. wstąpił do partii komunistycznej WKP(b) i w tym samym czasie rozpoczął służbę w tajnej policji politycznej CzeKa, następnie GPU i NKWD na Ukrainie. Aresztowany w czasie czystek 1937–1938, został zwolniony z obozu w sierpniu 1941 r. i przerzucony na tyły frontu w rejonie Smoleńska. W 1944 r. odznaczony orderem Bohatera Związku Radzieckiego, a następnie Orderem Lenina (czterokrotnie) i Orderem Czerwonego Sztandaru.

** **NKWD** (skrót od Narodnyj Komissariat Wnutriennich Dieł) – Ludowy Komisariat Spraw Wewnętrznych, utworzony w lipcu 1934 r. Instytucji tej podlegała milicja, służba bezpieczeństwa, straż graniczna, wywiad wewnętrzny i zagraniczny, obozy koncentracyjne. W drugiej połowie lat trzydziestych NKWD z rozkazu Stalina dokonało masowych czystek: aresztowano ok. 12 mln ludzi, z których zabito ok. 1 mln (połowę tej liczby stanowili członkowie partii komunistycznej). 8 grudnia 1938 r. na czele NKWD stanął Ławrentij Beria, który rozbudował działalność tej instytucji. Po wybuchu II wojny światowej NKWD zintensyfikowało współpracę z tajną policją niemiecką Gestapo. Z terenów Polski zajętych po 17 września 1939 r. przeprowadzono masową deportację Polaków (ok. 1,2 mln osób). Ofiarami terroru organizowanego przez NKWD padły miliony członków nierosyjskich narodowości (ludność z anektowanych Litwy, Łotwy i Estonii, a także Tatarzy Krymscy, Niemcy Nadwołżańscy, Czeczenowie i in.). W 1941 r., wobec szybkiego wzrostu liczby obozów i przejęcia przez NKWD praktycznego

zginąć od kuli Niemców a nie obozowego strażnika, znalazł się Miedwiediew. Zrzucony na spadochronie pod Smoleńskiem działał z szaleńczą odwagą, której źródłem była świadomość, co się z nim stanie, gdy nie uda mu się zdobyć uznania zwierzchników i zatrzeć rzekomej winy – powodu zesłania do obozu. Wolał śmierć niż powrót do więziennego baraku. W Briańsku zorganizował porwanie księcia Gieorgija Lwowa, pierwszego premiera rządu utworzonego po rewolucji lutowej w 1917 roku, wyznaczonego przez Niemców na stanowisko gubernatora obwodu moskiewskiego, jaki miał powstać po zwycięskiej wojnie. Potem, przerzucony w rejon Winnicy, zorganizował oddział partyzancki, który odznaczył się dużymi sukcesami w zwalczaniu niemieckich transportów. Tam, w 1943 roku otrzymał rozkaz nawiązania kontaktu z niemieckim oficerem o pseudonimie „Fluff".

– Zaczekaj na mnie, zaraz wrócę! – rzucił porucznik zeskakując ze stopnia dorożki. Skierował się do domu, w którym mieszkał. Wszystko wyglądało bardzo naturalnie. Ot, oficer zapomniał czegoś ważnego z domu i musiał powrócić po zapomniany przedmiot. Rzeczywiście, po kilku minutach wrócił do dorożki, dość ostentacyjnie niosąc wypchaną teczkę. Był w niej karton papierosów, prezent dla przyjaciela, który tego dnia obchodził imieniny.

– Z powrotem! – rzucił dorożkarzowi. Przez całą drogę milczał. Następne informacje miał przekazywać Katii, starej praczce, która dwa razy w tygodniu zabierała bieliznę od oficerów. Często w swoich tobołach wynosiła od Ziberta kopie planów, rozkazów, tajne informacje, które w nocy odbierał z jej chaty na skraju Winnicy łącznik od Miedwiediewa.

Prawdziwe nazwisko Ziberta brzmiało Nikołaj Kuzniecow. Był Rosjaninem urodzonym w 1911 roku na Syberii w niewielkiej osadzie, gdzie pewnego dnia przybyli ludzie źle mówiący po rosyjsku. Byli to Nadwołżańscy Niemcy, wyrzuceni ze swoich domostw i przesiedleni w głąb Rosji na rozkaz Stalina. Wyrastał między nimi, mimo woli ucząc się ich zwyczajów i języka, a ponieważ natura dała mu oprócz rosyjskich płowych włosów ostre niemieckie rysy i niebieskie oczy, w gromadzie niemieckich dzieciaków nikt nie mógł go odróżnić. W 1939 roku zwerbowano go do NKWD i ze względu na jego znakomitą znajomość języka niemieckiego wysłano na szkolenie do Moskwy. Tam wyznaczono mu zadanie nawiązania kontaktów z niemiecką ambasadą, do której miał trafić za pośrednictwem... tancerek z baletu. Do tego świata wprowadziła go solistka Teatru Wielkiego w Moskwie Olga L., której mąż, Leonid Rajchman, był zastępcą szefa wydziału kontrwywiadu NKWD. Tam Kuzniecow miał okazję poznać wielu

zarządzania całą Syberią i wieloma gałęziami przemysłu, wyłączono ze struktury tej organizacji policję polityczną, tworząc odrębny Ludowy Komisariat Bezpieczeństwa Państwowego (NKGB) z Wsiewołodem Mierkułowem (bliskim współpracownikiem Berii, który pozostał szefem NKWD) na czele. W 1946 r. NKWD przekształciła się w Ministerstwo Spraw Wewnętrznych (MWD).

zachodnich dyplomatów, często przybywających na spektakle i chętnie składających za kulisami wyrazy uznania co ładniejszym tancerkom. Kuzniecow wywiązał się nadzwyczaj dobrze z tego zadania, zawiązując przyjaźnie z niemieckimi dyplomatami i śledząc kurierów przybywających z Berlina. Dowiadywał się, kiedy przyjeżdżają, kiedy pokoje gościnne ambasady będą zajęte, co zmuszało kurierów do przebywania w hotelu, a jemu stwarzało możliwość podkradania i kopiowania tajnych dokumentów.

W 1942 roku zrzucono Kuzniecowa na spadochronie poza linię frontu na Ukrainie. Miał doskonale podrobione papiery, dostarczone przez George'a Millera, szefa biura nielegalnych paszportów w NKWD. Wynikało z nich, że był Niemcem zamieszkałym w Rydze, gdzie w 1941 roku został zmobilizowany do niemieckiego wojska, a jego dywizja walczyła pod Leningradem, skąd odesłano go na urlop do Równego.

Erich Koch – Gauleiter, którego Kuzniecow nie zdążył zabić

W warunkach wojennych sprawdzenie tych informacji było praktycznie niemożliwe, tym bardziej że wystawiając sfałszowane papiery ludzie Millera wykorzystywali autentyczne niemieckie nazwiska. Gestapo, usiłując ustalić prawdziwą tożsamość porucznika Ziberta, bez trudu odnalazłoby w Rydze ślady rodziny Zibertów, którzy w 1940 roku, tuż przed zaanektowaniem Łotwy przez Rosjan, wyemigrowali do Berlina.

Kuzniecow, szkolony do wykonywania zadań terrorystycznych, działał z szaleńczą odwagą. Rozkaz wyeliminowania niemieckiego dygnitarza wykonywał szybko i sprawnie. Z reguły podchodził do ofiary na ulicy, przedstawiał się, recytował kilka zdań wyroku i strzelał w twarz lub serce. Udało mu się dotrzeć do otoczenia samego Gauleitera Ericha Kocha*. Gotów był dokonać na niego zamachu, ale odstąpił od tego zamiaru, gdy niespodziewanie Koch ostrzegł go, żeby nie wracał do swojej jednostki,

---

* **Erich Koch** (1896–1986) – członek nazistowskiej partii NSDAP od 1925 r., w 1928 r. objął urząd Gauleitera (szefa partyjnego okręgu – Gau) Prus Wschodnich. Po zwycięstwie nazistów objął urząd Oberpresidenta tego kraju. W październiku 1941 r., pozostając tytularnym Gauleiterem, został mianowany przez Hitlera komisarzem Ukrainy z siedzibą w Równem. Wsławił się brutalną eksterminacją około 100 tysięcy miejscowej ludności, w tym 28 tys. Żydów. Na wiosnę 1944 r. powrócił na stanowisko Gauleitera Prus Wschodnich, skąd uciekł w kwietniu 1945 r. Aresztowany przez wojska brytyjskie w maju 1949 r., został wydany władzom polskim. Sądzony i skazany na śmierć 9 marca 1959 r. spędził resztę życia w więzieniu, gdyż ze względu na chorobę nie można było przeprowadzić egzekucji.

Ludwik Trepper – łącznik między niemiecką opozycją a Moskwą?

gdyż szykuje się wielka bitwa pod Kurskiem. Musiał więc jak najszybciej dotrzeć do oddziału Miedwiediewa, aby przekazać tę wiadomość do Moskwy.

W jaki sposób Kuzniecow dowiedział się, że Skorzeny i jego żołnierze mieli zostać przerzuceni do Teheranu? Była to przecież najściślej strzeżona tajemnica, której nie mógł poznać, nastawiając ucha w kasynie lub podpytując urzędniczki w intendenturze. Musiał dotrzeć do wąskiego kręgu ludzi wtajemniczonych w tę operację. Jednym z nich był generał Hans Oster.

Kilka zdań w pamiętniku Pawła Sudopłatowa, wiceszefa radzieckiego wywiadu, kieruje właśnie na ten trop.

Kuzniecow, młody oficer wywiadu udający oficera niemieckiej armii, zdołał nawiązać przyjacielskie stosunki z oficerem niemieckiego wywiadu, Osterem, poszukującym doświadczonych kandydatów do zwalczania rosyjskiej partyzantki. Potrzebował takich ludzi [jak Kuzniecow – BW] do przeprowadzenia operacji przeciwko radzieckiemu naczelnemu dowództwu. Oster zaoferował spłacenie długów Kuzniecowa irańskimi dywanami, które przywiózł do Winnicy wracając z „podróży służbowej" do Teheranu.

To wszystko. Być może Oster nieopatrznie wygadał się młodemu porucznikowi, że był w Teheranie, co Kuzniecow szybko skojarzył z przygotowaniami oddziału Skorzenego, centrala zaś wywiadu w Moskwie połączyła to doniesienie z innymi informacjami, z czego wynikło, że Niemcy przygotowują zamach na jednego lub wszystkich uczestników konferencji w Teheranie. Nie można jednak wykluczyć, że Oster, który prawdopodobnie współpracował z radzieckim wywiadem pod pseudonimem „Werth", przyjechał do Winnicy pod pretekstem poszukiwania kandydatów do pracy wywiadowczej, a w rzeczywistości po to, aby spotkać się z Kuzniecowem. Po rozgromieniu przez Abwehrę i Gestapo radzieckiej siatki „Czerwona Orkiestra" działającej we Francji i Belgii, kontakty generała Ostera z Moskwą mogły zostać zerwane lub stały się tak niepewne, że wolał z nich nie korzystać w obawie przed dekonspiracją. Czas, jaki pozostał na przekazanie informacji do Moskwy, był bardzo krótki. Najlepszym wyjściem było więc dotrzeć na Ukrainę i stamtąd przekazać tę wiadomość o ogromnym znaczeniu.

Prezydent wyrusza na wojnę

Zapadł zmierzch 11 listopada 1943 roku, gdy z Białego Domu w Waszyngtonie wyruszyła kolumna samochodów kierująca się do bazy marynarki wojennej w Quantico. Tam prezydent Franklin D. Roosevelt, któremu

Iowa – jeden z czterech pancerników tego typu (obok New Jersey, Wisconsin *i* Missouri*), od stycznia 1944 roku służył na Pacyfiku, gdzie brał udział w walkach o Truk, Mariany, Leyte i Okinawę. Dane taktyczno-techniczne: wyporność 45 000 t, długość 270,1 m, szerokość 33,6 m, zanurzenie 10,9 m, prędkość 33 węzły, uzbrojenie 9 dział kal. 406 mm, 20 dział uniwersalnych kal. 127 mm, 60 dział przeciwlotniczych kal. 40 mm, 80 dział przeciwlotniczych kal. 20 mm, 3 wodnosamoloty*

towarzyszył jego bliski doradca i przyjaciel, Harry Hopkins, admirał Williman D. Leahy*, Edwin Watson** i dwaj inni doradcy, wsiadł na pokład statku *Potomac*, który wnet wyruszył w dół rzeki i nad ranem dopłynął do ujścia Potomaku, gdzie w odległości pięciu mil widać było masywną sylwetkę *Iowa*, jednego z najszybszych i największych pancerników w amerykańskiej marynarce. Kilka godzin później prezydent, do którego dołączył gene-

Generał George Catlett Marshall

* **William Daniel Leahy** (1875-1959) – admirał amerykański. Absolwent Akademii Marynarki Wojennej (USNA, 1897 r.), spędził 46 lat w służbie na morzu. Bliski przyjaciel prezydenta F. D. Roosevelta, w styczniu 1937 r. objął stanowisko szefa operacji morskich (CNO), z którego odszedł na emeryturę 1 sierpnia 1939 r. Po krótkim okresie sprawowania urzędu gubernatora Puerto Rico został mianowany ambasadorem w Vichy, gdzie dotarł 5 stycznia 1941 r. Po wypowiedzeniu wojny przez Niemcy, 6 lipca 1942 r. został doradcą prezydenta do spraw wojskowych na stanowisku przewodniczącego Szefów Połączonych Sztabów (JCS). Do końca wojny pozostał bliskim doradcą prezydenta. Przeszedł w stan spoczynku 25 marca 1949 r.

** **Edwin Martin Watson** (1883-1945) – polityk amerykański. Absolwent akademii West Point w 1908 r., walczył w czasie I wojny światowej we Francji. W latach 1933-39 był *aide de camp* F. D. Roosevelta, a następnie jego sekretarzem.

rał George Marshall*, admirał Ernest J. King** i paru innych doradców, wprowadził się do kapitańskiej mesy, którą uprzejmie oddał mu dowódca, kapitan John McCrea, i pancernik w otoczeniu niszczycieli, kierując się do Oranu, wyruszył w oceaniczną podróż, która o mało nie zakończyła się tragicznie.

Drugiego dnia podróży kapitan zaprosił prezydenta na pomost, z którego mógł on obserwować ćwiczenia przeciwlotnicze. Było to piękne widowisko, gdy pancernik spowity chmurą dymu ze 160 dział przeciwlotniczych stawiał zasłonę ogniową przeciwko wyimaginowanym samolotom, podczas gdy z oddali wtórowały mu niszczyciele. Nagle jeden z oficerów stojących obok prezydenta krzyknął:

– To nie są ćwiczenia! To jest prawdziwe!

Okręt gwałtownie zwiększył prędkość do 31 węzłów i zaczął wykonywać ciasny skręt. Prezydent, nieco zdezorientowany, odwrócił się do Harry'ego Hopkinsa:

– Gdzie to jest?

Ten nie odpowiedział, lecz podbiegł do bariery i wtedy zobaczyli wielką fontannę wzbijającą się z wody w odległości kilkudziesięciu metrów od okrętu.

– Jeden z niszczycieli, *William D. Porter*, przypadkowo wystrzelił torpedę. Każę zdymisjonować dowódcę! – relacjonował admirał King.

---

* **George Catlett Marshall** (1880–1959) – absolwent Virginia Military Institute, w czasie I wojny światowej walczył we Francji jako szef sztabu amerykańskiej 1 dywizji piechoty. W okresie międzywojennym był w sztabie gen. Johna Pershinga, w Chinach dowodził pułkiem i brygadą. Od 1938 r. był szefem wydziału ds. planowania strategicznego i w tym samym roku został zastępcą szefa Sztabu Generalnego. 1 września 1939 r., na podstawie rekomendacji gen. Pershinga, został mianowany szefem Sztabu Generalnego. Działał aktywnie na rzecz rozbudowy i unowocześnienia amerykańskich sił zbrojnych (w czym odniósł ogromny sukces, zwiększając liczebność wojska z 1,8 mln ludzi w 1941 r. do 8,25 mln w 1945 r.). W 1942 r. wszedł w skład Połączonego Komitetu Szefów Sztabów; opowiadał się za przyznaniem pierwszeństwa działaniom wojsk amerykańskich w Europie. Brał udział we wszystkich najważniejszych konferencjach Sprzymierzonych. W listopadzie 1945 r. na własną prośbę przeszedł na emeryturę, lecz wkrótce przyjął stanowisko przedstawiciela USA w Chinach, zaproponowane mu przez prezydenta Harry'ego Trumana. W latach 1947–1949 był sekretarzem stanu. Opracował plan pomocy gospodarczej dla państw Europy Zachodniej (nazwany jego imieniem), za który w 1953 r. otrzymał Pokojową Nagrodę Nobla.

** **Ernest Joseph King** (1878–1956) – admirał amerykański, absolwent Akademii Morskiej (1901 r.), w czasie I wojny światowej służył na niszczycielu i w sztabie atlantyckiej floty pancerników. W latach 1923–1926 był dowódcą bazy okrętów podwodnych, a następnie dowodził lotniskowcem *Lexington*. Od 1933 do 1936 r. kierował Biurem Aeronautyki. W latach 1938–1939 dowodził eskadrą lotniskowców. W lutym 1941 r., w randze admirała, objął dowodzenie nowo utworzonej amerykańskiej Floty Atlantyku. 20 grudnia 1941 r. mianowany głównodowodzącym marynarki wojennej Stanów Zjednoczonych; pod jego bezpośrednim nadzorem powstawały plany wszystkich większych operacji morskich na Atlantyku, u wybrzeży Afryki Północnej i Europy. W latach 1943–1944 uczestniczył w konferencjach Sprzymierzonych, gdzie występował jako zwolennik koncentrowania wysiłku wojennego Stanów Zjednoczonych na Pacyfiku. 15 grudnia 1945 r. zrezygnował z zajmowanego stanowiska.

Roosevelt zaprotestował twierdząc, że dla tego nieszczęśnika sama świadomość, że mógł posłać na dno pięciu admirałów i prezydenta, jest wystarczającą karą. W rzeczywistości torpeda, nawet gdyby trafiła w okręt, nie wyrządziłaby temu pancernemu kolosowi większej szkody.

Dalsza podróż do Oranu przebiegła już bez większych sensacji.

Pogoda dobra i jest wystarczająco ciepło, aby siedzieć tylko w swetrze narzuconym na rybacką koszulę i parę starych spodni. Nie mogę opisać trasy, ale powinniśmy zobaczyć Afrykę jutro w nocy i wylądować w niedzielę rano – pisał prezydent do swojej żony Eleonory, nie ośmielając się wspomnieć o wypadku z torpedą.

Czas na pokładzie pancernika bynajmniej nie upływał na wygrzewaniu się w promieniach jesiennego słońca. Prezydent musiał się przygotować do spotkania z Churchillem i nieznośnym „Wujkiem J.", jak nazywał Stalina. Paradoksalnie ten drugi wydawał mu się bliższy, co wynikało z niezwykłej niechęci, jaką amerykański demokrata żywił wobec brytyjskiego kolonializmu. Roosevelt pragnął, aby po strasznej wojnie na

Gdzie wkopać radzieckie słupy graniczne? Stalin wiedział

181

świecie zapanował nowy ład, oparty na wolności wszystkich ludzi i sprawiedliwości, a kolonializm przekreślał taką możliwość. Był jak kamień ciągnący na dno. Należało więc go odciąć!

Spodziewał się, że w Teheranie Winston Churchill będzie zabiegał o zgodę sojuszników na dokonanie inwazji na Bałkany i doskonale wiedział, co się za tym kryło. Morze Śródziemne było najważniejszym akwenem dla brytyjskiego imperium, którego istnienie zależało od utrzymania kontroli nad szlakami żeglownymi prowadzącymi przez te wody na Bliski Wschód i dalej, przez Kanał Sueski, do Indii i na Daleki Wschód. Tam zaś znajdowało się całe bogactwo świata: ropa naftowa, kauczuk, rudy metali kolorowych.

Wielka Brytania zachowała Gibraltar – skalną bramę prowadzącą na Morze Śródziemne, Maltę – wyspę położoną w najważniejszym strategicznie punkcie tego akwenu, Egipt z jego bezcennym Kanałem Sueskim. Po krwawych walkach z wojskami niemieckimi i włoskimi przechwyciła kontrolę nad długim nadbrzeżnym pasem Afryki Północnej. Jednakże na mapie brytyjskich wpływów Bałkany pozostawały białą plamą i Winston Churchill miał wszelkie powody, aby niepokoić się o przyszłość tych obszarów. W Jugosławii działała bardzo silna komunistyczna partyzantka Josipa Broz-Tito i było oczywiste, że po wypędzeniu Niemców ona przechwyci władzę w kraju. Podobnie miała się rzecz w Albanii, gdzie na południu od 1943 roku działała silna partyzantka komunistyczna, na czele której stanął Enver Hodża. W Grecji sytuacja była jeszcze trudniejsza, gdyż wpływy probrytyjskiego i antykomunistycznego rządu emigracyjnego były niewielkie, w kraju zaś coraz większe znaczenie zdobywał lewicowy Narodowy Front Wyzwolenia (ELAS), który w 1944 roku stał się ugrupowaniem najsilniejszym politycznie i militarnie.

Rozwój sytuacji na froncie wschodnim pozwalał przewidywać, że Armia Czerwona, wypierając wojska niemieckie, wkroczy do Rumunii, Bułgarii i na Węgry. Tak więc ten rejon Europy, o który wybuchła pierwsza wojna światowa, mógł wpaść w ręce radzieckie, a wówczas brytyjskie szlaki wiodące na Bliski i Daleki Wschód byłyby bardzo zagrożone.

Prezydent Roosevelt nie miał jednak zamiaru pomagać Churchillowi w rozwiązaniu tego problemu. Tym bardziej że jego najbliżsi doradcy byli podobnego zdania.

– Brytyjczyków powinno się zmusić do honorowania porozumień zawartych w czasie konferencji w Waszyngtonie i Quebecku – powtarzał w czasie rozmów z prezydentem na pokładzie pancernika generał George Marshall. – Jedyną akcją odwracającą uwagę Niemców od głównej inwazji [na północną Francję – BW] powinna być operacja „Anvil" – lądowanie w południowej Francji, a nie na Bałkanach.

– Czy sądzisz, że możemy tę sprawę stawiać tak arbitralnie? – zapytał prezydent.

– Panie prezydencie, 1 stycznia 1944 roku liczebność naszych sił zbrojnych, zaangażowanych w walkach na całym świecie, wyniesie 10,7 mln żołnierzy. W tym czasie liczebność wojsk brytyjskich nie przekroczy 4,4 mln – odpowiedział Marshall bardzo stanowczo.

Prezydent Roosevelt z najbliższymi współpracownikami w kabinie „Świętej Krowy" (od lewej): adm. W. D. Leahy, Roosevelt, H. Hopkins, por. H. M. Cone Jr.

Roosevelt milczał przez chwilę, ale widać było, że ta odpowiedź zrobiła na nim duże wrażenie.

– Tak, generał Marshall powinien być naczelnym dowódcą alianckich wojsk walczących z Niemcami i objąć pod swoją komendę oddziały brytyjskie, francuskie, włoskie i amerykańskie, które wezmą udział w tym przedsięwzięciu – wykrzyknął. Zrobił ogromną przyjemność Marshallowi, który bardzo liczył, że przypadnie mu zaszczyt dowodzenia wojskami alianckimi wyzwalającymi Europę. Nie podejrzewał, że Churchill, świadom zapewne, że ma w Marshallu największego przeciwnika swoich planów, odpłaci mu pięknym za nadobne i nie dopuści, aby dowództwo alianckich wojsk inwazyjnych przeszło w jego ręce.

Roosevelt miał więc argument moralnie uzasadniający odmowę na udział w inwazji na Bałkany. Oczywiście niechęć do kolonializmu i chęć uwolnienia świata od tej „hańby XX wieku", jak czasami nazywał kolonializm, była pięknym motywem poczynań prezydenta, ale bynajmniej nie jedynym. W 1941 roku z niemałym trudem wyrwał Stany Zjednoczone ze słodkiego izolacjonizmu, w który zapadły po I wojnie światowej. Posłał na fronty na Pacyfiku, w Afryce i Europie ponad 10 milionów żołnierzy, uruchomił gigantyczną machinę wojenną. Nie po to jednak przelewał krew amerykańskich chłopców i wydawał pieniądze amerykańskich podatników, aby zwrócić Brytyjczykom to, co zagarnęli podczas kolonialnych wypraw, a co w czasie drugiej wojny światowej wydarli im Niemcy, Włosi i Japończycy. Ta wojna była wielką inwestycją, która miała przynieść profity amerykańskiemu społeczeństwu.

183

Zgodnie z przewidywaniami pancernik *Iowa* wszedł do orańskiego portu wczesnym niedzielnym rankiem. Prezydent, stojąc na pomoście, gestem dłoni witał czekających na Nabrzeżu Barbary swoich synów: Elliotta* i Franklina**, którzy mieli mu towarzyszyć w podróży do Teheranu, oraz generała Dwighta Eisenhowera i innych wyższych oficerów.

W tym samym czasie na lotnisku w Kairze wylądował samolot Winstona Churchilla. Premier, zaziębiony i w ponurym nastroju, natychmiast wyruszył w towarzystwie ambasadora Alexandra C. Kirka do wielkiej i pięknej willi niedaleko piramid, przygotowanej na jego przyjęcie. Oczekiwał z niecierpliwością przyjazdu prezydenta. Zdecydowany był skruszyć jego nieufność wobec planu lądowania na Bałkanach, a w każdym razie uwikłać prezydenta we wspólne ustalenia, które ograniczyłyby Amerykanom pole manewru w Teheranie i możliwość zbliżenia ze Stalinem. Nie przewidywał, jak bardzo przebiegli są sojusznicy.

22 listopada prezydencki samolot o nazwie „Sacred Cow" (Święta Krowa) wylądował na lotnisku w Kairze, skąd Amerykanie udali się do przygotowanych przez Brytyjczyków kilku willi w pobliżu piramidy Cheopsa.

Następnego dnia, gdy obydwie delegacje zajęły miejsca przy stole konferencyjnym w pięknym hotelu „Mena Palace", ku zdumieniu Brytyjczyków na salę wkroczył Czang Kaj-szek***, w czarnej tunice nadającej mu wygląd mnicha. To było bardzo sprytne zagranie doradców Roosevelta. Obecność chińskiego przywódcy zmuszała do omówienia strategii dzia-

---

* **Elliott Roosevelt** (1910-1990) – trzecie dziecko w rodzinie (po Annie Eleonorze i Jamesie), w czasie II wojny służył w Army Air Corps, awansując do stopnia generała. Często krytykowany przez prasę (m.in. w styczniu 1945 r., gdy wysadzono z wojskowego samolotu 3 żołnierzy, aby zrobić miejsce dla wielkiego mastifa, którego wysłał do Stanów dla żony). Odznaczony za służbę w lotnictwie rozpoznawczym DFC oraz odznaczeniami brytyjskimi i francuskimi. Po wojnie prowadził przedsiębiorstwo handlowe na Florydzie, w latach sześćdziesiątych był burmistrzem Miami Beach.

** **Franklin D. Roosevelt** jr. (1914-1988) – absolwent Harvard University i University of Virginia, w czasie II wojny służył jako dowódca okrętu. Po wojnie pracował jako prawnik w Nowym Jorku, a w 1949 r. rozpoczął karierę polityczną, bezskutecznie kandydując do fotela gubernatora. W latach 1963-1965 był podsekretarzem ds. handlu, a następnie przedstawicielem FIATA w USA.

*** **Czang Kaj-szek** (1887-1975) – generalissimus chiński. 12 kwietnia 1927 r. dokonał przewrotu, w wyniku którego stanął na czele rządu w Nankinie. W obliczu agresji japońskiej zawarł w sierpniu 1937 r. sojusz z Partią Komunistyczną, jednakże zniszczenie przez jego wojska w styczniu 1941 r. kwatery głównej sił komunistycznych spowodowało rozpad wspólnego frontu antyjapońskiego, a Czang Kaj-szek zaczął koncentrować wysiłki podległych sobie oddziałów na odgrodzeniu południowej części kraju od opanowanej przez komunistów północy. Mianowany w grudniu 1941 r. przez prezydenta Franklina D. Roosevelta i premiera Winstona Churchilla głównodowodzącym wojskami alianckimi w Chinach niewiele robił, aby prowadzić aktywną walkę z wojskami japońskimi. Po wojnie armie jego partii, Kuomintangu, utraciły poparcie społeczeństwa chińskiego, a pozbawione wystarczającej pomocy finansowej i materiałowej ze Stanów Zjednoczonych, nie potrafiły przeciwstawić się siłom komunistycznym, które w 1949 r. zawładnęły Chinami. Czang Kaj-szek schronił się na Tajwanie.

Pancernik HMS Renown – okręt, na pokładzie którego Winston Churchill przybył do Kairu

Konferencja w Kairze (siedzą od lewej: Czang Kaj-szek, F. D. Roosevelt, W. Churchill, pani Czang)

Sarah Churchill

łań na Dalekim Wschodzie, a tym samym skracała czas, jaki Roosevelt i Churchill mogli poświęcić problemom Europy. Oczywiście Amerykanie zawsze mogli wytłumaczyć rozsierdzonym Brytyjczykom, że obecność chińskiego dyktatora była konieczna, aby zamaskować właściwy cel spotkania w Kairze, jakim było przygotowanie się do rozmowy z radzieckim dyktatorem. W przeciwnym wypadku zarzuciłby im, że są nieszczerzy i przybywają do Teheranu nie po to, aby otwarcie dyskutować, lecz żeby narzucić mu plan, jaki opracowali poza jego plecami.

Atmosfera stawała się nieznośna. Charles Moran*, lekarz towarzyszący Churchillowi, zanotował w pamiętniku:

W obozie amerykańskim daje się zauważyć jakieś zacietrzewienie, jakaś złowieszcza ostrość przebija z ich wypowiedzi, kiedy mówią, że nie zamierzają dopuścić do zepsucia wszystkiego przez brak zdecydowania.

Jednak napięcie panujące na sali konferencyjnej zdawało się nie zakłócać niemalże rodzinnej atmosfery utrzymującej się podczas nieformalnych wieczornych spotkań Roosevelta i Churchilla.

Sprawy przebiegają całkiem sympatycznie – pisał prezydent do żony. Był wyraźnie w rodzinnym nastroju, co uwidoczniło się szczególnie w czasie kolacji w Dniu Dziękczynienia.

Sarah, córka Churchilla, wydała kolację, na której prezydent bardzo zręcznie podzielił indyka i siedząc na wysokim krześle na kółkach, wzniósł toast.

– Duże rodziny są z reguły bardziej zjednoczone niż małe. Tego roku z ludźmi ze Zjednoczonego Królestwa stanowimy dużą rodzinę, bardziej zjednoczoną niż kiedykolwiek przedtem. Proponuję toast za tę jedność i niech długo trwa!

Churchill ze szczerym uśmiechem na twarzy podniósł kieliszek. Ten toast bardzo mu odpowiadał, lecz wiedział, że przy świątecznym stole wypowiada się miłe, ale czasami zupełnie nieprawdziwe słowa. Ostatecznie to jego zmartwieniem było znalezienie sposobu na niedopuszczenie do porozumienia się Roosevelta ze Stalinem. Jednakże wszystkie atuty były poza jego talią, z czego chyba jeszcze nie zdawał sobie sprawy.

---

* **Charles Moran** (1882–1977) – przewodniczący brytyjskiego Królewskiego Kolegium Lekarzy, od 1940 r. osobisty lekarz Winstona Churchilla, towarzyszył premierowi w czasie wszystkich konferencji.

W sobotę 27 listopada o godzinie 6.35 kolumna limuzyn wynurzyła się z mgły spowijającej kairskie lotnisko i zatrzymała się przy prezydenckim samolocie. Za Rooseveltem podążali Hopkins, Harriman, Leahy, Watson i tuzin innych doradców, którzy szybko wspięli się po wąskich schodkach i zajęli fotele w wąskim kadłubie zgodnie z nakazami protokołu dyplomatycznego. Czekali, aż mgła się podniesie i będą mogli wystartować.

Przełom

Rozklekotany Junkers *F-13*, który już od połowy lat trzydziestych pełnił służbę w irańskich liniach lotniczych, przetoczył się po betonowych płytach pasa startowego i odkołował pod niewielki murowany budynek. Łopaty śmigła znieruchomiały, a obsługa dostawiła do drzwi kabiny metalowe schodki. Dwaj żandarmi, wyraźnie zmęczeni upałem, stanęli obok, nie wykazując jednak żadnego zainteresowania podróżnymi, którzy pojawili się w drzwiach samolotu.

Hans Trauper przerzucił marynarkę zwiniętą w pół przez ramię i zdecydowanym krokiem podążył do budynku dworca. Chciał jak najszybciej zejść z rozgrzanej słońcem betonowej płyty lotniska.

Żandarm starannie przejrzał jego paszport.

– Mister Corus?... – z trudem odczytał nazwisko.

– Tak – skinął głową Trauper. – Jestem amerykańskim korespondentem.

Żandarm nie zadawał więcej pytań, lecz postawił w paszporcie wielką pieczęć, przy której napisał coś niezrozumiałego dla Europejczyka i skinął dłonią dając znak, że droga jest wolna.

Trauper odebrał bagaże i ruszył do wyjścia. Tam opadło go trzech taksówkarzy, z których każdy zachwalał swój samochód. Pozwolił, aby jeden

Pasażerski Junkers F-13 nad Teheranem

Widok Teheranu z lotu ptaka. Poniżej wejście na bazar w stolicy Persji

z nich wyjął mu walizkę z ręki i zaciągnął do swojej taksówki. Dlaczego złamał podstawową zasadę, której uczono go na kursach szpiegów w ośrodku pod Monachium: nigdy nie idź do łóżka z kobietą, która ci to proponuje, i nie wsiadaj do taksówki, której kierowca zaprasza cię do środka? Może zmęczenie podróżą i wilgotny upał teherańskiego popołudnia sprawił, że zaniedbał podstawową zasadę bezpieczeństwa.

– Mister! Hotel, good hotel – paplał taksówkarz. Trauper przypomniał sobie, że nie podał adresu, pod który zmierzał. Wyciągnął z portfela kartkę i odczytał nazwę ulicy.

– Yes, yes, mister, hotel – taksówkarz dał do zrozumienia, że wie dokąd zawieźć gościa, więc Trauper rozsiadł się wygodnie i zaczął obserwować drogę, zastanawiając się, czy tą trasą będzie jechał za kilka dni prezydent Roosevelt, gdy przybędzie do Teheranu.

Jezdnia zwęziła się i skręciła szerokim łukiem do dzielnicy małych białych domków bez okien, które wyglądały jak pudełka do butów porozrzucane na piasku. Ruch na jezdni zgęstniał, a mnogość wózków ciągnionych przez osły i przekupniów z koszami wskazywała, że znaleźli się w pobliżu bazaru. Potwierdził to kierowca, który nie zwalniając tempa jazdy odwrócił się do Traupera i powiedział szybko coś, z czego można było zrozumieć tylko słowo „suk".

– Niewiele cię bracie rozumiem, ale chyba mnie informujesz, że w pobliżu jest bazar, na którym twój brat ma stragan ze złotem najtańszym na świecie i chcesz mnie tam zawieźć, żebym coś kupił – powiedział po angielsku Trauper. Kierowca uznał uśmiech na jego twarzy za potwierdzenie, że jego przemówienie zostało zrozumiane. Zatrzymał gwałtownie samochód i podsunął Trauperowi pod nos rozłożoną dłoń. Następnie podłożył kołek pod dźwignię hamulca ręcznego, gdyż sama nie utrzymywała się w górnym położeniu, i wysiadł z samochodu, wciąż machając w stronę pasażera rozłożoną dłonią.

– Ej! Wracaj ty, sukinsynu! – krzyknął za nim Trauper, który wreszcie zrozumiał, że kierowca postanowił zrobić zakupy i właśnie mu pokazał, że wróci za pięć minut. Tamten jednak nie zareagował, a po chwili zniknął w tłumie tak samo ubranych ludzi. W tym samym momencie Trauper dostrzegł, że obok jego taksówki stanął dwukołowy wózek, wysoko obładowany stertami worków z ziarnem. Zatrzymał się tak blisko, że uniemożliwiał otwarcie drzwi. To podziałało na Traupera jak sygnał alarmowy. Poczuł, że jest w pułapce, szybko przesunął się na drugą stronę i sięgnął do klamki, ale w tym momencie ktoś otworzył drzwi z rozmachem. W ostatniej chwili Trauper dostrzegł zarośniętą twarz o europejskich rysach i zanim zdołał wykonać jakikolwiek ruch, cios pięścią uzbrojoną w kastet, a może krótką pałką, wymierzony wprost w twarz, pozbawił go przytomności.

Ocknął się pod strumieniem zimnej wody, którą ktoś polewał jego głowę z gumowego węża. Ze złamanego nosa ciekła mu krew, która zmieszana z wodą zostawiała różowe plamy na koszuli i jasnych spodniach.

– No wreszcie... – usłyszał głos po niemiecku. Podniósł głowę. Nie widział na jedno oko, które spuchło po ciosie, jaki otrzymał w twarz. Siedział przywiązany do solidnego drewnianego krzesła pośrodku warsztatu ślusarskiego mieszczącego się prawdopodobnie w piwnicy, na co wskazywała woń stęchlizny zmieszana z odorem oleju, metalowych opiłków i moczu.

Pochylił się nad nim mężczyzna i Trauper rozpoznał w nim tego, który uderzył go w samochodzie.

– Jestem amerykańskim korespondentem! Nazywam się James Corus! – krzyknął z siłą, na jaką go było stać.

– Niech nie opowiada bzdur – zza rogu wyłonił się młody mężczyzna, blondyn, w koszuli z podwiniętymi rękawami. – Ja dobrze wiem, kim jesteś.

Mówił płynnie po niemiecku, bez obcego akcentu. Pochylił się nad Trauperem i dotknął palcem jego złamanego nosa, co wywołało dotkliwy ból.

– Czy jest pan Niemcem? – Trauper mówił w dalszym ciągu po angielsku, ale przez sekundę pomyślał, że nastąpiła pomyłka i schwytali go agenci SD lub Abwehry. Ożywiła go nadzieja, że zaraz wszystko się wyjaśni i facet z zarośniętą twarzą będzie go przepraszał za uderzenie.

– Posłuchaj uważnie – blondyn nie odpowiedział na pytanie, jakby w ogóle go nie dosłyszał. – Mamy przed sobą całą noc, żebyś powiedział mi wszystko, co wiesz. Zapewniam cię, że powiesz. Nawet wtedy, gdy będziesz krwawym strzępem, będziesz mógł mówić. Oszczędzimy twój język i będzie to twój jedyny cały organ.

– Nie wiem, o czym pan mówi. Ja przysięgam, ja jestem korespondentem. Przyleciałem dzisiaj w południe z Kairu... W marynarce mam paszport. Nazywam się Corus, James Corus! – Trauper starał się nadać swojemu głosowi jak najbardziej przekonujące brzmienie, lecz zdał już sobie sprawę, że nie ma szans, aby ktokolwiek mu uwierzył. Blondyn wyprostował się, spojrzał na kogoś stojącego z tyłu za krzesłem i dał mu znak skinieniem głowy. Trauper poczuł, jak na jego szyi zaciska się sznur. Po chwili potężny cios kastetem zadany przez blondyna zdruzgotał mu policzek. Zapadł w ciemność, z której po chwili wydobył go ponownie strumień zimnej wody.

– Posłuchaj, faszysto – blondyn znów się nad nim pochylił i przysunął twarz tak blisko, że czuć było smród nikotyny z jego ust. – Ty i twoi ludzie zagrażacie komuś, kogo kocham. Bardziej niż ojca i matkę! Towarzyszowi Stalinowi! Rozumiesz, draniu? Nie mamy czasu. Albo powiesz natychmiast wszystko, co wiesz, i uratujesz życie, albo powiesz to po paru godzinach, ale będziesz już tylko krwawym ochłapem i będziesz mnie błagał, żebym cię dobił...

Zawiesił głos i czekał na reakcję Traupera. Ten milczał.

– Włóż mu palce w imadło – powiedział wreszcie blondyn do mężczyzny za plecami, a ten mocniej zacisnął Trauperowi pętlę na szyi.

– Dość... powiem... – wystękał Trauper, rozpaczliwie usiłując złapać powietrze.

– Jesteś rozsądny – blondyn przysunął sobie zydel i usiadł naprzeciwko. – Jak się nazywasz?

– Hans Trauper.

– Jesteś z Abwehry czy SD?

– Z Abwehry.

– Jaki masz pseudonim?

– „Joachim".

– Z kim miałeś się tutaj spotkać i kiedy?

– Jutro o 10 rano, przy fontannie na placu przy meczecie. Mężczyzna w jasnym garniturze w prążki, z „Timesem" w kieszeni marynarki. Nie wiem, jak się nazywa. To Niemiec.

– Hasło?

– „Upał nie daje żyć", po angielsku.

– Odzew?

– „Można się przyzwyczaić".

– Inne znaki rozpoznawcze?

Trauper pokręcił głową.

– Po co to spotkanie?

– On jest z oddziału rozpoznawczego SS, przerzuconego pewien czas temu do Iranu. Nie wiem kiedy – dodał pospiesznie. – Miał mnie zaprowadzić do Persa, którego ludzie obserwują lotnisko, aby nas poinformować, kiedy przyleci Roosevelt. Chodziło także o to, żeby Pers zorganizował tłum, który zatrzyma samochód prezydenta i rozpocznie bijatykę z ochroną. Wszystko to mieliśmy ustalić jutro.

- Tylko ty miałeś się z nim spotkać?
- Nie, jeszcze jeden agent. Pseudonim „Hans". W tym samym miejscu i czasie.
- Czy znasz, któregoś z nich?
- Nie.

Blondyn wstał i odsunął stołek.

- Zabij go - powiedział do drugiego.

Założył kapelusz, odwrócił się.

- Ale bez hałasu - dodał i wyszedł z warsztatu.

Następnego dnia wysoki mężczyzna o śniadej cerze i europejskich rysach, ubrany w jasny garnitur w prążki, ze złożonym „Timesem" w kieszeni przeszedł przez szeroki plac przed meczetem i skierował

Ulica miasta – miejsce w którym rozgrywała się walka wywiadów

się w stronę kafejki. Nie wszedł tam jednak, lecz zainteresowany okrzykami, które nagle dały się słyszeć zza rogu, odwrócił się. U wylotu ulicy pojawił się kondukt pogrzebowy, na czele którego postępowało kilka kobiet zawodzących z niezwykłą energią i odwracających się co chwilę w stronę zwłok zawiniętych w białe prześcieradło, wysoko niesionych nad głowami żałobników na niewielkiej drewnianej platformie przez kilku młodzieńców.

Przeszli obok, czyniąc nadzwyczajny harmider i zamieszanie, więc nikt nie mógł dostrzec, że w pewnym momencie mężczyzna w jasnym garniturze zwrócił głowę w stronę siedzącego przy stoliku grubego łysego Persa, który nieznacznie skinął głową. Mężczyzna odczekał aż hałaśliwy kondukt przejdzie do meczetu i ponownie okrążył plac, aby po kilku minutach znowu znaleźć się przed kawiarnią. I tym razem odszukał wzrokiem grubasa przy stoliku, a napotykając jego oczy, w których nie było znaku ostrzeżenia, ruszył w stronę fontanny pośrodku placu.

Przez ostatnie kilka godzin krążył po śródmieściu Teheranu według wcześniej ustalonego planu, który przewidywał, o jakiej godzinie miał się stawić w wyznaczonym miejscu. Tam, zmieszany z tłumem, już na niego czekał grubas, który bacznie obserwował, czy mężczyzna w jasnym garniturze nie jest śledzony. Jemu samemu trudniej byłoby zauważyć, czy ktoś za nim postępuje, postronny zaś obserwator, nieznany śledzącym, mógł łatwiej dostrzec ewentualnych prześladowców. Znak, który dał, siedząc przy stoliku w kafejce, był ostatecznym potwierdzeniem, że nie ma powodów do obaw.

Mężczyzna w jasnym garniturze podszedł do fontanny i usiadł na kamiennym obramowaniu, jak zmęczony turysta.

– Upał nie daje żyć – usłyszał w pewnej chwili. Podniósł głowę i zobaczył wysokiego blondyna. „Nie mogli przysłać bardziej typowego Niemca – pomyślał. – Ech ci fachowcy z Abwehry".

– Można się przyzwyczaić – odpowiedział, wyciągając rękę. – Ty jesteś „Joachim"? – zapytał. – Nazywają mnie „Drozd". „Ali" już na nas czeka. Gdy się odwrócisz, zobaczysz na wprost siebie wąską uliczkę. Druga brama w piętrowym domu po lewej stronie. Zastukaj trzy razy wolno i dwa szybko. Ja przyjdę za kilka minut. Oprócz nas będzie jeszcze ktoś...

Opuścił gazetę, rozejrzał się po placu i dał znak, że nie ma już nic więcej do powiedzenia.

„Joachim" poszedł wprost przed siebie i po chwili zniknął w cieniu. W tym samym czasie grubas przy stoliku zdusił papierosa na marmurowym odłamku zastępującym popielniczkę, rozejrzał się badawczo wokół i nie dostrzegając niczego podejrzanego, wstał i powoli, jakby z ociąganiem ruszył w stronę wąskiej uliczki. Jeszcze raz się obejrzał, po czym szybkim krokiem wszedł do cienia, gdzie natychmiast skręcił do bramy. Zatrzymał się, czekając, czy za nim nikt nie wejdzie, ale po kilku minutach, gdy nic nie zakłócało spokoju, zbiegł schodkami do sutereny i zastukał w umówiony sposób. Drzwi otworzyły się z hałasem, jaki czynią deski trące o cementową posadzkę. Grubas szybko wszedł do środka.

Wewnątrz panował wilgotny zaduch, a ciemność rozpraszała niewielka żarówka w potłuczonej bakelitowej oprawie.

Pers, który otworzył drzwi, skłonił się nisko i pospiesznie zniknął za drugimi drzwiami, prowadzącymi do dalszych części sutereny.

Po kilku minutach nadeszli dwaj pozostali Niemcy. Ostatni przyszedł gruby Pers.

– W okolicy wszystko w porządku – powiedział po angielsku. Zostanę za drzwiami.

Odwrócił się i skierował do wyjścia, gdy w tym samym momencie drzwi wypadły z framugi pod potężnym kopniakiem i do piwnicy wtargnęło trzech rosłych mężczyzn z pistoletami w dłoniach.

„Drozd" usiłował wydobyć pistolet z kieszeni marynarki, lecz „Joachim" był szybszy i przystawił mu lufę do głowy.

– Rusz się, a rozwalę ci łeb – powiedział. Wsadził mu rękę za połę marynarki i wyciągnął Lugera.

– Jestem oficerem radzieckiego wywiadu – odwrócił się do pozostałych stojących z podniesionymi rękami. – Jesteście aresztowani.

Wejście na bazar w Teheranie

W tym samym momencie usłyszał strzały i krzyki dobiegające z podwórka.
- Co tam się dzieje! Sprawdź to - krzyknął blondyn do jednego ze swoich ludzi. Ten wybiegł na zewnątrz i po chwili wrócił.
- Nie dopilnowali - powiedział zdyszany. - Pers uciekł, ale go gonią.

Koniec przed początkiem

Samolot prezydenta przemknął nad Kanałem Sueskim. Spłowiała zieleń Kairu szybko pozostała w tyle i pod lecącymi rozciągnęła się szara pustka półwyspu Synaj.

Franklin D. Roosevelt przysunął się bliżej okna, aby podziwiać nieznane widoki za oknem, szybko jednak, znudzony jednostajnością krajobrazu, oddał się krótkiej drzemce. Obudził się, gdy samolot zataczał szerokie koło nad Jerozolimą, aby się udać w stronę Morza Martwego.

Po kilku godzinach wylądowali na lotnisku radzieckich sił powietrznych, położonym kilka kilometrów na północ od Teheranu, i kawalkada czarnych buicków, do których wsiedli prezydent i jego ekipa, ruszyła szybko w stronę ambasady amerykańskiej.

Michael F. Reilly, szef ochrony prezydenta, który wsiadł do samochodu Roosevelta, obserwował z niepokojem zatłoczone ulice, przez które dwa, a może więcej razy dziennie mieli przejeżdżać z ambasady amerykańskiej do brytyjskiej i radzieckiej. Dobrze pamiętał wydarzenie z 1933 roku. 15 lutego, gdy prezydent w odkrytym samochodzie jechał ulicami Miami na Florydzie, z tłumu wyrwał się włoski murarz Giuseppe Zangara, krzycząc:
- Za wielu ludzi umiera z głodu!

Udało mu się zbliżyć do samochodu prezydenta i użyć rewolweru. Oddał pięć strzałów, z których jeden zabił Antona Cermaka, burmistrza Chicago, cztery zaś inne raniły ludzi z otoczenia prezydenta, który jednak wyszedł z opre-

Po zamachu w 1933 roku ochroniarz Thomas Qualters towarzyszył prezydentowi nawet w kościele

193

sji bez szwanku*. Takie szczęście mogło się nie trafić po raz drugi. Tym bardziej że informacje przygotowane przez działającego w Teheranie pułkownika Schwarzkopfa ostrzegały, że teren jest wyjątkowo niekorzystny i niebezpieczny. W Iranie działało wiele ugrupowań antybrytyjskich, bardzo podatnych na niemiecką propagandę i skorych do współdziałania z Niemcami. Było oczywiste, że wywiad niemiecki dowiedział się o czasie i miejscu spotkania przywódców trzech mocarstw i mógł przygotować zamach. Allen Dulles, rezydent amerykańskiego wywiadu w Europie, zwracał uwagę na takie niebezpieczeństwo, choć niczego konkretnego na temat planów zamachu nie udało mu się zdobyć. Sugerował jednak, że zamach może nastąpić już w Kairze.

Reilly przekazał to ostrzeżenie prezydentowi i proponował, aby spotkanie z Churchillem odbyło się w bezpieczniejszym miejscu, na przykład na Malcie**, będącej całkowicie pod brytyjską kontrolą, gdzie agenci niemieccy nie mogli liczyć na współdziałanie miejscowej ludności. Jednakże wyspa, do niedawna zacięcie atakowana przez włoskie i niemieckie samoloty, była teraz już tylko stertą gruzów i znalezienie odpowiedniego miejsca na zakwaterowanie dostojnych gości i odbycie konferencji okazało się niemożliwe.

Nie pozwól, aby w twym sercu zagościł lęk. Przygotuję miejsce dla ciebie. Wg Św. Jana, księga XIV, wersy 1 do 4 – napisał w liście do Roosevelta Winston Churchill, powołując się na Biblię, co miało wzmocnić zaufanie prezydenta do brytyjskich gwarancji, że w Kairze panują nad sytuacją. Ale bezpieczeństwa w Teheranie nie gwarantował nikt. Co prawda cesarz nakazał zamknąć granice państwa i zawiesić wszelkie transmisje radiowe, jednak irańska żandarmeria była zbyt nieliczna, aby skutecznie chronić gości. Reilly mógł polegać jedynie na pułkowniku Normanie H. Schwarzkopfie, który od kilku tygodni przygotowywał w Teheranie

---

* **Giuseppe Zangara** został stracony na krześle elektrycznym 20 marca 1933 r.
** **Malta** – niewielka wyspa na południe od Sycylii (95 km), od 1800 r. w posiadaniu kolonialnym Wielkiej Brytanii, odegrała poważną rolę w walkach na Morzu Śródziemnym, gdyż samoloty startujące z kilku lotnisk oraz okręty z bazy w La Valetta atakowały włoskie konwoje z zaopatrzeniem dla wojsk w Afryce Północnej. Od 11 czerwca 1940 r., gdy odbył się pierwszy nalot włoskich samolotów, była zacięcie atakowana przez lotnictwo włoskie i niemieckie; do 10 maja 1942 r. samoloty niemieckie wykonały 11 tys. lotów, atakując lotniska, port w La Valetta i obiekty cywilne. Liczba ofiar wśród ludności cywilnej wyniosła do maja 1943 r. 1493 osoby zabite i 3764 ranne. Brytyjczycy, rozumiejąc szczególne znaczenie baz na wyspie, wzmacniali garnizon maltański, dostarczając sprzęt i amunicję. Od czerwca 1940 r. do grudnia 1942 r. samoloty i okręty operujące z Malty zatopiły włoskie statki przewożące 530 tys. ton zaopatrzenia, co stanowiło ok. 14% dostaw dla wojsk „Osi" w Afryce Północnej. Również wysokie straty ponosiły alianckie konwoje zaopatrujące Maltę: w okresie od sierpnia 1940 r. do sierpnia 1942 r. z 86 jednostek idących na Maltę samotnie i w konwojach na dno poszło 31, a wiele innych odniosło poważne uszkodzenia. Oblężenie Malty zakończyło się po kapitulacji wojsk „Osi" w Afryce Północnej w maju 1943 r. i w tym samym roku wyspa odegrała ważną rolę jako baza zaopatrzeniowa dla wojsk alianckich dokonujących inwazji na Sycylię i Włochy.

Stolica Malty atakowana przez włoskie samoloty

Ludność La Valetty w schronie w czasie nalotu

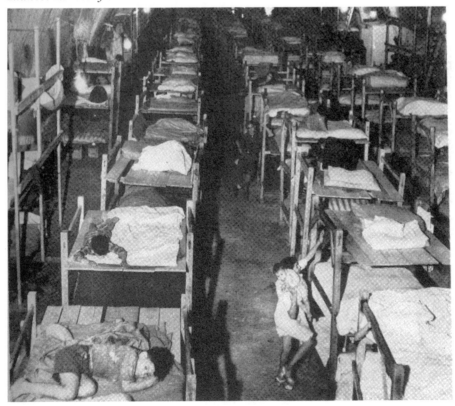

Główny budynek ambasady radzieckiej w Teheranie

zabezpieczenia. Rzeczywiście, budynek ambasady amerykańskiej, położony za wysokim murem, otoczony licznymi posterunkami z bronią maszynową, dawał pełne poczucie bezpieczeństwa. Ale co będzie, gdy prezydent wyjedzie poza tę fortecę?

Reilly rozumiał, że jakiekolwiek decyzje w tej sprawie nie on będzie podejmował. Dlatego z radością przyjął wiadomość, że Winston Churchill zaprosił prezydenta, aby ten zamieszkał w brytyjskim poselstwie, położonym tuż obok poselstwa radzieckiego, co oznaczało, że konferencje będą się odbywały w budynkach położonych blisko siebie, a trasa przejazdu prezydenta przez niebezpieczne ulicy będzie skrócona do minimum i zostanie obstawiona kawalerią Sikhów. Jednak Roosevelt odrzucił to zaproszenie.

– Szef suwerennego państwa nie może być gościem na obcej ziemi – brzmiała odpowiedź. Z tego samego powodu prezydent odrzucił zaproszenie Stalina.

Oczywiście można uznać, że obie oferty miały charakter kurtuazyjny, a żaden z zapraszających, choć powoływał się na względy bezpieczeństwa, nie mógł wskazać na konkretne zagrożenie. Jednak następnego dnia, 28 listopada, Stalin ponowił zaproszenie. Tym razem, w rozmowie z ambasadorem Avrellem Harrimanem, zakomunikował, że w Teheranie aresztowano trzech zamachowców przygotowujących atak, który miał nastąpić w czasie przejazdu prezydenta przez miasto. Agent Nikołaj Kuzniecow i jego koledzy z NKWD działający w Teheranie spełnili swoje zadanie. Odtąd bieg spraw światowych miał się potoczyć innym torem.

Roosevelt przebywał w swoim pokoju, gdy Harriman i Reilly przyszli z wiadomością o zamachu przygotowywanym przez Niemców. Szczegóły spisku, jaki ujawnił radziecki wywiad, wskazywały jednoznacznie, że zagrożenie jest bardzo realne i duże. Czy Churchill mógłby mieć za złe, że wobec oczywistego niebezpieczeństwa Roosevelt zdecydował się przyjąć radzieckie zaproszenie, a odrzucić brytyjskie? Gmach brytyjskiej ambasady był niewielki i pomieszczenie tam całej amerykańskiej delegacji byłoby bardzo uciążliwe zarówno dla gości, jak i gospodarzy. Nie to jednak było najważniejsze dla Roosevelta. Istotniejsze było to, że uzyskał szansę pozostania sam na sam ze Stalinem, aby omówić z nim plan budowy podstaw powojennego porządku. Bez Churchilla!

Tego dnia rano prezydent Stanów Zjednoczonych przeprowadził się do głównego gmachu radzieckiej ambasady, a jej gospodarze przenieśli się do mniejszego budynku, położonego na tyłach kompleksu.

Na wieść o przeprowadzce Amerykanów generał Alan Brooke*, doradca Churchilla, westchnął:

– Ta konferencja skończyła się, zanim się rozpoczęła.

Było już południe, gdy do sypialni, w której wypoczywał Roosevelt, wszedł Reilly, aby go poinformować, że Stalin przybędzie za kilka minut, aby złożyć uszanowanie amerykańskiemu prezydentowi.

Roosevelt wjechał na wózku inwalidzkim do salonu i skierował się w stronę drzwi, aby powitać Stalina. Zobaczył niskiego mężczyznę, uśmiechniętego i wypoczętego, ubranego w mundur musztardowego koloru z wielkimi złotymi epoletami i jednym tylko orderem zawieszonym na piersi.

Alan Brooke

* **Alan Brooke** (1883–1963) – marszałek polny, wicehrabia Alanbrooke, wojenną karierę rozpoczął w 1940 r., gdy jako dowódca II korpusu Brytyjskich Sił Ekspedycyjnych we Francji kierował obroną Dunkierki. Po powrocie do Londynu objął stanowisko dowódcy Home Forces (armia broniąca metropolii). W 1941 r. został mianowany szefem Imperialnego Sztabu Generalnego, a w marcu 1942 r. został przewodniczącym Komitetu Szefów Sztabów. Był jednym z najbliższych doradców premiera Winstona Churchilla i uzyskał znaczący wpływ na decyzje szefa rządu. Wielokrotnie powstrzymywał premiera przed realizacją złych planów, co często prowadziło do gwałtownych sprzeczek. Zawsze był przy premierze w czasie najważniejszych wydarzeń politycznych. Był również zręcznym politykiem, który doskonale sobie radził z amerykańskimi dowódcami. Nie potrafił jednak znaleźć wspólnego języka z gen. George'em Marshallem, do którego czuł (odwzajemnianą) antypatię. W czasie wojny otrzymał wiele honorów nagradzających zasługi poniesione w służbie Wielkiej Brytanii: w 1940 r. otrzymał tytuł szlachecki, w 1944 r. – stopień marszałka polnego, we wrześniu 1945 r. – tytuł Barona Alanbrooke of Brookeborough, a później – tytuł wicehrabiego (viscount).

- Miło mi pana widzieć - powiedział Roosevelt, co natychmiast przełożył Władimir Pawłow, tłumacz podążający pół kroku za Stalinem. - Próbowałem od dłuższego czasu do tego doprowadzić.

Ta rozmowa, przy której obecni byli tylko tłumacze (Pawłow i przy
Roosevelcie Charles „Chip" Bohlen, późniejszy ambasador USA w Moskwie), trwała pół godziny. Nie należy sądzić, że Roosevelt i Stalin wyszli
poza ogólnikową wymianę zdań na temat sytuacji na świecie. Musieli się
poznać. Mieli jeszcze wiele czasu, aby w cztery oczy omówić najważniejsze sprawy powojennego porządku.

Roosevelt oddawał się tej sytuacji z naiwnością dziecka, które otrzymało
upragnioną zabawkę, nie dostrzegając ostrych krawędzi, które kaleczyły.

Gdy szefowie dwóch mocarstw dyskutowali o planach budowy nowego świata, obok przemykał człowiek dzierżący za przyzwoleniem Stalina
wielką władzę na Kremlu, lecz w Teheranie pozostający w cieniu - Ławrentij Beria*, komisarz spraw wewnętrznych. Tylko jego ludzie byli wi-
doczni na każdym kroku.

Harry Hopkins zanotował:

*Służący, którzy ścielili łóżka i sprzątali pokoje, byli funkcjonariusza-
mi bardzo skutecznej NKWD, tajnej policji, a pod ich białymi marynar-
kami na biodrach były wyraźnie widoczne pokaźne wybrzuszenia. To
był nerwowy okres dla Michaela F. Reilly'ego i jego ludzi z tajnej służby
Białego Domu, wytrenowanych w podejrzewaniu każdego i bardzo nie
lubiących, gdy do prezydenta zbliżał się ktokolwiek mający przy sobie
więcej niż wykałaczkę.*

Oczywiście najważniejszym zadaniem Berii, poza zapewnieniem bezpieczeństwa Stalinowi, nad czym czuwało dziesięciu lub dwunastu ochro-
niarzy, w większości Gruzinów pod dowództwem Szoty Cereteliego, było
zbieranie informacji wywiadowczych. Głównym źródłem miały być mi-

---

* **Ławrentij Beria** (1899-1953) - radziecki ludowy komisarz spraw wewnętrznych, objął
to stanowisko w 1938 roku, po wielu latach pracy w radzieckim aparacie policyjnym
(od 1921 r. w Ogólnorosyjskiej Nadzwyczajnej Komisji do Walki z Kontrrewolucją i Sa-
botażem - WCzK, a od 1922 r. w Zjednoczonym Państwowym Zarządzie Politycznym -
GPU). Jego pierwszym zadaniem było uporządkowanie chaosu wywołanego w administracji, policji i wojsku wielką czystką lat 1937-1938. Z jego polecenia od 1939 r. orga-
nizowano deportację ludności polskiej z terenów zajętych przez wojska radzieckie po
17 września tego roku na mocy układu Ribbentrop-Mołotow oraz przeprowadzano
przymusowe przesiedlenie m.in. Tatarów Krymskich, Czeczeńców i innych mniejszości
narodowych, w czasie których setki tysięcy ludzi zmarło. 30 lipca 1941 r. wszedł w skład
Państwowego Komitetu Obrony. W 1945 r. został mianowany marszałkiem Związku
Radzieckiego. Po śmierci Stalina usiłował przechwycić władzę; występował jako zwolennik reform gospodarczych, liberalizacji życia w ZSRR i państwach satelickich, co
stało się głównym powodem zawiązania spisku przez innych czołowych przedstawicieli władzy: Nikity Chruszczowa i Gieorgija Malenkowa. 26 czerwca 1953 r. został aresztowany podczas posiedzenia prezydium Komitetu Centralnego, prawdopodobnie osą-
dzony w tajnym procesie i skazany na karę śmierci jako „wróg partii i narodu". Według
innych relacji (np. głównego uczestnika tych wydarzeń, Nikity Chruszczowa) został
zastrzelony, kiedy w czasie aresztowania usiłował się bronić.

Zaufany pomocnik Stalina – Ławrentij Beria na daczy w Kuncewie z córką wodza

krofony ukryte w pokojach zajętych przez Amerykanów. Według zeznań, jakie wiele lat po wojnie złożył Sergo, syn Berii, który płynnie władał językami niemieckim i angielskim, ojciec dawał mu do tłumaczenia taśmy z nagranymi najważniejszymi rozmowami Amerykanów, wśród których znalazła się rozmowa Roosevelta z Churchillem. Każdego dnia Beria przygotowywał dla Stalina raport na temat wyników podsłuchów. Czego się dowiedzieli, słuchając rozmów Roosevelta i jego najbliższych współpracowników? Jaki wpływ miało to na decyzje Stalina? Do dzisiaj rosyjskie archiwa nie ujawniły tych dokumentów...

Czy Roosevelt zdawał sobie sprawę, że Rosjanie słuchają każdego jego słowa, gdy zamykał się w swoim apartamencie? Bez wątpienia ludzie z jego

Otto Skorzeny

ochrony musieli go informować o takim zagrożeniu, jednak bardzo trudno o tym pamiętać każdego dnia, od rana do wieczora. Bardzo trudno jest zapanować nad emocjami, zmęczeniem, znużeniem i pamiętać, że każde wypowiadane zdanie może mieć ogromne znaczenie. Podsłuchujący na to właśnie liczyli, że ten stary człowiek, który źle znosił podróż i pobyt w Teheranie, popełni jakiś błąd, zapomni o tajemnicy i powie coś, co dla Stalina będzie ogromnie ważne.

Zagrożenie zamachem już nie istniało. Po aresztowaniu trzech niemieckich agentów atak był już niemożliwy. Niemcy musieli się liczyć z tym, że aresztowani zostaną zmuszeni do zdradzenia planu działania, kryjówek i kontaktów. W tej sytuacji, na wieść o schwytaniu trzech towarzyszy, pozostali członkowie grupy uderzeniowej, ukrywający się w górach lub przerzuceni do Teheranu, musieli gwałtownie szukać dróg ucieczki. Wiadomość ta musiała natychmiast dotrzeć do Skorzenego. Czy to ona stanowiła dla niego ostateczny argument pozwalający odwołać akcję? Nigdy później nie wracał do tej sprawy. W pamiętnikach ledwie o tym wspomniał:

Na szczęście Junkers »Ju 290« z grupą zmierzającą do Persji nie wystartował ze względu na wypadek. (...) Ponieważ główni niemieccy agenci w Iranie zniknęli, ja zarzuciłem cały plan. (...) Ponieważ odrzuciłem plan, zwrócili się, według wszelkiego prawdopodobieństwa, do Canarisa, ale nigdy później nie mówili mi nic na ten temat.

Kim byli „oni", o których wspomniał Skorzeny? Bez wątpienia chodziło o Kaltenbrunnera i Schellenberga. Tak więc, po schwytaniu w Teheranie przez NKWD agentów SD, pozostali na miejscu jedynie agenci Abwehry, jednak Canaris, usunięty ze stanowiska szefa wywiadu wojskowego, nie mógł już decydować o wykorzystaniu tych ludzi ani wydać im rozkazu, aby dokonali zamachu na prezydenta Roosevelta. Kaltenbrunner i Schellenberg zwrócili się więc do niego z tych samych powodów, dla których wcześniej zaprosili go na rozmowę do hotelu „Eden". Jeżeli myśleli, że ułatwi im wykonanie zadania w Teheranie – zawiedli się.

To jednak nie miało już żadnego znaczenia...

Dni, które zmieniły świat

Pierwsze spotkanie trzech przywódców przy okrągłym dębowym stole dotyczyło najważniejszej sprawy: miejsca inwazji zachodnich aliantów.

Churchill wciąż liczył, że uda mu się uzyskać poparcie sojuszników dla planu dokonania inwazji na Bałkanach, a nie w północnej Francji. Sądził, że poprze go Stalin. Brytyjska misja wojskowa donosiła z Moskwy, że od początku wojny w Związku Radzieckim zginęło 7 milionów żołnierzy i ponad 10 milionów cywili, 12 mln ludzi odniosło rany, największe miasta legły w gruzach, fabryki, linie kolejowe, drogi, mosty zostały zniszczone. Churchill uznał więc, że dyktator – w obawie przed buntem społeczeństwa, które wciąż ponosiło straszliwe ofiary – gotów będzie poprzeć każdy plan prowadzący do szybkiego zakończenia wojny.

Stalin i jego współpracownicy przybywają do ambasady brytyjskiej

7 milionów żołnierzy, ponad 12 milionów cywili – radzieckie straty do 1943 roku

Mylił się w dwójnasób.

Stalin mocno trzymał w ręku stery państwa i nie obawiał się, że ktokolwiek może zagrozić jego władzy. Wszelka opozycja została zlikwidowana już w latach 1937–1938, a w warunkach wszechobecnego terroru, jaki od tamtego czasu panował w ZSRR, nie było możliwe ukształtowanie się tajnego ugrupowania, które mogłoby sięgnąć po władzę. Tym bardziej że w warunkach wojny Stalin nie musiał szukać pretekstu i prowadzić skomplikowanej gry politycznej, aby likwidować swoich przeciwników. Po prostu polecał ich rozstrzelać, a sądy w tajnych jednodniowych procesach wydawały wyroki śmierci na najwyższych oficerów oskarżonych o tchórzostwo, zdradę, otwarcie drogi przed niemieckimi wojskami itd.

Stalinowi zależało na jak najszybszym utworzeniu przez sojuszników drugiego frontu, ale nie za każdą cenę. Doskonale zdawał sobie sprawę z zamiarów Churchilla. Nie odpowiadała mu koncepcja zajęcia przez wojska alianckie Bałkanów, a później Węgier, Czechosłowacji i Polski. W jego planie do krajów tych miała wkroczyć Armia Czerwona, aby zaprowadzić

Wielka Trójka w Teheranie: Stalin, Roosevelt, Churchill. Za nimi stoją od lewej: H. Hopkins, W. Mołotow, A. Harriman, Sarah Churchill, A. Eden

Niemieccy oficerowie – 50 tysięcy miało zostać po wojnie rozstrzelanych na rozkaz Stalina

tam rządy komunistyczne. Równie niemiła radzieckiemu dyktatorowi była wizja opanowania przez Brytyjczyków wybrzeży Morza Śródziemnego, co umacniałoby wpływy brytyjskie na Bliskim Wschodzie i zagradzało drogę radzieckiej ekspansji w tamtym kierunku, o czym władcy Rosji marzyli od czasów carskich.

Dlatego właśnie Stalin nie poparł Churchilla, gdy ten podczas pierwszej sesji rozmów w Teheranie przedstawił propozycję uderzenia na Bałkany.

Roosevelt, choć nie miał zamiaru opowiedzieć się za planem Churchilla, nie ujawniał swoich kart. W czasie tej pierwszej dyskusji zdawał się przechylać to w jedną, to w drugą stronę.

Churchill spodziewał się amerykańskiego sprzeciwu wobec koncepcji lądowania na Bałkanach. Był jednak zbyt wytrawnym politykiem, aby przy pierwszych trudnościach zrezygnować ze swoich planów – tak ważnych dla istnienia imperium brytyjskiego. Upierał się przy nich, ale widząc niechęć sojuszników twierdził, że akcja na Bałkanach ma być jedynie działaniem odwracającym uwagę Niemców od głównego kierunku inwa-

Uczestnicy rozmowy w Teheranie (od lewej: Winston Churchill, Franklin D. Roosevelt i jego syn Elliott)

zji, czyli od lądowania w północnej Francji. Było to rozsądne tłumaczenie, gdyż pojawienie się wojsk anglo-amerykańskich na greckim brzegu zmusiłoby Niemców do przetransportowania tam wielu dywizji i tym samym poważnego osłabienia obrony we Francji oraz w Związku Radzieckim. Jednak argumenty trafiały w próżnię. Churchill, czując, że przegrywa wielką stawkę, stawał się nerwowy i rozdrażniony.

Tego wieczoru odbyła się uroczysta kolacja, wydana przez Rosjan.

Stalin wyszedł z gmachu ambasady, aby powitać brytyjskich gości. Pierwszy wysiadł z du-

...przy konferencyjnym stole zacząłem dokuczać Churchillowi za jego brytyjskość, za Johna Bulla, za jego cygara i jego zwyczaje

żego czarnego bentleya premier Winston Churchill, który machnął ręką do wyprężonych na baczność żołnierzy i pochylony, ciężko opierając się na lasce, skierował się w stronę Stalina. Tuż za nim podążył tłumacz i reszta brytyjskiej delegacji.

Brytyjski premier był wyraźnie w złym humorze. Kilka godzin wcześniej, gdy ubierał się na przyjęcie, mruknął do lekarza, sir Charlesa Morana: „Już nic więcej nie można zrobić". A potem wycedził parę razy przez zęby: „cholerni", nie wyjawiając, kogo ma na myśli.

W podobnym nastroju byli inni członkowie brytyjskiej delegacji. Generał Alan Brooke, którego dr Moran spotkał na korytarzu, gdy spocony udawał się do swojego pokoju, aby zmienić koszulę – powiedział:

– Powinienem przyjść do pana z prośbą o skierowanie do domu wariatów. Dłużej już tego nie wytrzymam...

– A co się stało?

– Siedem godzin obrad i nie posunęliśmy się nawet o cal – powiedział Brooke zrezygnowany, zamilkł nagle i poszedł do swego pokoju.

Jak to było w radzieckim zwyczaju, przez całe przyjęcie Stalin i radziecki minister spraw zagranicznych, Wiaczesław Mołotow, wznosili nie kończące się toasty. Być może nadmiar rosyjskiej wódki rozwiązał język Stalinowi, który nagle podniósł się i z kieliszkiem w dłoni stwierdził, że po wojnie niemiecki Sztab Generalny musi zostać zlikwidowany, co zapo-

...Churchill zrobił się czerwony i patrzył wilkiem

biegnie odrodzeniu się w przyszłości militarnej potęgi Niemiec.

– Funkcjonowanie hitlerowskich armii zależy od pięćdziesięciu tysięcy oficerów i naukowców. Jeżeli oni zostaną wyłapani i rozstrzelani, niemiecka potęga militarna będzie zniszczona – mówił.

Churchill zareagował bardzo ostro.

– Brytyjski parlament ani społeczeństwo nie będą tolerować masowych egzekucji. Obróci się to gwałtownie przeciwko ludziom odpowiedzialnym za to, gdy tylko rzeź się rozpocznie. Związek Radziecki nie powinien mieć żadnych co do tego złudzeń.

– Pięćdziesiąt tysięcy musi zostać rozstrzelanych! – powtórzył z naciskiem Stalin.

Churchill poczerwieniał.

– Raczej zastrzeliłbym się w ogrodzie i to zaraz, niż naraziłbym honor własny i mojego kraju na taką niesławę! – powiedział bardzo podniesionym głosem.

– No, powiedzmy, nie pięćdziesiąt lecz czterdzieści dziewięć tysięcy – wtrącił się Roosevelt, wyraźnie zmierzając do rozładowania napiętej sytuacji. Wtedy podniósł się Elliott Roosevelt, który nie wiadomo w jaki sposób znalazł się na przyjęciu, gdyż nikt go tam nie zaprosił ani nie pytał o zdanie.

– Zgadzam się z propozycją pana Stalina i jestem pewien, że armia amerykańska poprze ten plan.

Churchill, który nie znosił pyszałkowatego syna prezydenta i miał o nim jak najgorsze zdanie jako o żołnierzu i dowódcy, poderwał się z krzesła, odłożył serwetkę na stół i wyszedł do przedpokoju. Tam usiadł ciężko na fotelu i zapalił cygaro. Po chwili drzwi do jadalni otworzyły się i stanął w nich Stalin z tłumaczem.

– On tylko żartował – skomentował wyskok Elliotta. – Wróćmy do sali.

Podszedł do Churchilla i objął go ramieniem. Premier, który zdążył już ochłonąć, skierował się do drzwi. Być może uświadomił sobie, że przeciąga strunę. Nie sposób jednak określić, na ile gwałtowna reakcja na słowa syna prezydenta była wykalkulowaną manifestacją niezadowolenia z postawy delegacji amerykańskiej, na ile zaś premierowi puściły nerwy. Zapewne tego dnia doszedł do wniosku, że sytuacja, która dawno już wymknęła się spod jego kontroli, zmierza w bardzo niebezpiecznym kierunku.

Wrócił do swojego apartamentu w brytyjskiej ambasadzie w podłym nastroju.

Gra w świat

Nikt nie wie, jak często Roosevelt i Stalin spotykali się w apartamentach ambasady radzieckiej. Prezydentowi ciągle przeszkadzała bariera nieufności, jaką dostrzegał w kontaktach ze Stalinem, aż pewnego ranka wpadł na pomysł przełamania lodów. Postanowił zachować się jak mały psotnik, który ściągnął na siebie gniew rodziców za rozbicie pamiątkowej cukiernicy i widząc, że nie umknie kary, postanowił rozproszyć ich zły nastrój.

– Winston, mam nadzieję, że nie będziesz na mnie zły za to, co mam zamiar dzisiaj zrobić – powiedział nagle do Churchilla, którego spotkał na korytarzu prowadzącym do sali konferencyjnej.

Premier wyjął cygaro i zamruczał coś pod nosem. Ciągle był w złym nastroju. Dokuczało mu przeziębienie, a co najgorsze, czuł się jak odtrącony kochanek, który w dodatku obserwował wzajemność, jaką zyskiwały zaloty największego wroga.

Gdy tylko weszli do sali konferencyjnej, prezydent pochylił się w stronę Stalina i zaczął coś do niego szeptać. Podniósł dłoń, jakby starając się przytłumić szept, aczkolwiek był on wystarczająco głośny, żeby słyszeli go inni członkowie radzieckiej delegacji i siedzący nieco dalej Brytyjczycy.

- Winston jest dzisiaj nieznośny*, chyba wstał z łóżka lewą nogą.

- Zagadkowy uśmiech przemknął przez twarz Stalina i uznałem, że jestem na dobrej drodze - opowiadał później Roosevelt pani Frances Perkins**, sekretarz pracy. - Jak tylko usiadłem przy konferencyjnym stole, zacząłem dokuczać Churchillowi za jego brytyjskość, za Johna Bulla***, za jego cygara i jego zwyczaje. Zauważyliśmy ze Stalinem, że Churchill zrobił się czerwony i patrzył wilkiem. Im bardziej tak się zachowywał, tym bardziej Stalin się uśmiechał. Ostatecznie Stalin parsknął rubasznym śmiechem i po raz pierwszy od trzech dni zobaczyłem promień światła. Podtrzymywałem tę atmosferę, aż wspólnie roześmialiśmy się ze Stalinem i wtedy nazwałem go „Wujkiem Joe". (...) Od tego czasu nasze stosunki stały się osobiste i Stalin pozwalał sobie na dowcipy. Lody zostały przełamane i rozmawialiśmy ze sobą jak mężczyźni i bracia.

Ledwo zakończyły się obrady, a Roosevelt zaprosił do swojego apartamentu Stalina, który skwapliwie przyjął to zaproszenie, gdyż doskonale rozumiał, czemu służył chichotliwy nastrój prezydenta i wykpiwanie Churchilla w czasie porannej sesji. Wiedział, że jego zaloty zostały przyjęte. Musiał na tym zyskać jak najwięcej.

- Zaprosiłem pana, gdyż chciałbym przedyskutować sprawy szybko i szczerze - powiedział Roosevelt na powitanie. - Ma to związek z wewnętrznymi wydarzeniami w amerykańskiej polityce. Osobiście nie chciałbym stawać do wyborów w 1944 roku, jednak jeżeli wojna będzie trwała, będę to musiał zrobić.

- W Stanach Zjednoczonych jest sześć do siedmiu milionów Polaków - mówił dalej Roosevelt - i jako człowiek praktyczny nie chciałbym stracić ich głosów. Osobiście zgadzam się z panem w sprawie potrzeby odtworzenia państwa polskiego, ale chciałbym widzieć polskie granice wschodnie przesunięte bardziej na zachód, a zachodnie granice przesunięte nawet do Odry. Mam nadzieję, że pan rozumie, że ze względu na wybory nie będę brał udziału w podejmowaniu jakichkolwiek decyzji w tej sprawie w Teheranie, a nawet w czasie nadchodzącej zimy, ani publicznie nie będę brał udziału w jakichkolwiek rozstrzygnięciach.

Stalin odpowiedział krótko, że rozumie prezydenta. Nie mógł on bardziej jasno wyrazić swojego przyzwolenia na podporządkowanie Polski Związkowi Radzieckiemu. Mówił przecież do człowieka, którego wojska

---

* Prezydent użył słowa „cranky".

** **Frances Perkins** (1882-1965) - amerykański sekretarz pracy w latach 1933-1945, walnie przyczyniła się do utworzenia systemu opieki społecznej w 1935 r. i ustawy o odpowiednich warunkach pracy w 1938 r.

*** **John Bull** - literacka postać, będąca uosobieniem angielskich cech, stworzona przez szkockiego matematyka i lekarza Johna Arbuthnota, opisywana w felietonach w 1712 r., opublikowanych w tym samym roku pt. „The History of John Bull".

Franklin D. Roosevelt ogłasza swój udział w kolejnych wyborach prezydenckich w 1944 roku. Obok, żona Eleonora, która towarzyszyła mu we wszystkich czterech kampaniach wyborczych

Droga armii Stalina na zachód: Litwa, Łotwa, Węgry, Rumunia, Czechosłowacja, Polska

Wielka Trójka

17 września 1939 roku wkroczyły na polskie ziemie wschodnie. Roosevelt, mówiąc o przesunięciu polskiej granicy wschodniej na zachód, akceptował grabież polskich ziem dokonaną w 1939 roku. Oświadczał, że w ciągu najbliższych miesięcy nie będzie wypowiadał się na temat polskich spraw, a przecież te miesiące miały znaczenie kluczowe. Było wiadomo, że zimą Armia Czerwona wkroczy na teren Polski. Stalin otrzymywał więc wolną rękę.

– W Ameryce jest wielu Litwinów, Łotyszy i Estończyków – mówił dalej Roosevelt, nawiązując do zbliżających się wyborów. – Stany Zjednoczone nie rozpoczną wojny, gdy Rosjanie ponownie zajmą trzy bałtyckie państwa, ale dla Amerykanów wielką sprawą jest prawo do samostanowienia [ludności tych państw – BW]. Osobiście jestem przekonany, że ludzie będą głosować za przyłączeniem do Związku Radzieckiego.

– Trzy bałtyckie republiki nie miały autonomii za czasów ostatniego cara, który był sojusznikiem Brytanii i Stanów Zjednoczonych – odpowiedział Stalin – i wtedy nikt nie podnosił kwestii opinii publicznej i nie widzę, dlaczego miałby podnosić teraz.

– Prawda w tej sprawie jest taka, że opinia publiczna nie znała i nie rozumiała problemu – Roosevelt wyraźnie oddawał pole Stalinowi.

- Oni powinni zostać poinformowani i pewna praca propagandowa powinna zostać wykonana – Stalin nie miał zamiaru roztrząsać problemu Litwy, Łotwy i Estonii. Gotów był oczywiście zgodzić się, że ludność tych państw, które on wolał nazywać republikami, otrzyma możliwość udziału w referendum, ale wiedział, jaki będzie wynik.

Wychodził z apartamentu Roosevelta zadowolony. Otrzymał zapewnienie, że prezydent nie będzie mieszał się w sprawy Europy Środkowej. Jeszcze tylko należało przekonać tych upartych Brytyjczyków.

W czasie wieczornej, ostatniej sesji konferencji teherańskiej nie osiągnięto żadnego porozumienia, ale Stalin nie chciał, aby jakiekolwiek porozumienie zostało zawarte. Każdy dokument mógłby wiązać mu ręce. Na uwagę prezydenta, że Moskwa powinna odnowić dobre stosunki z rządem polskim, Stalin kwaśno zauważył, że „rząd londyński współpracuje z Niemcami i zabija partyzantów". Oczywiście, chciał dobrych stosunków z Polską, ale tylko z rządem antynazistowskim. Jeżeli chodzi o terytorium państwa polskiego, to powinno się rozszerzyć jedynie kosztem Niemiec.

- Porozumienie z 1939 roku zwróciło ukraińskie ziemie Ukrainie, a białoruskie – Białorusi – zakończył Stalin.

- Linia Ribbentrop–Mołotow – powiedział brytyjski minister spraw zagranicznych Anthony Eden*. Miał oczywiście na myśli umowy radzieckiego i niemieckiego ministrów spraw zagranicznych z 23 sierpnia i 28 września 1939 roku, które podzieliły Polskę.

- Niech pan nazywa to, jak chce – szorstko odpowiedział Stalin. – My wciąż uważamy to za właściwe i dobre.

Konferencja w Teheranie dobiegła końca. Następnego ranka, 3 grudnia, prezydent Roosevelt odle-

Anthony Eden

ciał z Teheranu, aby w Kairze dyskutować z Churchillem strategię na rok 1944. Stalin wracał do Moskwy, mając przyzwolenie aliantów na zrealizowanie swojego planu budowy pasa satelickich państw wzdłuż nowych

---

* **Anthony Eden** (1897–1977) – czołowy działacz brytyjskiej Partii Konserwatywnej, od grudnia 1935 r. minister spraw zagranicznych w rządzie premiera Neville'a Chamberlaina. Nie akceptował jednak polityki ustępstw wobec mocarstw faszystowskich (appeasement) i z tego powodu w lutym 1938 r. zrezygnował ze stanowiska. W 1939 r. powrócił do rządu Chamberlaina jako minister ds. dominiów. W 1940 r., w rządzie Winstona Churchilla zajął stanowisko sekretarza stanu. W grudniu 1940 r. został ministrem spraw zagranicznych i sprawował je do 1945 r. W 1954 r. po raz trzeci objął stanowisko ministra spraw zagranicznych i rok później został premierem. W styczniu 1957 r., po nieudanej wojnie sueskiej, podał się do dymisji i wycofał z życia politycznego.

granic Związku Radzieckiego. To trudne zadanie. Nie należało się spodziewać, że Polska, Czechosłowacja czy Węgry tak łatwo poddadzą się Moskwie, ale na terytoria tych krajów lada miesiąc miała wkroczyć najpotężniejsza armia świata – Armia Czerwona. I pozostać tam...

Ostatni dzień człowieka, który zmienił historię Europy

– Nikołaj! Nikołaj! Obudź się! – chłopak szarpał za ramię śpiącego Kuzniecowa. Przez kilka dni przedzierali się przez lasy pod Lwowem, uchodząc niemieckiej pogoni. 9 lutego 1944 roku wszedł do gabinetu dr. Otto Bauera, wicegubernatora dystryktu Galizien, odczytał wyrok i zastrzelił go. Zanim Niemcy ochłonęli z zaskoczenia, jakie spowodowały strzały w gabinecie, wybiegł na ulicę i tam wskoczył do samochodu, prowadzonego przez jednego z ludzi z jego grupy uderzeniowej. Wydawało się jednak, że tym razem jego niewiarygodne szczęście skończyło się, gdyż ledwo przejechali kilkadziesiąt metrów, u wylotu ulicy pojawił się samochód policyjny. Kierowca zdążył jednak skręcić w bramę, przez którą przedostali się na inną ulicę. Pogoń trwała dobre kilkadziesiąt minut, zanim udało im się wydostać za rogatki miasta, gdzie musieli porzucić samochód, gdyż w przedziurawionym kulami baku nie zostało ani kropli benzyny. Dalej uciekali pieszo, aż wreszcie w nocy zatarli ślady i zgubili pogoń. Kuzniecow, gdy wreszcie znalazł się w ciepłej wiejskiej izbie, ułożył się na baranicy na zapiecku i zasnął kamiennym snem. Zaniedbał podstawowych środków ostrożności. Ludzie z jego grupy też zapadli w głęboki sen.

– Nikołaj! Idą po ciebie! – chłopak w dalszym ciągu szarpał go za ramię.

Ocknął się wreszcie, wyskoczył z łóżka i podbiegł do okna. W jasnej poświacie księżycowej widać było sylwetki wyraźnie odcinające się od śniegu na polach. Podbiegł do drugiego okna wychodzącego na drogę. Tam też dostrzegł kilku żołnierzy, jednakże nie mieli oni hełmów o charakterystycznym, z daleka rozpoznawalnym kształcie.

– Niemcy? – zwrócił się do chłopaka.

– Nie, Ukraińcy. Nacjonaliści.

Zapiął szybko mundur. Wciąż miał na sobie kurtkę porucznika Wehrmachtu. Sięgnął po pas, wyciągnął z kabury pistolet i podniósł granat, który położył na podłodze obok łóżka. Tylko tyle zostało mu do obrony przed kilkunastoma żołnierzami, których dostrzegł na drodze i na polu. Zdawał już sobie sprawę, że ma niewielkie szanse na ujście z życiem. Nigdy jednak nie tracił nadziei.

– Uciekaj w stronę rzeczki! Po lodzie przejdziesz do lasu – krzyknął do chłopaka.

Otworzył okno i z trudem przecisnął się przez jego ramy. Śnieg boleśnie zakłuł go w bose stopy. Dopiero w tym momencie uprzytomnił sobie, że nie założył butów, ale nie było już czasu, aby wracać do izby i szukać obuwia. Kilkoma susami dopadł do drewutni i skrył się pod niskim daszkiem, ale w tym samym momencie padł na niego silny snop latarki.

– Faszysta! Jest tu! – usłyszał okrzyk żołnierza, którego nie zauważył wcześniej. Podniósł pistolet, lecz seria z karabinu maszynowego, która odłupała deski z daszku, kazała mu przylgnąć do śniegu. Głosy zbliżały się ze wszystkich stron.

Podniósł głowę i spojrzał do tyłu. Zobaczył, że za rogiem kryją się dwaj żołnierze. Z przodu dwaj inni nadbiegali pochyleni za płotem. Nie miał już żadnych szans ratunku. Wyciągnął zawleczkę granatu, obrócił się na wznak i postawił granat tuż obok głowy.

Operacja „Panzerfaust"

Pierwsze promienie słońca rozjaśniły horyzont i wtedy ujrzeli tumany pyłu unoszące się nad lasem. Odległy warkot słychać było coraz wyraźniej w ciszy świtu. Był 20 sierpnia 1944 roku. Ten hałas oznaczał, że wkrótce uderzą. Twarda, wysuszona sierpniowym słońcem ziemia, sprzyjała czołgom.

Warkot czasem raptownie nasilał się, ale wnet przygasał.

– Grzeją silniki – powiedział sierżant Walther Kowaletz. – Uderzą...

Znał dobrze oznaki nadchodzącej bitwy. Po raz pierwszy przeżył to w 1943 roku pod Kurskiem.

Najpierw rozlegał się grzmot, jakby bicie w wielkie bębny, zagrzewające wojska do walki. Dźwięk wystrzałów armatnich docierał szybciej niż pociski. Po kilku sekundach w tym odległym dudnieniu pojawiał się nowy dźwięk – świst. Słychać go było gdzieś wysoko nad głowami i nagle milkł. I wtedy przeraźliwie bliski huk rozrywających się pocisków zmuszał żołnierzy do panicznego poszukiwania ukrycia. Każdy przywierał do ziemi, starając się wcisnąć jak najgłębiej, zapaść pod powierzchnię gruntu. A potem gdy pył, dym, podmuchy gorącego powietrza, hałas bliskich wybuchów mieszały się ze sobą – człowiek tracił orientację.

Tak było przez pół godziny, czasami godzinę, aż zapadała cisza przynosząca ulgę i świadomość, że udało się przeżyć. Każdy żołnierz miał wówczas nadzieję, że dobry Bóg uchronił go przed wybuchami i odłamkami, pozwolił przeżyć tę straszną nawałnicę i pozwoli żyć nadal. Ale wtedy rozpoczynało się natarcie wroga.

Kowaletz obejrzał się. Wszyscy żołnierze z jego działonu kulili się w płytkim okopie, jaki wygrzebali poprzedniego wieczora dla ochrony przed odłamkami, gdy Rosjanie rozpoczną ostrzał.

– To już się zacznie, panie sierżancie? – młody żołnierz przysunął się do niego. Nawet nie pamiętał jego imienia. Przysłano go kilka dni wcześniej, wraz z kilkuset innymi, w ramach uzupełnienia dla wykrwawionej 76 dywizji. Ci osiemnasto-, dziewiętnastoletni chłopcy nie mieli żadnego doświadczenia bojowego. Sierżant Kowaletz, który w Wehrmachcie służył od 1943 roku i sześć razy leczył rany w szpitalu, wiedział, że niewielu z nich przeżyje tę bitwę.

– Przygotuj się. I trzymaj nisko głowę – odpowiedział do chłopaka. Ten odsunął hełm znad czoła i spojrzał w jego stronę z podziwem dla spokoju i opanowania dowódcy.

Zerknął na zegarek. Dochodziła 4.30.

– To ich czas – pomyślał. I nagle zaczęło się. W oddali pojawiło się głuche dudnienie, które znał tak dobrze z poprzednich bitew. Instynktownie pochylił głowę, dostrzegając kątem oka, że młody żołnierz – naśladując go – zrobił to samo.

Początek natarcia – radziecka artyleria otwiera ogień

Tysiące radzieckich dział i moździerzy rozpoczęło kanonadę, która miała wypalić niemieckie stanowiska na zachodnim brzegu rzeki Prut, w okolicach rumuńskiego miasta Jass. Wojska 2 Frontu Ukraińskiego przystąpiły do uderzenia. Na południe od nich, w rejonie Kiszyniowa, 3 Front Ukraiński rozpoczął ostrzał z 7800 dział i moździerzy. Te dwa wielkie ugrupowania wojsk radzieckich liczyły blisko 900 tysięcy żołnierzy, wspieranych przez 1874 czołgi i działa pancerne, 19 300 dział oraz ponad 1800 samolotów. Ta potęga miała runąć na niemieckie i rumuńskie linie bronione przez 650 tysięcy żołnierzy, 8000 dział, 400 czołgów i 810 samolotów. Przewaga radziecka była tak wielka, że wynik starcia nie mógł budzić

215

wątpliwości. Tym bardziej, że skrzydła dwóch niemieckich armii osłaniały dwie armie rumuńskie, a na ich waleczność niemieccy dowódcy nie mieli co liczyć.

Cisza zapadła tak nagle, jakby ktoś nagle wyrwał z gniazdka przewód zasilający wielki młyn.

– *Wpieriod!* – Kierowca kapral Jewgienij Łobiankow przesunął rączkę ryglującą klapę włazu i uniósł pancerne osłony peryskopu. Patrzył na świat w zielonkawo-niebieskiej poświacie, jaką otoczeniu nadawały szkła.

– Wszystko gotowe, dowódco – krzyknął. Nie musiał tak wysilać głosu, gdyż laryngofon doskonale przenosił dźwięki. Krzyczał z podniecenia, jakie wywoływała bliskość nadchodzącej bitwy.

Silnik pracował na wysokich obrotach. Gąsienice szarpnęły czołgiem i, wyrzucając na bok piasek, pchnęły go do przodu. Kadłub zakołysał się na wyboistej polnej drodze.

– Utrzymuj wysokie obroty – usłyszał w słuchawkach głos dowódcy. – Trzymaj szyk, gdy wyjedziemy z lasu. Linie obronne faszystów – z lewej strony. Naprzód!

Jewgienij patrzył przez peryskop najpierw w prawo, gdzie dostrzegł jadący obok czołg, potem w lewo. W dymie przesuwały się pnie drzew. Nagle zaczęły rzednąć i skończyły się, ustępując miejsca łące.

Działo przeciwlotnicze kal. 88 mm okazało się bardzo skuteczne w walce z czołgami

– Na stanowiska! – krzyknął sierżant Kowaletz. Poderwał się z okopu. Wszyscy żołnierze z jego działonu przeżyli ostrzał artyleryjski i otrzepując mundury z piachu – w pośpiechu dociągając paski hełmów – wielkimi susami pędzili w stronę armaty, starannie zamaskowanej gałęziami.

Kowaletz ułożył się za zasłoną zwalonych drzew, skąd mógł obserwować przedpole.

Słyszeli już wyraźnie warkot silników. Ile ich mogło być? Skierował lornetkę na kępę krzaków, odległą od nich o 150 metrów. Tam ulokował drugie działo ich baterii. Dostrzegł żołnierzy kulących się za tarczą osiemdziesiątki ósemki. Najstarszy miał dziewiętnaście lat. Celowniczy. Był dobry z teorii, ale z działa strzelał tylko raz – na poligonie.

Trzecie działo było niewidoczne. Ustawiono je między skrajną chałupą wsi a rozwaloną obórką, skąd obsługa miała świetne pole ostrzału prawej flanki. Stamtąd mogli niszczyć czołgi, gdyby te przejechały przez niewielki potok i zaatakowały od strony drogi.

Powrócił do obserwowania skraju lasu i rozległej łąki.

– Skręcaj w lewo! Już! – usłyszał Jewgienij w słuchawkach. – Na szczycie mogą być ich stanowiska dział pepanc. Uważaj na krzaki z lewej strony!

Jewgienij przyhamował raptownie lewą gąsienicę i zwiększył obroty, aby zrobić zwrot. Dopóki *T-34** był zwrócony bokiem do niemieckich

---

* *T-34* – jeden z najlepszych czołgów II wojny światowej skonstruowany w biurze Charkowskiej Fabryki Parowozów. Od jesieni 1937 r. do lipca 1939 zbudowano dwa prototypy, które poddano próbom na poligonie naukowo-badawczym wojsk pancernych, gdzie komisja zwróciła uwagę na konieczność pogrubienia pancerza. Projekt nowego wozu nazwanego *T-34* konstruktorzy przedstawili 19 grudnia 1939 r. Pierwszy doświadczalny czołg był gotowy w lutym 1940 r. i po okresie intensywnych prób, w czerwcu 1940 r., uruchomiono produkcję seryjną. Do chwili wybuchu wojny radziecko-niemieckiej w czerwcu 1941 r. zbudowano w dwóch zakładach 1225 sztuk *T-34*. Już w pierwszych starciach radzieckie czołgi okazały się szybsze, lepiej uzbrojone, bardziej zwrotne i lepiej opancerzone niż czołgi niemieckie, a opływowe płyty kadłuba i wieżyczki dobrze chroniły załogę przed pociskami. W latach 1941–1942 były wielokrotnie modernizowane: ulepszono gąsienice, wprowadzono nowy typ kół nośnych z wewnętrzną amortyzacją, zmieniono układ napędowy itp. Do najpoważniejszych zmian skłoniło konstruktorów wprowadzenie przez Niemców cięższych czołgów *Panther* i *Tiger I* oraz zastosowanie w czołgach *PzKpfw IV* armaty długolufowej kal. 75 mm o większej sile ognia. W maju 1943 r. podczas narady w Komitecie Obrony zapadła decyzja o skonstruowaniu nowej armaty kal. 85 mm, którą zamontowano w nowej wieży. Na początku 1944 r. fabryka nr 112 przystąpiła do produkcji czołgów *T-34-85*. Pocisk z tego działa wystrzelony z odległości 1000 m przebijał pancerz o grubości do 100 mm, co pozwalało radzieckim czołgom podejmować walkę z niemieckimi czołgami nowych typów. W czasie II wojny światowej wyprodukowano łącznie 34 400 czołgów z armatami kal. 76 mm i 18 000 czołgów z armatami kal. 85 mm.
Dane taktyczno-techniczne *T-34-85*: załoga – 5 osób, silnik wysokoprężny W-2-34 o mocy 500 KM, ciężar 32 t, pancerz czołowy wieży 20–90 mm, uzbrojenie – 1 działo kal. 85 mm, 2 karabiny maszynowe DTM kal. 7,62 mm, prędkość 48 km/h.

T-34 atakuje

dział, każdy strzał mógł oznaczać koniec. Z tej strony pancerz ich pojazdu miał 45 mm grubości, o 15 mm mniej niż z przodu, i stanowił czułe miejsce wozu. Czołg obrócił się, wyrzucając spod gąsienic kawałki darni.

– Lewo trzydzieści, odległość 2500, dwa *T-34*! – usłyszał Kowaletz krzyk celowniczego. Spojrzał w tamtą stronę. Wynurzyły się zza lasu i jechały równoległe do ich stanowisk. Czołgiści nie widzieli jeszcze ich dział.

– Cztery... siedem... dziesięć... – liczył czołgi wyjeżdżające zza drzew. Potem przestał. Było ich kilkadziesiąt. Znajdowały się poza zasięgiem skutecznego ognia ich dział. Jechały dość wolno, jak na manewrach, zachowując równe odstępy. Formowały szyk. Wnet zakręciły i zwiększając obroty silników – ruszyły na nich.

– Nie ma piechoty, więc to walec pancerny – powiedział do amunicyjnego, klęczącego na obrzeżu płytkiego okopu. – Przełamią nasze pozycje i zaraz wyjadą następne dziesiątki czołgów z żołnierzami na pancerzach, aby obsadzić wyrwę, jaką uczynią w naszych liniach.

– Ładuj! – wydał po chwili komendę. Zobaczył, jak ładowniczy wsuwa błyszczący nabój do komory zamkowej.

– Odłamkowym ładuj! – Jewgienij słyszał, jak dowódca wydaje rozkaz ładowniczemu.

Czołg jechał łąką wznoszącą się w stronę kęp krzaków. Wiatr zwiewał z tamtej strony dym i kurz utrzymujący się jeszcze w powietrzu po artyleryjskiej nawale. Tam mogły być niemieckie działa. Wiedział, jak śmiertelnie niebezpieczna była ta broń. Pociski z osiemdziesiątek ósemek potrafiły zerwać wieżę *T-34*.

– Oni nas szybciej dosięgną – pomyślał. Wiedział, że niemieckie działa miały większą donośność niż ich armata kalibru 85 mm.

Silnik pracował na maksymalnych obrotach. Gąsienice wyrzucały kawałki darni.

– Krzak, lewo trzydzieści – krzyknął – widzę niemieckie działo. Ognia!

Jewgienij zahamował gwałtownie. W czasie jazdy, gdy pojazd kołysał się na nierównościach gruntu a lufa armaty unosiła się i opadała o kilkadziesiąt centymetrów, nie było szans trafienia w cel. Czołg tkwił w bezruchu i słychać było warczenie silnika elektrycznego obracającego wieżę. Każda sekunda ciągnęła się w nieskończoność. Stanowili doskonały cel dla niemieckich dział. Wreszcie usłyszał huk i nie czekając na rozkaz, pchnął lewarek biegów. Czołg zakołysał się poruszony wystrzałem. Łuska z metalicznym odgłosem wyleciała z zamka i spadła gdzieś za plecami kierowcy. Wnętrze wypełnił prochowy dym. Jewgienij nasunął gogle chroniące oczy przed gryzącym dymem. Nacisnął na pedał gazu. Czołg – poruszony mocą 500 koni mechanicznych – szarpnął i ruszył gwałtownie do przodu.

Pocisk ze świstem przeleciał nad głowami żołnierzy Kowaletza. Skulili się instynktownie w oczekiwaniu wybuchu, który nie nastąpił. Dalej, za ich plecami czubek wielkiej sosny z łoskotem zwalił się na ziemię, ścięty uderzeniem pocisku, który nie wybuchł. Ładowniczy uniósł nabój i wsunął go do wysoko uniesionego zamka.

Celowniczy, z okiem przytkniętym do lunetki, powoli obracał pokrętłem, nakierowując lufę na cel. Czołgi były już w zasięgu ich ognia.

– Boria się pali! – krzyknął dowódca. Łobiankow też zauważył, że jadący w przodzie czołg skręcił gwałtownie i zatrzymał się, a z jego wnętrza buchnęły płomienie, które błyskawicznie zaczęły rozlewać się na pancerz. Któryś z czołgistów, może dowódca Borys, może celowniczy, którego imienia Jewgienij nie pamiętał, otworzył klapę wieży, ale nikt nie wyszedł z wnętrza. Po chwili trafiony czołg pozostał z tyłu, poza polem widzenia peryskopów kierowcy. Jeszcze tylko dowódca, który mógł obrócić swój peryskop, powiedział cicho.

– Rozerwało ich...

– Do wszystkich! Lewo piętnaście, kępa krzaków na skraju łąki, działo niemieckie! – załoga, któregoś z czołgów, dostrzegając niemieckie stanowiska, ostrzegała pozostałe załogi. Jewgienij skręcił w tamtą stronę, aby ustawić się przodem do działa, gdyż w ten sposób czołg stanowił najmniejszy cel i wystawiał do wroga najmocniej opancerzoną część. W tej samej chwili poczuł gwałtowny wstrząs. Krew uderzyła mu do głowy i zapadł w ciemność.

– Trafiony! – wykrzyknął Kowaletz, widząc, jak pocisk skrzesał snop iskier i wielki obłok dymu z boku pancerza radzieckiego czołgu jadącego w ich stronę. Wnet dym zasłonił cały pojazd. Nie mógł więc ocenić, czy został zniszczony, ale po trafieniu przez pocisk kalibru 88 milimetrów szanse ratunku były niewielkie.

Jewgienij otworzył oczy. Przez sekundę nie wiedział, co się stało. Stracił przytomność. Ale na jak długo? I nagle powróciła pamięć ostatniego wrażenia: huku i gwałtownego bólu. Trafili ich! Spojrzał na wskaźnik temperatury oleju. W normie. Ciśnienie? W normie. Silnik pracował.

- Dowódco! Dowódco! - przycisnął palcami laryngofon do szyi.
- Gienia, ruszaj! - odezwał się dowódca. - To był rykoszet. Zamroczyło nas tylko. Wszystko dobrze! Ruszaj, bo poprawią!

Pchnął lewary do przodu i wykonał gwałtowny skręt, aby odjechać jak najdalej od miejsca, w którym trafił ich pocisk i zmusić obsługę działa do ponownego naprowadzania lufy na cel. Po kilkudziesięciu metrach ponownie zakręcił i jechał tak, aby w zasięgu jego karabinu maszynowego znalazła się niemiecka armata. Widział ich. Nacisnął spust i nie zważając, że czołg skacze na nierównościach łąki, posyłał w tamtą stronę długie serie. Nieważne, czy trafi. Chciał, aby pociski świszczące nad głowami Niemców zmusiły ich do przywarcia do ziemi, ukrycia się za maską działa - utrudniły celowanie.

Kowaletz widział, jak czołg wynurzył się z dymu i pełną mocą silnika jechał w ich stronę. A więc trafili w bok wieży, ale pocisk nie przebił pancerza, lecz ześlizgnął się i eksplodował, nie czyniąc załodze krzywdy. Co najwyżej - mógł ich tylko na moment zamroczyć. Pochyłość płyt kadłuba i wieży T-34 dawała lepsze zabezpieczenie przed pociskami niż najgrubszy pancerz. Odłożył lornetkę i odwrócił się zdziwiony, że jego działo nie strzela.

Chłopak, który otwierał skrzynki amunicyjne, przyklęknął na jedno kolano i oparł się o nabój.

- Czemu tak długo nastawia zapalnik? - pomyślał Kowaletz i krzyknął:
- Hans, pospiesz się, bo nas rozjadą!

Chłopak tkwił w niezmienionej pozycji. Sierżant poderwał się i kilkoma susami dopadł do okopu. Dopiero teraz zobaczył, że ręce i cały brzuch Hansa oblepione są krwią, która ściekała po pocisku. Nie żył.

Wyrwał mu nabój i nie wiedząc dlaczego, starł rękawem krew z łuski. Przekazał ładowniczemu. Skrzynka była już pusta, więc spod worków z piaskiem wyciągnął następną. Odwrócił się, aby zobaczyć, jaki będzie efekt ich wystrzału. W tym samym momencie fala gorącego podmuchu uniosła go w powietrze. To było ostanie wrażenie...

- Działo przy krzakach zniszczone! - meldował celowniczy, którego głos drżał z radości.

Jewgienij też widział, jak ich pocisk eksplodował na masce niemieckiej armaty i wyrzucił ją w powietrze. Potem dym, ogień i fontanna piachu zakryła wszystko.

- Uwaga na zabudowania z prawej strony - ostrzegał dowódca, któregoś z czołgów. Zza niskiej obórki wystawała lufa działa. Błysnął ogień, lufa cofnęła się po strzale i obłok dymu przysłonił cały widok. Jewgienij dostrzegł, jak jadący z prawej strony czołg przechylił się na bok, jakby wjechał do wielkiej rozpadliny. Uniesiona gąsienica przesuwała się jeszcze, gdy nagle pojazd zniknął za wielką chmurą dymu i ognia, która wystrzeliła z jego wnętrza.

- Gienia, pełny gaz! Pełny gaz! Celują w nas! - krzyczał dowódca.
Widział, jak lufa działa ukrytego za niskim budyneczkiem obróciła się w ich stronę, lecz zabudowania ograniczały pole ostrzału. Jeżeli zdołają przejechać jeszcze 150-200 metrów, wówczas będą bezpieczni. A wtedy skieruje czołg równolegle do zabudowań i - roznosząc je gąsienicami - wjedzie z boku w armatę.
Widział, jak z lufy niemieckiej armaty błysnął ogień i dym. Po kilku sekundach wielka fontanna piachu zakryła wszystko, i jeszcze nie przebrzmiał ogłuszający huk, gdy rozległ się stukot, jakby tysiące gwoździ uderzyło w pancerz.
Jewgienij przez moment nie widział nic. Starał się tylko wyczuć, czy czołg nie zakręca gwałtownie, co wskazywałoby, że wybuch pocisku zerwał gąsienicę, a wówczas załoga czołgu bezradnie kręcącego się w koło miałaby tylko kilka sekund życia. Dopóki obsługa działa nie załadowałaby ponownie i wystrzeliła do nieruchomego celu.
Czołg jednak parł do przodu i gdy dym rozproszył się, zobaczyli, że obórka osłoniła ich. Jewgienij skręcił gwałtownie w prawą stronę, złamał drzewko, jakie nagle pojawiło się przed nimi, rozrzucił żerdzie niskiego płotu i jak bomba przebił się przez drewnianą komórkę. Jakaś deska zaczepiła się o osłonę peryskopu i zasłaniała widok w prawą stronę, ale w lewym okularze widział, jak Niemcy uciekają w popłochu. Nacisnął spust karabinu maszynowego i po chwili usłyszał, że drugi, zamocowany w wieży - też wali długimi seriami.
Już tylko metry dzieliły go od działa, ustawionego bokiem. Uderzył w nie z taką siłą, że wielka i ciężka armata przesunęła się o kilka metrów, a potem, pod naporem czołgu przewróciła się na bok.
Jewgienij mógł teraz dopiero spojrzeć na łąkę, którą przebyli. Z 76 czołgów, które rozpoczęły szarżę, 50 paliło się, wypuszczając wielkie kłęby ciężkiego, tłustego dymu...
Do końca 20 sierpnia 1944 roku radzieckie armie dwóch frontów przedarły się przez niemieckie i rumuńskie pozycje nad rzeką Prut.
Generał Hans Friessner, który na początku sierpnia przejął dowodzenie Grupą Armii „Południowa Ukraina" patrzył z niepokojem na mapę rozłożoną na stole w jego kwaterze. Wiedział, że nie ma tyle sił, aby zatrzymać Rosjan. Pod jego komendą były 52 dywizje, w tym 28 rumuńskich. Sam marszałek Ion Antonescu*, rumuński dyktator, uważał, że należy

* **Ion Antonescu** (1886-1946) - minister obrony (1934 r.) i szef sztabu generalnego (1937 r.). W 1938 r. został aresztowany za udział w spisku przeciwko rządowi o profrancuskiej orientacji. Po upadku Francji, w czerwcu 1940 r., oraz zagarnięciu przez Związek Radziecki Besarabii i Północnej Bukowiny - gdy Rumunia zaczęła zbliżać się do Niemiec - Antonescu nawoływał do odzyskania utraconych terytoriów przez sojusz z Niemcami, co podnosiło jego popularność. 4 września 1940 r. objął urząd premiera, a kilka dni później, gdy król Karol II abdykował na rzecz swojego syna Michała I, ogłosił się „conducatorem", kreując dyktaturę na wzór Mussoliniego. W 1941 r. wprowadził

Marszałek Ion Antonescu (z gołą głową, przy peryskopie z przodu) i król Michał (z gołą głową, z tyłu) na froncie

wycofać się znad Prutu i zorganizować obronę w starych fortyfikacjach wzniesionych wzdłuż rzeki Siretul. Na Antonescu można było polegać, gdyż wciąż wierzył w geniusz Hitlera i zapewniał go, że Rumunia pozostanie wierna sojuszowi z Niemcami z 1940 roku. Wówczas sytuacja była jednak inna. Rumuni widzieli w Niemcach przyjaciół, którzy uchronią ich przed radziecką agresją i pozwolą odzyskać ziemie zabrane przez Rosjan w 1940 roku. Ochoczo szli do walki. Dzielnie bili się o Odessę, ramię w ramię z niemieckimi żołnierzami bronili się pod Stalingradem, ale potem, w miarę narastania niemieckich klęsk, ich bojowy duch zanikał. A co

Rumunię do wojny po stronie Niemiec. W październiku 1941 r. wojska rumuńskie zajęły Odessę, a miasto nazwano jego imieniem. Był to okres szczytowej popularności Antonescu, ale w następnych latach sytuacja na froncie i ogromne straty, jakie dywizje rumuńskie ponosiły w walkach z Armią Czerwoną, osłabiły społeczne poparcie dla jego rządów. W tym czasie podejmował próby nawiązania kontaktu z państwami zachodnimi, lecz nie chciał zaakceptować żądania bezwarunkowej kapitulacji wojsk rumuńskich. 23 sierpnia 1944 r. król Michał zmienił rząd i uwięził Antonescu. Po wojnie Antonescu stanął przed Trybunałem Ludowym i został skazany na śmierć. Wyrok wykonano 1 czerwca 1946 r.

będzie, gdy Rumuni postanowią złożyć broń? Wolał o tym nie myśleć. 28 rumuńskich dywizji chroniło skrzydła dwóch niemieckich armii.

Zatrzymał się przy mapie.

– Nie widzę innego wyjścia, jak zarządzić wycofanie się znad Prutu – powiedział nagle.

Generał Hansen, przebywający w Rumunii od 1940 roku, spojrzał na niego zdziwiony.

– Czy ma pan na to zgodę Hitlera? – zapytał, znając odpowiedź.

Friessner udał, że nie słyszy. Trzy tygodnie wcześniej apelował do Hitlera o wycofanie wojsk, na linie łatwiejsze do obrony. 2 sierpnia komunikował w depeszy:

Jeżeli oznaki braku pewności wojsk rumuńskich utrzymają się, niezbędne będzie wycofanie się za Prut, na linię Gałacz–Focşani–Karpaty.

Długo nie otrzymywał odpowiedzi. Być może, Hitler chętniej dawał ucha takim ludziom, jak generał Hansen czy baron Manfred von Killinger, ambasador niemiecki w Budapeszcie, uznający, że sytuacja nie jest zła. Jeszcze 10 sierpnia von Killinger informował ministra spraw zagranicznych w Berlinie:

Sytuacja [w Rumunii – BW] *absolutnie stabilna. Król Michał gwarantuje sojusz z Niemcami.*

Mylił się. Już na początku 1944 roku rumuński ambasador w Ankarze, Alexander Creziano, nawiązał kontakt z przedstawicielami Stanów Zjednoczonych i Wielkiej Brytanii, proponując podjęcie rokowań na temat zawieszenia broni. Odpowiedź była zachęcająca i wkrótce Julius Maniu, przywódca Partii Ludowej, wysłał – za wiedzą króla – dwóch emisariuszy do Kairu, aby prowadzili tam negocjacje. Mocarstwa zachodnie wycofały się jednak z rozmów, uważając, że Rumuni muszą najpierw osiągnąć porozumienie z Rosjanami. Moskwa odpowiedziała 2 kwietnia 1944 roku: „Związek Radziecki – pisał ludowy komisarz spraw zagranicznych Wiaczesław Mołotow – nie dąży do przejęcia jakiejkolwiek części rumuńskiego terytorium lub zmiany obecnego porządku społecznego [w Rumunii – BW]. Radzieckie wojska wkroczą do Rumunii wyłącznie w wyniku militarnej potrzeby".

Julius Maniu

Były to kłamstwa, ale rumuńscy konspiratorzy wzięli je za dobrą monetę, gotowi już do zawarcia porozumienia z aliantami i zaprzestania walki u boku Niemców.

Hitler doszedł ostatecznie do wniosku, że wycofanie wojsk – co sugerował Friessner, jest dobrym rozwiązaniem i wydał tajny rozkaz, zezwalający na taki manewr. Generał nie mógł jednak tego ujawnić.

– Sam, z pełną odpowiedzialnością, podejmuję taką decyzję – powiedział Friessner i podszedł bliżej do generała Hansena. – Rosjanie mają tutaj – wskazywał palcem na rejon Jasso i Kiszyniowa – 90 lub 94 dywizje piechoty i siedem korpusów pancernych. My rzuciliśmy do walki wszystkie odwody pancerne: 13 dywizję pancerną, 10 dywizję grenadierów pancernych i rumuńską 1 dywizję pancerną. Nadaremnie. Jeżeli nie wycofamy się teraz, to odwrót zamieni się w paniczną ucieczkę.

Odszedł kilka kroków i obrócił się do adiutanta.

– Proszę przygotować stosowny rozkaz i przekazać go natychmiast dowódcom!

Dobiegała północ, gdy w „Wilczym Szańcu" Adolf Hitler wyszedł z budynku, gdzie trwała narada na temat sytuacji na froncie nad Prutem. Był wyraźnie zmęczony, a następstwa niedawnego zamachu dawały o sobie znać gwałtownymi napadami słabości i nasilającego się drżenia ręki. Chował ją wówczas za plecami lub, jak Napoleon, wsuwał palce miedzy guziki marynarki i przyciskał łokieć do tułowia. Tego wieczoru, mimo otwartych okien i pracujących wentylatorów, atmosfera w budynku była duszna, a napięcie, jakie wywoływały meldunki napływające z Bukaresztu, tworzyły nastrój przygnębienia. Dlatego zdecydował się zaczerpnąć powietrza i nabrać sił do dalszej narady. Spodziewał się, że lada moment napłyną nowe raporty, a sytuacja będzie wymagała podjęcia najtrudniejszych decyzji.

Tego dnia szczególnie zajmowała go sytuacja w Paryżu, skąd nadeszły meldunki o wybuchu powstania, co wydawało się niebezpieczne dla wojsk niemieckich. Gdyby powstańcy wyparli niemiecki garnizon i utrzymali miasto do czasu nadejścia sił alianckich, wówczas przechwycenie mostów na Sekwanie umożliwiłoby dywizjom brytyjskim i amerykańskim szybkie wyjście na tyły niemieckich linii obronnych nad kanałem La Manche i opanowanie Pas de Calais, gdzie znajdowały się wyrzutnie V-1 i V-2*. Hitler liczył zaś, że te pociski, przed którymi nadzwyczaj trudno było się obronić, a w przypadku rakiet V-2 było to w ogóle niemożliwe, spadające na brytyjskie miasta, zmuszą aliantów do zawarcia zawieszenia broni. Należało więc za wszelką cenę bronić mostów i przepraw przez Sekwanę

---

* **V-1** *(FZG-76)* – bezpilotowy samolot napędzany pulsacyjnym silnikiem odrzutowym odbył próbny lot na poligonie w Peenemünde 23 grudnia 1942 r. O pracach nad nową bronią rząd brytyjski został poinformowany przez wywiad Armii Krajowej, a po identyfikacji pocisków na zdjęciach lotniczych Peenemünde, w nocy z 17 na 18 sierpnia 1943 r. bombowce uszkodziły ośrodek rakietowy, co poważnie opóźniło prace nad budową *V-1* (oraz rakiet *V-2*). W 1943 r. w rejonie północnego wybrzeża Francji (Pikardia, Normandia) rozpoczęto budowę 64 wyrzutni. Alianci poinformowani we wrześniu 1943 r. przez francuskiego agenta rozpoczęli naloty i do końca stycznia 1944 r. unieszkodliwili 25% wyrzutni (ogółem bombowce amerykańskie i brytyjskie zrzuciły 23 196 ton bomb na wyrzutnie tego typu).
Pierwszy pocisk *V-1* został wystrzelony na Londyn w nocy z 13 na 14 czerwca 1944 r. przez specjalny oddział utworzony 15 sierpnia 1943 r. pod nazwą Flakregiment 155 (W), dowodzony przez płk. Maxa Wachtela. Do końca wojny wyprodukowano 30 000–32 000 pocisków, z których wystrzelono 10 492. Około 2000 z nich uległo zniszczeniu tuż po starcie, 1847 zostało zniszczonych przez samoloty myśliwskie, 1878 przez artylerię przeciwlotniczą, 231 przez balony zaporowe, 3531 dotarło do Anglii, 2419 spadło na

Pocisk V-1

Londyn. W wyniku wybuchów pocisków w Anglii zginęły 6184 osoby, a 17 981 odniosło rany. Po zajęciu przez wojska alianckie rejonów nad kanałem La Manche, Niemcy kontynuowali ostrzeliwanie Anglii, wykorzystując samoloty bombowe He-111. Z wystrzelonych w powietrzu 142 pocisków na cele w Anglii spadło 80. Za pomocą *V-1* Niemcy ostrzeliwali Antwerpię (z 8696 pocisków dotarło tam ok. 800) i Leodium (Liege) – 341 pocisków.

Dane taktyczno-techniczne: silnik Argus As 014, rozpiętość 5,30 m, długość 7,90 m, średnica 0,8 m, masa startowa 2180 kg, maks. prędkość 656 km/h, zasięg 240 km, uzbrojenie: głowica 850 kg mat. wybuchowego.

V-2 (A-4) – pierwsza, użyta bojowo, rakieta balistyczna skonstruowana przez zespół dr. Wernera von Brauna. Produkcji tej broni przyznano najwyższy priorytet na początku 1941 r. Pierwszy udany start odbył się 13 czerwca 1942 r., a całkowicie udana próba odbyła się 3 października tego roku, gdy rakieta przeleciała 190 km wzdłuż brzegu Bałtyku. O pracach nad skonstruowaniem nowej broni rząd brytyjski został poinformowany, m.in. przez wywiad Armii Krajowej w połowie 1942 r. Zbombardowanie Peenemünde opóźniło prace i zmusiło Niemców do przeniesienia doświadczeń w rejon wsi Blizna (Heidelager Blizna) w południowej Polsce, gdzie pierwszą rakietę odpalono 5 listopada 1943 r. Próby były bacznie obserwowane przez wywiad AK, który zdobył wiele części, zbadanych następnie przez prof. Janusza Groszkowskiego, a zebraną dokumentację i części rakiety zabrał w nocy z 25 na 26 lipca 1944 r. specjalny samolot przysłany przez Brytyjczyków (operacja „Most").

Masową produkcję rakiet Niemcy uruchomili we wrześniu 1943 r. Planowano, że będą odpalane z wielkich betonowych wyrzutni w rejonie Pas de Calais, gdzie miały być montowane i tankowane. Wobec bombardowań wyrzutni i postępów wojsk alianckich, nie udało się ich wykorzystać. Pierwsza rakieta *V-2* została odpalona z ruchomej wyrzutni w Hadze 8 września 1944 r. o godz. 8.30 na Paryż. Tego samego dnia wystartowała rakieta wycelowana w Londyn; wybuch zabił 3 osoby i ranił 17. Do 27 marca 1945 r. z Hagi i innych rejonów w Holandii odpalono ok. 5500 rakiet, z których 2894 trafiło Londyn, ok. 1600 Antwerpię, Brukselę i prawdopodobnie 1 – Paryż.

Dane taktyczno-techniczne: średnica rakiety 1,65 m, rozpiętość lotek 6,20 m, długość 14,03 m, ciężar gotowej do startu rakiety 12 963 lub 13 000 kg, waga ładunku 975 kg, prędkość 2900–5500 km/h, zasięg 320 km (później 380 km).

Rakieta V-2 na stanowisku startowym

na odcinku od Paryża do kanału La Manche i w samej stolicy, a gdyby nie udało się szybko stłumić powstania, należało zamienić stolicę Francji w kupę gruzów. To skutecznie opóźniłoby postępy aliantów i stanowiło poważne ostrzeżenie dla mieszkańców innych miast, którzy chcieliby wystąpić zbrojnie przeciwko niemieckim okupantom.

Hitler oczekiwał od dowódcy paryskiego garnizonu generała Dietricha von Cholitza, że będzie działał równie bezwzględnie jak – w Warszawie ogarniętej powstaniem – postępował Erich von dem Bach-Zelewski*. Jednak dowódca garnizonu paryskiego najwyraźniej nie miał zamiaru podporządkować się rozkazom z Berlina i zwlekał z wysadzaniem mostów, niszczeniem urządzeń komunalnych i minowaniem paryskich budowli.

Hitler wstał, aby rozprostować drętwiejącą nogę i ruszył w powolny spacer żwirowymi alejkami „Wilczego Szańca". Nie zauważał nawet, że zewsząd śledziły go czujne oczy esesmanów, starannie ukrytych za drzewami. Od pewnego czasu środki ostrożności osiągnęły poziom niemalże histerii.

Należało rozważyć rozwój działań wojennych w Rumunii, gdzie jak wynikało z meldunków napływających w czasie całego dnia, sytuacja była katastrofalna. Niemieckie oddziały, wspomagane przez rumuńskie dywizje miały niewielkie szanse zatrzymania wojsk radzieckich.

To państwo, obok Węgier, było największym dostawcą ropy naftowej dla Niemiec. Co prawda, w ostatnim roku import z Rumunii zmalał ponad dwukrotnie (z 2,4 mln ton – do jednego miliona), to jednak rafinerie w rejonie Ploesti wciąż dostarczały 60% ropy naftowej zużywanej przez niemiecki przemysł. Alianci – wiedząc o tym – podejmowali wielkie wysiłki, aby zniszczyć te zakłady. W czasie nalotu amerykańskich bombowców, 1 sierpnia 1943 roku, ponad połowa instalacji stanęła w ogniu, ale pozostałe, które uniknęły zniszczenia, produkowały więcej benzyny i olejów niż przed atakiem. Bez tych dostaw sytuacja niemieckiej gospo-

* **Erich von dem Bach-Zelewski** (1899–1972) – niemiecki generał, potomek arystokratycznej rodziny, członek nazistowskiej partii NSDAP od 1930 r. Po przejęciu władzy przez Adolfa Hitlera podjął służbę w siłach zbrojnych. Zasłużył się w czasie tzw. nocy długich noży, 30 czerwca 1934 r. W tym samym roku objął dowodzenie SS i policją w Prusach Wschodnich. W 1939 r. został promowany do stopnia generała SS. Wsławił się brutalnymi akcjami przeciwko ludności cywilnej, którymi osobiście kierował na froncie wschodnim: m.in. w Rydze, gdzie rozstrzelano 35 tys. Żydów; Mińsku i Mohylewie. W lipcu 1943 r. objął na rozkaz Heinricha Himmlera kierownictwo akcjami przeciwko partyzantom działającym na tyłach frontu wschodniego. W sierpniu i wrześniu 1944 r. dowodził oddziałami, które stłumiły Powstanie Warszawskie. Na jego rozkaz 11 października 1944 r. oddziały niemieckie przystąpiły do systematycznego burzenia Warszawy. 13 października pojechał do Budapesztu, gdzie miał wspomóc Otto Skorzenego w działaniach przeciwko adm. Miklósowi Horthy'emu: proponował wykorzystanie najcięższej artylerii do ostrzeliwania stolicy Węgier. W 1951 r. sąd denazyfikacyjny skazał go w Monachium na 10 lat „specjalnych robót", ale wyroku nie wykonano i von dem Bach-Zelewski zmuszony był jedynie do pozostawania w domu w Wistrich. W 1961 r. ponownie aresztowany, stanął przed sądem oskarżony o zbrodnie popełnione w czasie nocy długich noży i został skazany na 4,5 roku więzienia. Rok później jeszcze raz stanął przed sądem oskarżony o zamordowanie sześciu komunistów w 1933 r., za co otrzymał wyrok dożywotniego więzienia. Zmarł w szpitalu więziennym.

Czołgi Tygrys – w 1944 r. armia niemiecka potrzebowała dużo więcej paliwa niż w pierwszych latach wojny

darki, która właśnie w połowie 1944 roku nabrała największego rozpędu* byłaby niezwykle trudna, tym bardziej że zużycie benzyny i olejów na froncie było znacznie większe niż w pierwszych latach wojny. Niemieckie armie miały znacznie więcej samolotów, czołgów, samochodów i motocykli niż w 1939 i 1940 roku. Co prawda, konsekwentnie realizowana zasada instalowania w czołgach i ciężarówkach silników benzynowych uniezależniała sprzęt od dostaw ropy naftowej i pozwalała napędzać je benzyną syntetyczną produkowaną w Niemczech, ale w 1944 roku, w wyniku zmasowanych nalotów alianckich produkcja benzyny zmniejszyła się z 5,7 mln ton do 3,8 mln.

A gdyby Rumunia, wzorem Włoch, nie tylko skapitulowała, lecz zmieniła sojusznika i przystąpiła do wojny po stronie aliantów? Ponad 200 tysięcy żołnierzy wystąpiłoby przeciwko Wehrmachtowi!

Hitler wierzył jednak w lojalność rumuńskiego dyktatora, marszałka Iona Antonescu, i w to, że całkowicie panował nad sytuacją w swoim kraju – choć nie miał złudzeń co do lojalności rumuńskich generałów. Nie

---

* Produkcja samolotów wzrosła z 24 807 w 1943 r. do 39 807 w 1944 r., czołgów: z 17 300 do 22 100, zaś dział artyleryjskich z 27 000 do 41 000.

tak dawno, 5 sierpnia rozmawiał z nim w „Wilczym Szańcu", dokąd marszałek przyjechał zaniepokojony wycofaniem przez niemieckie dowództwo z Rumunii sześciu dywizji pancernych i czterech dywizji piechoty. Rozmowa była dość burzliwa, choć Hitlerowi udało się go uspokoić – przynajmniej takie odniósł wrażenie. Poinformował dyktatora, że lada moment armia niemiecka otrzyma nowe typy czołgów i broni „...zabijającej każdego w promieniu 3 kilometrów" (czyżby myślał o broni atomowej?!).

Gdy Antonescu, pożegnawszy się z führerem, wsiadł do samochodu, ten tknięty dziwnym przeczuciem, wybiegł na drogę i, machając za odjeżdżającym autem, krzyczał:

– Panie marszałku! Niech pan pod żadnym pozorem nie wchodzi do królewskiego pałacu!

Antonescu kazał zatrzymać samochód.

– Niech pan nie wchodzi do królewskiego pałacu – powtórzył Hitler.

Antonescu skłonił się uprzejmie i obiecał, że tak właśnie postąpi. Niechęć Hitlera do koronowanych głów była dość powszechnie znana. Nie mógł więc potraktować poważnie tego ostrzeżenia, które brzmiało jak przepowiednia wróżki na jarmarku. Później tego pożałował...

Istniało też inne niebezpieczeństwo: upadek Rumunii mógłby stać się zaraźliwym przykładem dla pozostałych sojuszników z tego rejonu Europy – Bułgarii i Węgier. To jakby karta wyciągnięta z misternie ułożonego domku – wnet rozsypałyby się całe Bałkany.

Bułgaria, choć wspierała niemieckie wysiłki wojenne, czyniła to nader niechętnie. Król Borys III* uważał, że słaba armia jego kraju nie może brać

Król Borys III – umiarkowany zwolennik Hitlera

---

* **Borys III** (1894–1943) – król Bułgarii, tron objął w 1918 r. Po wybuchu II wojny światowej usiłował trzymać swoje państwo z dala od wojny, ale w marcu 1941 r. pod presją Hitlera premier jego rządu podpisał akt przystąpienia do paktu trzech, w następstwie czego Bułgaria stała się bazą wypadową dla niemieckiej inwazji na Grecję i Jugosławię. Zmarł w nie wyjaśnionych okolicznościach tuż po spotkaniu z Hitlerem 28 sierpnia 1943 r. (żadna z tajnych służb nie przyznała się do zamachu).

Węgierski oddział pancerny na froncie wschodnim

udziału w nowoczesnej wojnie, prowadzonej przez wojska dysponujące wielką liczbą czołgów i samolotów, i starał się ograniczyć aktywność swoich dywizji do akcji policyjnych przeciwko jugosłowiańskim partyzantom. W połowie 1943 roku król podjął działania mające na celu wyprowadzenie państwa z wojny, lecz niespodziewana śmierć tuż po spotkaniu z Hitlerem przerwała te zabiegi. Nie zniechęciła jednak członków bułgarskiego rządu do poszukiwania kontaktów z aliantami. W lipcu 1944 roku wywiad niemiecki donosił, że nowy premier Iwan Bagrianow, obawiając się, iż Armia Czerwona wkrótce wkroczy na teren Bułgarii, usiłował negocjować z państwami zachodnimi przystąpienie do wojny po ich stronie. Oznaczałoby to, że na Bałkanach przeciwko Niemcom wystąpiłoby 340 tysięcy dodatkowych żołnierzy.

Drugi niemiecki sojusznik – Węgry – też tracił ochotę do walki, choć w 1941 roku u boku Niemiec dzielnie wyruszył na wojnę przeciwko Związkowi Radzieckiemu. Korpus generała Ferenca Szombathelyiego, razem z niemiecką 17 armią, odniósł wiele sukcesów bojowych. Później

2 armia generała Gusztava Janyego walczyła w ramach Grupy Armii „B" na Ukrainie, docierając do Donu, ale w 1943 roku, pod Woroneżem karta wojny odwróciła się. Pozbawiona wystarczających rezerw – ciężkiej artylerii i artylerii przeciwpancernej – węgierska armia została zmieciona przez radzieckie wojska, tracąc ponad sto tysięcy żołnierzy. Był to wystarczający szok dla węgierskiego społeczeństwa, aby regent Miklósz Horthy zaczął myśleć o zakończeniu tej wojny, w której Węgry mogły być tylko państwem przegranym.

Jeżeli i ten sojusznik opuściłby Niemców, oznaczałoby to, że gospodarka Trzeciej Rzeszy straciłaby dostawy ropy naftowej, które w 1943 roku wyniosły nieco ponad 200 tysięcy ton, a nade wszystko ustałyby transporty boksytu, surowca niezbędnego dla przemysłu lotniczego.

W tym czarnym obrazie, jaki jawił się Hitlerowi na Bałkanach, jaśniał jednak promień optymizmu. Ta część Europy od wieków była miejscem rywalizacji między Rosją i mocarstwami zachodnimi. Po wybudowaniu Kanału Sueskiego, gdy Morze Śródziemne nabrało dla Brytyjczyków szczególnego znaczenia – jako wielki trakt żeglugowy prowadzący do Indii i przebogatych kolonii Dalekiego Wschodu – było oczywiste, że nie dopuszczą do przejęcia przez Związek Radziecki kontroli nad państwami tego regionu, gdyż w przyszłości radzieckie okręty i samoloty bazujące nad brzegami Morza Śródziemnego mogłyby zagrozić bezpieczeństwu brytyjskich szlaków. Skoro jednak Rosjanie wkroczyliby do Rumunii i skierowali się na południe Europy – a wszystko wskazywało, że tak będzie – Brytyjczycy nie mieliby innego wyjścia, jak zawrzeć pokój z Niemcami, aby ci mogli skoncentrować wszystkie siły na powstrzymaniu rosyjskiego pochodu na Bałkany. Taka możliwość stawała się tym bardziej oczywista, że rządy państw bałkańskich były coraz bardziej zdecydowane poddać swoje wojska Rosjanom, a nawet przyłączyć się do nich.

– Mein Führer! – z ciemności wynurzył się Johannes Göhler, młody kapitan SS. – Generał Friessner informuje z Rumunii, że wydał rozkaz wycofania się...

– Tak, wiem – przerwał mu Hitler. Obrócił się na pięcie i skierował do pawilonu, gdzie trwała narada. Spodziewał się nowych meldunków z Rumunii.

Wielkie kleszcze radzieckich frontów, wbijające się w najsłabsze odcinki niemieckiej obrony, obsadzone przez rumuńskie dywizje, zaczęły się zamykać wokół 6 armii, grożąc całkowitym zniszczeniem tego wielkiego zgrupowania. Dalsze wypadki były łatwe do przewidzenia: tysiące radzieckich czołgów potoczy się w stronę Gałacza i szybko dotrze do Bukaresztu. Taki rozwój sytuacji był równie oczywisty dla Niemców, jak i Rumunów. Jednakże w kwaterze głównej Hitlera w Gierłoży nie spodziewano się, że wypadki potoczą się tak szybko.

W duszny i parny wieczór 23 sierpnia Hitler przyszedł spóźniony do niewielkiej sali w pawilonie nazywanym „herbaciarnią", gdzie kelnerzy oczekiwali, aby natychmiast podać mu ulubiony napój: jaśminową herbatę. Na jego twarzy można było wyczytać, że stan zdrowia znacznie się pogorszył. Co prawda, dolegliwości spowodowane wybuchem bomby w czasie zamachu 20 lipca: krwawienie z ucha i silne bóle głowy, drżenie nogi i ręki, w znacznym stopniu już ustąpiły, ale pojawiły się inne. Prawa ręka, silnie poparzona w czasie wybuchu, spuchła w łokciu tak bardzo, że nie mógł oprzeć jej o blat biurka i podpisywać dokumentów, a mocniejszy uścisk dłoni wywoływał grymas bólu. A w dodatku zabiegi doktora Morella, który aplikował mu głównie „Ultraseptyl" – silny środek produkowany przez jego zakład farmaceutyczny – wydawały się pogarszać stan führera.

Odpoczynek przy herbacie, który zawsze zdawał się wpływać najlepiej na stan nerwów Hitlera, nie trwał długo. Ledwo po pierwszym łyku odstawił filiżankę i pochylił się w stronę swojej sekretarki – zapewne aby powiedzieć jej jakiś komplement, co zwykł robić przy takich okazjach – gdy podszedł adiutant, Erik von Amsberg.

– Mein Führer – pochylił się nad wiklinowym fotelem i zniżył głos. – Jest pan proszony do telefonu...

Ludzie, którzy siedzieli przy stoliku zrozumieli, że stało się coś szczególnie ważnego, skoro adiutant zdecydował się zakłócić rytuał popołudniowej herbaty.

– ...dzwoni baron von Killinger – mówił o niemieckim ambasadorze w Bukareszcie.

Hitler podniósł się ociężale i ruszył w stronę gabinetu. W głosie ambasadora słychać było wyraźne zdenerwowanie.

– Mamy do czynienia z niepokojącymi wydarzeniami – relacjonował podniesionym głosem. – Marszałek Antonescu został wezwany na zamek i dotychczas nie powrócił. Trwa to zdecydowanie za długo. Nie wiadomo, dlaczego dotąd nie powrócił.

Hitler milczał przez chwilę.

– Dlaczego, u diabła, mnie nie posłuchał... – powiedział wreszcie, myśląc o przestrodze, jakiej udzielił marszałkowi kilkanaście dni wcześniej: „Niech pan pod żadnym pozorem nie wchodzi do królewskiego pałacu!".

Przeczucia nie myliły go. Tego dnia w południe król Michał* wezwał Antonescu do pałacu i zażądał zawieszenia broni z aliantami. Dyktator nie miał zamiaru podporządkować się temu żądaniu, ale też nie odmówił. W efekcie król nakazał, aby zamknięto go w sejfie, który jego ojciec Karol II kazał wybudować dla przechowywania bezcennej kolekcji znaczków. Na szczęście dla uwięzionego dyktatora, stary król lubił spędzać dużo czasu wśród swoich zbiorów i kazał zaopatrzyć sejf w dobry sys-

---

* **Król Michał** (ur. 1921) – objął tron rumuński 5 września 1940 r., zaledwie dzień po przejęciu władzy wykonawczej przez Iona Antonescu. 23 sierpnia 1944 r. zorganizował zamach stanu, w wyniku którego Antonescu został uwięziony. 12 września 1944 r. w Moskwie otrzymał od Stalina odznaczenie w uznaniu zasług dla walki z faszyzmem. 30 grudnia 1947 roku władze komunistyczne ogłosiły abdykację króla, a on sam został zmuszony do opuszczenia Rumunii 3 stycznia 1948 r.

tem wentylacyjny. W tym samym czasie przed domami niemieckiego ambasadora stanęła rumuńska warta, aczkolwiek nie odcięto połączenia telefonicznego.

Hitler miał jeszcze nadzieję, że to, co stało się w Bukareszcie, było dziełem grupki dworaków, którym udało się zwabić w zasadzkę Antonescu i posłać kilku żołnierzy straży pałacowej, aby zamknęli w areszcie domowym ambasadora. Szybko jednak meldunki napływające z Rumunii rozwiały te nadzieje.

Generał Friessner meldował, że zadzwonił do dowódców dwóch rumuńskich armii broniących skrzydeł niemieckich ugrupowań. Obydwaj, generał Dumitrescu i generał Steflea uznali, że wiąże ich przysięga wierności, jaką składali królowi, i odmówili jakichkolwiek działań sprzecznych z tym ślubowaniem.

O godzinie 22.00 radio bukareszteńskie nadało dla wszystkich żołnierzy rumuńskich królewski rozkaz przerwania walk.

W tym samym czasie Hitler wszedł do sali odpraw, gdzie czekali już na niego oficerowie dowództwa Wehrmachtu. Miał na sobie długą czarną pelerynę, jaką

Król Karol II z synem Michałem

zwykł często przywdziewać po zamachu, gdyż luźny materiał dobrze maskował drżenie ręki. Rozejrzał się po zebranych. Wszyscy mieli ponure miny, co wskazywało, że doskonale zdają sobie sprawę z powagi sytuacji i nie widzą z niej wyjścia.

Hitler zdjął pelerynę i podał ją adiutantowi.

– Proszę przekazać rozkazy dla generała Friessnera – powiedział mocnym głosem, jakby chciał dać odczuć zebranym, że potrafi skutecznie przeciwdziałać temu, co zdarzyło się w Bukareszcie. – Jego wojska mają zająć rafinerie i pola naftowe Ploeszti. Powinien w najbliższym czasie opracować awaryjny system przekazywania ropy do Rzeszy.

Odwrócił się do feldmarszałka Keitla.

- Które oddziały możemy wykorzystać do stłumienia puczu?
- 5 dywizję artylerii przeciwlotniczej. Stacjonuje w Ploeszti, a teraz nie musimy obawiać się nalotów – odpowiedział niepewnie Keitel*, patrząc na dowódcę Luftwaffe Hermanna Göringa, którego rozkazom podlegały jednostki obrony przeciwlotniczej. Ten jednak skinął przyzwalająco głową.

- Niech natychmiast wyruszają do stolicy – zdecydował Hitler.

Nastrój w sali konferencyjnej, zrazu tak grobowy, zaczynał się poprawiać. Zgromadzeni tam oficerowie rozluźnili się, jakby problem był już rozwiązany, a sytuacja ponownie znalazła się pod kontrolą wojsk niemieckich. To zadowolenie szybko ustąpiło. Około godziny 3.30 nadszedł radiogram z Bukaresztu, w którym ambasador von Killinger informował, że „...był to dobrze przygotowany zamach stanu, kierowany odgórnie, który uzyskał poparcie wojska i ludności cywilnej". Konkluzja była przytłaczająca: „Nie ma żadnych szans sukcesu wojskowego lub politycznego".

Okazało się, że zamachowcy dobrze przygotowali się do przejęcia władzy z rąk marszałka Antonescu i spodziewali się niemieckiego przeciwdziałania. Drogi dojazdowe do stolicy zablokowały silne oddziały wojska dysponujące działami i czołgami, które zatrzymały marsz oddziałów dywizji artylerii przeciwlotniczej. W tych warunkach walka nie miała sensu. Było oczywiste, że niemieccy żołnierze nie zdołają przebić się do Bukaresztu.

Z frontu napływały coraz gorsze wiadomości: radzieckie dywizje pancerne wrzynały się w terytorium Rumunii, niszcząc niemieckie wojska z szybkością i zaciekłością, z jaką ogień wypala suchy las. 24 sierpnia okrążyły dwadzieścia niemieckich dywizji i przystąpiły do ich likwidacji. Tylko dwóch dowódców tych dywizji uszło śmierci lub niewoli.

---

* **Wilhelm Keitel** (1882-1946) – feldmarszałek. W czasie I wojny światowej walczył na froncie zachodnim. W latach 1926-1933 kierował wydziałem organizacyjnym Truppenamtu (sztabu generalnego Reichswehry). Od 1935 do 1938 r. był szefem Zarządu Ogólnego Wehrmachtu. W lutym 1938 r. objął stanowisko szefa naczelnego dowództwa Wehrmachtu (OKW). 22 czerwca 1940 r. osobiście prowadził negocjacje nt. zawieszenia broni w wojnie z Francją. W lipcu 1940 r. otrzymał stopień feldmarszałka. Służalczość wobec Adolfa Hitlera zyskała mu przydomek „Lakeitel" (od Lakai – lokaj). Brał udział we wszystkich najważniejszych naradach dotyczących działań wojennych i podpisywał rozkazy operacyjne. Już 6 czerwca 1941 r. podpisał rozkaz rozstrzeliwania radzieckich komisarzy; 8 września 1941 r. podpisał rozkaz dotyczący traktowania jeńców radzieckich; 16 września tego roku rozkazał rozstrzeliwać 50-100 Rosjan w odwecie za każdego zabitego Niemca; 4 sierpnia 1942 r. wydał rozkaz przekazywania schwytanych spadochroniarzy alianckich w ręce Służby Bezpieczeństwa (SD). Po zamachu na Hitlera 20 lipca 1944 r. przewodniczył sądowi honorowemu rozpatrującemu zachowanie niemieckich oficerów; wyrok wydalający oficerów z wojska równał się wyrokowi śmierci. 8 maja 1945 r. podpisał w Berlinie (Karlshorst) akt bezwarunkowej kapitulacji niemieckich sił zbrojnych. W 1946 r. stanął przed Międzynarodowym Trybunałem Wojskowym w Norymberdze i za zbrodnie wojenne i zbrodnie przeciwko ludzkości został skazany na karę śmierci i powieszony 16 października 1946 r.

Delegacja bułgarska podpisuje zawieszenie broni 24 października 1944 r.

Hitler nie wytrzymał już tego i wydał rozkaz zbombardowania królewskiego pałacu i siedziby rządu rumuńskiego. To był najpoważniejszy błąd, jaki mógł popełnić. Do tego czasu wojska rumuńskie powstrzymywały się od aktów wrogości wobec Niemców. Bombardowanie bukareszteńskich pałaców nie mogło nikogo przestraszyć, a zostało odczytane jako oznaka bezsilności Niemców. Dzień później rząd rumuński wypowiedział wojnę Niemcom. Akt zawieszenia broni, który kilkanaście dni później podpisali król Michał i marszałek Rodion Malinowski – występujący nie tylko w imieniu Związku Radzieckiego, lecz również Wielkiej Brytanii i Stanów Zjednoczonych – przewidywał, że Rumunia odda pod radzieckie dowództwo co najmniej 12 dywizji.

Z domku z kart – jaki Hitler zbudował w tej części Europy – jedna karta została usunięta, i cała budowla runęła w ciągu kilku dni.

8 września wojnę Niemcom wypowiedziała Bułgaria, a ponurym paradoksem historii było wyruszenie do walki przeciwko niedawnemu sojusznikowi 5 armii generała Stanczewa, wyposażonej przez Niemców w 88 nowoczesnych czołgów *PzKpfw IV* i dział samobieżnych, które skierowane na lewe skrzydło wojsk radzieckich miały odciąć odwrót wojskom niemieckim z Jugosławii. Tam komunistyczna partyzantka Tity wzmogła aktywność, choć wiadomo było, że o losie tego państwa zadecydują uderzenia radzieckich kolumn pancernych. Niemcy pośpiesznie wycofywali swoje wojska z Peloponezu. Pytaniem, które trapiło Hitlera było – jak rozwinie się sytuacja na Węgrzech?

235

Żelazny komandos

Samolot gwałtownie zniżył lot i dotykając niemalże kołami koron drzew, zatoczył szerokie koło, podchodząc do lądowania nad betonowym pasem lotniska w Kętrzynie.

- Nasz pilot jest zbyt ostrożny - odezwał się oficer siedzący obok Otto Skorzenego na niewygodnym płóciennym fotelu w pasażerskiej kabinie *Junkersa Ju 52/3m.* - Boją się rosyjskich myśliwców. Zaraz zobaczy pan, jaki cyrk się zacznie...

Koła uderzyły silnie o płyty pasa i pasażerami zakołysało gwałtownie. Samolot podskoczył i opadł na betonowe płyty z taką siłą, że omal nie połamał podwozia.

Otto Skorzeny

- Czasy dobrych pilotów już się skończyły - skwitował oficer, i dodał - leżą pod Stalingradem.

Spojrzał z ukosa na ponurego Skorzenego, który nie odpowiadał, lecz pochylił się do przodu, aby wyjrzeć przez niewielkie okienko samolotu. Dostrzegł w oddali poczwórnie sprzężone działka przeciwlotnicze osłonięte workami z piaskiem i kilka samochodów osobowych, które dość szybko jechały w stronę samolotu.

- Nie chcą, abyśmy zbyt długo przebywali w samolocie po wylądowaniu. Można nas wtedy ustrzelić jak kaczki na wodzie - wyjaśniał oficer, który zapewne był częstym gościem w kwaterze Hitlera pod Kętrzynem. - Dziękuję za towarzystwo w podróży.

Pochylił się i wyciągnął spod fotela niewielki skórzany neseser. Skorzeny też usiłował wstać, ale przy jego dwumetrowym wzroście nie było to łatwe w kabinie samolotu ledwo przystosowanego do przewozu pasażerów.

Zeszli po chybotliwych stopniach dostawionych do drzwiczek kabiny, mocno trzymając czapki, gdyż śmigła wciąż pracowały i podmuch mógł łatwo unieść ich nakrycia głów gdzieś w mazurskie lasy. Gdy ostatni pasażer stanął na betonie, samolot zaczął kołować w stronę hangaru obłożonego po sam dach workami z piaskiem.

- Sturmbannführer Skorzeny... - podszedł do niego esesman, który zeskoczył ze stopnia volkswagena. Wyciągnął rękę po teczkę, którą trzymał Skorzeny, przejął ją i otworzył drzwi samochodu. - Proszę wsiąść.

Skorzeny usiadł z przodu, mocno kuląc nogi, choć i tak uderzał kolanami o deskę rozdzielczą. Na kilkukilometrowej drodze, która prowadziła z lotniska do kompleksu bunkrów „Wilczego Szańca" wielokrotnie musieli zatrzymywać się przy strażnicach, gdzie esesmani powtarzali tę samą czynność: sprawdzali starannie dokumenty, porównując przy tym fotografie w książeczkach wojskowych z twarzami ludzi w samochodzie, i przeglądali ich teczki, obmacując każdy pakunek, który mógłby zawierać ładunek wybuchowy. Skorzenego nie dziwiła ta ostrożność. To był 15 września 1944 roku, a więc od zamachu, z którego führer cudem uszedł z życiem – minęło niespełna dwa miesiące. Dobrze pamiętał tamten dzień. Był wówczas w budynku koszar swojego oddziału we Friedenthal pod Berlinem, gdy zadzwonił telefon z „Wilczego Szańca". Hermann Göring krzyczał do słuchawki:

– Spisek przeciw Hitlerowi!... Ministerstwo wojny zwariowało! Oni wszyscy są umoczeni w tym po szyję! Nie przyjmować rozkazów od dowództwa Armii Rezerwowej! To zdrajcy!

Skorzeny na jego rozkaz zebrał swoich komandosów i wyruszył do ministerstwa wojny. Przybył tam późno w nocy, już po egzekucji pułkownika Clausa von Stauffenberga i innych spiskowców. Nie zastanawiał się, jak by postąpił, gdyby zastał Stauffenberga żywego. Zapewne, wiedząc o jego zdradzie, sam strzeliłby mu w głowę.

Samochód minął ostatni punkt kontrolny i podjechał wprost do niewielkiego budynku wśród wysokich drzew.

Skorzeny rozglądał się z zaciekawieniem, widząc, jak wiele zmieniło się w „Wilczym Szańcu" od czasu jego ostatniego pobytu.

Powstał nowy wielki bunkier numer 11, doskonale zabezpieczony przed bombami i atakiem gazowym. Hitler zaczynał się już obawiać niespodziewanego przedarcia się dużego oddziału wojsk radzieckich. Co prawda, główne siły Armii Czerwonej były jeszcze zbyt daleko, ale całkowicie uzasadnione były obawy przed desantem spadochronowym, który mógłby opanować lotnisko, gdzie wylądowałyby radzieckie samoloty transportowe, przywożąc działa i ciężką broń. Odparcie takiego ataku mogło się okazać niemożliwe. Hitler nakazał więc staranne przeanalizowanie możliwości obrony jego głównej kwatery.

– Będą mieli nas jak na strzelnicy – mnie i całe dowództwo, reichsmarschalla (mówił o Göringu), OKH, reichsführera SS i ministra spraw zagranicznych. Ależ to byłaby dla nich zdobycz! Gdybym ja mógł zdobyć za jednym zamachem całe rosyjskie dowództwo, natychmiast wyznaczyłbym do tego dwie dywizje spadochronowe.

Esesman wprowadził Skorzenego do sali i pozostawił tam, wśród innych oficerów, informując tylko, że osobisty bagaż zawiezie do jego kwatery.

Skorzeny widywał Hitlera i rozmawiał z nim wielokrotnie. Ostatni raz we wrześniu 1943 roku przyjmował z jego rąk odznaczenie za uwolnienie Benito Mussoliniego, uwięzionego w hotelu „Campo Imperatore" na górze Gran Sasso. Führer był wówczas pełen werwy, tryskał energią, która udzielała się najbliższemu otoczeniu. Niepomyślne wiadomości z frontów wydawały się nie robić na nim większego wrażenia, gdyż traktował je jako nieuniknioną zmienność losów wojny, którą Niemcy pod jego przewodem muszą wygrać.

Radosna chwila dla Benito Mussoliniego (w kapeluszu) i Otto Skorzenego (pierwszy z lewej) – uwolnienie z aresztu w hotelu „Campo Imperatore"

„Skorzeny, dziękuję panu" – Hitler podejmuje Skorzenego w „Wilczym Szańcu"

Gdy 15 września 1944 roku w sali konferencyjnej „Wilczego Szańca" zobaczył ponownie Hitlera – widok ten zmroził go. Patrzył na przygarbionego, przedwcześnie postarzałego człowieka trzymającego lewą rękę za plecami, ale i tak drżenie ramienia było widoczne. Przywitał się z kilkoma oficerami i podszedł do Skorzenego. Powiedział parę uprzejmych słów na temat waleczności wyprężonego esesmana i polecił mu, aby wziął udział w naradach dotyczących sytuacji na Bałkanach. Skorzeny, który usunął się pod ścianę, po raz pierwszy uczestniczył w naradzie na tak wysokim szczeblu. Z tym większą ciekawością przyglądał się temu, co działo się wokół.

Hitler, przy którym stanęli feldmarszałek Wilhelm Keitel i generał Alfred Jodl*, pochylony nad mapą wysłuchiwał raportów o sytuacji na froncie. Potem zadawał pytania, bardzo szczegółowe, na temat stanu uzbrojenia nawet niewielkich jednostek, ich dyslokacji, liczebności, możliwości dowiezienia amunicji. Demonstrował przy tym niepospolitą pamięć.

Tak było przez dwa dni. Wzywany przez adiutantów Hitlera przychodził do sali odpraw i stale – zajmując to samo miejsce przy ścianie – przyglądał się przebiegowi narad, starając się zapamiętać jak najwięcej, choć nudziły go informacje podawane przez oficerów. Nie znosił wojskowych konferencji. W istocie pozostał łobuziakiem, który nabrał cieniutkiej warstewki kultury i ogłady. Całkowicie zdawał sobie z tego sprawę, ale nie usiłował tego zmienić. Wiedział, że jego siłą jest agresywność i odwaga – przymioty wykluczające z reguły wrażliwość i kulturę osobistą.

Trzeciego dnia Skorzeny dowiedział się, że po zakończeniu narady ma pozostać w sali. Odczekał, aż większość oficerów opuści pokój, i na znak dany przez feldmarszałka Wilhelma Keitla usiadł przy okrągłym stole w rogu pokoju, gdzie miejsca zajęli również generał Wilhelm Jodl i Heinrich Himmler. Führer wszedł po kilku minutach. Zerwali się z miejsca na jego widok, a on, krążąc po pokoju, zaczął mówić:

– Front na granicy Węgier ustabilizował się i musimy to utrzymać za wszelką cenę! Jest tam około miliona naszych żołnierzy i będą straceni, jeżeli nie zatrzymamy Rosjan. Otrzymałem tajne raporty, że szef węgierskiego państwa admirał Horthy** próbuje nawiązać kontakty z naszymi

---

* **Alfred Jodl** (1890–1946) – generał. W czasie I wojny światowej walczył jako artylerzysta. W 1932 r., w randze majora, objął kierownictwo wydziału operacyjnego Truppenamtu. W sierpniu 1939 r. został mianowany szefem oddziału operacyjnego zarządu, a następnie sztabu dowodzenia w Oberkommando der Wehrmacht. Chociaż nie aprobował nazizmu – pozostawał wiernym wykonawcą planów Hitlera. W czasie lipcowego zamachu w Gierłoży odniósł ranę. W maju 1945 r. podpisał bezwarunkową kapitulację Niemiec.
W 1946 r. stanął przed Międzynarodowym Trybunałem Wojskowym w Norymberdze oskarżony o udział w planowaniu wojny. Uznany winnym, został skazany na śmierć i stracony.
** **Miklós Horthy de Nagybánya** (1868–1957) – dowódca floty austro-węgierskiej w czasie I wojny światowej, w 1919 r. zorganizował oddziały wojskowe do walki z komunistyczną Węgierską Republiką Rad. W 1920 r. objął urząd regenta, stając się faktycznym dyktatorem Węgier. Próbował przeciwstawiać się presji niemieckiej nasilającej się

wrogami w celu zawarcia separatystycznego pokoju. To oznaczałoby utratę naszych armii! Usiłuje zbliżyć się do zachodnich mocarstw i Rosji. Jest nawet gotów oddać się na łaskę Kremla!

Skorzeny spojrzał na mapę wiszącą na przeciwległej ścianie. Na wielkiej podkowie Karpat, zaginającej się wzdłuż węgierskich granic, wbito 16 chorągiewek oznaczających radzieckie armie. Jeżeli przedarłyby się przez zaporę, jaką stanowiły góry, i wyszły na Nizinę Węgierską – nic nie mogłoby ich zatrzymać.

– Pan, Skorzeny, musi być przygotowany do zajęcia siłą zamku w Budapeszcie, jeżeli on zdradzi nasz sojusz – mówił dalej o Horthym. – Sztab Generalny rozważa *coup de main** spadochroniarzy lub oddziałów w szybowcach. Dowodzenie całą operacją w mieście zostało powierzone nowemu dowódcy korpusu, generałowi Kleemanowi. Podlega mu pan w tej operacji, ale natychmiast musi pan rozpocząć przygotowania.

Wstał i przeszedł parę kroków. Ręka drżała bardzo silnie, co narastało w miarę zmęczenia.

Skorzeny dowiedział się, że Hitler osobiście studiował możliwości opanowania siedziby admirała Horthyego. W tym celu kazał sobie dostarczyć dokładne plany Zamku Królewskiego położonego na Górze Zamkowej nad Dunajem. Znajdował czas, aby zastanawiać się nad możliwościami przebicia przejść do systemu lochów i przedostania się do wnętrza zamku. Być może, w ten sposób führer znajdował wytchnienie od nużących narad i presji wydarzeń, które musiały mocno ważyć na jego psychice. Wracał do czasu świetności, gdy z frontu nadchodziły wiadomości o zwycięstwach jego wojsk. Przecież tak było w maju 1940 roku, gdy zdecydował się przyjąć plan generała Mansteina i skierował czołgi w Ardeny, gdzie łatwo mogły być zatrzymane przez wojska alianckie i zniszczone. Sam dołożył do tego pomysł śmiałego ataku na twierdzę Eben Emael, która wydawała się nie do zdobycia.

We wrześniu 1944 roku wiedział, że nie może liczyć na operacje dużych oddziałów wojsk. Los 5 dywizji artylerii przeciwlotniczej, którą wysłał, aby

---

w latach 30. i utrzymywać poprawne stosunki z państwami Zachodu. We wrześniu 1939 r. nie zgodził się na przemarsz wojsk niemieckich przez terytorium Węgier i okazywał sympatię i pomoc polskim władzom i uchodźcom. Obawa przed komunizmem sprawiła, że 20 listopada 1940 r. przystąpił do paktu trzech mocarstw (Niemcy, Włochy, Japonia) i zgodził się, aby wojska węgierskie wzięły udział w kwietniu 1941 r. w napaści na Jugosławię i, później, na Związek Radziecki. W miarę klęsk niemieckich starał się zdystansować od sojusznika i w marcu 1944 r. podjął negocjacje z zachodnimi mocarstwami, w następstwie czego Niemcy rozpoczęli okupację Węgier. 16 października 1944 r. publicznie wystąpił wobec wojsk radzieckich z propozycją zawieszenia broni, jednakże w wyniku akcji Otto Skorzenego, który uprowadził jego syna, zmuszony był wycofać się z tej propozycji i został uwięziony przez Niemców. Uwolniony przez wojska alianckie wyjechał w 1949 r. i osiadł na stałe w Portugalii.

* **Coup de main** (wym. kudemę) – wypad, nagły atak.

przywróciła niemiecki porządek w Bukareszcie wskazywał, że nie tędy droga do przeciwdziałania niepomyślnemu dla niego rozwojowi sytuacji. Nawet terrorystyczne naloty, które przyniosły zaplanowany skutek w 1940 roku w Amsterdamie, gdy bombardowanie zmusiło władze Holandii do kapitulacji, i rok później w Belgradzie, gdy zniszczenie centrum miasta złamało opór wojsk tego państwa – w Bukareszcie okazały się fatalnym pomysłem. Coraz bardziej wierzył, że jedynie niewielkie oddziały, uderzające znienacka, paraliżujące centrum decyzyjne wrogich państw lub tych, które zrywały sojusze – może przynieść upragniony skutek. Z tego też powodu, w czasie gdy rozważał możliwości ataku na wiarołomnego sojusznika – Miklósa Horthyego, wysłał zamachowców, którzy mieli zabić Józefa Stalina. Jedynie przypadek sprawił, że spaliła na panewce starannie zaplanowana akcja, którą miała przeprowadzić para radzieckich antykomunistów. Major Tawrin i jego nowopoślubiona żona, porucznik Szyłowa, zostali 12 września 1944 roku wysłani do Moskwy. Ich samolot wylądował na polu w pobliżu wsi Karmanowo, skąd zamachowcy, w mundurach żołnierzy Armii Czerwonej, wyruszyli na motocyklu do Moskwy. Dojeżdżali już do rogatek miasta, gdy radziecki wartownik zwrócił uwagę, że ich pojazd nie jest zabłocony, a mundury suche. Wydało mu się to dziwne, gdyż kilka godzin wcześniej padał deszcz. Gdyby rzeczywiście jechali przez całą noc, jak twierdzili, musieliby wyglądać inaczej. Aresztował ich. Zamach nie udał się, choć należy wątpić, czy zamachowcom, którzy dotarliby do Moskwy, udałoby się wystrzelić z granatnika przeciwpancernego lub rzucić granat do samochodu Stalina, gdy ten wyjeżdżałby z Kremla. Zasady bezpieczeństwa dyktatora były tak rygorystycznie przestrzegane (całą 35-kilometrową trasę z Kremla do daczy w Kuncewie gęsto obstawiali żołnierze NKWD), inwigilacja społeczeństwa tak bardzo nasilona, że wątpliwe było, żeby zamachowcom udało się ukryć po przyjeździe do stolicy, a potem zająć odpowiednie stanowisko do odpalenia pocisku.

– Aby ułatwić panu pokonanie wszelkich przeciwności w sformowaniu oddziału – mówił Hitler do Skorzenego – otrzyma pan mój rozkaz na piśmie oraz szerokie uprawnienia.

Spojrzał na generała Jodla, a ten wyciągnął kartkę z teczki i odczytał tekst:

– Pod pana rozkazami będą: batalion spadochroniarzy z Luftwaffe, batalion spadochronowy nr 600 z Waffen-SS i zmotoryzowany batalion piechoty utworzony ze słuchaczy szkoły oficerskiej z Wiener-Neustadt – mówił generał. – Dwie sekcje szybowców otrzymały rozkaz przygotowania się do akcji. Samolot z kwatery głównej będzie do pana dyspozycji przez czas trwania akcji.

Jodl podał dokument Skorzenemu:

Sturmbannführer Skorzeny wykonuje mój osobisty i wysoce tajny rozkaz najwyższej wagi. Rozkazuję wszystkim politycznym i wojskowym władzom udzielić mu wszelkiej pomocy, jakiej wymaga, i zastosować się do jego życzeń.

Der Führer und Reichskanzler
Adolf Hitler

241

- Polegam na panu i pana żołnierzach - führer wstał i skierował się do wyjścia. Wkrótce inni też opuścili pokój. Skorzeny został sam.

Spodziewał się szczególnego zadania, gdy tylko otrzymał wezwanie stawienia się w „Wilczym Szańcu". Polecił wówczas, aby komando „Mitte" - jak nazwano batalion 502 Waffen-SS - było gotowe w każdej chwili do akcji. Mógł polegać na tych ludziach, ale niepokoiło go podporządkowanie dowódcy korpusu gen. Kleemanowi, o którym nie miał najlepszego zdania. Miał jednak nadzieję, że generał zajmie się swoim zadaniem, jakim było przejęcie kontroli nad strategicznymi obiektami Budapesztu, i nie będzie się wtrącał do planów opanowania zamku. O wiele poważniejszą przeszkodą była decyzja führera, żeby ataku na siedzibę Horthyego dokonać z powietrza. Skorzeny, który wielokrotnie bywał w Budapeszcie i znał dobrze to miasto, uważał, że jego komandosi nie mają żadnych szans wylądowania na spadochronach lub w szybowcach w pobliżu zamku na górze. Dostępu z jednej strony bronił Dunaj, a z drugiej gęsta zabudowa. Jedyne miejsce, na którym mogłyby usiąść szybowce, nazywane „Krwawym polem", znajdowało się w zasięgu ognia karabinów maszynowych i dział zamku. Komandosi zostaliby zmasakrowani, zanim udałoby im się odrzucić spadochrony, pozbierać sprzęt i wyruszyć do ataku. Odłożył jednak te zmartwienia na później.

- Halo, Foelkersam? - Skorzeny sięgnął po słuchawkę, gdy tylko dowiedział się, że połączono go z szefem jego sztabu Adrianem von Foelkersamem w Friedenthal pod Berlinem, gdzie mieścił się ośrodek treningowy oddziału. - Otrzymałem właśnie nowe, ważne zadanie. Weź ołówek i zapisz: 1 kompania w pełnym składzie ma wejść na pokłady samolotów w Gatow dzisiaj o 20.00. Zapewnij amunicję i nie zapomnij o materiałach wybuchowych dla czterech oddziałów saperskich. Żelazne racje na sześć dni. Dowodzi porucznik Hunke. Ja odlatuję stąd tak szybko, jak tylko będzie to możliwe, i przed dziesiątą wyląduję na lotnisku zakładów Heinkla w Oranienburgu. Czekaj tam na mnie.

Dopiero gdy odłożył słuchawkę, zorientował się, że nie podał kryptonimu operacji, lecz uznał, że błąd ten naprawi zaraz po wylądowaniu. Zdecydował, że akcja opanowania siedziby Horthyego będzie nosić kryptonim „Panzerfaust"*.

Pospiesznie wyszedł z budynku, gdzie odbywała się narada, zebrał swoje rzeczy i kilka godzin później - w tej samej niewygodnej kabinie Junkersa, z tym samym złym pilotem, którego rozpoznał po fatalnym prowadzeniu samolotu podczas startu - wyruszył w podróż powrotną do Berlina. Bez wątpienia łatwość połączenia z Berlinem była jedną z niewielu zalet „Wilczego Szańca" ukrytego w wilgotnych mazurskich lasach, gdzie ze względu na sąsiedztwo bagien, komary dawały się szczególnie we znaki. Słyszał, że

---

* **Panzerfaust** (wym. pancerfaust - dosłownie: pięść pancerna) - nazwa niemieckiej broni przeciwpancernej (zob. przypis na str. 248).

führer rozważał przeniesienie swojej kwatery do innego miejsca, co wobec postępów wojsk radzieckich wydawało się nieuniknione. Ekipy kierowane przez ministra uzbrojenia Alberta Speera rozpoczęły drążenie podziemnych tuneli pod zamkiem w Książu, jednakże prace przebiegały bez specjalnego pośpiechu.

Następnego dnia, 19 września żołnierze z Friedenthal zostali przerzuceni do szkoły oficerskiej w Wiener-Neustadt, gdzie mieli pełnić

Panzerfaust

funkcję instruktorów dla kadetów wybranych do akcji „Panzerfaust".

– Nie mam wątpliwości, że słysząc moje nazwisko od waszych oficerów, wspomnieliście sprawę włoską – Skorzeny stanął przed szeregiem żołnierzy na dziedzińcu apelowym. Mówił o akcji uwolnienia Benito Mussoliniego, w której brał udział. Co prawda całą operację bardzo sprawnie przeprowadzili spadochroniarze z dywizji generała Kurta Studenta, ale Skorzeny był przy tym obecny i sprytnie przypisał sobie zasługę uwolnienia włoskiego dyktatora. – Nie myślcie jednak, że zabieram was na następną przygodę. To będzie poważna i prawdopodobnie krwawa sprawa, a stawka jest wysoka. Wykonamy to, po co zostaliśmy wysłani, aby służyć naszemu krajowi i naszemu narodowi.

Przygotowania ruszyły pełną parą, ale zebranie ekwipunku i pojazdów potrzebnych do wykonania akcji nie było proste – pomimo rozkazu führera, który pozwalał Skorzenemu żądać, a nie prosić o przydział pojazdów, paliwa, amunicji i innego sprzętu. We wrześniu 1944 roku w Niemczech, pustoszonych przez alianckie bombowce, trudno było uzyskać dodatkowy przydział. Postanowił więc wykorzystać czas, w którym jego oddział zgromadzi niezbędny ekwipunek, i pojechać do Budapesztu, aby rozejrzeć się osobiście na miejscu przyszłej akcji.

– Doktorze Wolff, czekamy na pana – szpakowaty mężczyzna ukłonił się i wyciągnął rękę po walizkę, którą trzymał Skorzeny. – Jestem George, kamerdyner. Proszę iść za mną.

Odwrócił się i rytmicznym krokiem zdradzającym starego żołnierza podążał w stronę wyjścia. Skorzeny nie zadawał pytań. Wiedział, że na peronie budapeszteńskiego dworca będzie go oczekiwał ktoś, kto zapewni mu gościnę i pomoc podczas kilkudniowego pobytu w mieście. Nie znał jego nazwiska i nie miał zamiaru dowiadywać się o nie. Ludzie z wywiadu SD przekazali mu tylko, że jest to bogaty i wpływowy Węgier, zwolennik nazizmu.

– Będziemy jechać nieco okrężną trasą. Proszę się nie niepokoić. Musimy ominąć Atilla Utca, gdzie jest wiele węgierskich posterunków i sprawdzają wszystkie samochody. To bardzo utrudnia i opóźnia przejazd – wyjaśnił kamerdyner, wstawiając walizkę Skorzenego do bagażnika. Zapewne miał rację, gdyż od pewnego czasu węgierscy żołnierze zachowywali się dość nieprzyjaźnie wobec Niemców i unikanie kontaktów z nimi wydało się Skorzenemu dobrym pomysłem.

Przejechali szybko ulicami Budapesztu, który stał się już miastem pogrążonym w wojnie. Kilka razy musieli się zatrzymać, aby przepuścić niemieckie kolumny ciężarówek z żołnierzami i sanitarek, na których błoto i brud zdradzały, że powracają z frontu. W oknach wielu domów pojawiły się papierowe paski, przyklejane na krzyż dla wzmocnienia szyb, a na fasadach wymalowano białe strzałki wskazujące drogę do schronów przeciwlotniczych.

Wielka willa, w której miał spędzić kilkanaście dni, odgrodzona była od jezdni niewielkim skwerem.

– Byłem zajęty i nie mogłem osobiście powitać dostojnego gościa na peronie – gospodarz zszedł po schodach niemalże w tym samym momencie, gdy kamerdyner wprowadził Skorzenego do holu wyłożonego marmurem i jasno oświetlonego kinkietami na marmurowych ścianach oraz wielkim kryształowym żyrandolem. Ubrany był z przesadną elegancją i choć na serdecznym palcu nosił herbowy sygnet wielkości dojrzałej śliwki – nie należało sądzić, że był arystokratą. Gładko uczesane i sklejone brylantyną włosy, krótko przycięty wąsik i wąsko rozstawione oczy, które zerkały gdzieś w bok, unikając wzroku rozmówcy, nadawały mu wygląd karcianego szulera. Zatrzymał się przed Skorzenym, nie wiedząc, czy ma podnieść rękę w hitlerowskim pozdrowieniu, czy też podać ją w najzwyklejszy sposób. Dopiero widząc, że gość stuknął obcasami powiedział:

– Heil Hitler!

Natychmiast, jakby nie wiedząc, czy nie popełnił gafy, witając tak formalnie Skorzenego przybywającego incognito, wziął go konfidencjonalnie pod rękę i poprowadził na górę.

– Będzie pan chyba zadowolony z apartamentu, który przygotowałem. Proszę odpocząć i zejść na kolację, gdy będzie pan gotów. Mam wiele ważnych informacji.

Pokój, do którego wprowadził Skorzenego, miał wymiary sali balowej, a białe meble ze złoceniami jeszcze bardziej podkreślały przepych tego pomieszczenia.

Odświeżony, zszedł na kolację, którą podano na tarasie nad niewielkim stawem, gdyż wieczór był ciepły. Przez cały jej czas rozmawiali o węgierskiej kuchni, którą Skorzeny znał bardzo dobrze i najlepszych rocznikach węgierskich win. Dopiero, gdy zapadła noc, ze względu na chłód, przenieśli się do pokoju kominkowego, gdzie George podał im cygara i koniak. Gospodarz usiadł na foteliku tuż obok Skorzenego.

– Doktorze Wolff – powiedział ściszonym głosem – muszę panu przekazać kilka najnowszych wiadomości, choć zastrzegam się, nie znam celu pańskiej misji. Sądzę jednak, że informacje te będą panu przydatne. Dotyczą Miklósa „Miki" Horthyego, którego tak nazywamy, aby nie mylić z admirałem – jego ojcem.

– Nasz wywiad donosi o rozpoczęciu przez niego tajnych negocjacji z wysłannikami Tito*, dzięki któremu chce dotrzeć do Rosjan.

Skorzeny słuchał w skupieniu zainteresowany osobą syna regenta.

– Proszę mi powiedzieć coś więcej o tej rodzinie – powiedział, zaciągając się dymem świetnego cygara.

– Jeden z dwóch synów admirała – starszy – István, lotnik, zginął w samolocie dwa lata temu, ale nie bardzo wiadomo gdzie. Według jednej wersji stało się to na froncie wschodnim, według innej – tutaj na Węgrzech, w wypadku lotniczym. Od tego czasu ojciec przelał wszystkie uczucia na młodszego, znanego dotychczas jedynie z orgii, jakie organizował na Wyspie Małgorzaty. Ostatnio zajął się polityką.

– Dlaczego starają się wykorzystać pośrednictwo Tity? – Skorzeny był wyraźnie zdziwiony. – *Miklós „Miki" Horthy*
Przecież to komunista, ich najgorszy wróg? Czy nie mogą podjąć bezpośrednich negocjacji z Rosjanami?

Jego gospodarz nie umiał odpowiedzieć na to pytanie. Tamtego czasu mało kto orientował się w szybkim rozwoju wydarzeń na Węgrzech, które zaczynały przypominać libretto operetek Imre Kálmána. Gdy Horthy podjął decyzję o zmianie sojusznika, Rosjanie byli pierwszymi, którzy dowiedzieli się o tym od swoich szpiegów. Natychmiast przysłali do Budapesztu pułkownika Makarowa (nie jest pewne, czy było to jego prawdziwe nazwisko, czy tylko pseudonim), który dostarczył admirałowi dwa listy pełne tak wspaniałych obietnic, że ten wysłał do Moskwy swojego przedstawiciela, aby negocjować warunki kapitulacji wojsk węgierskich. Marszałek Farago, były attaché wojskowy w Moskwie, zaproponował „natychmiastowe zaprzestanie działań wojennych, udział wojsk brytyjskich i amerykańskich w okupacji Węgier, niezakłócony odwrót wojsk niemieckich z Węgier". Nagle rosyjscy gospodarze zapytali marszałka o pisemne upoważnienie do reprezentowania admirała

---

* **Josip Broz-Tito** (1892–1980) – jugosłowiański przywódca, od 1937 r. kierował partią komunistyczną tego państwa. Po napaści Niemiec na Jugosławię w 1941 r. dowodził komunistyczną partyzantką.

Horthy'ego i okazało się, że ich nie miał. Rosjanie odmówili więc prowadzenia rokowań i udali, że nic nie wiedzą o obietnicach zawartych w listach pułkownika Makarowa. Horthy uznał, że przeszkody w rozwiązaniu głównego problemu są następstwem jego przeoczenia, jakim było nie wyposażenie wysłannika w pisemne pełnomocnictwa, i wysłał natychmiast z Budapesztu znanego malarza impresjonistę, aby ten dostarczył dokumenty, gdyż uważał (i słusznie), że nikt nie będzie go podejrzewał o przewożenie tajnych papierów.

Czas mijał. Rosjanie nie mieli zamiaru potwierdzić wcześniejszych zobowiązań. Nadzieja na rozstrzygnięcie losu dziesiątek tysięcy węgierskich żołnierzy oddalała się coraz bardziej. Zapewne z tego powodu Miklós „Miki" Horthy uznał, że warto skorzystać z pośrednictwa jugosłowiańskiego komunisty.

Kilka dni po tej rozmowie, Skorzeny, który wciąż w cywilnym przebraniu krążył po Budapeszcie i najchętniej przybywał do zamku, gdzie obok apartamentów regenta urzędował niemiecki ambasador, dowiedział się, że według ostatnich ustaleń wywiadu niemieckiego, spotkanie Miklósa „Miki" Horthy'ego z jugosłowiańskim wysłannikiem odbędzie się 10 października. Niemcy mieli za mało czasu, aby przygotować akcję. Wiedzieli, że syn regenta porusza się po mieście w silnej eskorcie i jakakolwiek próba wdarcia się do domu, gdzie odbywały się negocjacje, mogła doprowadzić do strzelaniny, której wynik był trudny do przewidzenia.

– Czy zgodzi się pan wprowadzić do akcji swoich ludzi? – zwrócił się do Skorzenego generał Walther Wenck, zastępca szefa sztabu generalnego wojsk lądowych, który przybył do Budapesztu z rozkazem zapobieżenia dalszym negocjacjom syna regenta z Jugosłowianami. Stali nad mapą Budapesztu rozłożoną na wielkim stole z czerwonym kółkiem otaczającym willę na przedmieściach stolicy, gdzie 15 października młody Horthy miał spotkać się z wysłannikami Tity.

– SD zdecydowane jest wkroczyć do willi i ująć Horthy'ego – mówił dalej generał. – Nadaliśmy tej operacji kryptonim „Micky Mouse".

– Zgadzam się – odrzekł Skorzeny. – Pod warunkiem, że to ja będę decydował kiedy, i jak, moi żołnierze zostaną wykorzystani.

– To oczywiste – Wenck znowu pochylił się nad mapą. Zadanie było bardzo trudne, gdyż należało się spodziewać, że ludzie z obstawy Horthy'ego otoczą willę i będą strzegli wszystkich wejść, nie dopuszczając nikogo do wnętrza. Dlatego Niemcy założyli, że agenci Sicherheitsdienst wejdą do budynku poprzedniego wieczoru i ukryją się w lokalach biurowych na piętrze. Na ich sygnał wtargną do budynku inni agenci SD, odcinając Horthyemu i jugosłowiańskim wysłannikom drogę ucieczki. Oczywiście powodzenie akcji zależało od obezwładnienia strażników strzegących wejścia do willi i, zapewne dlatego, dowodzący akcją gen. Wenck uznał, że warto włączyć do akcji kompanię komandosów Skorzenego.

Śmiertelny pojedynek

Wielki *Nashorn** kołysał się miarowo w takt jazdy po równej, biegnącej prosto przez wiele kilometrów drodze. Dowódca kompanii niszczycieli czołgów, porucznik Johann Koss odbił się nogami od siodełka i podciągając na rękach, wydostał z wnętrza. Usiadł na pancerzu, zsunął na szyję słuchawki i wyciągnął z kieszeni pomiętą paczkę papierosów. Zaciągnął się głęboko. Nie palił od dawna, oszczędzając skąpy przydział papierosów, jaki wręczano im co kilka dni.

Świeciło słońce i ciepły jesienny dzień sprzyjał raczej planowaniu wycieczek w jego rodzinnym Bambergu niż jeździe na bitewne pole. Od kilku dni uchodzili przed radzieckimi kolumnami pancernymi, dopóki nie wyjechali na równinne tereny. Rosjanie napierali od 6 października, gdy wojska 2 Frontu Ukraińskiego podjęły ofensywę w kierunku Salonta i Arad. Czołgi 6 gwardyjskiej armii pancernej uderzyły z takim impetem,

Nashorn

---

* Nashorn (Hornisse) SdKfz 164 – działo samobieżne, skonstruowane w 1942 r. przy wykorzystaniu części podwozia czołgów PzKpfw III i IV. Silnik i połączony z nim układ przeniesienia napędu usytuowano z przodu kadłuba, co pozwoliło wygospodarować miejsce na przedział bojowy z tyłu pojazdu.

Początkowe zamówienie złożone w zakładach Deutsche-Eisenwerke przewidywało wybudowanie od października 1942 r. do 12 maja 1943 r. 100 dział tego typu, aby można je było użyć w letniej ofensywie na froncie wschodnim. Pierwsze działa przekazano do 655 Panzerjägerabteilung w ZSRR w lecie 1943 r. Walczyły również w jednostkach niszczycieli czołgów we Włoszech i Francji. Do marca 1945 r. wyprodukowano łącznie 494 sztuki.

Dane taktyczno-techniczne: załoga – 4 osoby, silnik Maybach HL 120 TRM, ciężar 24 t, pancerz 10–30 mm, uzbrojenie działo PaK kal. 88 mm, 1 karabin maszynowy MG 34 kal. 7,92 mm, poziomy kąt ostrzału 30°, kąt podniesienia lufy: –5° do +20° prędkość 42 km/h, zasięg 215 km.

że rozniosły 3 armię węgierską i pędziły przed siebie w tempie, jakiego nie mogła dotrzymać piechota.

Niemcy wycofywali się i unikali otwartych bitew, wiedząc, że w polu – zanim nie przygotują nowych linii obronnych – nie dorównają potędze radzieckich oddziałów, ale z powodzeniem zaczęli stosować taktykę sprawdzoną w Afryce Północnej, gdy uderzali na tyły nieprzyjacielskich kolumn poruszających się wyznaczonymi szlakami.

– Stój! – Koss podniósł rękę, dając znak podążającym za nim trzem niszczycielom czołgów, aby zatrzymały się. Drogę tarasowało kilka ciężarówek, z których zeskakiwali żołnierze trzymający naręcza panzerfaustów*. Kilkunastu z nich pobiegło, kołysząc się pod ciężarem broni, w stronę rowu melioracyjnego, ciągnącego się w odległości kilkunastu metrów, wzdłuż drogi. Ustawili granatniki na ziemi, odpięli od pasów saperki i zaczęli przygotowywać stanowiska.

Koss podniósł do oczu lornetkę i przesunął po horyzoncie. Niewielkie pagórki mogły skutecznie zakryć ich pojazdy przed wrogą kolumną i umożliwiały niespodziewany atak. Istniało niebezpieczeństwo, że rosyjskie czołgi pojawią się na drodze za kilkadziesiąt minut.

Ciężarówka zjechała na pobocze drogi, ustępując miejsca działom samobieżnym. Koss zakręcił ręką nad głową, dając sygnał do marszu, po czym zsunął się do wnętrza pojazdu, gdzie rozparł się wygodnie na siodełku.

Kapral Hans Gobiczek, Ślązak, który służył w Wehrmachcie od 1943 roku – gdy kazali mu stawić się na komisji poborowej w jego rodzinnym Sosnowcu, a potem zamknęli na 6 tygodni w koszarach i w grudniu wywieźli na front wschodni – systematycznie wycinał wielkie kawały

---

* **Panzerfaust** – niemiecki granatnik przeciwpancerny o prostej budowie przeznaczony do zwalczania pojazdów opancerzonych skonstruowany w 1942 r. Była to rura o długości 80 cm, do której żołnierz wsuwał pocisk. Miał on 15 cm średnicy i zaopatrzony był w drewniany trzonek z lotkami ze sprężystej blachy, zwijanymi dookoła trzonka przed wsunięciem do rury. Odpalenie pocisku następowało po naciśnięciu na spust na górze pancerzownicy, tuż za podnoszonym celownikiem. Pierwsze modele nazwane Panzerfaust Klein (z pociskiem o średnicy 10 cm) i Panzerfaust 30 (z pociskiem o średnicy 15 cm miotane na odległość 30 m) wyprodukowane w pierwszej połowie 1943 r. w liczbie 3000 sztuk przeznaczono do prób bojowych na froncie wschodnim. Te testy wykazały dużą skuteczność nowej broni: pocisk kumulacyjny, trafiając pod kątem 30°, przebijał pancerz każdego radzieckiego czołgu. W wyniku pozytywnych opinii w październiku 1943 r. zakłady otrzymały zamówienie na miesięczną produkcję 100 000 sztuk Panzerfaust Klein i 200 000 Panzerfaust 30. Na początku 1944 r. rozpoczęto produkcję Panzerfaust 60 o zasięgu 60 m, a w listopadzie 1944 r. Panzerfaust 100 o zasięgu 100 m. Panzerfaust 150 wprowadzony do produkcji seryjnej w styczniu 1945 r. mógł niszczyć czołgi z odległości 150 m; do kwietnia 1945 r. wyprodukowano ok. 200 000 sztuk tej broni, ale niewiele dostarczono do jednostek frontowych ze względu na trudności transportowe. Panzerfausty były masowo używane przez oddziały regularnego wojska oraz oddziały Volkssturmu.
Dane taktyczno-techniczne (typ 60): długość pancerzownicy 80 cm, długość pocisku 49,5 cm, średnica pocisku 150 mm, prędkość początkowa 45,1 m/sek, przebijał pancerz 200 mm, ciężar broni 6,7 kg.

Żołnierze z panzerfaustami

darni. Odkładał je na bok i co chwilę wystawiał głowę nad rów, aby zerknąć, czy na drodze nie pojawiają się rosyjskie pojazdy pancerne. Wiedział, że stanie się to bardzo szybko. Był zbyt doświadczonym żołnierzem, aby trząść się ze strachu przed nadchodzącą bitwą, ale nigdy nie kazano mu niszczyć czołgów z panzerfausta w otwartym terenie. Pamiętał, jak przywieziono tę broń do jego jednostki broniącej węzła kolejowego Razdielnaja, atakowanego przez grupę korpuśną kubańskich Kozaków generała Pilijewa. Wówczas leżał dobrze ukryty w gruzach magazynu i czekał, aż wyjadą zza zakrętu. Podpuścił pierwszy czołg zbyt blisko, gdyż nie miał zaufania do panzerfausta, który wydawał mu się bardzo prymitywną bronią. Odczekał, aż podjedzie na 20 metrów, i nacisnął spust. Pocisk trafił dokładnie między kołami, a podmuch wybuchu był tak silny, że zwalił mu na głowę resztki stropu, które wbrew zasadom grawitacji, utrzymywały się jeszcze, nad jego stanowiskiem. Może dzięki temu przeżył, gdyż spadające deski i belki utworzyły schron, który zatrzymał odłamki z eksplodującego czołgu. Zdołał szybko wyczołgać się spod nich i odskoczyć kilkanaście metrów w bok. W sam czas. Tuż potem drugi czołg, którego kierowca dostrzegł zapewne, skąd padł strzał, ominął płonący wrak i wjechał na gruzy, aby zmiażdżyć gąsienicami strzelca. Zakręcił w miejs-

249

cu, aby mieć pewność, że zniszczył wrogie stanowisko. Gobiczek, wciąż ogłuchły po wybuchu i oszołomiony tym, co się stało, leżał obok i żałował, że nie miał drugiego pancerfausta, gdyż czołg stanowił świetny cel. Potem uzmysłowił sobie, że cudem ocalał i chyłkiem uciekł z magazynu, aby nie nadużywać szczęścia.

Tam, w ruinach magazynu, było to możliwe, ale jak atakować czołg z broni mającej zasięg kilkadziesiąt metrów w otwartym terenie? Jeżeli pierwszy pocisk okaże się celny, to nie zdąży sięgnąć po drugiego pancerfausta, gdyż załoga następnego czołgu łatwo zlokalizuje miejsce, skąd padł strzał i zasypie je gradem pocisków, albo – jak w Razdielnej – rozjedzie je gąsienicami. Szanse przeżycia były równe zeru. Postanowił, że po oddaniu strzału będzie uciekał jak najszybciej, korzystając z osłony, jaką dadzą mu ściany rowu. Nic lepszego nie przychodziło mu do głowy.

Początkowo wydawało mu się, że rozkaz zajęcia stanowisk wzdłuż drogi był głupi, ale widząc działa samobieżne, które minęły ich, gdy wysiadali z ciężarówki, doszedł do wniosku, że jednak plan jest bardzo dobry. Ich atak miał zwrócić uwagę radzieckich czołgistów i zmusić do potyczki z grupką żołnierzy, aby działa samobieżne, niezauważone wyjechały na pozycję i rozniosły resztę czołgów.

Stanowiska na poboczach drogi

Ułożył się, jak mógł najwygodniej w płytkim okopie, który obłożył darnią i gałęziami. Trudno go było zauważyć nawet z odległości kilkunastu metrów. Koss uniósł lornetkę do oczu. Droga prowadząca do Debreczyna była jeszcze pusta, ale zwiad donosił, że rosyjskie czołgi powinny nadjechać lada moment. Wreszcie dostrzegł je. Wyjeżdżały zza zakrętu w odległości około czterech kilometrów. Ich załogi najwyraźniej nie spodziewały się ataku, gdyż dowódcy tkwili w otwartych klapach włazów wieżyczek. Coś musiało ich zaniepokoić, gdyż jeden po drugim zaczęli znikać we wnętrzach wieżyczek. Może otrzymali przez radio ostrzeżenie. Może dostrzegli błękitną mgiełkę spalin, jaka utrzymywała się nad miejscem, gdzie ukryły się działa samobieżne.

Zsunął się do wnętrza wozu, opuścił klapę i przesunął rękojeść rygla. Pozostawało teraz czekać, aż czołgi podjadą bliżej i zostaną zaatakowane z prawej strony przez pluton, który zamaskowany zajął pozycje wzdłuż drogi.

Gobiczek czuł, jak drży ziemia. Nadjeżdżały. Wysunął „pięść pancerną" i wyobrażając sobie, w którym momencie zobaczy pierwszy czołg, ustawił celownik na odległość trzydziestu metrów. Słyszał już wyraźnie warkot silników. Zwiększyły prędkość.

Mijały sekundy. Widział, jak inni żołnierze z jego drużyny przygotowują się do strzału. Podniósł palec do góry, dając znak sąsiadowi, że będzie strzelał do pierwszego czołgu. Ten skwitował tę wiadomość kiwnięciem głowy i podniósł dwa palce – do niego należy drugi czołg w kolumnie.

Czołgi zbliżały się. Ich załogi, obserwujące otoczenie przez peryskopy, nie miały żadnych szans dostrzeżenia Niemców ukrytych w rowie melioracyjnym. Zamaskowali się tak dobrze, że jedynie głowice panzerfaustów wystające spod gałęzi, jakie narzucili na swoje stanowiska, zdradzały zasadzkę.

Pierwszy czołg zrównał się z drzewem, które Gobiczek wybrał za punkt pomiaru odległości.

– Jeden... dwa... trzy... – powoli odliczył czas, jaki powinien minąć, aby czołg znalazł się dokładnie w odległości 30 metrów.

Naprowadził muszkę na jego pancerz. Lekko uniósł koniec rury panzerfausta, aby zgrać ją ze szczerbiną i widząc, że przyrządy celownicze dokładnie wskazują kadłub, nacisnął całą dłonią na spust. Huk, jaki spowodował pocisk wylatujący z rury, ogłuszył go na moment, jednakże pamiętając, jaki plan ucieczki założył, odrzucił pustą rurę, zdołał schwycić karabin i stoczył się na dno rowu.

Pocisk ze świstem przeleciał tuż nad jezdnią i uderzył między kołami czołgu. Eksplodująca głowica kumulacyjna rozepchnęła pancerz, wpuszczając do wnętrza strumień gazów o straszliwym ciśnieniu kilkunastu tysięcy atmosfer. Pięciu ludzi załogi zginęło natychmiast, a eksplozja amunicji i paliwa zerwała wieżę, która jak kapelusz zdmuchnięty z głowy podmuchem wiatru, przeleciała kilka metrów i spadła na pole.

Gobiczek dostrzegł, jak jego sąsiad odpalił pocisk, który szybując tuż nad powierzchnią drogi, zawadził o kamień i krzesząc snop iskier, skręcił w bok. Żołnierz nie podniósł się, aby uciekać. Jak na ćwiczeniach sięgnął po następny panzerfaust. Z ogromnym spokojem wycelował ponownie i nacisnął spust. Tym razem strzał był celny, ale chyba nie mógł tego zobaczyć, gdyż załoga trzeciego w szyku czołgu odkryła jego stanowisko. Pociski z karabinów maszynowych znaczyły drogę do jego okopu wyrywanymi grudkami ziemi. Gobiczek widział, jak kilka z nich przeszło przez okop. Żołnierz już się nie poruszył. Miał ochotę sprawdzić, czy może jest ranny, ale wnet zorientował się, że sam stał się celem czołgowych karabinów. Pochylił się i chlupocząc nogami w błocie osiadłym na dnie rowu, pomknął przed siebie. Słyszał tylko zbliżający się warkot czołgowego silnika zmieszany z metalicznym chrzęstem gąsienic. Pomyślał, że to niemożliwe, żeby czołg gonił go. Zatrzymał się, aby upewnić się, i w tym momencie zobaczył, jak z góry zwala się na niego masa ciemnozielonej stali. Ostro zakończony kadłub poderwał go do góry. Czuł, jak spada na klapę włazu kierowcy. Usiłował chwycić za osłonę peryskopu, lecz palce umazane błotem ześlizgnęły się po stali. Oparł się jeszcze łokciem o błotnik, który ugiął się pod jego ciężarem i zwalił się wprost pod stalową taśmę gąsienicy, która wgniotła go w błoto.

Koss, widząc, jak na drodze trzy radzieckie czołgi zapłonęły wielkimi płomieniami, dał rozkaz do ataku. Jego trzy niszczyciele, miażdżąc gąsienicami krzaki, za którymi tkwiły, wyjechały na pole. Rosjanie, zajęci potyczką z żołnierzami atakującymi ich za pomocą panzerfaustów, nie zauważyli, że z drugiej strony niemieckie działa pancerne wyjechały na stanowiska.

– Dwójka, atakować czwarty czołg w rzędzie – wydał rozkaz przez radiostację. – Trójka – piąty czołg.

Celowniczy naprowadził lufę na cel. W jego wizjerze widać było tył czołgu, który zjechał z drogi w stronę rowu melioracyjnego. Koss uznał, że załoga odkryła, gdzie są stanowiska żołnierzy z panzerfaustami, i postanowiła rozjechać ich, zamiast strzelać z karabinów maszynowych lub dział.

Czołg posuwał się dość szybko i nagle znalazł się poza zasięgiem ich działa, które zamontowane w kadłubie miało pole ostrzału ograniczone do 30 stopni.

– Wyrównaj w prawo! – krzyknął do kierowcy celowniczy. Pojazd szarpnął, zakręcił gwałtownie i zamarł w bezruchu. Celowniczy ponownie naprowadził lufę działa na tył radzieckiego czołgu.

Huk i dym wypełnił wnętrze niemieckiego pojazdu i w tym samym momencie Koss dostrzegł, jak z tyłu czołgu wystrzelił język ognia, który szybko zaczął obejmować pancerz i koła.

– Dostał w silnik! – krzyknął. – Cel: czołg na drodze! Obraca wieżyczkę w naszą stronę!

Rosjanie najwyraźniej zorientowali się, że zostali wzięci w dwa ognie i w ich szeregach zapanowało ogromne zamieszanie. Jedne czołgi usiłowały jak najszybciej odjechać z miejsca, inne obracały wieżyczki w stronę, z której nadchodził najgroźniejszy atak.

Trzy niemieckie niszczyciele czołgów zajęły już stanowiska i mając przed sobą rosyjskie czołgi rozstawione na drodze kilkanaście metrów jeden od drugiego, waliły jak na strzelnicy. W ciągu dwudziestu minut walki zniszczyły dwanaście czołgów i szybko wycofały się, nie tracąc żadnego własnego.

Niemieckie działa szturmowe wyjeżdżają na pozycje

Niemcy nie mieli już sił, aby zatrzymać radziecki walec pancerny toczący się na Zachód

Tego dnia, 10 października, czołgi rosyjskiej 6 gwardyjskiej armii pancernej zostały zatrzymane na przedmieściach Debreczyna. To był wielki sukces, zważając, że po zaciętych bojach, jakie 6 armia toczyła, wycofując się znad Prutu, w jej sześciu dywizjach pancernych pozostało tylko 67 czołgów i 57 dział pancernych. W czasach świetności Wehrmachtu każda dywizja pancerna miała po 300 czołgów i dział pancernych. Udział w wojnie dwóch węgierskich armii miał dla Hitlera znaczenie decydujące...

Porwanie

Niedzielny poranek 15 października był ciepły i słoneczny. Skorzeny w cywilnym ubraniu szybko przemknął wyludnionymi ulicami Budapesztu i dotarł do podmiejskiej willi, gdzie według doniesień wywiadu młody Horthy miał spotkać się z wysłannikami marszałka Tity.

Na ulicy, przed budynkiem stała wojskowa ciężarówka ze skrzynią zakrytą brezentem i osobowy samochód należący zapewne do Horthyego. Skorzeny wyminął je i przejeżdżając obok ciężarówki, przekręcił kluczyki w stacyjce swojego adlera tak, że silnik zazgrzytał i zgasł. Samochód rozpędem dojechał do krawężnika i stanął nieco ukosem, tarasując drogę ciężarówce. O to właśnie chodziło Skorzenemu, który zanim wysiadł, rozejrzał się uważnie. Przez szparę w plandece ciężarówki widać było węgierskiego oficera z pistoletem maszynowym, bacznie obserwującego ulicę. Dwaj inni oficerowie przechadzali się w pobliżu, odwracając co chwilę głowy w stronę domu. Kilkadziesiąt metrów dalej, na ławce po drugiej stronie ulicy siedziało dwóch cywilów. To już byli esesmani Skorzenego w cywilnych ubraniach. Pozostali, w mundurach i gotowi do akcji, czekali w ciężarówkach, które zatrzymały się w bocznej uliczce.

Skorzeny wysiadł z samochodu i podniósł maskę silnika, udając, że sprawdza, co było przyczyną awarii. Minęła 10.10, gdy zza rogu wyszli agenci SD*, którzy nie kryjąc się zbytnio, zmierzali w stronę wejścia do willi. Ludzie z obstawy Horthy'ego byli czujni. Gdy tylko Niemcy zbliżyli

---

* **SD** (Sicherheitsdienst) – służba bezpieczeństwa SS, partyjna służba bezpieczeństwa SS wywodziła się z informacyjnej służby Ic zorganizowanej w 1931 r. przez Reinharda Heydricha na polecenie Heinricha Himmlera. Jej trzon stanowili oficerowie SS działający w Urzędzie Służby Bezpieczeństwa oraz podległych placówkach SD przy nadokręgach i okręgach SS. W pierwszych latach istnienia SD działała jako organizacja ochrony partii nazistowskiej, a po przejęciu władzy przez Adolfa Hitlera umacniała system faszystowski w Niemczech. Od chwili utworzenia w 1939 r. Głównego Urzędu Bezpieczeństwa Rzeszy (RSHA), który połączył SD z Sipo (policją bezpieczeństwa), działalność SD realizowana była w trzech wchodzących w jego skład urzędach: III – działalność wewnątrz kraju, VI – działalność za granicą, VII – badania światopoglądowe. W lutym 1944 r. równocześnie z usunięciem Wilhelma Canarisa, szefa wywiadu i kontrwywiadu wojskowego, przejęła niemalże całkowicie agencje Abwehry. Międzynarodowy Trybunał Wojskowy w Norymberdze uznał SD za organizację przestępczą.

się, unieśli karabiny. Nie zdążyli jednak wezwać do zatrzymania, gdy któryś z mężczyzn wyciągnął z kieszeni pistolet. I wtedy padły strzały. Jeden z agentów trafiony w brzuch osunął się po schodach i upadł na chodnik. Drugi zdołał dopaść wejścia i skryć się w sieni. Dwaj komandosi Skorzenego, siedzący na ławce po drugiej stronie ulicy ruszyli na pomoc swojemu dowódcy, który musiał skryć się za samochodem, gdyż żołnierze węgierscy otworzyli ogień w jego kierunku. Sytuacja stawała się bardzo trudna. Żołnierze strzelali z pistoletów maszynowych, nie dając Niemcom możliwości wystawienia głowy, a ich samochód, dziurawiony pociskami trafiającymi bezpośrednio lub rykoszetującymi od ścian i chodnika, mógł w każdej chwili stanąć w płomieniach.

– Gdzie jest do diabła Foelkersam?! Dlaczego nie wysyła żołnierzy na pomoc?! – Skorzeny, leżąc na chodniku, odwrócił się w stronę ulicy, na której stali jego komandosi. Zobaczył, jak nadbiegają pochyleni, tuż przy murze. Po chwili druga grupa pojawiła się na przeciwległym krańcu ulicy. Żołnierze węgierscy zeskoczyli z ciężarówki i ostrzeliwując się, pobiegli do sieni budynku naprzeciw willi, o którą trwała walka. Niewiele już mogli zdziałać, gdyż esesmani dysponowali znacznie większą siłą ognia. Dwóch z nich rozstawiło na trójnogu *MG-42** i strzelając długimi seriami, zmusiło Węgrów do przerwania ognia. Wtedy Skorzeny i dwaj żołnierze, którzy kryli się razem z nim za samochodem, zaczęli rzucać granaty. Wybuchy oderwały kawał muru znad wejścia do domu, gdzie schronili się Węgrzy. Kolejne eksplozje spowodowały runięcie portalu i zatarasowanie sieni. Strzelanina ustała. Skorzeny, wykorzystując moment, oderwał się od samochodu i wbiegł do budynku, w którym przebywał Horthy. Na schodach grupa agentów ściągała na dół syna regenta, jego towarzysza Bornemisze i dwóch Jugosłowian. W korytarzu Niemcy rozłożyli dywan, skrępowali Horthy'ego sznurem od okiennych zasłon i zawinęli w ciasny rulon. Więzień wkrótce przestał się rzucać, być może mdlejąc z braku powietrza, i spokojnie dał się wynieść do ciężarówki, która podjechała pod drzwi.

– Na lotnisko! – krzyknął Skorzeny do kierowcy. – Jadę za wami!

– Zbieraj ludzi! – odwrócił się do Foelkersama, który zdyszany, z pistoletem maszynowym w dłoni stał kilka kroków z tyłu. – I żadnej strzelaniny.

---

* *Maschinengewehr MG 42* – karabin maszynowy, skonstruowany prawdopodobnie przez Louisa Stanga z firmy Rheinmetall, który wykorzystał patent z 1937 r. polskiego konstruktora Edwarda Steckego. Ten uniwersalny karabin (montowany na dwójnogu lub trójnogu) okazał się doskonałą bronią: celną, o dużej szybkostrzelności i niezawodną w działaniu. Po raz pierwszy został użyty przez żołnierzy z Afrika Korps w bitwie pod Ghazalą w maju 1942 r. Amerykanie po zdobyciu kilku sztuk tych karabinów usiłowali skopiować je, przystosowując do nabojów 7,62 mm x 63. Do końca wojny wyprodukowano 750 000 *MG 42*, a później zwycięskie państwa wykorzystały zdobyczne karabiny do uzbrojenia swoich armii.
Dane taktyczno-techniczne: kal. 7,92 mm, długość 1220 mm, długość lufy 533 mm, ciężar z dwójnogiem 11,57 kg, zasilany taśmą, szybkostrzelność 1200 strzałów/min, prędkość początkowa pocisku 756 m/sek.

MG-42

Wskoczył do samochodu, kierowca nacisnął gaz i zaczął gonić ciężarówkę z Horthym znikającą za rogiem ulicy. Niemcy odnieśli pierwsze zwycięstwo, wywożąc z placu boju czterech więźniów, ale do lotniska było daleko. Należało się spodziewać, że w każdej chwili mogą nadciągnąć inne oddziały węgierskie, zaalarmowane strzelaniną.

Gdy tylko skręcili w przecznicę, w którą wjechała ciężarówka z więźniami, dostrzegł węgierski samochód załadowany żołnierzami. Nie zwrócili uwagi na pierwszą ciężarówkę i zmierzali do willi. Z drugiej strony nadjeżdżał następny samochód z żołnierzami.

– Zatrzymajcie się! – krzyknął do oficera w szoferce. – Jedziecie w złym kierunku!

– O co chodzi? – oficer był wyraźnie zdezorientowany.

– Bandyci zaatakowali naszych ludzi – Skorzeny bez składu i ładu zaczął opowiadać przebieg wymyślonej akcji. Każda mijająca sekunda opóźniała pościg za ciężarówką wywożącą syna regenta.

– Nic z tego nie rozumiem – oficer wysiadł z ciężarówki i podszedł do Skorzenego. Być może uznał, że przyczyną, dla której nie może pojąć, o co chodzi, jest zbyt słaba znajomość języka niemieckiego. – Gdzie oni pojechali?

– Podjedźcie do tego domu – Skorzeny wskazał ręką na zrujnowany budynek, gdzie ukryła się część żołnierzy z obstawy Horthy'ego. – Oni wam przedstawią sprawę dokładnie.

Dał znak kierowcy i ruszyli gwałtownie, aby Węgrzy nie mieli możliwości dopaść ich, zanim znikną w wąskich uliczkach Budy.

Skorzeny powoli uspokajał się. Nikt ich nie gonił, ani też nie dostrzegał prób zablokowania drogi.

Po kilkudziesięciu minutach dojechali do lotniska, gdzie z daleka dostrzegł ciężarówkę. Jego żołnierze wynosili rulony dywanów i wrzucali je do kabiny *Ju 52/3m*, który natychmiast dokołował na pas startowy i wzbił się w powietrze.

Samolot zatoczył koło nad lotniskiem i wziął kurs na zachód. Rozpoczynał się ostatni akt jego rozgrywki z regentem. Nie potrafił przewidzieć reakcji admirała

Regent Miklós Horthy

Horthy'ego, ale nie sądził, aby ten człowiek, który utracił jedynego syna, zechciał narażać własne życie. „Miki" Horthy był nadzwyczaj cennym zakładnikiem.

O godzinie 14.00 regent wygłosił przemówienie do narodu, które zakończył słowami:

– *Dzisiaj stało się jasne, że Niemcy przegrali wojnę. (...) Węgry osiągnęły wstępne porozumienie rozejmowe z Rosją i wstrzymują wrogie działania przeciwko temu państwu.*

Gdyby regent poważnie traktował swoje oświadczenie, los wojny mógłby potoczyć się inaczej. On jednak, rozwścieczony uprowadzeniem syna, kierował się jedynie chęcią zemsty i zdobył się na pusty gest. Chciał Niemcom dać nauczkę, a nie przerywać działania wojenne przeciwko Związkowi Radzieckiemu. Był zbyt ciężko przestraszony, aby podjąć jakiekolwiek skuteczne działania. Dwie godziny wcześniej w jego gabinecie stawił się Edmund Veesenmayer, niemiecki dyplomata, który kilka miesięcy wcześniej przybył do Budapesztu i oświadczył, patrząc admirałowi prosto w oczy:

Edmund Veesenmayer

Rozkaz zaprzestania walk nie dotarł do węgierskich jednostek

Panther

258

– Gay tylko wywąchamy zdradę, natychmiast poprowadzimy pana synalka pod ścianę!

Horthy przestraszył się, choć nie mógł już wycofać swojej deklaracji. Nic jednak za nią nie poszło. Dowództwo wojsk węgierskich nie otrzymało rozkazów przerwania walk, zaś dowództwo wojsk radzieckich, równie zaskoczone nagłym zwrotem sytuacji, nie wiedziało, co z tym fantem począć.

Tymczasem niewielka grupa żołnierzy niemieckich opanowała gmach rozgłośni radiowej, skąd nadano następną proklamację, uznającą komunikat regenta za nieważny, wojskom węgierskim zaś nakazano kontynuowanie walki z Armią Czerwoną.

Tego wieczoru równe zdenerwowanie panowało w pokojach niemieckiego ambasadora, jak i rządu węgierskiego. Ministrowie, którzy zebrali się, aby wspólnie z Horthym opracować odpowiedź na radzieckie żądania, nie osiągnęli porozumienia, a wściekły admirał poszedł spać, pozostawiając swoich współpracowników samym sobie.

O godzinie 5.58 Sturmbannführer Skorzeny wsiadł do pierwszego z kolumny samochodów ustawionych na skrzyżowaniu. Wiedział, że rozpoczyna akcję mającą niewielkie szanse powodzenia. Mógł liczyć jedynie na zaskoczenie, gdyż choć dowodził silnym oddziałem, siły te mogły szybko stopnieć w ogniu dział i karabinów maszynowych z zamku. Udało mu się włączyć do akcji osiem czołgów *Panther**, oddanych pod jego rozkazy

---

* **Panther** *(Pzkpfw V Sd Kfz 171)* – czołg średni, uważany za jeden z najlepszych wozów bojowych II wojny światowej. Prace nad jego skonstruowaniem rozpoczęły się w październiku 1941 r. na podstawie zamówienia złożonego przez dowództwo wojsk lądowych zaniepokojone brakiem czołgów, które mogłyby się przeciwstawić radzieckim *T-34*. Niemieccy konstruktorzy, wysoko oceniając zwrotność, siłę ognia i ukształtowanie pancerza *T-34*, zamierzali skopiować ten czołg, ale nie zgodził się na to Adolf Hitler. Produkcję seryjną uruchomiono w styczniu 1943 r. i pierwsze czołgi *Ausf D* w maju 1943 r. dotarły do jednostek frontowych, a 5 lipca rzucono je do walki pod Kurskiem. Chrzest bojowy wypadł fatalnie, gdyż część z nich zepsuła się, zanim dojechały na pole bitwy, a wiele innych wycofano, aby poprawić wadliwe systemy chłodzenia, przeniesienia napędu i zawieszenia. Produkcja nowej wersji *A* (nie wiadomo dlaczego nie zachowano kolejności alfabetycznej nazw wersji) rozpoczęła się w końcu 1943 r.; wprowadzono w niej wiele ulepszeń. W lipcu 1944 r. powstała ostateczna wersja *G*, w której wykorzystano uwagi załóg walczących w czołgach poprzednich wersji: pogrubiono pancerz boczny w górnej części z 40 do 50 mm, wizjer kierowcy został usunięty z płyty czołowej w celu zwiększenia jej wytrzymałości, a jego miejsce zajął obrotowy peryskop na górnej płycie, zmieniono konstrukcję zamocowania klap włazów dla kierowcy i radiooperatora. Do końca wojny wyprodukowano 4814 czołgów tego typu. Były do doskonałe wozy bojowe, rozwijające dużą prędkość i bardzo zwrotne, co osiągnięto, stosując mechanizm umożliwiający ruch gąsienic w przeciwstawnych kierunkach; pochylone, grube płyty pancerza dobrze chroniły załogę, a pociski z rdzeniem wolframowym wystrzeliwane z armaty długolufowej (70 kalibrów) kal. 75 mm przebijały pancerz o grubości 122 mm z odległości 2000 m.
Dane taktyczno-techniczne (*Panther G*): załoga 5 osób, silnik Maybach HL 230 P 30 o mocy 700 KM, ciężar 45,5 t, pancerz 40–80 mm, uzbrojenie 1 działo kal. 75 mm, 2 karabiny maszynowe *MG 34* kal. 7,92 mm, prędkość 46 km/h, zasięg 200 km.

z oddziału przejeżdżającego przez Budapeszt na front (niemiecki garnizon w stolicy miał tylko sześć czołgów).

Plan przewidywał, że batalion sformowany ze słuchaczy szkoły oficerskiej z Wiener-Neustadt uderzy na Zamek Królewski od południa i przedrze się przez położone na tamtej stronie ogrody. Było to szczególnie trudne zadanie, gdyż ta część zamku była silnie broniona, a klomby i alejki zryły transzeje z umocnionymi stanowiskami karabinów maszynowych i działek przeciwpancernych.

Pluton wzmocniony dwoma czołgami *Panther* miał uderzyć od zachodu, zaś pluton spadochroniarzy z batalionu nr 600 otrzymał zadanie wdarcia się do podziemnego przejścia przy moście i dojścia tą drogą do Ministerstwa Wojny i Spraw Wewnętrznych. Po opanowaniu podejść do zamku, do akcji miały wejść główne siły batalionu spadochronowego, wzmocnionego sześcioma czołgami *Panther* oraz dysponującego samojezdnymi minami *Goliath**, których wybuchy zmiotłyby węgierskie barykady. Aby osiągnąć całkowite zaskoczenie, komandosi mieli wyruszyć do akcji w kolumnie marszowej, tworząc wrażenie, że jest to jeden z licznych oddziałów przejeżdżających z dworca przez centrum miasta na front. Po minięciu Bramy Wiedeńskiej powinni rozdzielić się na dwie grupy i próbować podjechać jak najbliżej wyznaczonych miejsc, z których miał się rozpocząć atak.

Tymczasem na zamku, mimo nocnej pory, obradował rząd. Ministrowie po wielogodzinnej dyskusji doszli do wniosku, że jedyne co mogą zrobić, to szukać azylu w Niemczech, i postanowili o tej decyzji poinformować regenta.

– Odmawiam podania się do dymisji – powiedział Horthy do ministra Vattaya, gdy ten w środku nocy przyszedł poinformować go o ustaleniach

---

* **Goliath** – niewielki pojazd gąsienicowy przeznaczony do niszczenia umocnień, gniazd karabinów maszynowych, barykad, budynków itp., a także czołgów, uzbrojony w ładunek 50–100 kg TNT. Produkcja seryjna ruszyła w kwietniu 1942 r. Pojazdy *Goliath* napędzały dwa silniki elektryczne, które pozwalały rozwijać prędkość do 10 km/h i przebyć odległość 1,5 km. Pojazd, zaopatrzony w 60-kilogramowy ładunek wybuchowy, sterowany był 3-żyłowym kablem (dwa przewody do sterowania gąsienicami i jeden do detonowania ładunku) rozwijającym się z bębna umieszczonego w tylnej części kadłuba. Do kwietnia 1944 r. wyprodukowano 2650 pojazdów tego typu. Przydatność na polach bitewnych na froncie wschodnim sprawiła, że w 1942 r. zakłady Zündappa otrzymały zamówienie na nowy pojazd z większym ładunkiem wybuchowym i o większym zasięgu. Opracowano dwie wersje (*Sd Kfz 303a* oraz *303b*) przewożące 75 kg i 100 kg materiału wybuchowego, napędzane dwucylindrowym silnikiem spalinowym o pojemności 703 cm^3 i mocy 12,5 KM. Od kwietnia 1943 r. do września 1944 r wyprodukowano 4604 tych pojazdów, a po wprowadzeniu ulepszeń od listopada 1944 r. do stycznia 1945 r. wyprodukowano dodatkowo 325 sztuk.
Dane taktyczno-techniczne (*Sd Kfz 303 V-Motor*): załoga – brak, silnik Zündapp SZ7 o mocy 12,5 KM, długość 1,63, szerokość 0,91 m, wysokość 0,62 m, ciężar 0,43 t, pancerz 10 mm, uzbrojenie 75 lub 100 kg materiału wybuchowego, maks. prędkość 12 km/h, zasięg 12 km.

ministrów. Odwrócił się na pięcie i zniknął za drzwiami swojej sypialni, gdy wysłannik wrócił na salę obrad, gdzie oczekiwali ministrowie.

– Admirał Horthy zaakceptował nasz plan w całości – powiedział do zmęczonych i marzących o odrobinie snu ministrów, którzy przyjęli tę wiadomość z westchnieniem ulgi.

Dlaczego wprowadził ich w błąd? Po prostu, bardzo nie lubił przekazywać złych wiadomości...

Rada regencyjna, nie bacząc na późną porę, przekazała wiadomość niemieckiemu ambasadorowi, że rozwiązuje się, a regent abdykował. Edmund Veesenmayer o trzeciej nad ranem zadzwonił do Berlina, gdzie wyciągnięty z łóżka minister Joachim von Ribbentrop burknął przez telefon, że nie może podjąć decyzji bez powiadomienia führera.

O godzinie 3 nad ranem Skorzeny przeszedł wzdłuż kolumny ciężarówek. Żołnierze spali oparci o burty samochodów. Jedynie we wnętrzach czołgów paliło się światło. Załogi uzupełniały amunicję i przygotowywały wozy do akcji. Noc była ciemna, bezksiężycowa, co sprzyjało ich planom. Czekali...

Minęły dalsze dwie godziny, zanim ambasador dowiedział się, że Hitler zaakceptował abdykację węgierskiego regenta. Powiadomił Edmunda Veesenmayera. Ten wsiadł do samochodu i o 5.45 wjechał na dziedziniec Królewskiego Zamku. Po kilku minutach Horthy wyszedł mu naprzeciw.

– Mam niemiły obowiązek aresztowania pana – powiedział Veesenmayer i spojrzał na zegarek – Atak rozpocznie się za dziesięć minut.

Mówił oczywiście o planach oddziału Skorzenego i nie był to blef.

O 5.30 Skorzeny wsiadł do pierwszego samochodu, w którym czekali wybrani przez niego żołnierze z pistoletami maszynowymi, granatami i panzerfaustami. Zamierzał jechać na czele i pierwszy ruszyć do ataku, a „pięści pancerne" byłyby bardzo przydatne do niszczenia betonowych schronów ustawionych po obydwu stronach każdego wejścia do zamku. Przydałyby się również, gdyby nagle okazało się, że obrońcy zamku mają czołgi.

Edmund Veesenmayer – specjalny wysłannik Hitlera

Horthy, bez oporu, dał się doprowadzić do samochodu i odjechał z Veesenmayerem. Było to najbardziej groteskowe wydarzenie w niezwykłym ciągu pomyłek, niedomówień, nieudolności. Regent wyjeżdżał przez bramę zamku obsadzonego przez wiernych mu żołnierzy, dysponujących ciężką bronią maszynową, działkami przeciwlotniczymi, artylerią, gotowych do odparcia ataku. Cała ta broń była ustawiona w umocnionych

Niemieccy żołnierze w Budapeszcie – nie stanowili siły, która mogłaby oprzeć się Węgrom

Czołg Toldi

stanowiskach i prowizorycznych bunkrach, na wzgórzu, do którego prowadziła tylko jedna droga. Atakujący, o których mówił niemiecki ambasador, musieliby stoczyć ciężką i krwawą walkę, której wyniku nie można było przewidzieć. Oddziały niemieckie w Budapeszcie były nieliczne i musiałyby ulec przeważającym siłom węgierskim. Dlaczego więc Horthy, który musiał zdawać sobie z tego sprawę, oddawał się tak łatwo w ręce niemieckiego ambasadora? Czyżby ten, podczas krótkiej rozmowy na dziedzińcu powiedział coś jeszcze, co złamało upór regenta? Zapewne tak, choć nigdy się do tego nie przyznał. Syn Horthy'ego był w rękach niemieckich i regent nie miał żadnych złudzeń, że od jego decyzji zależy los jego dziedzica. Skapitulował. Nikt jednak nie poinformował Skorzenego, że regent bez oporu oddał się w ręce niemieckie.

– Do wozów! – Skorzeny spojrzał na zegarek i podniósł rękę. Minęła godzina 6.00. Akcja „Panzerfaust" rozpoczęła się.

Gęsty niebieskawy dym buchnął z opancerzonych rur wydechowych czołgów, które szarpnęły gąsienicami i ruszyły do przodu. Za nimi wolno jechały ciężarówki.

– Spokojnie, bez pośpiechu... – powtarzał do siebie Skorzeny stojący na stopniu szoferki pierwszego samochodu ciężarowego. Siedzący wewnątrz Foelkersam wetknął dodatkowy magazynek za pas i dwa granaty za cholewy wysokich butów.

Zbliżali się do Bramy Wiedeńskiej, która była szeroko otwarta.

– Dodaj trochę gazu – powiedział Skorzeny do kierowcy.

Z lewej strony wyłonił się budynek koszar węgierskiego garnizonu.

– Byłoby głupio, gdybyśmy dostali ogień z flanki – mruknął von Foelkersam, patrząc na stanowiska dwóch karabinów maszynowych przy wejściu do koszar. Jechali w napięciu, ale węgierscy żołnierze, których głowy były dobrze widoczne znad worków z piaskiem, patrzyli na nich z zaciekawieniem i nic nie wskazywało, że są gotowi do otwarcia ognia.

Minęli wielki, masywny budynek Ministerstwa Wojny, gdy dobiegły ich dwa głuche wybuchy.

– To nasi, wdarli się do tunelu – powiedział von Foelkersam i podniósł pistolet maszynowy. Odciągnął zamek i oparł lufę o okno. Nagle pochylił głowę.

– Czołgi!

W odległości kilkudziesięciu metrów przed nimi wyłoniły się trzy węgierskie czołgi *Toldi**. Przez okienko z tyłu szoferki Skorzeny dostrzegł, jak żołnierze odbezpieczają panzerfausty i unoszą celowniki.

---

* **Toldi** – czołg węgierski produkowany na podstawie licencji szwedzkiego czołgu *L60B* w zakładach Ganz od 1939 r. Pierwsze czołgi *Toldi I* z pancerzem o grubości od 6 do 20 mm, uzbrojone w rusznicę przeciwpancerną kal. 20 mm i karabin maszynowy, napędzane były niemieckimi silnikami Büssing-NAG o mocy 155 KM. Od kwietnia 1940 r. do maja 1941 r. wyprodukowano 80 czołgów tej wersji. *Toldi II* z pogrubionym pancerzem produkowane były do połowy 1942 r. w liczbie 110 sztuk. Walki na froncie wschod-

– Nie strzelać!

Węgierskie czołgi stały w miejscu i po chwili ich lufy zaczęły unosić się, co było oczywistym znakiem, że ich załogi nie mają zamiaru walczyć. Być może Węgrzy dostrzegli *Panthery* wyłaniające się zza zakrętu, w pewnej odległości za ciężarówką Skorzenego i wiedzieli, że nie mają żadnych szans w starciu z tymi gigantami. Woleli poddać się, zanim niemieckie czołgi obróciłyby wieże w ich kierunku i zaczęły strzelać ze swoich dział kal. 75 mm, przed którymi ich pancerze nie stanowiły wystarczającej ochrony.

– Zjedź na bok! Puść czołgi! – rozkazał kierowcy Skorzeny, widząc kamienną barykadę zamykającą dostęp do głównej bramy zamku. Nie mieli radiostacji, ale czołgiści doskonale zrozumieli zamiar dowódcy, widząc, że jego ciężarówka skręca pod ścianę muru. Zwiększyli prędkość i pierwszy czołg całą siłą trzydziestotonowej masy uderzył w barykadę. Kamienie rozleciały się, a wielkie skrzydło wrót, na które napierał czołg, padło z przeraźliwym trzaskiem wyrywanych zawiasów. Esesmani, zeskoczyli z ciężarówek i podbiegli do muru po obydwu stronach bramy, aby ubezpieczać czołgi, które wspinając się na sterty kamieni rozbitej barykady, belek ze strzaskanej bramy i cegieł wyrwanych z muru, odsłaniały podwozia, najsłabiej opancerzone miejsce. Dobiegli w sam czas, gdyż na dziedzińcu stało sześć działek przeciwpancernych, których pociski mogły z łatwością unieruchomić niemieckie czołgi odsłaniające dna kadłubów, gdzie pancerz miał tylko 16 mm grubości. Wystarczył jeden celny strzał, aby pancerny kolos zapalił się i zablokował na długo wjazd do zamku. Jednakże Węgrzy nie strzelali. Być może zaskoczyło ich gwałtowne pojawienie się pierwszego czołgu, a może stracili głowy, widząc esesmanów wspinających się na zniszczoną barykadę. Ludzie Skorzenego, wykorzystując ten moment wahania obrońców, wbiegli na podwórze, gdzie tylko jeden z oficerów węgierskich wyciągnął pistolet z kabury, gotów strzelać do napastników. Żołnierz, biegnący obok Skorzenego, uderzeniem kolby wytrącił Węgrowi broń z ręki. Skierowali się w stronę drzwi prowadzących na piętro.

– Prowadź do komendanta! – krzyknął Skorzeny do węgierskiego oficera, który zaskoczony i przestraszony stał przyciśnięty plecami do ściany korytarza. Szerokimi schodami pokrytymi grubym czerwonym chodni-

---

nim, które wykazały niewielką przydatność tych czołgów ze względu na słabe opancerzenie i uzbrojenie, spowodowały przezbrojenie czołgów, które ocalały z walk: zainstalowano w nich armatę kal. 40 mm, zaś wieże wielu z nich osłonięto dodatkowymi ekranami z blachy pancernej. Od końca 1942 r. produkowano kolejną wersję *Toldi III* z powiększoną wieżyczką, grubszym pancerzem (do 35 mm). Czołgi *Toldi* walczyły w Jugosławii i później w Związku Radzieckim (95 czołgów), gdzie w 1941 r. poniosły bardzo wysokie straty sięgające 80% stanu wyjściowego. W następnych latach czołgi tego typu używano w walkach na froncie wschodnim, w Polsce i na Węgrzech. **Dane taktyczno-techniczne** (*Toldi IIa*): załoga – 3 osoby, silnik Büssing-NAG L8V/36TR o mocy 155 KM, pancerz 5–35 mm, uzbrojenie 1 działo 42.M kal. 40 mm i 1 karabin maszynowy 34/40 A.M kal. 8 mm, prędkość 45 km/h, zasięg 190 km.

kiem wbiegli na pierwsze piętro. Skręcili w lewo i otworzyli drzwi, które wskazywał im Węgier. W niewielkim przedpokoju, na stole dosuniętym do okna leżał żołnierz, który ostrzeliwał podwórze z karabinu maszynowego. Jeden z esesmanów podbiegł do niego i, zanim Węgier zdążył się zorientować, wyrwał mu karabin i wyrzucił za okno. W tym czasie Skorzeny otworzył drzwi do gabinetu dowódcy obrony zamku.

Dziedziniec Królewskiego Zamku tuż po bitwie

– Czy pan jest komendantem? – zapytał oficera w generalskim mundurze, który wydawał się być zdziwiony widokiem zwalistego esesmana. – Musi pan poddać zamek! Natychmiast! Jeżeli pan tego nie zrobi, przejmie pan odpowiedzialność za rozlew krwi. Niech pan się decyduje! Dalsza obrona jest bezcelowa. Zajęliśmy już prawie cały zamek!

Węgier nie zastanawiał się długo. Nie miał najmniejszej ochoty nadstawiać głowy, tym bardziej że widząc pistolet w ręku Niemca, obawiał się, że ten zrobi z niego natychmiastowy użytek.

– Poddaję zamek i wydam rozkaz natychmiastowego wstrzymania ognia! – krzyknął. – Poruczniku! – odwrócił się w stronę gabinetu, z którego wyszedł. – Przekażcie mój rozkaz do punktów obrony.

Po dziesięciu minutach umilkły ostatnie strzały. Operacja „Panzerfaust" trwała zaledwie pół godziny. W tym czasie zginęło siedmiu żołnierzy: czterech niemieckich i trzech węgierskich, a 26 odniosło rany.

Skorzeny ruszył w stronę skrzydła zamkowego, gdzie mieściły się apartamenty regenta. Spodziewał się zastać tam Horthy'ego i uważał, że będzie to wspaniały finał jego akcji, gdy oznajmi węgierskiemu przywódcy, iż bierze go do niewoli.

Z zaskoczeniem otwierał drzwi do opustoszałych pomieszczeń, nie wiedząc, że zanim zaczął się atak, Horthy został wywieziony z zamku i znajdował się w domu SS-Obergruppenführera Karla von Pfeffer-Wildenbrucha, skąd później przewieziono go do bawarskiego zamku*.

20 października Skorzeny powrócił do Berlina, gdzie zastał go rozkaz natychmiastowego stawienia się u führera.

– Dobra robota, Skorzeny – Hitler wydawał się zrelaksowany i wypoczęty, choć drżenie ręki i przekrwione oczy wskazywały, że nie czuje się

---

* Skorzeny i Horthy spotkali się w listopadzie 1945 r. w więzieniu w Norymberdze.

265

Otto Skorzeny (drugi od lewej) na dziedzińcu zamkowym kilka tygodni po walkach

najlepiej. – Awansuję was do stopnia Obersturmbannführera od dnia 16 października i nagradzam złotym krzyżem. Nie wątpię, że chciałby pan odznaczyć swoich żołnierzy. W tej sprawie proszę rozmawiać z moim adiutantem Günschem. On wszystko wie. Teraz proszę mi opowiedzieć, jak przebiegła akcja.

Wziął Skorzenego pod ramię i poprowadził w róg pokoju, gdzie przy niewielkim okrągłym stoliku stały dwa fotele. Słuchał w skupieniu relacji, jak agenci SD uprowadzili „Miki" Horthy'ego, a potem jak komandosi szturmowali zamek. Od czasu do czasu uśmiechał się zadowolony, jakby w przekonaniu, że akcja esesmanów uratowała tak wielu żołnierzy stawiających opór wojskom radzieckim.

– Proszę pozostać w mojej kwaterze. Mam dla pana zadanie, najważniejsze w pana życiu. Do tego momentu bardzo niewiele osób wie o przygotowaniach do realizacji tajnego planu, w którym pan może odegrać wielką rolę. W grudniu Niemcy rozpoczną wielką ofensywę, która może przesądzić o ich losie.

Hitler był rozluźniony, wyraźnie zrelaksowany. Informacja o powodzeniu misji Skorzenego w Budapeszcie zdawała się dawać mu nadzieję na korzystne dla Niemiec zakończenie wojny. Nie dopuścił do przerwania niemieckiej obrony w południowo-wschodniej Europie. Liczył, że jego wojska, wsparte przez dywizje węgierskie, korzystające z zaplecza surowcowego i gospodarczego tego państwa, zatrzymają wojska radzieckie na pewien czas. Również sytuacja w środkowej części wielkiego frontu, przecinającego Europę, wydawała się korzystna dla Niemców. Rosjanie zatrzymali swoje wojska

Miklós Horthy (z lewej) z rodziną w Weilheimben w 1947 r.

pod Warszawą, a zburzenie miasta pozbawiało ich zaplecza i ważnego węzła drogowego i kolejowego. To musiało opóźnić ich ofensywę o 3-4 miesiące. Hitler zyskiwał więc czas, aby rozegrać wielką grę na Zachodzie.

Przez kilka godzin ze szczegółami opisywał swój plan wielkiej ofensywy w Ardenach.

- Aliancka propaganda przedstawia nas jako tonącego, którego lada moment trzeba będzie pochować. Nie potrafią, lub nie chcą dostrzec, że Niemcy walczą i krwawią za Europę, blokując Azjatom drogę na Zachód - mówił führer. - Anglia i Ameryka są zmęczone wojną i jeżeli ten tonący nagle powstanie i zada im potężny cios, obnażenie fałszu ich propagandy zmusi ich do rozejmu z Niemcami. Wtedy skoncentrujemy wszystkie siły na wschodzie i w ciągu kilku miesięcy odsuniemy niebezpieczeństwo, jakie stamtąd nadchodzi. Przeznaczeniem Niemiec jest bycie twierdzą przeciwko Azji.

Hitler doszedł do słusznego wniosku, że Brytyjczycy i Amerykanie nadmiernie rozciągnęli swoje siły. Na froncie o długości 700 kilometrów mieli tylko 70 dywizji, w dodatku sforsowanych i pozbawionych wystarczających dostaw. Führer daleki był jednak od lekceważenia przeciwnika. Wiedział, jaka potęga szła znad kanału La Manche. Sukces mogło przynieść jedynie niekonwencjonalne działanie. Wymyślił taki plan. Pracował nad nim od początku września 1944 roku.

Istotą pomysłu ofensywy w Ardenach było użycie specjalnego oddziału, liczącego 3 tysiące żołnierzy, przebranych w amerykańskie mundury. Mieszając się z wrogimi wojskami, mieli siać zamęt w ich szeregach: przerywać łączność, kierować ogień amerykańskiej artylerii na własne oddziały, uderzać na dowództwa większych jednostek. W atmosferze zamieszania, jakie ogarnęłoby wojska alianckie, rozpoczęłaby się ofensywa niemieckich wojsk pancernych, uzbrojonych w nowe czołgi *Königstiger*. Ich pancerze były tak grube, że mogły nie obawiać się amerykańskich dział. Zaś ich najgorszy wróg - samoloty - musiałyby pozostać na lotniskach ze względu na fatalną pogodę: mgły, deszcze, niski pułap chmur.

- Jedno z najważniejszych zadań w tej ofensywie zostanie powierzone panu - mówił dalej Hitler. - Będziecie musieli się przebrać w brytyjskie i amerykańskie mundury. Nieprzyjaciel już wyrządził nam wiele szkód, używając naszych mundurów w różnych operacjach specjalnych. Zaledwie parę dni temu otrzymałem raport, że oddziały amerykańskie w naszych mundurach spowodowały wielkie zamieszanie, gdy zajmowali Aachen - pierwsze niemieckie miasto na zachodzie, które wpadło w ich ręce. Mały oddział we wrogich mundurach może spowodować wielkie zamieszanie wśród aliantów przez wydawanie fałszywych rozkazów, zakłócanie łączności, kierowanie żołnierzy w fałszywych kierunkach. Przygotowania muszą zostać zakończone do 2 grudnia. Omówi pan szczegóły z generałem Jodlem.

To był ryzykowny plan, ale tylko takie działanie mogło skłonić aliantów zachodnich do zakończenia walk i umożliwić Niemcom przerzucenie wszystkich sił na wschód - aby zatrzymać Armię Czerwoną przed granicami Rzeszy.

Hitler nie wiedział, że rok wcześniej, w Teheranie, Franklin D. Roosevelt i Józef Stalin podzielili Europę i obydwa mocarstwa trzymały się tych ustaleń. Historia mogłaby potoczyć się inaczej, gdyby wtedy – w Teheranie – misja Skorzenego zakończyła się sukcesem...

Epilog

9 grudnia 1944 roku czołówki wojsk 2 Frontu Ukraińskiego podeszły do Budapesztu, a dwa tygodnie później zamknęły pierścień wokół miasta, w którym 180 tysięcy żołnierzy węgierskich i niemieckich przystąpiło do obrony. Krwawe, zacięte walki trwały przez 50 dni, do 13 lutego 1945 roku. Miasto leżało w ruinach: 2/3 domów mieszkalnych i budynków publicznych zostało zniszczonych, wszystkie mosty na Dunaju były wysadzone.

Admirał Miklós Horthy, wywieziony ze swoich apartamentów w Królewskim Zamku, znalazł gościnę w domu generała Pfeffer-Wildenbrucha na Węgrzech. Przebywał tam do grudnia 1944 roku. Wówczas, w eskorcie Otto Skorzenego, został przewieziony specjalnym pociągiem do zamku Weilheimben w Bawarii. Tam odnalazły go wojska alianckie, które osadziły go na krótko w więzieniu w Norymberdze, jako świadka oskarżenia. Powrócił do zamku i w 1947 roku wyjechał stamtąd, wraz z żoną i synem Miklósem, do Portugalii, gdzie – korzystając z opieki dyktatora Antonio Salazara – osiadł w Estoril. Zmarł tam 9 lutego 1957 roku.

Otto Skorzeny cało wyszedł z walk w Ardenach (zapewne dlatego, że Hitler zabronił mu wyruszania na pole bitwy z jego żołnierzami w amerykańskich mundurach). W 1945 roku walczył nad Odrą w rejonie Schwedt, gdzie dowodził oddziałem wielkości dywizji. Po otrzymaniu rozkazu zorganizowania obrony w górskiej reducie w Alpach udał się tam z kilkoma oficerami, lecz niewiele zdziałał, gdyż Hitler odrzucił pomysł opuszczenia Berlina i szukania schronienia w Alpach Bawarskich. 13 maja 1945 roku Skorzeny oddał się w ręce Amerykanów. Zeznawał jako świadek przed Międzynarodowym Trybunałem w Norymberdze, a następnie w 1947 roku stanął przed alianckim sądem w Dachau oskarżony o zamordowanie jeńców amerykańskich, których mundurów używał jego oddział w czasie ofensywy w Ardenach. Oczyszczony z zarzutów, pozostał w więzieniu, gdyż jego ekstradycji domagały się rządy Czechosłowacji i Danii. 27 lipca 1948 roku uciekł z obozu w Darmstadt – bez wątpienia korzystając z pomocy władz niemieckich. Przez kilka miesięcy ukrywał się w górach w pobliżu Berchtesgaden, gdzie dołączyły do niego żona i ośmioletnia córka. Poszukiwany przez radzieckie tajne służby zdecydował się uciekać dalej. Wyposażony w fałszywy paszport, jaki wydawano bezpaństwowcom, wyjechał do Madrytu, gdzie założył firmę budowlaną. Oczyszczony z zarzutów popełnienia zbrodni wojennych przestał się ukrywać i kupił posiadłości w Irlandii i na Majorce. Pozostał jednak związany ze zbrodniarzami z SS. Założył organizację „Der Spinne" (Pająk) gromadzącą fundusze przeznaczone na finansowanie ucieczek 600 esesmanów ściganych za zbrodnie wojenne. Zmarł w szpitalu 5 lipca 1975 roku.

Szpony orła

Samochód z piskiem opon zatrzymał się przed parterowym budynkiem bazy amerykańskich sił powietrznych Eiglin na Florydzie. Generał LeRoy L. Manor wysiadł z auta i pochylił się nad oknem kierowcy.

– Pojedziesz na Duke Field – miał na myśli poligon rozciągający się tuż za koszarowymi barakami. – Odszukasz pułkownika Simona i przywieziesz go do mnie. Natychmiast!

W sekretariacie zatrzymał się na moment i nie zwracając uwagi na żołnierza, który na jego widok zerwał się z krzesła, rzucił przez ramię:

– Wezwać pułkownika Kraljeva!

Zamknął za sobą drzwi i zdjął marynarkę, gdyż 9 sierpnia 1970 roku był wyjątkowo upalnym dniem nawet jak na warunki Florydy. Rozluźnił krawat, którego końcówka była przepisowo schowana między guzikami koszuli, usiadł w fotelu za biurkiem i włączył wentylator. Dopiero wtedy, gdy strumień powietrza owiał mu twarz, poczuł ulgę.

Pierwszy przyszedł jego zastępca, podpułkownik Arthur D. Simon, nazywany Bykiem. Zwaliste chłopisko o mocnej szczęce i lekko wystających zębach. Zasadniczy i prostolinijny, odzywał się z rzadka, ale uparcie dążył do wyjaśnienia wszystkich wątpliwości, jakie w jego ocenie mogłyby zakłócić wykonanie zadania. Kilka miesięcy wcześniej wrócił z Wietnamu, gdzie służył w specjalnej jednostce „Zielonych beretów" dowodzonej przez majora Charlesa Beckwitha, powołanej w 1964 roku do prowadzenia akcji sabotażowych i dywersyjnych przeciwko wietnamskim partyzantom.

Żołnierz i polityk: pułkownik Arthur „Bull" Simon oraz prezydet Richard Nixon

Chwilę później zameldował się podpułkownik Ben Kraljev. Niższy o głowę od Simona, szczupły, o mocnych żylastych rękach wystających spod podwiniętych rękawów, bardziej ruchliwy, zawsze chętnie przyjmował najtrudniejsze polecenia, gdyż – jak twierdził – przeżył już w wojsku wszystko, a chciałby przeżyć jeszcze więcej.

Usiedli w milczeniu na krzesłach przysuniętych do biurka dowódcy. Ten wstał i podszedł do wielkiej mapy świata.

– Wracam z Waszyngtonu. Rozkaz jest krótki – zaczął. – Kilkudziesięciu komandosów ma dotrzeć do obozu Son Tay. Jest to w rejonie Hanoi – wskazał ołówkiem punkt na mapie. – Tam Wietnamczycy prawdopodobnie przetrzymują jeńców. Mamy ich uwolnić.

– Dlaczego „prawdopodobnie", skoro mamy ich uwolnić? – zainteresował się Simon.

– Dwa lata temu, w lecie, wywiad ustalił, że do starej twierdzy położonej w odległości 23 mil (ok. 37 km) na północny zachód od Hanoi Wietnamczycy przewieźli 55 naszych chłopców, głównie pilotów strąconych nad Wietnamem Północnym. Nie wiemy jednak, czy są tam w dalszym ciągu, czy też Wietnamczycy przewieźli ich w inne miejsce. Wywiad nad tym pracuje.

– Kiedy mamy wykonać operację uwolnienia jeńców? – włączył się do rozmowy pułkownik Kraljev.

– Musimy być gotowi w ciągu dwóch miesięcy. Prasa już zaczyna coraz więcej pisać o torturowaniu jeńców i strasznych warunkach w wietnamskich obozach, co jest zgodne z prawdą.

Simon spojrzał na dowódcę.

– Mamy więc ratować prezydenta... – zawiesił głos. Doskonale rozumiał, dlaczego rozkaz uwolnienia jeńców wydano na początku sierpnia i to na najwyższym szczeblu. Prezydent Richard Nixon* zdecydował się ponownie kandydować w wyborach, a jego szanse nie były duże. Wygrał wybory w 1968 roku jako polityk, o którym się mówiło, że ma tajny plan zakończenia wojny w Wietnamie.

---

* **Richard Milhous Nixon** (1913–1994) – z wykształcenia prawnik (Whittier College, 1934, i Duke University, Durham, 1937), po wybuchu II wojny światowej służył jako oficer lotnictwa (w służbie naziemnej) na Dalekim Wschodzie. W latach 1947 i 1949 był członkiem Izby Reprezentantów, a następnie Senatu. Od 1953 r., przez dwie kadencje D. Eisenhowera, był wiceprezydentem Stanów Zjednoczonych. W 1960 r. ubiegał się o urząd prezydencki, lecz przegrał z Johnem F. Kennedym. Po porażce w wyborach na stanowisko gubernatora stanu Georgia w 1962 r., zrezygnował z polityki i powrócił do zawodu prawnika. W 1968 r. z ramienia Partii Republikańskiej stanął do wyborów prezydenckich i wygrał je. Proklamował wówczas nową politykę, nazwaną doktryną Nixona, przewidującą wspomaganie obrony mniejszych narodów. W czasie pierwszej kadencji doprowadził do zmniejszenia liczby żołnierzy amerykańskich w Wietnamie, ale jednocześnie nakazał wzmożenie nalotów na Wietnam Północny oraz objął działaniami wojennymi Kambodżę i Laos, co wywołało falę protestów w Stanach Zjednoczonych. W 1972 r. doprowadził do nawiązania kontaktów z Chińską Republiką Ludową. W maju tego roku podpisał w Moskwie układ ograniczający zbrojenia strategiczne SALT I. W listopadzie 1972 r. ponownie zwyciężył w wyborach prezydenckich. W styczniu następnego roku doprowadził do podpisania układów z Demokratyczną Republiką Wietnamu, będących podstawą wycofania żołnierzy amerykańskich z Republiki Wietnamu. 4 sierpnia 1973 r. przyznał, że brał udział w tuszowaniu skandalu, jakim było włamanie się do gmachu „Watergate" w Waszyngtonie, gdzie mieściła się siedziba konkurencyjnej Partii Demokratycznej, i 4 dni później zrezygnował z urzędu prezydenta. Jego miejsca zajął wiceprezydent Gerald Ford.

Boeing B-52A nad Wietnamem

- Jako prezydent będę zmierzał do zakończenia bombardowania Wietnamu Północnego - obiecywał i wszystko wskazywało, że spełni wyborcze zobowiązania. Wkrótce po objęciu urzędu ogłosił program „wietnamizacji wojny", co oznaczało, że Amerykanów zastąpią żołnierze wietnamscy, korzystający z pomocy finansowej i materiałowej Stanów Zjednoczonych. Do 1970 roku amerykański kontyngent w Wietnamie zmniejszył się z 543 tysięcy żołnierzy do 340 tysięcy i ich liczba stale spadała (do 177 tysięcy w 1971 roku).

Richard Nixon i wietnamski dyktator Ngo Dinh Diem na stopniach Capitolu

271

Jednakże w miarę wycofywania wojsk amerykańskich nasilała się działalność komunistycznej partyzantki – Viet Congu*, zasilanej głównie przez żołnierzy armii Wietnamu Północnego. W 1970 roku do Wietnamu Południowego przedostało się ponad 115 tysięcy komunistycznych żołnierzy. Równie niebezpieczny z punktu widzenia amerykańskich strategów był bardzo szybki wzrost pomocy materiałowej, jaką Viet Cong otrzymywał z Północy. Wywiad ustalił, że obok głównego szlaku, nazywanego drogą Ho Chi Minha, prowadzącego wprost z Wietnamu Północnego, coraz

Partyzancki szlak do Wietnamu

---

* **Viet Cong** (pełna nazwa: Viet Nam Cong San) – partyzantka komunistyczna zorganizowana w końcu lat 50., która podjęła walkę z reżimem dyktatora Ngo Dinh Diema. W 1960 r., pod nazwą Ludowa Armia Wyzwoleńcza, stała się zbrojną organizacją Narodowego Frontu Wyzwolenia Wietnamu Południowego.

więcej amunicji, broni, lekarstw przemycano do Wietnamu Południowego przez Kambodżę. Tam, w porcie Kompong Som (wcześniej Sihanoukville), radzieckie, północnowietnamskie i chińskie statki wyładowywały zaopatrzenie, które partyzanci transportowali przez dżunglę na osłach, rowerach i na plecach. Ponadto komunistyczna partyzantka zakładała coraz więcej obozów wzdłuż granicy kambodżańskiej. W 1970 roku stacjonowało w nich 5 tysięcy żołnierzy regularnych wojsk północnowietnamskich i 40 tysięcy partyzantów.

Prezydent Nixon ogłasza decyzję o wprowadzeniu wojsk amerykańskich do Kambodży

Amerykanów szczególnie niepokoił rejon nazwany „Dziobem Papugi" – wybrzuszenie o wymiarach 40 na 24 kilometry wcinające się w Wietnam Południowy. Tam mieściły się główne bazy Viet Congu i tamtędy biegły główne szlaki zaopatrzeniowe, których nie udawało się zablokować. Naloty okazały się mało skuteczne, gdyż bardzo trudno było wypatrzyć z powietrza trasy, którymi przemieszczały się transporty. Jeżeli nawet to się udało, to na partyzanckich szlakach nie było trwałych budowli, takich jak betonowe mosty, wiadukty, bite drogi, które można by zniszczyć wybuchami bomb. Tylko żołnierze wysłani do walki w dżungli mogli zatrzymać karawany z zaopatrzeniem.

Rząd kambodżański patrzył przez palce na aktywność wietnamskich partyzantów. Premier Sihanouk* za wszelką cenę starał się uniknąć wplątania Kambodży w wojnę w sąsiednim Wietnamie. W ciągu siedmiu lat w granicznych potyczkach zginęło lub odniosło rany 1000 żołnierzy kambodżańskich, co wobec setek tysięcy ofiar, jakie każdego roku pochłaniała wojna tocząca się w sąsiednim kraju, wydawało się znikomymi strata-

---

* **Norodom Sihanouk** (ur. 1922) – książę, w 1941 r. odziedziczył tron kambodżański, z którego abdykował po odzyskaniu niepodległości przez Kambodżę w 1954 r. W następnych latach był ministrem spraw zagranicznych, szefem państwa i premierem. Po wybuchu wojny wietnamskiej w 1965 r. zdołał zachować neutralność, czego ceną była współpraca z Viet Congiem. Obalony w 1970 r. przez Lon Nola, powrócił do Kambodży w 1975 r. po zwycięstwie Czerwonych Khmerów. Osadzony w areszcie domowym w 1976 r. został uwolniony przez wojska wietnamskie w 1979 r. Od tego czasu przebywał na emigracji, gdzie stanął na czele rządu ugrupowań opozycyjnych. W 1991 r. powrócił do Kambodży, a dwa lata później został powołany na króla.

mi. Jednak Sihanouk nie mógł lekceważyć niezadowolenia, jakie jego polityka wywoływała w Waszyngtonie. W 1967 roku musiał ustąpić przed amerykańskimi żądaniami i przyznał wojskom amerykańskim prawo przekraczania granicy kambodżańskiej w pościgu za partyzantami. Później zgodził się, aby amerykańskie samoloty dokonywały nalotów na bazy Viet Congu na terytorium Kambodży. Do marca 1970 roku bombowce *B-52** dokonały 3630 nalotów, które jednak, podobnie jak ataki na bazy partyzanckie w Wietnamie, okazały się całkowicie nieskuteczne.

Samolot bombowy B-52

Dlatego prezydent Nixon zdecydował się wysłać wojska przeciwko wietnamskim bazom w Kambodży. 29 kwietnia 1970 roku 12 tysięcy żołnierzy południowowietnamskich przekroczyło granicę tego kraju. Dwa dni później bombowce *B-52* i myśliwce bombardujące dokonały zmasowanych nalotów, zrzucając blisko 7 tysięcy ton bomb. O godzinie 7.40 żołnierze amerykańskiej 1 Cavalry Division ruszyli do walki. Wojna, którą Nixon

---

* **B-52** – amerykański samolot bombowy, którego założenia konstrukcyjne zostały opracowane przez zakłady Boeinga w 1946 r. Pierwszy prototyp *YB-52* oblatano 15 kwietnia 1952 r., pierwszy zaś seryjnie produkowany *B-52A Stratofortress* wzbił się w powietrze 5 sierpnia 1954 r. Na podstawie doświadczeń z eksploatacji trzech samolotów tego typu podjęto produkcję *B-52B*, z których 50 szt. skierowano do służby w USAF; w kolejnych wersjach (*C* – 35 szt., *D* – 170 szt., *E* – 100 szt., *F* – 89 szt.) stosowano silniki o większym ciągu. Najliczniej produkowaną wersją był *B-52G* (193 szt.) ze zbiornikami paliwa o zwiększonej pojemności w skrzydłach, zdalnie sterowanymi działkami w ogonie oraz węzłami pod skrzydłami dla bomb *Hound Dog*. Ostatnia wersja, używana do dzisiaj, nosi oznaczenie *H* (102 szt.).
Pierwsze *B-52F*, przeznaczone do działań nad Wietnamem, skierowano w lutym 1965 r. do Andersen Air Force Base na wyspie Guam. Pierwszy nalot przeprowadziły 18 czerwca przeciwko bazom partyzantów w prowincji Binh Duong, na północ od Sajgonu. Od kwietnia 1966 r. skierowano do baz na Guam zmodyfikowane bombowce *B-52D*, które mogły przenosić 27 240 kg bomb, tj. o 10 000 więcej niż *B-52F*, i samoloty tej wersji były głównie używane nad Wietnamem. Od czerwca 1965 r. do sierpnia 1973 r. wykonały one 126 615 lotów, głównie nad Wietnamem Południowym (55%), a także nad Laosem (27%), Kambodżą (12%) oraz Wietnamem Północnym (6%). W tym okresie 17 samolotów zostało zestrzelonych, 12 zaś stracono z innych przyczyn (awarie, wypadki).
Dane techniczno-taktyczne (*B-52G*): załoga 6 osób, silniki 8 x Pratt & Whitney J-57-P-29WA, długość 47,7 m, rozpiętość 56,33 m, masa startowa 204 300 kg, prędkość maks. 957 km/h, zasięg 5580 km, uzbrojenie: 4 karabiny maszynowe kal. 0,5 cala i 27 240 kg bomb.

obiecywał zakończyć, rozgorzała na nowo i obejmowała kolejne kraje Indochin. Nie spodobało się to amerykańskiemu społeczeństwu.

Ameryka zawrzała. Fala demonstracji o niespotykanej sile rozlała się po wyższych uczelniach. 4 maja na terenie Kent State University w Ohio gwardia narodowa wysłana, aby spacyfikować antywojenne wystąpienia młodzieży, zastrzeliła czterech studentów. Kilka dni później w Waszyngtonie odbyły się wielkie demonstracje przeciwko wojnie. Richard Nixon rozumiał, że podobnie jak jego poprzednik, Lyndon B. Johnson, stawał się w opinii publicznej politykiem zbrodni. Szanse na ponowny wybór na stanowisko prezydenta w 1972 roku zmniejszały się z każdym dniem demonstracji i kontynuowania wojny w Indochinach. Udana akcja komandosów, którzy uratowaliby od tortur i poniżenia pięćdziesięciu amerykańskich żołnierzy, mogłaby całkowicie zmienić sytuację. Amerykanie poczuliby się dumni ze swojego prezydenta.

– Jutro polecisz do Fortu Bragg – zwrócił się generał Manor do Simona. – Wybierzesz pięćdziesięciu chłopców. Tylko uprzedź ich, że to samobójcza akcja.

Uwolnienie więźniów wymagało, aby w pobliżu Son Tay wylądowały śmigłowce. Sześć wielkich *HH-53*, nazywanych *Super Jolly Green Giant*, miało przewieźć komandosów, a po ataku zabrać uwolnionych więźniów. Ale gdzie by mogły wylądować?

– Są trzy miejsca – Kraljev wskazał na szkic rejonu Son Tay, sporządzony na podstawie zdjęć wykonanych przez satelity i samoloty rozpoznawcze. – Jednak przedostanie się z nich do twierdzy i sforsowanie jej murów może zająć kilkanaście minut. To wystarczy wietnamskim strażnikom, aby zabić jeńców...

– Jeden z helikopterów musi wylądować w obrębie murów – odezwał się oficer z oddziału SEAL*, włączony do planowania akcji.

– Niemożliwe! – przeciwstawił się Kraljev. – Druty i dwa drzewa na dziedzińcu wykluczają lądowanie tam śmigłowca tak dużego jak *Jolly Green Giant*.

Miał rację. Kadłub tego dwudziestotonowego śmigłowca miał ponad 20 metrów długości, a łopaty jego śmigła zataczały krąg o średnicy 22 metrów. Pilot musiał mieć dużo wolnego miejsca, aby bezpiecznie wylądować.

– Musimy użyć mniejszej maszyny – spokojnie odpowiedział oficer – na przykład *HH-3*. Niech się rozbije w czasie lądowania, efekt będzie piorunujący. Osiągniemy to, na czym nam zależy: całkowite zaskoczenie.

Pomysł był znakomity. Śmigłowiec *HH-3*, mniejszy od *Super Jolly Green Giant* i dwukrotnie lżejszy, mógł wylądować w samym środku twierdzy,

---

* **SEAL** – skrót od Sea-Air-Land (morze, powietrze, ląd), jednostka komandosów wchodząca, obok Underwater Demolition Teams (UDT), w skład United States Navy Amphibious Forces.

Śmigłowiec HH-53 – za duży, żeby lądować na więziennym podwórzu w Son Tay Wybór padł na HH-3...

oczywiście łamiąc łopaty wirnika i zapewne rozbijając podwozie. Bez wątpienia *HH-3* będzie stracony, ale należało zakładać, że żołnierze na jego
pokładzie nie ucierpią w czasie tak gwałtownego lądowania i atak będzie
całkowitym zaskoczeniem dla Wietnamczyków. Plan zakładał, że strażnicy zaczną się bronić przed komandosami, którzy pojawią się pośrodku
twierdzy, podczas gdy inne grupy Amerykanów z *HH-53*, którzy wylądują
wcześniej nieco dalej, zaczną szturmować mury.

Pomysł był bardzo zachęcający, ale jego realizacja była bardzo trudna.
HH-3 miał słabe silniki i mógł lecieć z maksymalną prędkością tylko
260 km/h, co było za mało, aby dorównać samolotom *C-130*. Te natomiast
musiały wziąć udział w akcji, gdyż były wyposażone w sprzęt nawigacyjny, którym nie dysponowały helikoptery, jak na przykład urządzenia FLIR,
pozwalające na obserwowanie terenu w nocy, lub radary TFR pokazujące
ukształtowanie terenu, nad którym przelatywały. Bez nich odnalezienie
twierdzy w całkowitych ciemnościach kryjących dżunglę było niemożliwe. Wkrótce jednak okazało się, że prądy powietrzne tworzące się za samolotem ułatwią lot śmigłowcom *HH-3*, tak że będą mogły utrzymać się
w formacji.

Pojawiał się jednak inny problem. Z bazy w Tajlandii do Son Tay było 540
kilometrów, zasięg zaś *HH-53* wynosił 890 kilometrów. Tak więc, aby śmigłowce mogły powrócić do bazy, musiały tankować paliwo w czasie lotu.
Co prawda wszystkie były wyposażone w urządzenia umożliwiające przeprowadzenie takiej operacji, jednak nawet przy dobrej pogodzie było to
przedsięwzięcie dość ryzykowne, gdyż najmniejszy błąd ze strony pilota
mógł spowodować, że łopaty wirnika uderzą w tył samolotu-tankowca.
W czasie lotu do Son Tay tankowanie miało się odbywać w nocy i dość nisko
nad ziemią. Nie było jednak innego wyjścia. Należało podjąć ryzyko i liczyć
na to, że piloci przeprowadzą operację tankowania z należytą ostrożnością.

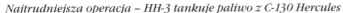

Najtrudniejsza operacja – HH-3 tankuje paliwo z C-130 Hercules

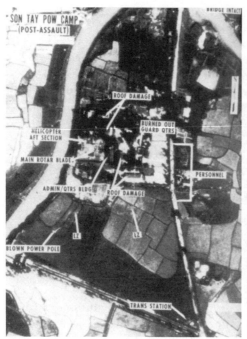

Zdjęcie lotnicze Son Tay

Amerykański lotnik zestrzelony nad Wietnamem Północnym

„Zielone berety" na ćwiczeniach

Czy jednak w Son Tay byli amerykańscy jeńcy? Mijały tygodnie, w czasie których komandosi z „Zielonych beretów" trenowali atak, a wywiad ciągle nie potrafił ocenić, ilu jeńców przebywa w wietnamskim więzieniu i czy w ogóle tam są.

– To mi się nie podoba – powiedział w czasie jednej z narad pułkownik Simon. Wskazał na zdjęcia twierdzy zrobione przez samolot rozpoznawczy. – Popatrz na dziedziniec – zwrócił się do generała Manora. – Nie widać tam żadnego człowieka, choć zdjęcie zrobiono o godzinie 16.00. Jeńcy powinni być na placu. Spójrz na ścieżki. Są zarośnięte trawą i chwastami. Nie byłoby tak, gdyby przebywało tam kilkudziesięciu ludzi.

– Kapitan Ron Jones, pilot z *C-130*, twierdzi, że w obozie nie ma jeńców – wtrącił się Kraljev. – Rozmawiał z pilotem samolotu rozpoznawczego, który robił te zdjęcia.

– Decyzja nie należy do nas – generał Manor nie miał zamiaru rozstrzygać tego dylematu. – Otrzymaliśmy rozkaz.

Często wzywano go do Waszyngtonu: 8 września był u szefa Połączonych Sztabów, 24 września kazano mu stawić się u sekretarza obrony Melvina R. Lairda, 9 października zameldował się u sekretarza stanu Henry'ego Kissingera. Musiał szczegółowo relacjonować stan przygotowań. Odnosił wrażenie, że jego doniesienia przekazywano natychmiast prezydentowi, ale wciąż nie otrzymał ostatecznego rozkazu.

– Zastanawiałem się często, co on [tj. prezydent Nixon – BW] powie Amerykanom, gdy akcja się nie uda – powiedział pewnego razu generał. – Gdybyśmy stracili cały oddział, byłoby to dla niego bardzo trudne zadanie: stanąć przed Amerykanami i powiedzieć im, że to on wydał rozkaz.

Nixon pojmował niebezpieczeństwo tego przedsięwzięcia. Wahał się. Lecz z drugiej strony wiedział, że jego popularność stale spada. Protesty przeciwko wojnie nasilały się. Coraz więcej polityków atakowało go za rozszerzenie wojny na Kambodżę i Laos. Musiał zaskoczyć czymś społeczeństwo. Chciał, aby kamery telewizyjne pokazały, jak z lądujących po akcji śmigłowców, postrzelanych, osmalonych dymem, wysiadają wynędzniali, strasznie zmaltretowani amerykańscy chłopcy, wyrwani z rąk oprawców. Potem, gdy już opowiedzą, jak ich torturowano, poniżano i głodzono, naród musi uznać, że on, prezydent, dobrze zrobił, rozkazując bombardować bazy komunistyczne, z całą bezwzględnością wobec tych, którzy tak bestialsko traktowali jeńców.

Nie mógł jednak zapomnieć, że ma powierzyć doborowej drużynie bardzo niebezpieczną i ryzykowną misję. Atak miał nastąpić w pobliżu silnie bronionego Hanoi. Wszyscy komandosi i jeńcy mogą zginąć, a wtedy polityczni wrogowie prezydenta wykorzystają to przeciwko niemu. Wahał się. Dopiero późnym popołudniem 18 listopada 1970 roku podjął decyzję...

Go!

W bazie w Udorn w północnej Tajlandii 56 komandosów było gotowych do walki. Wieczorem 20 listopada wsiedli do kabin trzech śmigłowców, które wzbiły się w powietrze o 22.56. Od tego momentu liczyła się już każda minuta. Musieli przelecieć nad granicą Wietnamu Północnego w dokładnie wyznaczonym momencie, gdy anteny dwóch stacji radiolokacyjnych, jakie znajdowały się na trasie ich przelotu, będą zwrócone w drugą stronę. Ten sprzyjający okres trwał zaledwie 2–3 minuty, ale była to jedyna okazja, aby samoloty i śmigłowce mogły przemknąć niezauważone.

Zaczęła działać wielka machina, której 6 śmigłowców, 2 samoloty *C-130* i samolot-tankowiec stanowiły tylko niewielką część. Łącznie w operacji miało wziąć udział 116 samolotów, które miały osłaniać lądowanie śmigłowców, bronić ich przed północnowietnamskimi myśliwcami *MiG* oraz ogniem działek i rakiet zniszczyć wietnamskie stanowiska. Kilkadziesiąt bombowców zostało skierowanych do ataku na port w Hajfongu, aby ścią-

MAPA Z TRASĄ PRZELOTU ZESPOŁU ŚMIGŁOWCÓW Z BAZY UDORN DO SON TAY
ORAZ SZKIC ZABUDOWAŃ OBOZU JENIECKIEGO W SON TAY

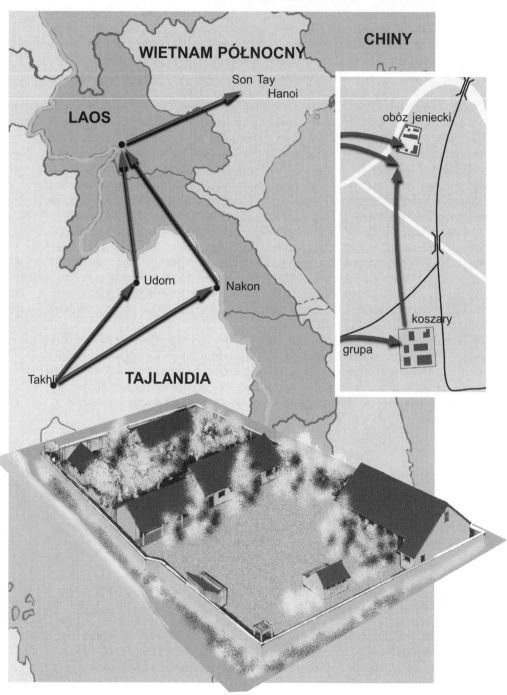

gnąć na siebie wietnamskie myśliwce, w czasie gdy śmigłowce miały lądować w Son Tay.

Generał Manor poleciał do bazy w Da Nang, skąd mógł się łączyć ze wszystkimi jednostkami biorącymi udział w akcji uwolnienia jeńców, a także lotniskowcami, z których w razie potrzeby mogły wyruszyć posiłki.

Śmigłowce przemknęły niezauważone nad granicą wietnamską i lecąc tuż za samolotami, które rozpoznawały trasę, pomykały na niewielkiej wysokości.

– „Banana" do „Apple 1" do „5", widzę cel – krzyknął pilot śmigłowca *HH-3*, przerywając radiową ciszę, jaką utrzymywali od startu z Udorn. – Schodzę!

Szesnastu komandosów na pokładzie śmigłowca zaparło się nogami o burty, gdy maszyna zaczęła gwałtownie zniżać lot. Na wysokości kilkunastu metrów pilot zmniejszył tempo opadania, jednak nie udało mu się opanować śmigłowca, który uderzył o ziemię z takim impetem, że jeden z komandosów został wyrzucony na zewnątrz. Nikt jednak nie odniósł

Wielkie zaplecze operacji – lotniskowiec USS „Enterprise" i samoloty, które miały osłaniać komandosów

poważniejszych obrażeń. Wydobyli się z wraku i udało im się dobiec do ściany baraku, dającej osłonę przed pociskami straży, która otrząsnęła się z zaskoczenia i skierowała wszystkie lufy na rozbity śmigłowiec. W tym samym czasie helikopter, na pokładzie którego znajdował się pułkownik Simon, wylądował w odległości 400 metrów od murów cytadeli, na boisku obiektu rozpoznanego jako szkoła średnia.

Komandosi wyskoczyli na plac i, nie spodziewając się oporu, ruszyli w stronę cytadeli. Śmigłowiec zgodnie z planem odleciał, pozostawiając żołnierzy, i wtedy spadł na nich grad pocisków wystrzeliwanych z okien głównego budynku. Amerykanie popełnili błąd, który mógł ich kosztować bardzo dużo: wylądowali nie na boisku przed szkołą, lecz na placu apelowym przed koszarami. Plan zakładał, że grupa pułkownika Simona szybko przebędzie 400 metrów i uderzy od południa na twierdzę, aby wspomóc inną grupę ataku-

A-1 Skyrider atakuje

A-1 Skyrider na pokładzie lotniskowca

Załadunek komandosów do HH-53

jącą. Tymczasem żołnierze zalegli pod huraganowym ogniem wietnamskich karabinów nie mogli się wyrwać z tego piekła. Jedyną ich szansą było wsparcie ze strony samolotów krążących nad polem bitwy.

– „Pieczarka"! „Pieczarka"! Tu „Apple 4"! Dajcie wsparcie ogniowe. Zaległiśmy na placu! Dajcie ogień na okna budynku! – Simon nerwowo wykrzykiwał do mikrofonu kryptonimy samolotów szturmowych.

– Ja „Pieczarka". Słyszę cię „Apple 4". Idę do ciebie – usłyszał nagle w słuchawkach głos pilota szturmowca *A-1E Skyraider*. Te nieduże, śmigłowe samoloty startujące z lotniskowców były potężnie uzbrojone, a ich niewielka prędkość była ogromnym atutem w takich operacjach. Wsławiły się w marcu 1966 roku, zatrzymując wietnamskich żołnierzy atakujących amerykańską bazę w dolinie Shau.

Dwa szturmowce pojawiły się nagle nad drzewami. Przemknęły na niewielkiej wysokości tuż nad dachami budynków i wystrzeliły świecą w górę. Zrobiły obszerną pętlę i, skrzydło w skrzydło, jak na pokazach lotniczych, nadleciały od północy. Pod ich skrzydłami widać było ogniki błyskające w lufach działek. Po sekundzie wybuchy na ścianie koszar udowodniły, że za sterami samolotów siedzą doskonali żołnierze. Samoloty szybko zbliżały się do placu. Leciały coraz niżej. Simon dostrzegł, jak spod skrzydeł wytrysnęły smugi dymu, które wnet wyprzedziły samoloty i szybko zaczęły się zbliżać do budynku. Po chwili pojawiły się następne smugi. Cztery rakiety trafiły prosto w okna. Simon wtulił głowę w ramiona i po chwili poczuł potężne uderzenie gorącego powietrza, a na jego głowę posypał się grad kamieni, kawałków cegieł i szkła. Nagle zapanowała cisza, w której słychać było tylko ryk silników samolotów lecących tuż nad dachami koszar.

– OK, „Pieczarka"! Ładnie ich trafiliście! – krzyknął Simon do mikrofonu. – Powtórzcie to! Kryjcie nas, dopóki nie wsiądziemy do śmigłowca.

– „Pieczarka" do „Apple 4". Nie krępujcie się – odpowiedział pilot.

Samoloty na moment znikły za drzewami, lecz wybuchy rakiet, które trafiły w okna, musiały wyrządzić tak duże szkody wewnątrz, że nie padał stamtąd żaden strzał.

Simon i żołnierze z jego oddziału, ostrzeliwując się na oślep, pobiegli do śmigłowca zniżającego lot. Zawisł on pół metra nad ziemią i obrócił się bokiem w stronę koszarowego budynku, aby osłonić biegnących i umożliwić bocznemu strzelcowi prowadzenie ognia. Widać go było, jak stoi w drzwiach, których tylko górna połowa była otwarta, i wali długimi seriami po oknach wietnamskiego budynku.

Simon zatrzymał się przed samolotem. Liczył żołnierzy wskakujących do wielkiego kadłuba.

– Nikt nie został?! – krzyknął, gdy ostatni znikł już we wnętrzu.

– Wszyscy są, pułkowniku! – usłyszał.

Chwycił ręką za klamkę, żeby się podciągnąć. Śmigłowiec już się wzbijał, gdy znowu nadleciały samoloty. Tym razem nie strzelały, gdyż obawiały się trafić we własną maszynę, wznoszącą się szybko nad placem apelowym, który tak niefortunnie uznano za szkolne boisko. Na szczęście tylko jeden żołnierz odniósł niegroźną ranę.

W tym czasie wyskakiwali komandosi z drugiego śmigłowca, który wylądował w pobliżu muru twierdzy. Pierwszy zeskoczył na ziemię major Richard Meadows, dowódca grupy. Dobiegł do muru, skrył się w niewielkim rowie odwadniającym. Wkrótce podbiegło do niego kilku komandosów. Jeden rozkręcił linę zakończoną niewielką kotwicą o trzech ramionach, rzucił ją do góry, tak że przeleciała przez mur. Ściągnął gwałtownie linkę, aby się naprężyła. Któryś z komandosów rzucił kilka granatów na wypadek, gdyby za murem kryli się Wietnamczycy. Odczekali kilka sekund,

F-105 – myśliwce tego typu osłaniały powrót komandosów

aż dobiegły ich głuche wybuchy, i jeden po drugim zaczęli się szybko wspinać po linie. Pierwszy, który dotarł na szczyt, rozejrzał się, ale nie widząc Wietnamczyków, przełożył nogę przez mur i znikł po drugiej stronie. Po kilku minutach cała grupa Meadowsa była na dziedzińcu. W oddali ujrzeli budynek o zakratowanych oknach. Tam powinni być jeńcy.

– Osłaniać mnie! Po oknach! – krzyknął Meadows. Wybrał trzech żołnierzy i razem rzucili się do przodu. Przebiegli kilkadziesiąt metrów zygzakiem, umykając wietnamskim pociskom wystrzeliwanym z okien, i dobiegli do muru. Meadows zębami wyciągnął zawleczkę z granatu i wsunął go przez szparę pod okiennicą na parterze. Wybuch wyrwał ją i musiał narobić wielkiego spustoszenia wewnątrz, gdyż strzelanina wyraźnie osłabła. Jeden z komandosów podczołgał się do drzwi i zawiesił dwa granaty na klamce. Zawiązał sznurek na kółkach zawleczek i szybko odczołgał się do tyłu. Szarpnął za sznurek i zdążył odskoczyć o parę metrów, zanim wybuch, wzbijający ceglany kurz, wyrwał z futryny wielkie drewniane drzwi, odsłaniając ciemną czeluść sieni.

Komandosi wdarli się do środka. Wietnamczyków na dole nie było. Wycofali się na piętra. Początkowo z rzadka rzucali granaty, ale widocznie nie mieli ich dużo, gdyż po kilku wybuchach, które nie wyrządziły nikomu szkody, zaprzestali ataków i czekali, aż Amerykanie zaczną wdzierać się na górę.

– Kalinsky i Hater, ustawić tutaj rkm i pilnować schodów – rozkazał Meadows, wskazując na niewielki korytarzyk, z którego widać było schody na górę. – Reszta za mną.

Wbiegli do korytarza. Drzwi do cel nie były zamknięte, lecz wewnątrz nie było nikogo.

Meadows przechodził z celi do celi. Nigdzie nie było najmniejszego śladu wskazującego, że w ostatnich miesiącach kogokolwiek tutaj więziono.

– Wycofujemy się! – krzyknął do żołnierzy.

Wybiegali małymi grupkami w stronę muru, gdzie ziała wielka wyrwa po wybuchu ładunku podłożonego przez saperów. Liczono, że zabiorą z budynku jeńców osłabionych, ledwo powłóczących nogami, więc niezdolnych do przejścia przez mur.

– Generale, tu nikogo nie ma! Powtarzam: nikogo! – meldował do Da Nang Simon, którego żołnierze sprawdzili inne pomieszczenia i nie znaleźli jeńców. – Wycofujemy się!

– Potwierdzam – odpowiedział spokojnie generał Manor.

Jego najgorsze przeczucia sprawdziły się. Uderzyli z ogromną precyzją. Wykonali plan, jak na ćwiczeniach. Nadaremnie.

Po kilkunastu minutach śmigłowce, wzbijając tumany kurzu, uniosły się nad palmami, siejąc dookoła spustoszenie ogniem z działek i karabinów maszynowych. Akcja w Son Tay trwała zaledwie 27 minut. Cały oddział „Zielonych beretów", 56 żołnierzy, wracał bez strat, nie licząc jednego, lekko rannego.

Wkrótce w pobliżu śmigłowców pojawiły się myśliwce *F-105*, które miały chronić powolne maszyny na wypadek, gdyby Wietnamczycy rzucili za nimi w pościg swoje myśliwce...

- „Apple 1" bez strat, „Apple 2" bez strat, „Apple 3" bez strat, „Apple 4"... - wracały wszystkie, oczywiście z wyjątkiem „Banana 1", śmigłowca, który pozostał rozbity na placu cytadeli Son Tay.

Dwa lata później Wietnam Północny zwolnił kilkudziesięciu jeńców amerykańskich. Wśród nich byli ci, których więziono w Son Tay. Generał Manor spotkał się z nimi na Filipinach. Dowiedział się wówczas, że w połowie lipca przeniesiono ich z Son Tay do innego obozu. Akcja komandosów miała jednak ten dobry skutek, że Wietnamczycy, obawiając się podobnych rajdów, zgrupowali jeńców w kilku dużych obo-

Jeńcy amerykańscy zwolnieni z wietnamskiego obozu

zach, silnie strzeżonych. Amerykańscy żołnierze byli tam lepiej traktowani, a w każdym razie nie byli już uzależnieni od humorów komendanta i strażników, którzy w niewielkich, zagubionych w dżungli obozach stawali się panami życia i śmierci tych, którzy trafiali w ich ręce.

Akcja w Son Tay stała się wzorcowym przykładem precyzyjnego ataku komandosów. Kilka lat później ludzie planujący inną akcję uwolnienia jeńców opierali się na doświadczeniach z Son Tay. Inny prezydent, Jimmy Carter, też chciał wykorzystać doświadczenia swojego poprzednika...

Noc w Waszyngtonie

Telefon zadzwonił o godzinie 3.00 nad ranem. Była niedziela 4 listopada 1979 roku. Dla Harolda Collinsa pełniącego dyżur w centrum operacyjnym Departamentu Stanu nie było w tym nic niezwykłego. Wiedział, że jego koledzy w ambasadach amerykańskich na całym świecie patrzą jedynie na zegary, jakie mają w zasięgu wzroku, i nie zastanawiają się, która godzina jest w Stanach Zjednoczonych. Przez całą noc w wielkim pokoju nazywanym Ops Center, co było skrótem od „centrum operacyjne", na siódmym piętrze Departamentu Stanu, dzwonki telefonów mieszały się ze stukotem dalekopisów i sykiem rur poczty pneumatycznej, za pomocą której przesyłano pojemniki z wiadomościami do pokojów na niższych kondygnacjach. Collins sięgnął po słuchawkę.

– Mówi Ann Swift... – przedstawiła się rozmówczyni, sekretarz ambasady amerykańskiej w Teheranie. Collins wiedział, że sytuacja jest tam napięta, jednakże nie spodziewał się, że za moment będzie świadkiem narodzin najpoważniejszego kryzysu w ciągu ostatnich kilkudziesięciu lat.

– ...O 10.30 czasu lokalnego – mówiła dalej Ann

Oddział Strażników Rewolucji w Teheranie

Demonstracja antyamerykańska przed ambasadą już opanowaną przez studentów

Ajatollah Chomeini z synem Ahmedem, który brał udział w ataku na ambasadę

Swift – tłum młodych Irańczyków wtargnął na teren ambasady. Otoczyli budynek kancelarii i wdzierają się do innych budynków. Są nieuzbrojeni. Chargé d'affaires i radca polityczny wraz z oficerem ochrony pojechali wcześniej do irańskiego Ministerstwa Spraw Zagranicznych. To rutynowa wizyta. Jeszcze nie wrócili.

Ann Swift była opanowana i starała się mówić bardzo zwięźle, lecz w jej głosie wyczuwało się ogromne napięcie i niepokój.

– Zaczekaj moment – Collins, orientując się, jak poważną wiadomość przekazuje pracownica ambasady w Teheranie, nacisnął guziki, łączące jego telefon z trzema aparatami w Waszyngtonie: w sypialni Harolda Saundersa – asystenta sekretarza stanu ds. Bliskiego Wschodu, Sheldona Krysa – szefa biura, i Carla Clementa – pełniącego obowiązki dyrektora wydziału spraw irańskich. Po kilkunastu sekundach, widząc na konsolecie zielone światełka, potwierdzające, że podnieśli słuchawki, odezwał się do mikrofonu:

– Mów dalej, Ann...

Rozpoczęła się dwugodzinna relacja. Ann Swift pozostawała cały czas przy słuchawce, podczas gdy jej koledzy, obserwujący rozwój wydarzeń w różnych miejscach ambasady, przekazywali jej informacje o sytuacji na terenie ambasady.

Tłum wypełniał podwórze. Marines pełniący wartę przy bramie wycofali się i obsadzili wejście do głównego obiektu – gmachu kancelarii. Ich zadaniem było powstrzymywanie napastników, jak długo będzie to możliwe, ale bez użycia broni. Karabiny i granatniki na nic by się zdały, gdyż strzały mogły jedynie rozwścieczyć tłum, a wtedy mogłoby dojść do masakry Amerykanów, którzy zebrali się w budynku. Tam około 80 pracowników ambasady przeszło na drugie piętro, gdzie schronili się za masywnymi stalowymi drzwiami, zyskując kilka godzin, w czasie których mogła nadejść pomoc ze strony rządowych wojsk irańskich. Albowiem w dalszym ciągu nie było pewne, czy atak na ambasadę został podjęty za wiedzą władz, czy też tłum działał spontanicznie, aby zamanifestować swoją wrogość wobec Amerykanów. Chargé d'affaires, który zdążył już opuścić gmach Ministerstwa Spraw Zagranicznych, powiadomiony przez telefon, który miał w samochodzie, natychmiast powrócił do ministra, aby wyjaśnić sytuację i wyjednać pomoc.

Atakujący napierali. Zaczepili hak ciężarówki o kratę okna na parterze budynku i wyrwali ją, a następnie wdarli się do wnętrza. Marines za pomocą granatów gazowych powstrzymali na pewien czas napastników, a sami wycofali się na pierwsze piętro. Nie wytrwali tam długo. Po czterdziestu pięciu minutach musieli przenieść się na drugie piętro. Zajęli stanowiska przy oknach, gotowi strzelać do atakujących.

– Na Boga! – urzędnicy przy telefonach w Waszyngtonie usłyszeli głos Ann Swift. – Opuście to! Odłóżcie broń! Żadnej broni tutaj!

Al Golacinski, oficer dowodzący marines, wyprostował się. Wsunął pistolet do kabury.

– Opuścić broń! – rozkazał żołnierzom. Potem odwrócił się do Ann Swift.

– Wyjdę tam – powiedział spokojnie, wskazując głową na podwórze. Odpiął pas z kaburą i kazał otworzyć stalowe drzwi. Nie wiadomo, czy chciał podjąć negocjacje z przywódcami tłumu, czy tylko powstrzymać na krótko napastników, którzy opanowali pierwsze piętro i było oczywiste, że lada moment zaczną szturmować pancerne drzwi. W każdym razie jego zachowanie było mądre i odważne. Jednak napastnicy nie pozwolili mu rozmawiać z przywódcami. Gdy tylko wyszedł na podwórze, został skrępowany i z zawiązanymi oczami odprowadzony do pomieszczenia, gdzie Irańczycy przetrzymywali już czterech marines schwytanych na terenie ambasady.

– Ann... – odezwał się Harold Saunders, słuchający jej relacji przez telefon w swoim domu. – Czy udało wam się zniszczyć dokumenty?

– Nie zdążyliśmy usunąć dokumentów z pomieszczeń na parterze i pierwszym piętrze. Teraz usiłujemy zniszczyć to, co mamy tutaj, na drugim, ale zepsuła się jedna niszczarka. Nie wiem, czy zdążymy. Oni są coraz bliżej.

– Jaka jest sytuacja w konsulacie? – dopytywał się Saunders. Konsulat znajdował się w zachodnim krańcu kompleksu, oddalony od budynku kancelarii, szturmowanego przez tłum.

Zakładnicy prowadzeni przez Strażników Rewolucji

- Budynek konsulatu nie jest atakowany - odpowiedziała Ann Swift.
- Muszą zniszczyć wklejki wizowe. To ważne!

Saunders miał na myśli dokumenty wizowe wklejane do paszportów. Gdyby tysiące tych formularzy dostało się w ręce Irańczyków, mogłoby to stanowić poważny problem dla urzędów kontrolujących napływ cudzoziemców do Stanów Zjednoczonych. Trzeba by wycofać identyczne wklejki ze wszystkich ambasad na świecie, a władze amerykańskie utraciłyby na pewien czas kontrolę na ludźmi przyjeżdżającymi do ich kraju.

O godzinie 4.25 czasu waszyngtońskiego Ann Swift poinformowała, że napastnicy rozpalili ogniska na pierwszym piętrze i przystąpili do szturmowania pancernych drzwi.

- Wyjdźcie na zewnątrz! Dalszy opór jest bezcelowy! - dobiegł z podwórza głos Ala Golacinskiego, który wyposażony w megafon stał tuż pod oknami, pilnowany przez kilku młodych ludzi.

Czy miał rację? Dalszy opór rzeczywiście wydawał się bezcelowy i mógł wyzwolić agresję atakujących. Kilka miesięcy wcześniej, 14 lutego 1979 roku, na dziedziniec ambasady wdarł się tłum uzbrojonych ludzi. Dyplomaci, widząc, że sytuacja jest beznadziejna, a jakakolwiek próba obrony może sprowokować napastników do użycia karabinów, wyszli z podniesionymi rękami. Ambasada została opanowana na kilka godzin, po czym atakujący wycofali się w spokoju, nie czyniąc nikomu krzywdy. Czyżby sytuacja miała się powtórzyć?

Ludzie słuchający relacji w Waszyngtonie też byli zdania, że nie należy stawiać oporu.

- Jest 12.20 - powiedziała Ann Swift. W Waszyngtonie dochodziła 4.50.
- Otwieramy drzwi...
- Wchodzą Irańczycy - kontynuowała relację. - Wszyscy są młodzi. Mają po dwadzieścia kilka lat. Zachowują się spokojnie. Nie mają broni. Pokazują, żebyśmy zeszli na dół. Schodzimy...

Nie odwiesiła słuchawki, lecz położyła ją na stole, nie przerywając połączenia. Słychać było szmery i odgłosy jakby wysuwania szuflad i przetrząsania biurek. Po kilkunastu minutach w słuchawce zapadła cisza. Połączenie zostało przerwane. Działała jedynie linia łącząca Ops Center ze specjalnym wydziałem na drugim piętrze ambasady, dobrze zabezpieczonym przed wtargnięciem intruzów, gdzie trwało niszczenie urządzeń łączności, szyfrów i innych najtajniejszych dokumentów. O godzinie 6.00 czasu waszyngtońskiego i ta, ostatnia, linia została przerwana.

O godzinie 5.10 zadźwięczał telefon na nocnej szafce w sypialni Zbigniewa Brzezińskiego*, doradcy prezydenta Cartera do spraw bezpieczeństwa narodowego. Nie było to nic nowego, w sypialni doradcy prezyden-

---

* **Zbigniew Brzeziński** (ur. 1928) - polityk amerykański polskiego pochodzenia, profesor politologii Columbia University, w latach 1977-1980 był członkiem Narodowej Rady Bezpieczeństwa i doradcą prezydenta Jimmy'ego Cartera ds. bezpieczeństwa.

ta telefon często dzwonił tak wcześnie. Sięgnął więc po słuchawkę z zamkniętymi oczami, starając się zachować jak najwięcej snu, do którego chciał powrócić po zakończonej rozmowie.

— Ambasada amerykańska w Teheranie jest właśnie szturmowana — usłyszał spokojny urzędowy głos funkcjonariusza Ops Center. — Prezydent został już powiadomiony.

Brzeziński odłożył słuchawkę. Żeby nadal spać, nie było już mowy. Należało działać szybko. Pierwszym skojarzeniem, jakie mu się nasunęło, było wspomnienie 14 lutego, gdy tłum po raz pierwszy zaatakował ambasadę. Wówczas rząd irański przyszedł obleganym z pomocą. Czy teraz będzie podobnie? Czy uda się uniknąć rozlewu krwi?

Zbigniew Brzeziński

Brzeziński usiadł na łóżku, usiłując pozbierać myśli. Za mało wiedział o rozwoju sytuacji w Teheranie, żeby dzwonić do prezydenta. Uznał, że ma na to czas, gdy zapozna się z raportami, nad jakimi pracowali jego podwładni.

Sięgnął ponownie po słuchawkę i zadzwonił do sekretarza obrony Harolda Browna, albowiem uznał, że sprawą najważniejszą jest wykluczenie podjęcia przez Stany Zjednoczone akcji militarnej przeciwko Iranowi. Uważał, że mogłoby to narazić na niebezpieczeństwo życie zakładników, a ponadto nie było wiadomo, czy w ciągu kilku najbliższych godzin rząd irański nie opanuje sytuacji i nie uwolni pracowników ambasady z rąk studentów. Sekretarz obrony podzielał jego zdanie. Należało się skupić na działaniach dyplomatycznych, które jak najszybciej mogłyby doprowadzić do zakończenia kryzysu. Brzeziński doskonale zdawał sobie sprawę, że zaostrzenie stosunków z Iranem działa na korzyść Związku Radzieckiego i amerykańska dyplomacja nie miała już żadnego marginesu błędu. Każdy zły krok mógł wywołać lawinę skutków decydujących o pokoju na całym świecie.

Mniejsze zło

Wiadomości z Iranu napływały szybko i z każdą z nich ulatywały nadzieje, że uda się zażegnać kryzys. Już około godziny ósmej czasu waszyngtońskiego było wiadomo, że wśród studentów, którzy wdarli się do ambasady, był syn irańskiego przywódcy, ajatollaha* Chomeiniego** – Ahmed, co było wystarczającym dowodem, że okupacja rozpoczęła się za zgodą naj-

---

* **Ajatollah** (arab. *znak Boga*) – tytuł duchownego wysokiego stopnia, używany przez szyitów.

** **Chomeini Ruhollah** (1900?–1989) – duchowny muzułmański, przywódca rewolucji przeciwko szachowi Rezie Pahlawiemu. Wykształcony w islamskich szkołach, w 1922 r.

Ajatollah Chomeini

wyższych władz. Wkrótce chargé d'affaires i radca polityczny, którzy w momencie ataku byli w irańskim Ministerstwie Spraw Zagranicznych i usiłowali uzyskać pomoc rządu irańskiego w powstrzymaniu studentów, donieśli, że minister nie ma ochoty interweniować. Wrogość Iranu stała się oczywista, tak jak fakt, że studenci opanowali ambasadę za aprobatą, a może nawet na polecenie władz.

We wtorek 6 listopada, w Owalnym Gabinecie w Białym Domu zebrali się najbliżsi współpracownicy prezydenta Jimmy'ego Cartera. On sam zajął miejsce za biurkiem, podczas gdy pozostali otoczyli go kołem, przesuwając fotele i sofę, ustawione normalnie pod ścianami przy kominku, naprzeciwko biurka. Obraz sytuacji w Iranie był już jasny. Wiadomo było, że pracownicy ambasady w Teheranie pozostaną

Instalacje naftowe w irańskim porcie Abadan

osiedlił się w irańskim mieście Kom i tam 8 lat później przyjął od nazwy rodzinnego miasta nazwisko Chomeini. Był autorem wielu książek o islamskiej filozofii, prawie i etyce. W 1950 r. uzyskał tytuł ajatollaha, a na początku lat 60. – wielkiego ajatollaha, przywódcy społeczności szyitów w Iranie. W latach 1962–1963 występował przeciwko reformom szacha, prowadzącym do zmian na wsiach, emancypacji kobiet, zmniejszeniu wpływów duchownych. Aresztowany, po rocznym pobycie w więzieniu, 4 listopada 1964 r. został wydalony z Iranu. Osiedlił się w Iraku. W 1978 r. został zmuszony przez irackiego dyktatora Saddama Husseina do wyjazdu z Iraku. Przeniósł się do Francji, gdzie zamieszkał na przedmieściach Paryża. W tym okresie jego wpływy w społeczeństwie irańskim, niezadowolonym z rządów szacha, zaczęły wzrastać. Po obaleniu szacha, 1 lutego 1979 r. powrócił triumfalnie do Teheranu, gdzie został okrzyknięty przywódcą religijnym i politycznym Iranu. Doprowadził do utworzenia Republiki Islamskiej, którą rządził niepodzielnie aż do śmierci.

zakładnikami, a co gorsza należało brać pod uwagę, że mogą zostać postawieni przed rewolucyjnym trybunałem i nawet skazani na śmierć. Jednak ich los był tylko częścią wielkiego problemu, jakim dla Stanów Zjednoczonych stała się wrogość Iranu.

Przez wiele lat kraj ten był najwierniejszym sojusznikiem Stanów Zjednoczonych na Bliskim Wschodzie, a jego potęga gospodarcza i militarna czyniła zeń sprzymierzeńca nadzwyczaj cennego, który mógł zatrzymać radziecką ekspansję w kierunku Zatoki Perskiej i dalej – Oceanu Indyjskiego.

Czterokrotna podwyżka cen ropy naftowej, jaka nastąpiła w 1973 roku, dostarczyła Iranowi nieprzebranych środków, a szach Mohammad Reza Pahlawi*, zakochany w nowoczesnej technice i zachodniej cywilizacji, postanowił wykorzystać nagłe bogactwo dla dobra swojego kraju i narodu. Irańskie zasoby ropy naftowej szacowano na 60 mld baryłek i proste przeliczenie po 20 dolarów za baryłkę dawało oszałamiający wynik 1,2 biliona dolarów, dowodzący, że przez wiele lat Iran będzie stać na wszystko. Dlatego szach kazał kupo-

Szach Reza Pahlawi z żoną i synem

---

* **Mohammad Reza Pahlawi** (1919–1980) – szach Iranu, najstarszy syn Rezy Pahlawiego, oficera, który w 1925 r. przejął władzę w Iranie i założył dynastię. W roku 1941 Związek Radziecki i Wielka Brytania, obawiając się, że szach może sprzyjać hitlerowskim Niemcom, zmusiły go do opuszczenia swego kraju i 16 września tego roku wprowadziły na tron jego syna. W 1953 r. szach został zmuszony do opuszczenia Iranu przez premiera Mosaddeqa, aczkolwiek po kilku dniach, przy pomocy amerykańskich tajnych służb, powrócił na tron. Korzystając ze współpracy ze Stanami Zjednoczonymi, przystąpił do realizacji reform nazwanych Białą Rewolucją, które obejmowały budowę dróg i linii kolejowych, industrializację oraz walkę z analfabetyzmem i chorobami. Reformy wywołały zaniepokojenie i sprzeciw duchownych muzułmańskich, na czele których stał ajatollah Chomeini. Szachowi zarzucano rządy autokratyczne, doprowadzenie do korupcji władzy, niesprawiedliwy podział majątku narodowego i utrzymywanie terroru wobec przeciwników politycznych. Niezadowolenie nasilające się w latach 70., zmusiło szacha do opuszczenia Iranu 16 stycznia 1979 r. Po krótkotrwałym pobycie w Egipcie, Maroku, na wyspach Bahama i w Meksyku, 22 października przyjechał do Stanów Zjednoczonych, gdzie miał się poddać leczeniu. Wobec żądań wydania go, zgłaszanych przez nowe władze Iranu, którym jednak rząd USA się sprzeciwił, wyjechał do Panamy, a następnie do Kairu, gdzie zmarł.

Zmiana, której Irańczycy nie chcieli

wać to, co najnowocześniejsze, najlepsze, w najbardziej renomowanych firmach. Gospodarka państwa miała się oprzeć na solidnych podstawach, a towary produkowane w nowych fabrykach miały wyjść na rynki światowe i zająć czołowe miejsca, zwyciężając nowoczesnością i jakością każdą konkurencję. Irańskie samochody osobowe, autobusy, ciągniki, lodówki, klimatyzatory, sprzedawane w Europie, Azji i Afryce, miały dostarczyć gospodarce nowych dochodów i stworzyć możliwości dalszego rozwoju, gdy wyczerpią się zasoby ropy naftowej.

W marcu 1975 roku Iran zawarł ze Stanami Zjednoczonymi porozumienie handlowe na rekordową kwotę 15 mld dolarów przewidujące, że w ciągu 5 lat amerykańskie firmy dostarczą 8 elektrowni atomowych (same reaktory miały kosztować 6,5 mld dolarów), 20 fabryk domów, wyposażenie dla pięciu szpitali, dziesiątki zakładów elektronicznych, kompletne wyposażenie portu morskiego.

W kwietniu 1975 roku premier Howejda przedstawił perspektywy gospodarcze kraju:

„Nasz dochód narodowy wynosił 14,5 miliardów dolarów w 1971 roku, a 41 miliardów dolarów w 1974 roku. Stopa wzrostu w 1973 roku wynosiła 34%, a w 1974 – 41%. Oczekujemy, że obecny dochód na głowę mieszkańca, wynoszący 1320 dolarów, osiągnie w 1985 roku poziom 4000 dolarów. Będziemy wtedy mieli dwa telefony na każde trzy rodziny, samochód na dwie rodziny, a każda rodzina będzie miała lodówkę".

O tak dynamicznym rozwoju nie mógł marzyć jakikolwiek inny kraj poza tymi, które dysponowały ogromnymi zasobami ropy naftowej. Jednak dwa lata po tym przemówieniu w Iranie zaczęły się pojawiać niepokojące oznaki. Najpierw w miastach zaczęło gasnąć światło. Przerwy, zrazu kilkuminutowe, przedłużały się do kilku godzin. Fabryki stawały z powodu braku energii. Produkcja spadała. Zdenerwowany niekorzystnymi wskaźnikami gospodarczymi szach uznał, że wszystkiemu winien jest człowiek piastujący urząd premiera, i pozbawił go tej funkcji. Nowy szef rządu przedłużył wykonanie planu pięcioletniego o rok, ale i tak został on zrealizowany w 50%. Miliardowe inwestycje nie przynosiły zamierzonych efektów. Gospodarka zamierała, choć w najbardziej renomowanych firmach świata kupowano licencje, technologie, urządzenia, surowce... Przybywały one punktualnie do irańskim portów i tam zalegały na wiele miesięcy. Nabrzeża przeładunkowe nie mogły wchłonąć takiej masy towaru. Brakowało dźwigów i magazynów. Brakowało dróg i ciężarówek, linii kolejowych i pociągów, które mogłyby zabrać z portów importowane dobra i przewieźć je w głąb kraju. Brak infrastruktury nie był jedynym problemem irańskiej gospodarki. W nowoczesnych zakładach, wybudowanych przez suto opłacanych specjalistów z innych krajów, nie było ludzi, którzy by potrafili obsługiwać importowane maszyny.

Droga, która miała doprowadzić do utworzenia piątego mocarstwa świata, okazała się wąskim, wyboistym traktem. Szach był na to ślepy. Nie widział również, że naród, biedny i zacofany, źle się czuje w rzeczywistości kupowanej za petrodolary. Chłopi migrujący do miast szukali ulubionych czajhanów, a znajdowali tylko snack-bary, gdzie nie było miejsca na długie pogawędki przy herbacie, które stanowiły nieodłączną część ich dziennego rytuału na wsi. Importowane zdobycze zachodniej cywilizacji wywoływały oburzenie, gniew, nienawiść ogromnej masy społeczeństwa. Te uczucia narastały, nie znajdując ujścia. Tajna policja szacha – SAVAK – kształ-

Demonstracja przeciwko szachowi – wrzesień 1978 r.

towała społeczne nastroje żelazną ręką. Każdy przejaw buntu, niezadowolenia, protestu był okrutnie dławiony.

Ajatollah Chomeini, przebywający od 1964 roku na wygnaniu, wyczuwał nastroje Irańczyków znacznie lepiej niż monarcha w Teheranie. Rozumiał, że zbliża się czas jego powrotu. Zorganizował sojusz bazaru – przepotężnej instytucji, od wieków decydującej o władzy w Iranie, i mułłów – jedynej zorganizowanej siły opozycyjnej, do której agenci SAVAK-u nie zdołali przeniknąć ani jej rozbić.

Na bazarze zaniepokojenie utrzymywało się od dawna. Kupcy, przez wieki uważający się za najbogatszych i najbardziej wpływowych ludzi w kraju, dostrzegli, że w wieżowcach teherańskiego city, które pojawiły się nagle po 1973 roku, wyrastała nowa, silniejsza od nich potęga finansowa. Gdy premier nałożył na nich nowe podatki i ograniczył marże zysku do 10% – bazar opowiedział się po stronie Chomeiniego.

– Szach jest uosobieniem ciemnoty – głosił z podparyskiej siedziby ajatollah. – Od 15 lat domagałem się gospodarczego i społecznego rozwoju kraju. Jednak szach, prowadząc politykę imperialistyczną, chce utrzymać zacofanie Iranu. Zrujnował naszą gospodarkę, a dochody ze sprzedaży ropy naftowej roztrwonił na zakup wojskowych zabawek. Szach musi odejść! W Iranie musi powstać Republika Islamska!

Te ostatnie słowa trafiały do chętnych uszu duchownych muzułmańskich. Stanowili oni grupę najbardziej niechętną przemianom i mającą najwięcej do powiedzenia. A w Iranie od niepamiętnych czasów mówiło się, że kiedy meczet i bazar przemawiają jednym głosem – drżą posady Pawiego Tronu.

Ajatollah Chomeini: „Szach jest uosobieniem ciemnoty..."

Tak, szach odczuwał drżenie swojego tronu, ale nie zdawał sobie sprawy, jak potężna fala wzbiera w jego państwie. Sądził, że jego tajna policja opanuje sytuację, wypalając ogniem i mieczem ośrodki buntu. SAVAK działał za przyzwoleniem szacha. To, co działo się w tajnych więzieniach, przechodziło wszelkie wyobrażenia o bestii ludzkiej. Biczowanie, wyrywanie paznokci i zębów, miażdżenie jąder, wlewanie wrzątku do odbytnicy to niewielka część środków, jakie oprawcy stosowali wobec ofiar wpadających w ich ręce.

Amerykańskie tajne służby doskonale się orientowały w metodach pracy SAVAK-u, a mimo to we wrześniu 1976 roku Departament

Szach z żoną (pierwsi z prawej) podejmują prezydenta Cartera i jego żonę Rosallyn w Teheranie w 1977 r.

Stanu USA oficjalnie poinformował właściwy komitet Kongresu, że „nie wiemy, jakoby w Iranie stosowano tortury, aczkolwiek zdarza się tam surowe traktowanie więźniów". Dla Jimmy'ego Cartera polityka szacha była nie lada problemem. Prezydent wszedł na amerykańską i międzynarodową scenę polityczną jako człowiek prosty, szczery, religijny, oddany najwyższym wartościom, wśród których przestrzeganie praw człowieka było szczególnie ważne. Jak więc pogodzić poparcie dla szacha z tym, co działo się w katowniach SAVAK-u, z rządami, które negowały podstawowe wolności obywatelskie? Cały świat wiedział, co dzieje się w państwie szacha. Irańscy opozycjoniści zgrupowani wokół Chomeiniego publikowali zeznania ofiar tajnej policji irańskiej, podawali dowody łamania najbardziej elementarnych praw obywateli. Międzynarodowe organizacje broniące praw człowieka, takie jak Amnesty International, publikowały listy ofiar reżimu szacha, podawały najbardziej wstrząsające opisy znęcania się nad więźniami, żądały zaprowadzenia demokracji w totalitarnym państwie.

Jednak prezydent Carter nie mógł sobie pozwolić na potępienie szacha ani na wywieranie na niego presji, która zmusiłaby go do liberalizacji polityki wewnętrznej. Byłoby to zbyt ryzykowne i mogłoby doprowadzić do utraty kontraktów wartych miliardy dolarów, jakie amerykańskie firmy zawarły z Iranem. Nie to jednak było najgorsze. Na początku lat siedemdziesiątych Związek Radziecki wzmógł ekspansję w kierunku Zatoki Perskiej. W 1972 roku zawarł pakt o przyjaźni z Irakiem. Wkrótce współpra-

RADZIECKIE BAZY MORSKIE I LOTNICZE W REJONIE BLISKIEGO WSCHODU

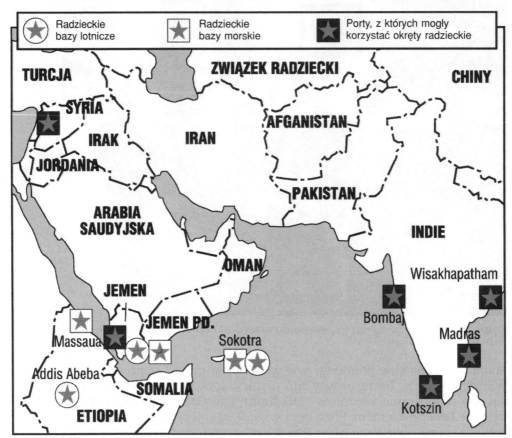

ca wywiadów obu tych państw stała się tak bliska, że Moskwa zrezygnowała z akcji wywiadowczych przeciwko nowemu sojusznikowi.

Sytuacja w tym rejonie świata zmieniła się jeszcze bardziej na korzyść Związku Radzieckiego w 1978 roku. W kwietniu, w Afganistanie, kraju leżącym między Związkiem Radzieckim a Iranem, doszło do komunistycznego zamachu stanu, w wyniku którego zginął dotychczasowy przywódca Mohammed Daoud, a jego miejsce zajął Noor Mohammed Taraki, jeden z przywódców Afgańskiej Partii Komunistycznej. Afganistan, kraj o niezwykle ważnym strategicznie położeniu, osuwał się w ramiona Moskwy, co oznaczało bezpośrednie zagrożenie dla Iranu. Nie można było wykluczyć, że szach, odepchnięty przez Stany Zjednoczone, zwróci się w stronę drugiego mocarstwa, które w ten sposób uzyska dostęp do Zatoki Perskiej i przejmie kontrolę nad najważniejszym rejonem świata.

W tej sytuacji administracja Cartera, bardzo podzielona co do sposobu prowadzenia polityki wobec Iranu, wybrała drogę najwygodniejszą: popierać szacha jako najbardziej pewnego sojusznika, dysponującego realną

Droga do Zatoki Perskiej – radziecki konwój w Afganistanie

siłą, ale jednocześnie próbować namówić go do liberalizacji życia politycznego. Uznano, że najlepszym rozwiązaniem byłoby zaprowadzenie w Iranie monarchii konstytucyjnej typu szwedzkiego lub brytyjskiego. Najbliżsi doradcy Cartera dość naiwnie uważali, że jakoś do tego dojdzie, co było równe nadziei, że można namówić wilka, aby stał się wegetarianinem.

W tej atmosferze iluzji wstrząs w Waszyngtonie wywołały wiadomości z ambasady, jakie napłynęły z Teheranu 2 listopada 1978 roku. Ambasador William Sullivan nadesłał wówczas depeszę, w której informował, że wobec gwałtownie pogarszającej się sytuacji szach gotów jest abdykować bądź powołać rząd wojskowy. Do tego czasu Departament Stanu nie zwracał uwagi na zmiany, jakie od wielu miesię-

Demonstracja w Teheranie

299

William Sullivan, ambasador USA w Teheranie: „Sytuacja jest stabilna..."

cy następowały w Iranie. Kilka dni wcześniej, 27 października, Sullivan donosił, że „Szach jest jedynym człowiekiem, który z jednej strony może powściągnąć wojskowych, z drugiej – przeprowadzić w sposób uporządkowany zmiany (...). Naszym przeznaczeniem jest współdziałać z szachem. Wykazał nadzwyczajną giętkość i według mnie jest gotowy zgodzić się na prawdziwie demokratyczny rząd w Iranie". Centralna Agencja Wywiadowcza informowała, że sytuacja w tym kraju jest stabilna.

Tymczasem Iran wrzał już od początku 1978 roku, gdy w gazetach koncernu prasowego „Etelaat" ukazał się artykuł, w którym nazwano Chomeiniego nie-Irańczykiem i homoseksualistą finansowanym przez Anglików. W ten naiwny sposób doradcy szacha postanowili za jednym zamachem zniszczyć autorytet ajatollaha. Na efekt nie trzeba było długo czekać.

Dzień później, 8 stycznia, szkoły religijne i bazar w Kom, mieście ajatollaha, zamknęły po-

Demonstracja w Teheranie w styczniu 1979 r.

dwoje na znak protestu przeciwko artykułowi. Policja zaatakowała tłum ludzi wracający z ceremonii religijnej. Zginęło 10 osób, a 20 odniosło ciężkie rany. Rząd zdusił zalążki otwartego buntu, ale nie potrafił opanować sytuacji. Lud już uwierzył w swoją siłę. Znikał lęk przed SAVAK-iem. Mnożyły się demonstracje, strajki, bunty. 8 września na placu Jaleh w Teheranie wybuchły zamieszki. Ponownie wojsko otworzyło ogień do tłumu. Kilkadziesiąt osób zginęło i odniosło rany. Tymczasem prezydent Carter, idąc za radą ekspertów z Departamentu Stanu i ambasadora Sullivana, zwiększał poparcie dla szacha. Dwa dni po tym, jak do Waszyngtonu doszła wieść o tragedii na placu Jaleh, zadzwonił do Rezy Pahlawiego, aby zapewnić go o swoim poparciu. Życzył mu szybkiego rozwiązania problemów i sukcesów w wysiłkach zmierzających do zreformowania państwa.

– Zamieszki były zaplanowane diabolicznie – odparł szach. – Pozwoliłem na pewną liberalizację, a teraz wykorzystano to przeciwko mnie. Niemniej zamierzam wytrwać i zapewnić Iranowi wolność słowa, wolność zgromadzeń, wolność demonstracji zgodnych z prawem, wolność prasy, jak również wolne wybory. Byłoby pożądane, gdyby pan prezydent poparł moje wysiłki tak zdecydowanie, jak tylko jest to możliwe, inaczej bowiem zostanie to wykorzystane przez wrogów.

Prezydent odparł, że tak uczyni.

Tymczasem sytuacja w Iranie zaogniała się z dnia na dzień. Mały odprysk irańskich niepokojów trafił do USA. Grupa dwustu studentów irańskich wdarła się do rezydencji siostry szacha w ekskluzywnej dzielnicy Beverly Hills w Los Angeles. Przybyła policja, ale napastnicy nie chcieli opuścić domu. Doszło do gwałtownych starć. Kilkudziesięciu studentów odniosło rany.

W Teheranie szach w dalszym ciągu oskarżał nieudolnych urzędników i mianował nowego premiera. Shapour Bakhtiar w swoim exposé zapowiedział uwolnienie więźniów politycznych, zmniejszenie zakupów broni, rozwiązanie SAVAK-u i możliwość powrotu Chomeiniego z wygnania.

Ajatollaha nie usatysfakcjonowały te zapowiedzi. Ze swojej podparyskiej siedziby nawoływał do obalenia szacha i wzywał naród do kontynuowania walki. Ten zaś słuchał jego wezwań.

Szach z żoną Farah przed odlotem z Teheranu

Po wyjeździe szacha Teheran ogarnął szał radości

Coraz bardziej widoczny stawał się rozkład armii irańskiej, liczącej około pół miliona żołnierzy – jedynej siły, oprócz tajnej policji, na której szach mógł oprzeć swoją władzę. Jak szacował wywiad amerykański, każdego dnia około tysiąca żołnierzy przechodziło na stronę opozycji, a znacznie więcej deklarowało poparcie dla ajatollaha Chomeiniego. W tej sytuacji ostatni krok, na jaki mógł się zdecydować szach, aby opanować sytuację – użycie wojska przeciwko własnemu narodowi i krwawe stłumienie rebelii – stał się niemożliwy.

Reza Pahlawi zrozumiał, że przegrał. 16 stycznia 1979 roku odleciał do Egiptu. Na lotnisku mówił do dziennikarzy:

– Nie wiem, kiedy wrócę, to będzie zależeć od mojego stanu zdrowia.

Rzeczywiście był ciężko chory.

Tego samego dnia o godzinie 14.00 radio Teheran podało, że szach opuścił stolicę. Cały kraj ogarnął szał radości.

Jednocześnie Amerykanie odebrali z Iranu wyraźny sygnał wrogości. Studen-

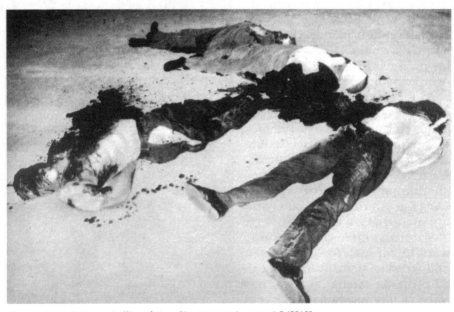

Czas zemsty i sprawiedliwości – zlinczowani agenci SAVAK-u

ci przed uniwersytetem skandowali: „Pozbyliśmy się szacha. Teraz pozbędziemy się Amerykanów".

Szef amerykańskich doradców wojskowych, płk Arthur Finehout, został powieszony w swoim mieszkaniu.

1 lutego 1979 roku na pokładzie Boeinga 747 linii Air France powrócił do Teheranu Chomeini. Premier Bakhtiar zrozumiał, że nie jest już panem sytuacji. Wybrał drogę szacha. Uciekł z Iranu, prawdopodobnie do Francji. 13 lutego nowy premier, Mehdi Bazagran, ogłosił skład nowego rządu, w którym najważniejsze miejsca zajęli ludzie blisko związani z Chomeinim.

Droga do USA: szach z prezydentem Egiptu Anwarem Sadatem w Kairze...

Nic jednak nie zapowiadało otwartej wrogości między nowym rządem Iranu a Stanami Zjednoczonymi. Co prawda przed amerykańską ambasadą w Teheranie codziennie odbywały się wiece, których uczestnicy demonstrowali swą niechęć wobec Ameryki, jednakże ambasador oceniał je jako element folkloru politycznego i w raportach do Waszyngtonu nie przywiązywał do nich zbytniej wagi.

Spotkania polityków amerykańskich i irańskich, do których dochodziło przy różnych okazjach, przebiegały w atmosferze oziębłości, lecz były całkiem poprawne. Jeszcze 1 listopada, a więc na trzy dni przed atakiem na ambasadę, doradca prezydenta Zbigniew Brzeziński, przebywający w Algierii na czele amerykańskiej delegacji z okazji 25 rocznicy rewolucji, został poproszony o spotkanie przez irańskiego premiera Mehdi Bazagrana. Zasiedli przy jednym stole w apartamencie hotelowym irańskiego premiera, aby omówić ogólne stosunki między obydwoma państwami. Stany Zjednoczone i Iran były sobie potrzebne. Armia irańska musiała otrzymywać amunicję i części zamienne do dział, czołgów, samolotów i okrętów, jakie szach przez wiele lat kupował w USA. Stany Zjednoczone potrzebowały Iranu jako zapory przeciwko radzieckiej ekspansji w stronę Zatoki Perskiej.

– Gotowi jesteśmy nawiązać takie stosunki, jakie wam odpowiadają – mówił Zbigniew Brzeziński do irańskiego premiera. Łączy nas podstawowa wspólnota interesów. Rząd amerykański gotów jest rozszerzyć stosunki [z Iranem – BW] w zakresie bezpieczeństwa, gospodarki, polityki i wywiadu. Przy czym pozostawiamy do waszego uznania decyzję w sprawie tempa, jakie rozwój ten powinien przyjąć.

W tej rozmowie pojawiła się sprawa szacha, ale bynajmniej nie miała większego znaczenia. Kilka dni wcześniej Reza Pahlawi przybył do Sta-

Reza Pahlawi z żoną i synem w Panamie

nów Zjednoczonych, gdzie w Cornell Hospital w Nowym Jorku miał się poddać leczeniu choroby nowotworowej.

O ile do tego czasu prezydent Carter z niechęcią odnosił się do udzielenia szachowi azylu, obawiając się, że może to pogorszyć stosunki z nowym rządem irańskim i zagrozić bezpieczeństwu obywateli amerykańskich w Iranie, o tyle na wieść o chorobie Rezy Pahlawiego zmienił zdanie. Któż bowiem mógłby uczynić zarzut Stanom Zjednoczonym z tego, że udzieliły gościny człowiekowi ciężko choremu, dla którego operacja w amerykańskiej klinice była jedynym ratunkiem.

Wydawało się, że władze Iranu w ten sam sposób podeszły do pobytu szacha w Stanach Zjednoczonych. Choć w czasie dyskusji w algierskim hotelu irański minister spraw zagranicznych, dr Ibrahim Yazdi, podjął tę sprawę, to ostro napomniany przez Brzezińskiego („Gościnność jest tradycją naszego kraju. (...) Szach jest chorym człowiekiem i będziemy w jego przypadku postępować zgodnie z naszymi zasadami") wycofał się z dalszej dyskusji.

„Spotkanie zakończyło się w przyjaznej atmosferze; przez cały jego czas Irańczycy byli zadziwiająco uprzejmi" – zanotował Brzeziński. Czemu więc w ciągu następnych trzech dni postanowili tak radykalnie zmienić swoje postępowanie i doprowadzić do konfrontacji z największym światowym mocarstwem, od którego tak bardzo byli uzależnieni?

Kolejna klęska prezydenta

Minęła ósma rano, gdy czarna limuzyna ził skręciła z szosy moskiewskiej do bramy wielkiego ośrodka KGB w Jaseniewie. Kierowca pokazał plastikową kartę wartownikowi, który pochylił się nad oknem auta i starannie zlustrował wnętrze. Samochód minął podwójne ogrodzenie, gdzie przechadzali się wartownicy z psami, i pojechał w stronę białego budynku o kształcie litery „Y", której górne ramiona skierowane były w stronę bramy. Objechał budynek z prawej strony, gdzie rozciągał się piękny park, i zatrzymał się przy głównym wejściu.

Szpakowaty pięćdziesięcioparoletni mężczyzna, który wysiadł z tylnego fotela limuzyny, szybkim krokiem podążył w stronę wejścia, gdzie wartownik już na sam widok czarnej limuzyny uniósł dłoń do daszka. Drugi z wartowników usłużnie otworzył drzwi i pospieszył za mężczyną do niewielkiego holu, gdzie już czekała winda.

Władimir Aleksandrowicz Kriuczkow*, szef Zarządu Wywiadu KGB, przyjeżdżał do pracy wcześnie, starając się uniknąć tłoku, jaki powstawał pół godziny później, gdy autokary przywoziły z Moskwy pracowników nowego kompleksu KGB wybudowanego w 1972 roku na południowy wschód od stolicy, w odległości około kilometra od moskiewskiej obwodnicy. Dwa lata później Kriuczkow zastąpił na stanowisku szefa wywiadu Fiodora Konstantynowicza Mortina, którego szef KGB, Jurij Andropow, uznał za zbyt mało efektywnego. Powierzył to stanowisko Kriuczkowowi, którego znał od lat pięćdziesiątych, gdy jeszcze był ambasadorem w Budapeszcie. Kriuczkow okazał się bardzo zręcznym politykiem, pełnym niespożytej energii. Gdy w 1967 roku Andropow objął stanowisko szefa KGB,

---

* **Władymir Kriuczkow** (ur. 1924) – polityk radziecki, w latach II wojny światowej pracował w zakładzie zbrojeniowym. Członek partii komunistycznej od 1944 r., ukończył zaoczne studia we Wszechzwiązkowym Instytucie Prawa w 1949 r., a następnie w Wyższej Szkole Dyplomacji. W 1954 r. rozpoczął pracę w dyplomacji jako trzeci sekretarz ambasady ZSRR w Budapeszcie, gdzie ambasadorem był Jurij Andropow. Przesądziło to o dalszej karierze Kriuczkowa. Po powrocie do Moskwy pracował w Departamencie Państw Socjalistycznych KC kierowanym przez Andropowa, a następnie, w latach 1965–1967, był jednym z jego doradców. Podążył za nim do KGB, gdy Andropow objął stanowisko szefa tej organizacji. Tam szybko awansował: był kolejno szefem Pierwszego Zarządu (tj. wywiadu, w latach 1974–1988), członkiem kolegium KGB, zastępcą przewodniczącego KGB. W 1986 r. wybrano go na członka KC KPZR. W 1988 r. objął stanowisko szefa KGB, co łączyło się z dalszą karierą partyjną. W 1989 r. został członkiem Biura Politycznego. W marcu 1990 r. prezydent Gorbaczow mianował go członkiem Rady Prezydenckiej.

Prezydent Hafizullah Amin pod portretem prezydenta Tarakiego, którego zamordował. Sam miał zginąć z rąk Talebowa...

mianował Kriuczkowa szefem swojego sekretariatu. Cztery lata później oddał w jego ręce stanowisko zastępcy szefa Zarządu Wywiadu, odpowiedzialnego za sprawy europejskie, aby w 1974 roku przekazać mu prowadzenie całości wywiadu zagranicznego.

Kriuczkow wszedł do gabinetu na drugim piętrze.

– Towarzysze już czekają – poinformował go sekretarz, który na widok szefa wstał zza biurka i przyjął postawę zasadniczą, co zdradzało jego wojskowe przeszkolenie.

– Niech wejdą. – Kriuczkow otworzył drzwi do gabinetu i skierował się w stronę biurka. Kilka minut później rozległo się pukanie we framugę drzwi obitych skórą i do gabinetu weszło kilku mężczyzn. Stanęli skromnie pod ścianą, oczekując, aż szef zdąży zasiąść w fotelu.

– Siadajcie, towarzysze – Kriuczkow odsunął szufladę biurka i wyciągnął piłeczkę tenisową, którą zaczął ugniatać w dłoni. Był fanatykiem sportu i przeznaczał na ćwiczenia fizyczne każdą wolną chwilę. Na jego polecenie za gabinetem urządzono kompleks wypoczynkowy, składający się z sali gimnastycznej,

Zamach stanu, który pozbawił władzy prezydenta Daouda

pokoju do masażu i sauny, gdzie często przyjmował najwyższych oficjeli KGB. Do sauny przylegała salka recepcyjna z dużym stołem, jednak nie było tam barku, co wynikało z ogromnej niechęci gospodarza do alkoholu.

– Towarzysze z Biura Politycznego zaakceptowali projekt działań w Afganistanie – powiedział Kriuczkow, patrząc na mężczyzn, którzy zebrali się przy stole. Był tam szef Zarządu „K" – kontrwywiadu, „S" – działań specjalnych, oraz szef Wydziału VIII, który zajmował się sprawami nie arabskich krajów Bliskiego Wschodu: Afganistanu, Iranu, Izraela i Turcji.

– Kogo wybraliście? – Kriuczkow zawsze interesował się najdrobniejszymi szczegółami planowanych akcji, które miały ważne znaczenie dla polityki Związku Radzieckiego.

– Michaił Talebow – odezwał się szef Zarządu „S". – Pokażcie jego akta – zwrócił się do podlegającego mu szefa Wydziału VIII.

Ten podniósł się z krzesła, otworzył zalakowaną teczkę i wydobył z niej kilka kartek. Podszedł do fotela Kriuczkowa i położył je na biurku.

Kriuczkow począł je przeglądać z wyraźnym zainteresowaniem.

– Kontynuujcie... – powiedział, nie podnosząc głowy znad papierów.

– Towarzysz Talebow jest Azerem i, jak stwierdzicie, patrząc na jego zdjęcia dołączone do akt, gdy pojedzie do Afganistanu, łatwo zmiesza się z tłumem. Spędził w Kabulu kilka lat i dobrze zna teren – mówił szef Wydziału VIII. – Ustalenia, jakie poczyniliśmy, wskazują, że uda nam się wprowadzić go do najbliższego otoczenia celu.

– Akceptuję – Kriuczkow podniósł głowę. Nie chciał wnikać w dalsze szczegóły. Być może z innych źródeł wiedział, że podstawową bronią ma być trucizna. – Kiedy przystępujecie do działania?

– Talebow wyruszy za trzy dni – odpowiedział szef Wydziału VIII.

– To dobrze, że tak szybko – Kriuczkow był zadowolony z odpowiedzi. – Informować o wszystkim. Jakieś sprawy?

Mężczyźni uczestniczący w naradzie wstali i szybko opuścili gabinet. Rozpoczynała się gra, która mogła mieć ogromne znaczenie dla dalszego biegu historii.

Wydawałoby się, że Afganistan, górzysty kraj zamieszkały przez nieco ponad 15 milionów ludności niewiele miał do zaoferowania zdobywcom: podstawą jego gospodarki było zacofane rolnictwo i hodowla, działało tam trochę zakładów przemysłu włókienniczego, a znaczne zasoby bogactw naturalnych wykorzystywane były w niewielkim stopniu. Jednak kraj ten, wciśnięty między Pakistan, Chiny, Związek Radziecki i Iran, mógł się stać dla Kremla niezwykle ważną bazą na drodze do Zatoki Perskiej i pól naftowych Bliskiego Wschodu. A sytuacja, jaka się wytworzyła w końcu lat siedemdziesiątych w tym rejonie świata, zdawała się wręcz zachęcać do przejęcia pod ścisłą kontrolę Afganistanu i rozpoczęcia marszu w kierunku Zatoki Perskiej.

W kwietniu 1978 roku, po zamordowaniu prezydenta Mohammeda Daouda, władzę w Afganistanie zdobył Noor Mohammed Taraki, przywódca frakcji Khalq w partii komunistycznej. Co prawda do fotela prezydenckiego przymierzał się też Babrak Karmal, przywódca konkurencyjnej frakcji Parcham, ale Tarakiego poparł sekretarz generalny Komunistycznej Partii Związku Radzieckiego Leonid Breżniew. Taraki rewanżował mu się, prowadząc politykę pełną oddania. Jednakże niedługo przyszło mu rządzić. We wrześniu 1979 roku został zamordowany przez wicepremiera Hafizullaha Amina. Bez wątpienia do przewrotu doszło bez zezwolenia, a może nawet wiedzy Moskwy. Ale dla Kremla najważniejsze było to, że nowy dyktator natychmiast zapewnił o swojej lojalności, wobec czego Kreml w odpowiedzi przesłał mu gratulacje z okazji „wyboru" na stanowisko prezydenta i wyraził nadzieję, że „także w przyszłości braterskie stosunki między Związkiem Radzieckim i Afganistanem będą się rozwijać na bazie przyjaźni, dobrego sąsiedztwa i współpracy".

Kilkanaście dni później w Jasieniewie odbyła się narada, w czasie której zapadła ostateczna decyzja, że do Kabulu pojedzie Michaił Talebow, którego zadaniem było usunięcie Amina! Skąd ta nagła zmiana w polityce Kremla?

Wywiad KGB donosił z Kabulu, że nowy dyktator nie został zaakceptowany przez armię ani przywódców islamskich, rozwój zaś sytuacji w sąsiednim Iranie mógł skłonić ich do obalenia Amina i próby ustanowienia w Afganistanie, wzorem Iranu, republiki islamskiej. Afganistan rządzony przez antykomunistycznie nastawionych duchownych muzułmańskich wyśliznąłby się z objęć Moskwy, niwecząc jej plany dotarcia do Zatoki Perskiej. Na to Kreml nie mógł pozwolić. Dlatego kilkanaście dni po ob-

Pałac prezydencki w Kabulu – tu zaczęła się wojna

*Wydarzenia, które nastąpiły równolegle: grudzień 1979 – czołgi radzieckie w Afganistanie, listo-
pad 1979 – Strażnicy Rewolucji w ambasadzie amerykańskiej w Iranie*

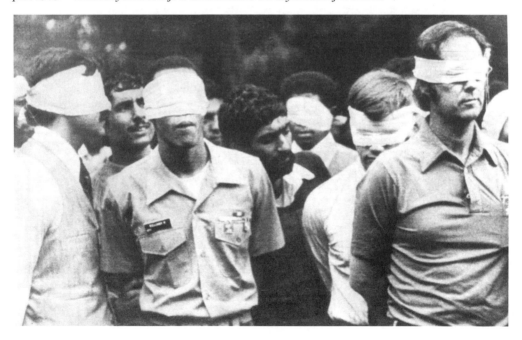

jęciu władzy przez Amina Biuro Polityczne KC KPZR podjęło decyzję o jego usunięciu.

Michaił Talebow przybył do Kabulu na początku października, a następnie w nieznany dotychczas sposób udało mu się znaleźć zatrudnienie w kuchni dyktatora, gdzie przygotowywał dla niego posiłki. Plan przewidywał, że je zatruje, i w tym celu wyposażono go w specjalną truciznę, jednakże nikt nie przewidział, że nowy dyktator będzie człowiekiem nadzwyczaj ostrożnym i, obawiając się losu, jaki zgotował swojemu poprzednikowi, otoczy się tak szczelną ochroną, że nie będzie możliwe przemycenie na jego stół zatrutego dania.

W najwęższym gronie radzieckiego kierownictwa począł dojrzewać plan militarnej interwencji w Afganistanie. Ale planując wprowadzenie wojsk do Afganistanu, Kreml nie mógł nie uwzględnić reakcji Stanów Zjednoczonych. Było oczywiste, że Waszyngton nie będzie spokojnie patrzył, jak Rosjanie zamieniają Afganistan w swoją bazę, z której już tylko krok dzielił ich od Zatoki Perskiej. Chyba żeby Waszyngton miał inne problemy, które mu uniemożliwią działanie zapobiegające wejściu radzieckich dywizji do Afganistanu. A gdy już się tam znajdą – nie będzie ich można usunąć, gdyż to oznaczałoby wojnę światową. Oczywiście Kreml brał pod uwagę konieczność prowadzenia walki z oddziałami partyzanckimi, ale wobec ogromnej przewagi Armii Radzieckiej nie przywiązywano do tego zbytniej wagi, uważając, że przeciwdziałanie partyzantce nie przekroczy rozmiarów akcji policyjnej. Należało więc odwrócić uwagę Stanów Zjednoczonych!

W powojennej historii Rosjanie dwukrotnie wykonali taki manewr i odnieśli sukces. Po raz pierwszy w 1948 roku, gdy zablokowali dostawy zaopatrzenia i komunikację mocarstw zachodnich z Berlinem Zachodnim. Stany Zjednoczone, Wielka Brytania i Francja skupiły wszystkie siły na utrzymaniu łączności z odciętym miastem i dostarczaniu mieszkańcom żywności, lekarstw i opału. Setki samolotów lądowały każdego dnia na berlińskim lotnisku Tempelhof, które stało się głównym punktem zainteresowania prasy i polityków. Tymczasem na drugim końcu świata stało się coś znacznie ważniejszego: w Chinach rząd Czang Kaj-szeka, pozbawiony odpowiedniej pomocy Stanów Zjednoczonych, musiał skapitulować przed wojskami komunistycznymi i uciekać na Tajwan. Chiny stały się państwem komunistycznym, podczas gdy w Berlinie kryzys zakończył się tak samo szybko, jak się zaczął. Ale świat był już inny. Kreml uzyskał potężnego sojusznika na Dalekim Wschodzie. Waszyngton w Berlinie nie zyskał niczego prócz satysfakcji, że potrafił przez wiele miesięcy kosztem 200 mln dolarów i życia 60 pilotów, którzy zginęli w wypadkach, przerzucać dziennie 4000 ton zaopatrzenia do odciętego miasta.

Sytuacja powtórzyła się kilka lat później. W 1956 roku Stany Zjednoczone skupiły całą uwagę na wydarzeniach w rejonie Kanału Sueskiego, gdzie po znacjonalizowaniu tej drogi wodnej przez Egipt dwa mocarstwa: Wielka Brytania i Francja, wysłały swoje wojska, a Izrael przystąpił do ataku na półwyspie Synaj. W tym czasie w Budapeszcie wojska radzieckie stłumiły

Kwatera główna CIA – wkroczenie wojsk radzieckich do Afganistanu było dla wywiadu amerykańskiego największą porażką

powstanie i zmusiły Węgry do uległości. Europa byłaby inna, gdyby mocarstwa zachodnie nie przeoczyły tego, co działo się w samym jej centrum.

W 1979 roku decyzję o wkroczeniu wojsk radzieckich do Afganistanu podjęło wąskie grono Biura Politycznego KPZR, ale głównym architektem tego przedsięwzięcia był Jurij Andropow – szef Komitetu Bezpieczeństwa Państwowego KGB, który w 1956 roku kierował stłumieniem powstania węgierskiego. Czyżby to on ponownie wpadł na pomysł odwrócenia uwagi Stanów Zjednoczonych od tego, co miało się stać w Afganistanie, koncentrując ją na Iranie? Jedno jest pewne: wywiad amerykański nic nie wiedział o przygotowaniach do inwazji na Afganistan!

Pewnego późnego grudniowego wieczoru 1979 roku do bramy pałacu prezydenckiego w Kabulu zbliżyła się grupa bojowych pojazdów. Na ich pancerzach namalowano znaki afgańskich sił zbrojnych. Wolno podjechały blisko stanowisk karabinów maszynowych i stanęły. Wartownicy, którzy na widok transporterów skryli się za workami z piaskiem, po kilku minutach bezruchu zaczęli wystawiać głowy, aby się lepiej przyjrzeć pojazdom. W dalszym ciągu nic się nie działo. Wreszcie

Szef CIA, Stansfield Turner

kilku żołnierzy afgańskich wyszło zza osłon i usiłowało zbliżyć się do pojazdów. Nie zdążyli. W ich stronę obróciły się wieżyczki z karabinami maszynowymi. Na jednym z pojazdów pojawiła się flaga KGB. Afgańczycy rzucili się do ucieczki, ale nie zdołali przebiec nawet kilkunastu kroków, gdyż padli ścięci seriami z najcięższych karabinów maszynowych z wieżyczek i kałasznikowów wystawionych przez otwory strzelnicze w burtach transporterów. Znajdował się w nich oddział radzieckich komandosów, którymi dowodził pułkownik Bojarinow, komendant szkoły Wydziału VIII KGB w Bałaszice.

Walka przy bramie trwała krótko. Zaskoczeni żołnierze gwardii prezydenckiej nie potrafili stawić skutecznego oporu. Dalej wydarzenia rozegrały się w błyskawicznym tempie. Transportery sforsowały zapory z drutów kolczastych i wjechały na dziedziniec pałacu. Tam komandosi wyważyli drzwi i wpadli do wnętrza. Mieli rozkaz, żeby nie brać jeńców; nikt nie powinien być świadkiem tego, co miało nastąpić w pałacu.

Prezydenta Amina odnaleźli w barze na górnym piętrze, gdzie siedział ze swoją kochanką. Nie wiadomo nawet, czy miał czas, aby prosić o darowanie życia...

Podobno przypadek sprawił, że jego los podzielił wkrótce dowódca komandosów. Tłumaczono później, że jeden z jego żołnierzy wziął go za człowieka z obstawy prezydenta. Nigdy nie ustalono, czy ta wersja odpowiadała prawdzie.

W ataku na pałac prezydencki w Kabulu zginęło dwunastu radzieckich komandosów. Liczba ofiar spośród mieszkańców pałacu nie jest znana.

W tym samym czasie na międzynarodowym lotnisku w Kabulu lądowały co trzy minuty radzieckie samoloty transportowe, dowożące żołnierzy wojsk desantowych, pojazdy pancerne i zaopatrzenie. Lądową granicę radziecko-afgańską przekroczyły trzy dywizje pancerne liczące około 50 tysięcy żołnierzy i ponad tysiąc pojazdów pancernych.

28 grudnia radio Kabul, zajęte już przez żołnierzy radzieckich, podało informację, że Amin, skazany na śmierć przez trybunał rewolucyjny, został rozstrzelany. Dzień wcześniej wystąpił nowy przywódca Afganistanu – Babrak Karmal. Jego przemówienie nadano z Moskwy, choć udawano, że wygłosił je w Kabulu.

Afganistan znalazł się w rękach radzieckich.

Ta operacja była szokiem dla prezydenta Cartera. Kilka dni wcześniej Centralna Agencja Wywiadowcza przedłożyła raporty, z których wynikało, że w pobliżu granicy z Afganistanem przebywa około 15 tysięcy żołnierzy radzieckich; za mało, żeby obawiać się inwazji. Jak to się stało, że Rosjanie w absolutnej tajemnicy przerzucili trzy razy więcej żołnierzy, z czołgami, transporterami opancerzonymi, cysternami, taborami, i to stacjonujących dotychczas w republikach nadbałtyckich? Tak wielka operacja przeszła niezauważona przez szpiegów i satelity. Ich obiektywy były wystarczająco czułe, aby sfotografować rowerzystę na polnej drodze, a nie dostrzegły pociągów z czołgami i to pokonujących szmat drogi znad Bałtyku do granicy afgańskiej?

To był drugi cios w prestiż prezydenta Cartera i podlegających mu tajnych służb, na czele których postawił on zaufanego sobie człowieka, admirała Stansfielda Turnera. W ciągu dwóch miesięcy Jimmy Carter dopuścił do tego, że banda młokosów opanowała amerykańską ambasadę i uwięziła dyplomatów, jakby naigrywając się z całej potęgi Stanów Zjednoczonych. A potem Rosjanie jak duchy pojawili się w Afganistanie, podporządkowując sobie ten kraj, zanim Stany Zjednoczone zdążyły się zorientować, co się święci. Ameryka traciła zaufanie do swojego prezydenta.

Farmer w Białym Domu

Jimmy Carter, syn plantatora orzeszków ziemnych w stanie Georgia, porzucił służbę na podwodnym okręcie atomowym „Sea Wolf" w 1953 roku, gdy jego ojciec zmarł na raka, i powrócił w rodzinne strony, aby zająć się uprawą ziemi. Dziesięć lat później, gdy rozpoczął karierę polityczną, chętnie podtrzymywał swój wizerunek człowieka, którego osobowość została ukształtowana przez twardą pracę na farmie i kontakt z naturą. Ludzie z okolicy potwierdzali, że Carter był nadzwyczaj uczciwy i bezkompromisowy, walczył z korupcją, ciemnotą i wszelkim społecznym złem. Potrafił wydać wiele pieniędzy i stracić wiele czasu, aby ujawnić sfałszowanie wyborów w jednym z powiatów. W 1976 roku, gdy z ramienia Partii Demokratycznej został kandydatem na prezydenta, postulat moralnego uzdrowienia Stanów Zjednoczonych uczynił jednym z głównych haseł wyborczych. I to spodobało się Amerykanom, którzy wcześniej stracili zaufanie do władzy. Wojna wietnamska obróciła miliony młodych ludzi przeciwko prezydentom – Johnsonowi i Nixonowi, którzy kazali im zakładać mundury i zabijać Wietnamczyków. Afera Watergate, która wybuchła w 1972 roku, gdy okazało się, że prezydent Nixon wiedział o włamaniu i założeniu podsłuchu w sztabie

Prezydent Jimmy Carter

Richard Nixon i Lyndon Johnson – prezydenci odrzuceni przez społeczeństwo

głównym konkurencyjnej Partii Demokratycznej, a w dodatku usiłował zatuszować całą sprawę, jeszcze bardziej naruszyła autorytet rządu. Na tle polityków bezwzględnych, skorumpowanych, sięgających po bezprawne środki, aby chronić interesy własnych partii, Carter przedstawiał się jako człowiek spoza kół rządowych, uczciwy i religijny. Wydawał się idealnym kandydatem na prezydenta, który może przywrócić władzy jej moralną siłę.

– Naród oczekuje od rządu elementarnej uczciwości i wiary w to, co robi. Rząd powinien być bardziej otwarty. Zerwijmy ze skrytością – mówił Carter, gdy wygrał wybory i 20 stycznia 1977 roku złożył przysięgę prezydencką. Co ważniejsze, pozostał wierny wyborczemu programowi moralnej odnowy władzy.

Pierwszą jego ofiarą była Centralna Agencja Wywiadowcza, instytucja, która miała szczególnie wiele na sumieniu. Nowy dyrektor CIA, mianowany w marcu 1977 roku admirał Stansfield Turner, bardzo się zasłużył moralnym uzdrowieniem tajnych służb. Jak sam twierdził, wyprowadził CIA z mrocznego okresu, gdy instytucja ta śledziła obywateli amerykańskich występujących przeciwko wojnie w Wietnamie, przygotowywała zamachy na zagranicznych przywódców (na przykład na Fidela Castro, kubańskiego dyktatora), prowadziła tajne badania nad łamaniem psychiki ludzi, aby używać ich jako zabójców, gromadziła trucizny. W latach pięćdziesiątych i sześćdziesiątych CIA wydawała na tajne operacje 50 procent swojego budżetu; od czasów Turnera – zaledwie 4 procent. Komisje Kongresu zaczęły wertować dokumenty CIA i zadawać setki bardzo kłopotliwych pytań. Najlepsi, najbardziej doświadczeni i najbardziej lojalni pracownicy CIA stali się obiektem bezpośrednich ataków.

Na przykład Richard Helms. Legenda wywiadu. Pracował w nim w czasie II wojny światowej. Do CIA wstąpił w 1947 roku, jak tylko ta instytucja powstała. W latach 1966–1973 był jej dyrektorem. Za czasów Cartera wezwano go, aby złożył zeznania przed komisjami senackimi. Odmówił, gdyż uważał, że nie może ujawniać tajnych działań zlecanych mu przez prezydenta. Komisja zażądała złożenia zeznań w sprawie poczynań amerykańskiego wywiadu w Chile za czasów prezydentury Nixona, gdy obalono tam lewicującego prezydenta Salvadore Allende. Helms się nie zgodził. W 1978 roku za odmowę złożenia pełnych i kompletnych zeznań został skazany na dwa lata więzienia w zawieszeniu i 2 tysiące dolarów grzywny. Nie był to wyrok zbyt dotkliwy, ale fakt ukarania jednego z najbardziej zasłużonych pracowników CIA wywołał burzę w środowisku.

Jedno wydaje się pewne: za czasów Cartera i Turnera amerykańskie tajne służby stały się uczciwe, moralne i otwarte. To znaczy utraciły swoją siłę. Zaczęły przegrywać z radzieckim wywiadem. A to, co się stało w Afganistanie w grudniu 1979 roku, było już kompromitacją na pełną skalę.

Bez wątpienia Jimmy Carter zaleczył rany amerykańskiego społeczeństwa, jakie pozostawił prezydent Lyndon Johnson, wysyłając do Wietnamu amerykańskich chłopców, i Richard Nixon, rozkazujący bombardować wietnamskie miasta i zamieszany we włamanie do kwatery Partii Demokratycznej. Carter przywrócił Amerykanom zaufanie do władzy. Jednakże kontynuowanie tej terapii, co wymagało osłabienia wywiadu i ustępstw wobec Związku Radzieckiego, stawało się w opinii wielu amerykańskich polityków niebezpieczne dla Ameryki i świata. Tym bardziej, że Carter bardzo uporczywie dążył do usunięcia groźby konfliktu nuklearnego i w 1979 roku doprowadził do podpisania ze Związkiem Radzieckim układu SALT II, ograniczającego zbrojenia strategiczne. W ocenie wielu amerykańskich ekspertów układ ten był niekorzystny dla Stanów Zjednoczonych i dawał przewagę Związkowi Radzieckiemu. Nie ulegało wątpliwości, że Moskwa potrafi tę przewagę wykorzystać.

Kadencja Cartera zbliżała się do końca. W 1980 roku miały się odbyć wybory, a szanse prezydenta na ponowne zwycięstwo gwałtownie spadały. Gdy obejmował urząd, pozytywnie oceniało go 71% Amerykanów. Na początku 1978 roku notowania te spadły do 36%. Amerykanie byli przede wszystkim niezadowoleni z wyników gospodarczych. Inflacja osiągała poziom dwucyfrowy, bezrobocie gwałtownie rosło, zmierzając do rozmiarów notowanych w okresie największego powojennego załamania w gospodarce USA, program energetyczny okazał się bardzo nieudany. Wydarzenia z 1979 roku: zajęcie ambasady w Teheranie i radziecka agresja w Afganistanie, zdawały się przesądzać o szansach na ponowną kadencję. Ale tymczasem Carter wciąż był prezydentem. Nadal miał pod swoimi rozkazami najpotężniejszą machinę militarną świata z jej lotniskowcami, lotnictwem i oddziałami specjalnymi. Postanowił pokazać się jako przywódca silny i zdecydowany. Po radzieckiej agresji na Afganistan zamroził ratyfikację układu SALT II, ogłosił sankcje gospodarcze wobec Związku Radzieckiego i bojkot olimpiady, która miała się odbyć w Moskwie w 1980 roku.

Potrzebny był mu jednak sukces spektakularny, na który społeczeństwo amerykańskie było szczególnie czułe. Jedna efektowna akcja mogła puścić w niepamięć poważne grzechy...

Delta Force

Z okien niewielkiego samolotu zbliżającego się do lotniska w Fort Bragg widać było parterowe baraki z czerwonej cegły, o płaskich białych dachach, połączone wspólnym długim budynkiem. Fort Bragg w Północnej Karolinie. Pilot zniżył lot i, słysząc w słuchawkach zgodę wieży kontrolnej na lądowanie, zatoczył koło i łagodnie posadził samolot na betonowym pasie.

Generał John Vought odczekał, aż samolot odkołuje na miejsce postoju i wyłączy silniki. Z półki nad głową zdjął teczkę zamkniętą na niewielką kłódkę i skierował się do wyjścia.

– Dobry lot i lądowanie poruczniku – rzucił pilotowi, gdy ten otworzył drzwi od swojej kabiny i wyszedł, aby pożegnać generała. – Startujemy jutro o dziesiątej.

Na dole, przy schodkach, które wysunęły się z dolnej części drzwi kadłuba, czekał oficer w polowym mundurze. Barczysty, średniego wzrostu, z lekko siwiejącymi skrońmi zasalutował na widok generała.

Pułkownik Charles Beckwith w Wietnamie

– Pułkownik Beckwith – przedstawił się.

– To przyjemność poznać pana osobiście, pułkowniku – generał wyciągnął rękę na powitanie.

Pierwszy raz widział Beckwitha, lecz wiedział o nim wszystko. W 1964 roku, jeszcze w stopniu majora Beckwith objął w Wietnamie dowodzenie jednostką *B-52* wchodzącą w skład „Project Delta", a później całością sił specjalnych, oznaczonych tym kryptonimem, których zadaniem było rozpoznawanie sił wroga, prowadzenie akcji sabotażowych i dywersyjnych, przenikanie do baz partyzantów. Krótko mówiąc, celem ich była walka z partyzantami ich metodami. Do końca czerwca 1970 roku, kiedy oddział został wycofany z walki, przeprowadzili 63 operacje, przy niewielkich stratach, zdobywając wiele cennych materiałów i informacji o bazach i oddziałach nieprzyjaciela. Beckwith, ranny w czasie pierwszej operacji w Dolinie An Lao, dał się później poznać jako doskonały i nadzwyczaj odważny dowódca, co zyskało mu przydomek „Chargin Charlie" – Szarżujący Charlie.

Żołnierze Delta Force

W 1977 roku, już w stopniu pułkownika, stanął na czele amerykańskiej jednostki antyterrorystycznej, noszącej oficjalną nazwę 1st Special Forces Operational Detachment – Delta, utworzonej rozkazem z 19 listopada 1977 roku. Nie wszystko mu się podobało, co jest charakterystyczne dla sytuacji, w której frontowiec zderza się z efektami pracy wojskowych urzędników. Autorzy rozkazu tworzącego „Deltę" przewidzieli nadzwyczaj skomplikowaną strukturę służbowej podległości: jednostka weszła w skład United States Army John F. Kennedy Center for Military Assistance (co można przetłumaczyć jako Centrum Wojskowego Wsparcia Armii Stanów Zjednoczonych im. Johna F. Kennedy'ego), które podlegało XVIII korpusowi powietrznodesantowemu, a ten z kolei podlegał Dowództwu Sił Zbrojnych (Forces Command), te zaś – Departamentowi Obrony.

Jednak o wiele poważniejszym problemem był nabór żołnierzy do nowej jednostki. Pułkownik Beckwith, który dowodzenie nowym oddziałem rozpoczął od podróży po Europie, gdzie zwiedził bazy dwu najsłynniejszych jednostek antyterrorystycznych: brytyjskiej SAS i niemieckiej GSG-9, śladem twórców SAS postanowił szukać kandydatów do swojego oddziału we wszystkich rodzajach sił zbrojnych. Zdawał sobie sprawę, że napotka opór dowódców jednostek, którzy nie będą chcieli pozbywać się najlepszych żołnierzy. Udało mu się jednak nakłonić przełożonego, gene-

Musztra – podstawa żołnierza doskonałego

rała Jacka Mackmulla, do podpisania rozkazu umożliwiającego przeprowadzenie rekrutacji w jednostkach 10 Special Forces Group z Fort Devens. Do pierwszego egzaminu wybrał 150 żołnierzy, z których część znał z Wietnamu. Pierwszy etap sprawdzianu umiejętności ochotników składał się z sześciu testów. Były to: pokonanie czołganiem na plecach 40 metrów w ciągu 25 sekund, 37 przysiadów i 33 pompki w ciągu 2 minut, pokonanie specjalnego toru przeszkód, który nazwano run-dodge-jump (biegnij-pełznij-skacz) w 24 sekundy, trzykilometrowy bieg w ciągu 16,5 minuty, przepłynięcie 100 metrów w pełnym rynsztunku. To był morderczy sprawdzian, wymagający ogromnej odporności i sprawności fizycznej. Już w jego trakcie z grupy 150 ochotników odpadło kilkunastu chłopaków. Następnych kilkunastu zrezygnowało w czasie intensywnego marszu na dystansie 30 kilometrów. Ci, którzy pozostali, musieli poddać się testowi przeżycia, przeprowadzonemu dokładnie według zaleceń „Podręcznika treningowego SAS".

Trasa, której czas przebycia nie został określony, prowadziła przez zalesiony, poprzecinany strumieniami i rzekami teren narodowego parku Uwharrie w Północnej Karolinie, a każdy z egzaminowanych, wyposażony w kompas i mapę, musiał nieść 30-kilogramowy plecak. W tym sprawdzianie, trwającym dwa dni i noc, załamało się bardzo wielu. Dla pozostałych nie był to koniec wysiłku. Musieli stanąć przed specjalną komisją, która oceniała ich psychikę. To był egzamin równie trudny jak wszystkie poprzednie. Oficerom dokonującym wyboru żołnierzy do nowej jednostki chodziło o ludzi twardych, odpornych i zdrowych psychicznie, zdecydowanych, umiejących samodzielnie podejmować decyzje.

Kandydatom przedstawiono szczegółowy opis ucieczki trzech ludzi z obozu na Syberii w stronę Tybetu.

– Proszę skomentować to opowiadanie – padło na zakończenie. – Co uciekinierzy zrobili prawidłowo, a co źle? Co ty byś zrobił na ich miejscu?

A potem:

– Jesteś dobry, bardzo dobry – mówił do zadowolonego żołnierza egzaminator. – Prawie zdałeś egzamin. A teraz powiedz, co zrobiłeś źle, co byś chciał poprawić?

Jeżeli kandydat odpowiadał, że nie dostrzega błędu w swoim postępowaniu – odpadał.

– Co sądzisz o zwolnieniu generała Douglasa MacArthura przez prezydenta Trumana? – padało następne pytanie. Chodziło o zdymisjonowanie w 1952 roku dowódcy wojsk amerykańskich i ONZ walczących w Korei, który lekceważył rozkazy najwyższego dowództwa i publicznie krytykował decyzje prezydenta. – Czy było to uzasadnione? Jaka jest twoja opinia?

Ci, którzy pozostali, musieli na koniec udowodnić, że potrafią zrobić coś szczególnego.

– Sierżancie Jones, dlaczego mamy was wziąć do oddziału? Przeszliście wstępne testy, śmigaliście po górach. Wyglądacie dobrze i zachowujecie się dobrze, ale przekonajcie mnie, że powinniśmy was wziąć. Co macie do zaoferowania?

- Sir, jestem dobrym żołnierzem.
- Do cholery, mamy wielu takich. Czym się wyróżniacie? Potraficie prowadzić osiemnastokołowca? – pytanie dotyczyło największych ciężarówek jeżdżących po amerykańskich szosach.
- Nie, sir!
- Wiecie coś o psach? Hodowaliście psy?
- Sir, miałem małego pieska.
- Do cholery z tym, ja mówię o prawdziwym psie obronnym!
- Nie, sir!
- Posłuchajcie, sierżancie: nic mi nie zaproponowaliście. Zastanówcie się chwilę i powiedzcie coś o waszych specjalnych zdolnościach.
- Sir, potrafię sobie poradzić z każdym zamkiem w drzwiach.
- Kto to może potwierdzić?
Żołnierz podawał nazwę firmy.
- Sprawdzę to. Możecie odejść. Zawiadomimy was.
Rzeczywiście, sierżant Jones okazał się doskonałym ślusarzem. Przyjęto go do „Delty".

W czasie, gdy trwała wstępna selekcja kandydatów, zastępca Beckwitha opracowywał charakterystykę, jakiej powinni odpowiadać ochotnicy do jednostki: nadzwyczajna sprawność w dotychczasowej specjalizacji wojskowej, doskonała kondycja fizyczna, wiek co najmniej 22 lata, amerykańskie obywatelstwo, brak zastrzeżeń ze strony organów bezpieczeństwa, brak kar wojskowych, możliwość odbycia treningu spadochronowego, zdanie egzaminu sprawności fizycznej i psychicznej.

Oficerowie „Delty" wyruszyli w poszukiwaniu najlepszych do jednostek w Stanach Zjednoczonych i wojsk stacjonujących w Europie. Przywozili kandydatury chłopaków, którzy po przejściu wstępnych sprawdzia-

Algierski partyzant w rękach żołnierzy Legii Cudzoziemskiej – jego los był straszny

nów i zakwalifikowaniu do służby w jednostce mieli zostać poddani treningowi usuwającemu strach i litość – dwa uczucia, które mogły przesądzić o wyniku misji, jakie ich czekały.

Nikt nie ujawnił, jakie metody stosuje się w jednostkach specjalnych, aby stworzyć żołnierza idealnego, działającego błyskawicznie i skutecznie, nie tracącego czasu na zastanawianie się, do kogo i dlaczego strzela. Jednocześnie człowieka, który nie będzie skłonny wykorzystać swoich szczególnych umiejętności i wiedzy przeciwko prawu.

W czasie drugiej wojny światowej brytyjscy komandosi przechodzili specjalny kurs w rzeźniach, gdzie widok zabijanych i ćwiartowanych zwierząt, wycie szlachtowanych świń i krów, odór śmierci i wypruwanych flaków miał ich utwardzić, zobojętnić na widok krwi i cierpienia ludzi. Później, w czasie akcji nie mogli słabnąć, widząc wnętrzności wypływające z rozciętego brzucha kolegi czy mózg rozbryzgujący się na ścianie po celnym strzale w głowę. Nie mogli wahać się ani przez moment, kiedy podkradłszy się z tyłu do wartownika, mieli zakryć mu usta dłonią i wbić nóż w podstawę czaszki, a następnie przekręcić ostrze, aby „zabełtać mózg". Nie mogli wówczas myśleć, że oto przerywają ludzkie życie, a później mieć wyrzuty sumienia, które mogłyby ich powstrzymać przed wykonaniem następnego rozkazu.

Często taki trening łączono z metodami, które miały usunąć z psychiki uczucia, jakie mogłyby przeszkadzać w wykonywaniu zadań: godności własnej, honoru. Na początku był dryl, bezmyślna, powtarzana przez wiele godzin musztra: maszeruj, stój, w prawo zwrot, w lewo zwrot, padnij, powstań... I tak przez wiele, wiele godzin każdego dnia.

W Legii Cudzoziemskiej zmuszano rekrutów do wykonywania poniżających prac w sposób, który dodatkowo ich poniżał: na przykład do mycia podłogi w latrynach za pomocą szczoteczek do zębów, lizania butów przełożonym. Oprócz tego były szczególnie surowe kary, stosowane za najlżejsze przewinienie, jakim mogło być na przykład niewłaściwe zwinięcie pasa lub nieporządek w szafce: wielogodzinna musztra w ciężkim oporządzeniu, wystawanie przez wiele godzin na baczność, wystawianie na palące promienie słońca żołnierzy, których ręce i nogi związywano w szczególnie bolesny sposób, karcer. Do tego dochodziła nauka wydobywania zeznań od podejrzanych. Francuzi nie chcieli być oskarżani o barbarzyńskie metody wobec cywilów, więc uczyli żołnierzy stosowania „czystych tortur", które nie okaleczały i nie pozostawiały trwałych śladów na ciele. Na przykład wystarczało głowę przesłuchiwanego podstawić pod kran i lać mu wodę prosto do ust. W ten sposób człowiek topił się, ale żołnierz musiał wiedzieć, w którym momencie przerwać torturę, aby nie zabić przesłuchiwanego, gdyż w ten sposób mógłby się pozbawić cennego źródła informacji. Musiał więc zwracać uwagę, kiedy badany zaczyna zaciskać dłonie, co było sygnałem, że zaczyna się topić pod kranem. Prawdopodobnie spadochroniarze francuscy ćwiczyli takie przesłuchania w koszarach na kolegach, co dodatkowo ich utwardzało. W rezultacie, gdy wysłano ich do walki w Algierii w 1961 roku, ich dowódca, generał Jacques

Po rewolucji wojsko irańskie straciło swoją siłę, lecz wciąż było groźne

Massu, który postawił sobie za cel wyplenienie miejskiej partyzantki, miał pod komendą tysiące wyszkolonych oprawców. Mógł nakazać równoległe przesłuchiwania setek osób podejrzanych o wspomaganie lub współpracę z partyzantami. W Algierze duże budynki publiczne – szkoły, hotele – zamieniano w budynki tortur, gdzie komandosi topili przesłuchiwanych w łazienkach lub męczyli ich prądem. Również kobiety i dzieci. Zgodnie z wiedzą, jaką wynieśli z koszar.

Nie należy sądzić, aby w końcu lat siedemdziesiątych Amerykanie w „Delcie" stosowali takie metody „produkowania" idealnych żołnierzy, choć musieli przecież stworzyć jednostkę żołnierzy twardych, działających bezlitośnie i bezwzględnie. Treningi strzeleckie, skoki i biegi przełajowe były dobre dla dziesięcioboistów, a nie komandosów, którzy mieli zabijać, zanim zostaną zabici.

Generał Vaught, po krótkim odpoczynku w apartamencie, jaki przygotowano dla niego na terenie Fortu Bragg, stawił się w gabinecie Beckwitha.

– 12 listopada powołano Joint Task Force 1-79*, pod moją komendą, z zadaniem uwolnienia zakładników z Teheranu – poinformował zaraz po wejściu. – Zakładamy, że główny ciężar wykonania zadania przejmie pana jednostka. Przyjechałem tutaj, aby wstępnie zapoznać się z oddziałem i przedyskutować z panem główne założenia operacji.

---

* **Joint Task Force** – Połączony Zespół Operacyjny.

Beckwith słuchał w milczeniu. Doskonale zdawał sobie sprawę, jak trudne zadanie postawiono przed jego żołnierzami. Przez dwa lata byli szkoleni do walki w zaprzyjaźnionym kraju. Misja, która miała zostać spełniona we wrogim Iranie, była szczególnie trudna. Jednak generał nie pytał go o zdanie.

– Rozważaliśmy trzy opcje – mówił dalej Vaught. – Zrzucenie żołnierzy na spadochronach. Pozwoliłoby to na szybkie zbliżenie się do miejsca zrzutu, skąd ciężarówkami przewieziono by żołnierzy do centrum miasta. Jednakże problemem byłoby wycofanie się z Teheranu, gdyż komandosi z uwolnionymi zakładnikami musieliby się przebijać przez miasto...

Generał zawiesił głos i spojrzał na Beckwitha. Ten uznał, że jest to zachęta do przedstawienia swojej opinii.

– Desant spadochronowy jest w tym wypadku niepoważny i daje zero szans na sukces – powiedział. – Z reguły na stu żołnierzy lądujących na spadochronach siedmiu odnosi kontuzje: rany postrzałowe lub obrażenia nóg. W czasie desantu pod Arnhem – pułkownik miał na myśli wielką operację inwazyjną przeprowadzoną w rejonie holenderskiego miasta Arnhem we wrześniu 1944 roku – kilkudziesięciu żołnierzy

Nienawiść tłumu – największe zagrożenie dla komandosów

ze złamanymi nogami lub zwichniętymi kostkami nie liczyło się. Ale co miałbym zrobić w Teheranie z żołnierzem ze złamaną nogą: zostawić go czy kazać innemu, aby go niósł?

– Tak – generał jednym słowem skwitował odpowiedź pułkownika i mówił dalej. – Druga opcja zakłada przetransportowanie żołnierzy „Delty" w ciężarówkach z granicy tureckiej do Teheranu. Zajęłoby to około dwóch dni i pozwoliło, zważając na intensywny ruch na drogach irańskich, gdzie kursuje bardzo dużo ciężarówek z Niemiec do Pakistanu, na skryty podjazd do centrum Teheranu. Ale na przejściach granicznych Irańczycy sprawdzają ładunki, gdy zauważą jakiś błąd w papierach. Dlatego CIA już sprawdza, jakich formalności należy dopełnić, aby nie było żadnych podejrzeń na granicy. Musimy się jednak liczyć, podobnie jak przy lądowaniu na spadochronach, z ogromnymi trudnościami z wycofaniem się z Teheranu. Problemem mogą być również częste kontrole na drogach...

- Jeżeli pasdarani* otworzą naszą ciężarówkę-chłodnię i zobaczą tam naszych operatorów zamiast befsztyków, to co, u diabła, wtedy zrobimy? - skwitował Beckwith drugą wersję planu.

- Pozostają śmigłowce - wydawało się, że generał w pełni zgadza się z tą oceną. - Są wolniejsze od samolotów, ale mogą lądować w bezpośrednim sąsiedztwie budynków, gdzie przebywają zakładnicy. Jakkolwiek warkot motorów może zaalarmować strażników. Ci z kolei mogą ustawić piki na trawnikach wokół budynków ambasady, uniemożliwiając lądowanie. Aby tego uniknąć, należy włączyć do akcji ciężarówki, które podwiozą żołnierzy do miejsca akcji.

- Panie generale - Beckwith zdecydował, że czas przedstawić swoją opinię na temat planu zbrojnego uwolnienia zakładników. - Nie widzę możliwości zapewnienia tej misji sukcesu. Moi chłopcy byli trenowani do działań na zaprzyjaźnionym terenie, gdzie mogli liczyć na pomoc i współdziałanie miejscowej ludności i władz. Sytuacja, w jakiej znajdą się w Teheranie, jest całkowicie odmienna...

- Panie pułkowniku - przerwał mu generał. - Decyzja została podjęta. 19 listopada musimy przedstawić plan odbicia zakładników. Rozkaz wyruszenia do akcji wydadzą politycy...

Beckwith milczał. Nie mógł protestować. Teraz już tylko musiał zrobić wszystko, aby zapewnić sukces nadzwyczaj trudnej akcji.

Decyzję w tej sprawie podjęto już 6 listopada, gdy Zbigniew Brzeziński zatelefonował do sekretarza obrony, Harolda Browna, i poprosił go, aby Kolegium Szefów Sztabów przystąpiło do opracowania planu akcji ratunkowej. Dwa dni później mógł się już zapoznać ze wstępnym projektem planu uwolnienia zakładników. Jednak prezydent Carter sprawiał wrażenie bardziej zainteresowanego akcją odwetową przeciwko Iranowi niż zbrojnym uwolnieniem zakładników. Być może uważał, że Iran ugnie się pod presją ekonomiczną i dyplomatyczną, które polecił stosować, i zwolni zakładników. 9 listopada wezwał do Owalnego Gabinetu Brzezińskiego i Browna i powiedział o Irańczykach:

- Pragnę ich ukarać natychmiast po uwolnieniu zakładników, rzeczywiście mocno ich uderzyć. Muszą zrozumieć, że z nami nie ma żartów!

Później, gdy dołączył do nich generał David Jones, szef Połączonych Sztabów amerykańskich sił zbrojnych, usiedli przy kominku, a generał, wskazując na mapę, relacjonował możliwości akcji odwetowych. Rozważano zbombardowanie instalacji naftowych na wyspie Kharg**, głównej bazie przeładunkowej irańskiej ropy, oraz zaminowanie portów, co mogło doprowadzić Iran do katastrofy ekonomicznej.

---

* **Pasdarani** - Strażnicy Rewolucji - paramilitarna organizacja irańska.
** **Kharg** - niewielka irańska wyspa w północnej części Zatoki Perskiej, 55 km od portu Bushire. W latach 60. zbudowano tam instalacje do załadunku ropy naftowej oraz rafinerie, które w latach 70. zaopatrywały największe tankowce. W latach 80. instalacje na wyspie zostały poważnie uszkodzone w wyniku działań wojennych Iran–Irak.

– Potępić, zagrozić, zerwać stosunki, zaminować trzy porty, zbombardować Abadan*, ogłosić całkowitą blokadę! – żądał prezydent Carter, jakby nie zdając sobie sprawy, że te plany są całkowicie nierealne. Iran nie miał zamiaru zwalniać zakładników, a przeprowadzenie jakiejkolwiek akcji odwetowej mogłoby sprowokować Irańczyków do zabicia jeńców. Ajatollah Chomeini ostrzegł 23 listopada:

– Nasza młodzież oznajmiła, że zgładzi wszystkich zakładników, jeżeli Amerykanie podejmą interwencję zbrojną. Nie będziemy w stanie powstrzymać wybuchu uczuć naszej młodzieży. Nie możemy powstrzymać tych, którzy przez 50 lat byli prześladowani.

Realna groźba: „Nasza młodzież oznajmiła, że zgładzi wszystkich zakładników"

Tych słów nie można było lekceważyć!

Jeżeli nawet prezydent nie ulękł się tej groźby, to już miesiąc później, po agresji radzieckiej na Afganistan, plany uderzeń odwetowych straciły wszelki sens. Podstawowym zadaniem amerykańskiej dyplomacji stało się stworzenie wspólnego frontu islamskiego przeciwko radzieckiej ekspansji, a to wykluczało jakiekolwiek działania zbrojne przeciwko Iranowi. Nie można było bowiem wykluczyć, że po zrzuceniu min i zablokowaniu irańskich portów, rząd tego państwa zwróci się do Związku Radzieckiego o pomoc w rozminowaniu. Bez wątpienia w Zatoce Perskiej bardzo szybko mogłyby się pojawić flotylle radzieckich trałowców.

A jednak prezydent musiał zlecić przeprowadzenie akcji, w wyniku której zakładnicy z ambasady zostaliby uwolnieni. Działania dyplomatyczne i ekonomiczne sankcje nie przynosiły żadnych efektów. Zbrojne uderzenie nie wchodziło w grę ze względu na bezpieczeństwo ludzi uwięzionych w ambasadzie. Mijały miesiące.

Rozpoczął się rok 1980. Rok wyborów prezydenckich. Ambasada i przetrzymywani tam ludzie stali się symbolem upokorzenia Ameryki i niemo-

---

* **Abadan** – miasto w południowo-zachodniej części Iranu. W 1909 r. wybudowano tam pierwszą rafinerię, co przesądziło o dalszym rozwoju miasta. W 1970 r. działające tam rafinerie, zaopatrywane przez rurociągi z pobliskich pól naftowych, należały do największych na świecie. W 1980 r. miasto zostało niemalże całkowicie zniszczone przez iracką artylerię. Produkcję wznowiono na niewielką skalę w 1988 r., port zaś otwarto dopiero w 1993 r.

Abadan – serce irańskiej gospodarki

Ronald Reagan – najgroźniejszy rywal Jimmy'ego Cartera w nadchodzących wyborach prezydenckich

cy Jimmy'ego Cartera. Musiał on postawić wszystko na jedną kartę, jeżeli nie chciał zakończyć kadencji jako prezydent słaby, niezdolny do skutecznego i stanowczego działania. I jeżeli chciał realnie myśleć o nowej kadencji.

Droga na pustynię

Komandosów można było przetransportować do Iranu tylko za pomocą śmigłowców. Generał John B. Vaught, któremu powierzono dowodzenie operacją ratowania zakładników, ani pułkownik Charles Beckwith, dowódca komandosów, nie mieli co do tego żadnych wątpliwości. Ale jakich śmigłowców? Należało rozważyć, czy będą to *CH-47 Chinooks*, czy może *CH-46 Sea Knights*, a może *HH-53* lub *RH-53*.

Ciągle jednak brakowało odpowiedzi na najważniejsze pytanie: w którym budynku przetrzymywani są zakładnicy?

Obiekty ambasady w Teheranie rozciągały się na obszarze 10 hektarów. Wysoki mur otaczał korty tenisowe, boisko piłkarskie, parkingi samochodowe, zabudowania kancelarii, biblioteki, gospodarcze, rezydencję ambasadora – w sumie 14 budynków. Atakujący komandosi musieli działać błyskawicznie, a poszukiwania zakładników na tak rozległym terenie zajęłyby im co najmniej 3–4 godziny. Przez tak długi czas Irańczycy zdążyliby zgromadzić posiłki i odciąć wszelkie drogi odwrotu, a może nawet zabić

Od góry: CH-47 Chinook, CH-46 Sea Knights i HH-53

327

zakładników. Jeżeli więc misja miałaby dojść do skutku, komandosi musieli wiedzieć, gdzie uderzać. Tymczasem szanse na uzyskanie tej najcenniejszej informacji były bardzo niewielkie. Amerykańska sieć wywiadowcza w Teheranie została rozbita. Co prawda w mieście wciąż przebywało około setki amerykańskich agentów, ale nie było z nimi kontaktu.

Właśnie w tym celu w grudniu 1979 roku wysłano do Teheranu oficera wywiadu o pseudonimie „Bob". Otrzymał on wizę jako biznesmen i zainstalował się w hotelu „Sheraton", gdzie założył biuro handlowe. Jego działalność nie wzbudziła podejrzeń irańskiego kontrwywiadu, chociaż w ciągu kilku tygodni nawiązał kontakty z wieloma agentami z dawnej siatki. Często wyjeżdżał z Teheranu do Rzymu i Aten, gdzie mógł przekazywać informacje i otrzymywać instrukcje.

Wkrótce dołączył do niego drugi wysłannik Centrali. Był to bogaty Irańczyk, który po obaleniu szacha uciekł do Stanów Zjednoczonych. Powrócił do Teheranu z zadaniem przygotowania warunków do ataku na ambasadę. Kupił pięć ciężarówek marki Ford oraz dwa mikrobusy, które miały być użyte do przewiezienia komandosów z pustyni do centrum miasta. Na przedmieściach Teheranu wynajął magazyn, do którego sprowadził materiały budowlane. One także miały się przydać w dniu operacji...

Jednak ci agenci nie mieli żadnego doświadczenia wojskowego, a komandosom potrzebny był człowiek, który mógłby rozpoznać teren wokół ambasady, przyjrzeć się rozstawieniu i uzbrojeniu strażników, stwierdzić, czy wejścia zostały zaminowane, określić warunki lądowania śmigłowców w centrum miasta, a potem, po przybyciu komandosów do Iranu, pokierować ich działaniami.

W Forcie Bragg przeegzaminowano wszystkich komandosów w poszukiwaniu takiego, który sprostałby tak odpowiedzialnemu zadaniu. Nie znaleziono odpowiedniego kandydata. Wtedy zgłosił się Richard Meadows – człowiek, który od początku brał udział w opracowywaniu planu uwolnienia zakładników.

Trudno byłoby znaleźć oficera lepiej nadającego się do tej roli. Spędził w armii 30 lat. W 1970 roku dowodził oddziałem uderzeniowym atakującym więzienie Son Tay w Wietnamie. Zdobył wszystkie odznaczenia przysługujące amerykańskim żołnierzom. Po przejściu na emeryturę nie potrafił rozstać się z mundurem i został doradcą jednostki antyterrorystycznej. A jednak CIA odrzuciła jego kandydaturę. „Amator bez odpowiedniego przeszkolenia i predyspozycji" – brzmiał zaskakujący werdykt. Meadows był innego zdania, a tacy ludzie jak on nie zwykli łatwo rezygnować. Oświadczył, że pojedzie do Teheranu na własną rękę. Pułkownik Beckwith poparł jego kandydaturę. Ostatecznie dyrektor CIA Stansfield Turner musiał ustąpić.

W styczniu 1980 roku płk Meadows wylądował w porcie lotniczym Mehrabad i, nie napotykając żadnych przeszkód ze strony całkowicie zdezorganizowanej irańskiej straży granicznej, pojechał do hotelu „Arya Sheraton", gdzie zameldował się jako obywatel irlandzki Richard H. Keith, pracujący dla europejskiej firmy samochodowej. Szybko nawiązał kontakt z pozostałymi agentami i energicznie zabrał się do pracy.

C-130 Hercules i śmigłowce RH-53 miały się spotkać na „Desert One"

Już po kilku dniach obserwacji strażników na terenie ambasady oraz na podstawie informacji, jakie udało się zebrać jemu i pozostałym agentom, wytypował cztery budynki, w których mogli być więzieni zakładnicy. Później wyruszył na pustynię, aby wybrać miejsce odpowiednie na lądowisko w pobliżu Teheranu, oznaczone jako „Desert Two", gdzie miały wylądować śmigłowce przewożące komandosów po wyładowaniu ich z samolotów na lądowisku oznaczonym jako „Desert One". Znalazł je w pobliżu Garmsar, gdzie znajdowała się opuszczona kopalnia soli. Było to bardzo wygodne sąsiedztwo, gdyż tam, w opuszczonych sztolniach, komandosi mogli bezpiecznie spędzić resztę dnia, oczekując nadejścia nocy, która ukryłaby ich dalszą podróż.

Plan przewidywał, że w dniu „X" na miejscu „Desert One" wylądują samoloty transportowe z komandosami oraz śmigłowce. Lądowisko wybrane na podstawie analizy zdjęć satelitarnych znajdowało się przy drodze prowadzącej z miasta Yazd do małego miasteczka Tabbas. Wbrew pozorom nie istniało niebezpieczeństwo zaalarmowania mieszkańców, ponieważ ich tam nie było. Kilka miesięcy wcześniej Tabbas zostało zniszczone przez trzęsienie ziemi. Znacznie poważniejszy był problem wytrzymałości kamienistego gruntu pustyni, na którym miały wylądować samoloty transportowe ważące po 70 ton i 20-tonowe śmigłowce.

Meadows pojechał tam pożyczonym samochodem. Potwierdził, że miejsce doskonale nadaje się do lądowania ciężkich czterosilnikowych samolotów i śmigłowców, ale nie potrafił ocenić wytrzymałości gruntu. Pewnej nocy w połowie kwietnia na pustyni wylądował niewielki samolot przysłany przez CIA. Specjaliści pobrali próbki gruntu, których analiza potwierdziła przydatność pustynnego lądowiska. Na miejscu pozostawili urządzenia, które miały się bardzo przydać lądującym transportowcom i śmigłowcom.

„Desert One" miał być miejscem spotkania i przeładunku ekwipunku z samolotów transportowych do śmigłowców, co powinno się zakończyć do godziny 2.00, aby komandosi jeszcze pod osłoną ciemności mogli dotrzeć do miejsca oznaczonego jako „Desert Two", położonego około 100 kilometrów na południowy wschód od Teheranu. Plan przewidywał, że jak tylko śmigłowce wzbiją się w powietrze, samoloty powrócą do bazy na wyspie Masirah, gdzie będą czekać na zakończenie akcji w Teheranie.

Tuż po godzinie 4.00 śmigłowce miały wylądować na „Desert Two", gdzie już by czekał pułkownik Meadows, który poprowadziłby komandosów do sztolni opuszczonej kopalni soli, dokąd dotarliby o brzasku. Śmigłowce miały odlecieć do Figbar – niewielkiej doliny wśród pagórków, odległej od „Desert Two" o około 45 kilometrów. Tam, osłonięte siatkami maskowniczymi, miały być niewidoczne dla irańskich samolotów. Zadaniem kilku komandosów było rozstawienie wyrzutni pocisków przeciwlotniczych do ochrony śmigłowców przed niespodziewanym atakiem, a piloci po krótkim odpoczynku mieli przystąpić do sprawdzania sprzętu i usuwania usterek, jakie ewentualnie zauważono by w czasie lotu.

Pułkownik Richard Meadows, po ukryciu komandosów, miał wsiąść do swojego volkswagena i wyruszyć do magazynu na przedmieściach Teheranu, aby przygotować ciężarówki, a następnie wrócić o godzinie 19.15, prowadząc mikrobus oraz pick-up datsun. Do jego samochodu miało wsiąść dwunastu komandosów-kierowców, z których ośmiu było Irańczykami, a czterech Amerykanami doskonale znającymi język Farsi. Do datsuna wsiadłby pułkownik Beckwith. Zadaniem komandosów-kierowców było dotarcie do magazynu, skąd mieli poprowadzić ciężarówki do kopalni soli, aby stamtąd zabrać resztę kolegów. W tym czasie Beckwith z Meadowsem mieli pojechać do centrum Teheranu, aby dokonać ostatecznego rozpoznania przed akcją.

Piloci śmigłowców, którzy po sprawdzeniu sprzętu mogli przez dzień odpoczywać w cieniu swych maszyn w dolince Figbar, mieli ściągnąć siatki maskujące i gotować się do lotu.

Komandosi dotarliby w ciężarówkach do magazynu na przedmieściu i tam ukryci czekaliby na powrót Beckwitha, który miał wydać rozkaz do ataku.

W tym samym czasie ruszyłaby druga część wielkiej machiny, stanowiąca zabezpieczenie na wypadek, gdyby realizacja planu załamywała się i trzeba było wesprzeć komandosów walczących w centrum miasta.

Nad granicą Iranu miały przelecieć trzy samoloty *C-141 Starlifter*, kierujące się w stronę opuszczonego irańskiego lotniska w Manzariyeh, około 60 kilometrów na południowy zachód od Teheranu. 83 komandosów znajdujących się na ich pokładach miało być przygotowanych do przeprowadzenia ataku na lotnisko w Teheranie, które mieli utrzymać do czasu ewakuacji wszystkich komandosów i zakładników. Na tym lotnisku miały wylądować dwa samoloty, na pokładach których urządzono szpitale dla rannych. W tureckich górach miał czekać na rozkaz oddział dziewięćdziesięciu marines majora Olivera L. Northa, gotowych do desantu na centrum Teheranu, gdyby w czasie wycofywania się komandosów z zakładnikami Irańczykom udało się zestrzelić śmigłowiec i powstałaby groźba, że w mieście pozostaną zakładnicy lub komandosi.

W Zatoce Omańskiej na pokładach lotniskowców stały gotowe do startu myśliwce, a nad nimi krążyły latające radary AWACS*. Wielkie talerze obracające się nad ich kadłubami wykrywały wszystkie obiekty latające w promieniu co najmniej 370 kilometrów, a ich załogi gotowe były wszcząć alarm natychmiast po dostrzeżeniu na ekranach echa irańskich myśliwców. Amerykańskie myśliwce *F-4 Phantom* i *F-14* mogły wzbić się w powietrze i, prowadzone informacjami przekazywanymi z AWACS, odnaleźć i zniszczyć irańskie samoloty, zanim te zdążyłyby zaatakować śmigłowce lub transportowce z komandosami.

Jednakże w tej wielkiej machinie najważniejsi pozostawali ludzie z „Delty".

O godzinie 22.30 w magazynie na przedmieściu mieli się ukryć w skrzyniach ciężarówek i w ten sposób, przykryci deskami i szmatami, wyruszyć do centrum.

AWACS Boeing E-3 Sentry

O tej samej godzinie w Figbar piloci mieli przystąpić do rozruchu silników śmigłowców, korzystając ze specjalnie przygotowanych na tę okazję urządzeń rozruchowych. Plan przewidywał, że o 23.35 wielkie śmigłowce uniosą się nad dolinką i skierują w stronę Teheranu. W otwartych drzwiach staliby marines, z odciągniętymi zamkami najcięższych karabinów maszynowych kaliber 13,2 mm przygotowani do otwarcia ognia.

---

* **AWACS Boeing** *E-3 Sentry* (skrót od Airborne Warning And Control System – powietrzny system ostrzegania i kontroli) – samoloty wyposażone w stacje radiolokacyjne, oparte na konstrukcji pasażerskiego samolotu Boeing 707, wprowadzono do służby w amerykańskich siłach powietrznych 24 marca 1977 r. Główna antena radiolokacyjna jest w nich umieszczona wewnątrz obrotowego talerza o średnicy 9 m i grubości 1,8 m. Urządzenia radarowe pozwalają wykrywać, identyfikować i śledzić obiekty nisko lecące (samoloty, pociski samosterujące) na odległość do 370 km, a obiekty wysoko lecące na odległości znacznie większe. Pokładowe komputery mogą śledzić ruch każdego z wykrytych celów, a system komunikacyjny pozwala naprowadzać własne samoloty.

ZABUDOWANIA AMBASADY USA W TEHERANIE

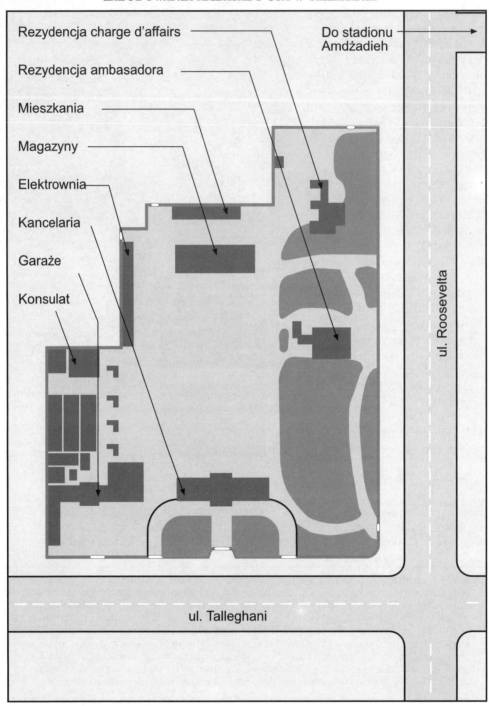

Rezydencja charge d'affairs

Rezydencja ambasadora

Mieszkania

Magazyny

Elektrownia

Kancelaria

Garaże

Konsulat

Do stadionu Amdżadieh

ul. Roosevelta

ul. Talleghani

Ciężarówki miały dojechać do rogatek Teheranu. Kierowcy byli gotowi na wszystko. Na deskach rozdzielczych mieli przygotowane paczki papierosów, gdyż było wiadomo, że strażnicy irańscy głównie o nie proszą. Na wypadek, gdyby jednak żołnierze na którymś z punktów kontrolnych okazali się zbyt natarczywi, komandosi mieli ukryte pod siedzeniami noże i pistolety z tłumikami, gotowi sięgnąć po nie i zadać cios prosto w twarz każdemu irańskiemu żołnierzowi, który chciałby zajrzeć do wnętrza samochodu.

Pułkownik Beckwith miał pozostać w datsunie prowadzonym przez pułkownika Meadowsa. W skrzyni tego samochodu, pod plandeką leżeliby, stanowiący ich ochronę, dwaj komandosi uzbrojeni w pistolety z tłumikami.

Ciężarówki, podzielone na trzy grupy, miały dojechać do ulicy Roosevelta i około godziny 24.00 zatrzymać się w pobliżu stadionu piłkarskiego. Pierwsi ruszyliby do akcji komandosi z oddziału nazwanego „Blue Element", których zadaniem było pobiec do muru okalającego teren ambasady, przesadzić go za pomocą aluminiowych drabinek i skierować się w stronę zabudowań gospodarczych. Tam znajdowały się rozdzielnie prądu, które trzeba było zniszczyć. Aby tego dokonać, najpierw musieli zlikwidować strażników krążących w tym rejonie, a następnie założyć tam stanowisko obronne, aby odeprzeć atak od strony ulicy Talleghani.

Komandosi z oddziału „Red Element" mieli pokonać mur za pomocą aluminiowych drabinek i ruszyć do gmachu kancelarii. Powinni tam podejść, lecz nie przystępować do ataku, czekając aż nadejdą posiłki.

Kilku komandosów z „White Element", jadących ulicą Roosevelta, zbliżyłoby się do północnego krańca ambasady, tam wyskoczyłoby z ciężarówek i przedostało się przez mur na teren ambasady, aby zabezpieczyć drogę odwrotu swoim kolegom i zakładnikom, którzy tamtędy mieli wycofywać się na stadion. Reszta grupy „White Element" miała ruszyć na stadion, aby na jego koronie ustawić stanowiska karabinów maszynowych, które w krytycznym czasie osłoniłyby lądowanie śmigłowców i trzymały na dystans atakujących.

Dziewięć minut po północy datsun, toczący się z wyłączonym silnikiem ulicą Roosevelta, podjechałby do skrzyżowania z ulicą Talleghani. Dwaj komandosi, stanowiący do tego czasu ochronę Beckwitha, mieli tam wyskoczyć z pistoletami i bezgłośnie zlikwidować dwóch irańskich strażników pilnujących furtki. Szturm miał się rozpocząć dziesięć minut po północy.

Przewidywano, że potężny wybuch wyrwie wielką dziurę w murze od strony ulicy Roosevelta. W tym samym czasie komandosi z „White Element" wedrą się na stadion. Nie powinni tam napotkać jakiegokolwiek oporu. Jeżeli jednak na ich drodze staneliby Strażnicy Rewolucji – musieliby zginąć.

Komandosi z „Blue Element" przykucnięci przy ścianie podstacji elektrycznej mieli przeciąć kable, aby wszystkie budynki ambasady pogrążyły się w ciemnościach i panice, jaką bez wątpienia wywołałby wśród strażników wybuch ładunku wysadzającego mur ogrodzenia.

Pułkownik Beckwith miał nadać wiadomość do generała Vaughta oczekującego na lotnisku w Manzariyeh:

– „Młot", tu „Orzeł". Bębnienie. Powtarzam: bębnienie.

Komandosi z „Blue Element", po przecięciu kabli energetycznych, pobiegliby na południe, w stronę garaży, likwidując po drodze irańskie posterunki. Prawdopodobnie musieliby zabić jedenastu wartowników.

Według planu, w tym czasie 48 komandosów z oddziału „Red Element" miało przystąpić do szturmu na budynek kancelarii, gdzie więziono zakładników. Czteroosobowa grupa miała podbiec do drzwi od ulicy Roosevelta, założyć ładunki i wysadzić je. Potem opuścić na oczy gogle noktowizyjne i wbiec do długiego korytarza. Tuż za wejściem mogli napotkać strażników. Nie brano

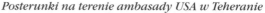

Posterunki na terenie ambasady USA w Teheranie

jednak pod uwagę, że zdążą oni ukryć się w zakamarkach korytarza i nie-zauważeni w ciemnościach zaczną strzelać do Amerykanów. Przewidywa-no, że Irańczycy, zaskoczeni ciemnościami, eksplozjami na zewnątrz i wy-buchem, który miał wyrwać drzwi z zawiasów, na widok komandosów wpadną w panikę i uciekną w popłochu. Gdyby jednak któryś z nich chciał zatrzymać atakujących – miał zginąć.

Zakładano, że w ciągu 9 sekund komandosi przebiegną przez korytarz i dotrą do głównych drzwi od ulicy Talleghani. Otwarcie ich umożliwiało wkroczenie do środka głównego zespołu, którego zadaniem było uwol-nienie wszystkich zakładników w ciągu czterech minut.

Tysiące razy trenowali tę operację w specjalnych pomieszczeniach wy-łożonych starymi oponami, które miały wyłapywać pociski i zapobiegać rykoszetom. Ustawiano tam dwa manekiny wyobrażające strażników, między którymi sadzano trzeci manekin – zakładnika. Często między ma-nekinami siadał komandos i mógł liczyć tylko na pewne oko kolegów i na to, że latarki przymocowane pod lufami ich karabinów świecą prosto; oni strzelali tam, gdzie padało światło. Wystarczało skrzywienie latarki, żeby snop światła padał na głowę manekina, a lufa kierowała się na głowę ko-mandosa...

Podzieleni na czteroosobowe grupy, zgodnie z najlepszą praktyką bry-tyjskiego oddziału SAS, komandosi wpadali do pomieszczenia, wyważa-jąc kopniakami drzwi. W oka mgnieniu musieli ocenić sytuację. Gdzie są zakładnicy? Ilu ich jest? Gdzie stoją strażnicy? Już nie mieli czasu na zasta-nawianie się i ocenę zachowania wrogów. Od momentu wyważenia drzwi w ich psychice zaczynał działać mechanizm wytworzony przez długo-trwałe ćwiczenia. Nazywano to „pamięcią mięśniową": obydwoje oczu otwarte (gdyby do celowania zamykali lewe oko, nie widzieliby tej strony pokoju), dostrzeżenie celu, skierowanie broni w tamtą stronę i naciśnię-cie spustu. Pierwszy strzał w tułów miał obezwładnić strażnika, uniemoż-liwić mu zabicie zakładnika. Drugi strzał – w głowę, ale nie w czoło, gdyż kula mogła ześlizgnąć się po kości czaszki – miał być śmiertelny.

– Byliśmy przygotowani na najgorsze, na walkę ze świetnie wyszkolo-nymi zabójcami, siedzącymi przy zakładnikach z lufami skierowanymi w ich głowy – mówił później pułkownik Beckwith. – Ja jednak wiedzia-łem, że spotkamy tam gówniarzy opartych o karabiny, których nigdy nie czyścili, a może nawet z których nigdy nie strzelali. Gdy wywalę drzwi i wpadnę, co ten człowiek z karabinem zrobi? Będzie celował w zakładni-ka czy we mnie? Idę o każdy zakład, że we mnie, gdyż to ja miałem ochotę upuścić mu trochę krwi.

Zagrożenie, że irańscy strażnicy będą zabijać zakładników, było niewiel-kie. Paradoksalnie, największe niebezpieczeństwo zagrażało zakładnikom ze strony wybawicieli. Łatwo mogli się dostać pod kule komandosów, a na dodatek najbardziej krewcy mogli odebrać broń strażnikom, stając się celem dla żołnierzy, którzy mogli ich wziąć za pasdaranów.

Cztery minuty miała trwać akcja uwalniania zakładników z budynku kancelarii. Potem jeden po drugim mieli wyjść na rozległy trawnik na tyłach budynku. Dowódca oddziału „Red Element" miał ich wszystkich policzyć i przez radio przekazać wiadomość do Beckwitha, znajdującego się na ulicy Roosevelta:

Karabin maszynowy M-60

– Wszystkie elementy policzone!

Następnie miał podać wynik akcji, na przykład:
– Czterdziestu dziewięciu ciepłych, jeden zimny – co oznaczało, że jeden zakładnik zginął.

Pułkownik Beckwith miał powiedzieć do mikrofonu swojej radiostacji, po połączeniu się z dowódcą zespołu śmigłowców:
– Dynamo!

Był to sygnał do lądowania.

Plan następnego etapu akcji był następujący: kilka minut później pierwszy śmigłowiec, pilotowany przez majora Jamesa Schaefera, przemyka nad drzewami i, widząc w świetle reflektorów trawniki między budynkiem kancelarii i magazynem, schodzi do lądowania.

Komandosi na posterunkach wokół muru, obserwujący sytuację na ulicach, pochylają się nad karabinami maszynowymi, gotowi otworzyć ogień, gdyby grupki Irańczyków, gromadzące się w bezpiecznej odległości, rzuciły się do ataku. Co prawda istniało niewielkie niebezpieczeństwo, że w tak krótkim czasie, jaki upłynął od momentu rozpoczęcia ataku na ambasadę, policja lub wojsko zorientuje się, co się dzieje, i wyruszy na pomoc. Szturm kilkudziesięcioosobowych grup, uzbrojonych w lekką broń, nie był groźny i komandosi, uzbrojeni w karabiny maszynowe *M-60**, mogli powstrzymywać atakujących przez wiele minut. Nie można było jednak wykluczyć, że Irańczycy wprowadzą do akcji transportery opancerzone lub nawet czołgi. Te wozy bojowe z łatwością mogły się przedrzeć przez ogień komandosów.

---

* **M-60** – amerykański uniwersalny karabin maszynowy, skonstruowany w końcu lat 50., został wprowadzony do uzbrojenia wojska w 1959 r. Początkowo nisko oceniany ze względu na duży ciężar, okazał się jednak bronią niezawodną i celną.
Dane taktyczno-techniczne: kaliber 7,62 mm, długość całkowita 1105 mm, długość lufy 560 mm, ciężar z dwójnogiem 10,5 kg, donośność skuteczna na dwójnogu 1000 m, na trójnogu 1800 m, prędkość początkowa pocisku 855 m/s, szybkostrzelność 4550 strzałów/min.

C-130H Gunship i jego uzbrojenie

Od góry: haubica kal. 105 mm, działka Bofors kal. 40 mm, dwa działka kal. 20 mm

Wysoko nad śmigłowcem powinien krążyć samolot *C-130H*, jeden z trzech, jakie wyznaczono do tej akcji. Wielkie, czterosilnikowe maszyny mogły być specjalnie uzbrojone, w zależności od potrzeb. Te przeznaczone do osłaniania komandosów w Teheranie miały w kadłubach haubicę kaliber 105 mm, działo kaliber 40 mm, dwa działka kaliber 20 mm oraz dwa karabiny maszynowe kaliber 7,62 mm. Siła ich ognia była ogromna, tym bardziej że niczym nie zagrożone mogły krążyć nad miastem. Czołgi lub transportery jadące jasno oświetlonymi ulicami, nie mające możliwości manewrowania, ukrycia się za terenowymi osłonami, były łatwym celem dział *C-130*. Dwa inne samoloty tego typu miały latać dalej na południe od miasta, gotowe włączyć się do akcji, gdyby pociski z dział pierwszego nie zdołały powstrzymać irańskich oddziałów idących z odsieczą strażnikom w ambasadzie.

Przewidziano również możliwość wprowadzenia do akcji myśliwców z lotniskowców *Nimitz* i *Kitty Hawk*, gdyby ze stołecznego lotniska Mehrabad wystartowały samoloty irańskie. Jednakże takie niebezpieczeństwo praktycznie nie istniało, gdyż z 10 eskadr myśliwskich samolotów typu *F-4*, 8 eskadr *F-5* oraz 4 eskadr myśliwców przechwytujących *F-14* (łącznie 433 samoloty), lotnictwo irańskie dysponowało tylko kilkoma samolotami zdolnymi wzbić się w powietrze; reszta, pozbawiona części zamiennych lub poważnie uszkodzona, stała w hangarach niezdolna do lotu.

Śmigłowiec Schaefera miał osiąść na trawniku, żeby komandosi mogli ulokować w jego wnętrzu wszystkich zakładników, żywych i martwych. Cała operacja nie powinna trwać dłużej niż trzy–cztery minuty i Beckwith obliczał, że pół godziny po północy *RH-53D* wzbije się w powietrze. W tym samym czasie powinien wystartować śmigłowiec, którego zadaniem było zabranie trzech uwolnionych zakładników z Ministerstwa Spraw Zagranicznych. Oba powinny polecieć w stronę lotniska Manzariyeh. Tam jedenaście minut po północy miał wylądować pierwszy samolot transportowy, nie napotykając żadnego oporu.

W tym czasie na terenie ambasady pozostaliby już tylko komandosi. Oddział „Red Element" miał się wycofywać pierwszy. Tuż za nimi powinni podążać, osłaniający odwrót, żołnierze z „Blue Element". To był najtrudniejszy etap akcji. W tym czasie Irańczycy mogli już ochłonąć z zaskoczenia i zacząć ściągać posiłki.

Po dwóch minutach „Red Element" powinien dotrzeć do stadionu, do oczekującego na murawie boiska śmigłowca numer cztery. Po wskoczeniu na jego pokład ostatniego z grupy, która miała zająć miejsca w jego wnętrzu, pilot, zwiększając maksymalnie ciąg silników, miał unieść się i tuż nad koroną stadionu skierować na południe, ustępując miejsca krążącemu w górze śmigłowcowi numer siedem.

Przewidywano, że żołnierze z „Blue Element" przeskoczą ulicę Roosevelta, niosąc rannych i zabitych kolegów, a *Sea Stallion* numer siedem prześlizgnie się nad trybunami. Już sekundy decydowałyby o życiu komandosów. Nie można było wykluczyć, że gdzieś w pobliżu stadionu nadjedzie opancerzony samochód policyjny i zacznie ostrzeliwać śmigłowiec lecący na wysokości kilkunastu metrów. Każdy błąd pilota, złe podejście do lądowania, konieczność powtórzenia manewru spowodowałyby stratę bezcennych sekund. W tym czasie już tylko komandosi z „White Element" mogli osłaniać stadion, ale i oni w pewnym momencie musieli się wycofać ze stanowisk na ulicy Roosevelta. Teraz można było liczyć już tylko na działa krążącego w pobliżu *C-130H* i karabiny maszynowe śmigłowca numer dwa, pozostającego w rezerwie.

Jeżeli wszystko pójdzie dobrze, o godzinie 00.55 *Sea Stallion* z ostatnią grupą komandosów i pułkownikiem Beckwithem wzniesie się nad stadion.

– „Spectre", tu „Orzeł"! Zamknijcie sklepik! – taki miał być ostatni rozkaz pułkownika Beckwitha, skierowany do załóg samolotów *C-130H*. Pociski

Lockheed C-141 Starlifter

ich dział miały zamienić w gruzy budynki ambasady amerykańskiej w Teheranie.

Jeden po drugim wielkie *Sea Stallion* powinny wylądować na lotnisku w Manzariyeh. Mało prawdopodobne, aby Irańczycy odkryli, dokąd podążyły śmigłowce, startujące z trawnika na terenie ambasady i boiska na stadionie.

Na opuszczonym lotnisku Amerykanie mieli pozostawić śmigłowce, gdyż kontynuowanie lotu do lotniskowca było już zbyt niebezpieczne. Irańskie samoloty patrolujące obszar mogłyby zestrzelić któryś z nich. Dlatego na lotnisku Manzariyeh komandosi mieli umocować w ich kadłubach zegarowe ładunki zapalające, a potem wsiąść do samolotu *C-141 Starlifter**, dołączając do oczekujących ich zakładników.

O godzinie 2.45 wielki czterosilnikowy transportowiec powinien wjechać na betonowy pas startowy opuszczonego lotniska i, tocząc się z pełną mocą turboodrzutowych silników, wzbić się w powietrze. Tak uratowani i ich ratownicy mieli powrócić do wolności.

Za transportowcem wystartowałyby dwa inne, zabierające personel medyczny i komandosów, którzy osłaniali lotnisko.

Daleko za nimi, w Teheranie pozostałyby gruzy ambasady i wiele ofiar błyskawicznej akcji komandosów. Ilu Irańczyków zginęłoby w czasie szturmu i odwrotu amerykańskiego oddziału? Oceniano, że 96 irańskich Strażników Rewolucji i żołnierzy spieszących z odsieczą zostałoby zabitych, a 180 – rannych. Liczba ofiar mogłaby być znacznie wyższa, gdyby obrona komandosów się załamywała i do akcji wprowadzono by samoloty uzbro-

---

* **Lockheed C-141 Starlifter** – amerykański samolot transportowy, którego prototyp oblatano 17 grudnia 1963 r., rozpoczął służbę w sierpniu 1965 r. w Wietnamie. Wykorzystywano go głównie do dostarczania zaopatrzenia (zabierał ponad 32 tony ładunku), a także do przewożenia rannych (80 noszy i 16 osób personelu medycznego). **Dane taktyczno-techniczne** (*C-141A*): załoga – 6 osób, silniki turboodrzutowe 4 x Pratt & Whitney TF-33P-7, rozpiętość skrzydeł 48,74 m, długość 44,2 m, maks. masa startowa 143 600 kg, maks. prędkość 919 km/h, zasięg z ładunkiem 14 500 kg – 9880 km, maks. udźwig 32 136 kg.

jone w szybkostrzelne działka. Najbardziej krwawy wydawał się ostatni etap odbijania zakładników – obrona stadionu. Istniało bowiem niebezpieczeństwo, że Irańczycy, ochłonąwszy z pierwszego szoku, widząc dziesiątki martwych braci na terenie ambasady, rzucą się tłumnie na stadion. Wówczas żniwo działek samolotowych i ustawionych na koronie karabinów maszynowych mogłoby być straszliwe.

Jaki los mógłby spotkać po takiej masakrze 200 amerykańskich dziennikarzy i biznesmenów przebywających w Teheranie? Wściekłość tłumów, nienawiść, żądza zemsty skierowałyby się przeciwko nim...

Decyzja

Czas naglił. Rankiem 11 kwietnia 1980 roku prezydent Carter zwołał posiedzenie Narodowej Rady Bezpieczeństwa. Zebrali się w sali przylegającej do Owalnego Gabinetu. Z reguły przy takich okazjach prezydent zajmował środkowe miejsce przy długim stole. Tym razem usiadł gdzieś przy końcu, co miało nadać obradom nieformalny charakter i wyraźnie kontrastowało z powagą decyzji, jaką mieli podjąć. Najbliżsi doradcy mieli odpowiedzieć na pytanie, czy nadszedł czas na zbrojną akcję.

Jimmy Carter uważał, że tak. Zbliżały się wybory prezydenckie, a amerykańska opinia publiczna była coraz bardziej zaniepokojona i zniecierpliwiona przedłużającym się kryzysem. Rokowania w sprawie zakładników przeciągały się i nic nie zapowiadało bliskiego końca.

Cyrus Vance – polityk zaskoczony decyzją prezydenta

Prezydent doskonale zdawał sobie sprawę z tego, czego oczekują od niego amerykańscy wyborcy. Wiedział, że sprawa zakładników może mieć decydujące znaczenie dla jego szans na ponowne objęcie urzędu. Wiedział też, że jakiekolwiek działanie jest lepsze niż dalsza bezczynność. Wyborcy byli skłonni wybaczyć nawet fiasko zbrojnej operacji, ale nie akceptowali próżnych negocjacji. Natomiast gdyby operacja zakończyła się sukcesem – szanse na wygranie wyborów wzrosłyby niepomiernie. Sztab wyborczy Cartera zyskałby argument o niesłychanej sile. Z tego zdawali sobie również sprawę przeciwnicy prezydenta.

Zbliżało się lato. Noce stawały się krótsze, a dni gorące i wietrzne. Każdy dzień zwłoki zmniejszał szanse na udaną akcję. Sytuacja w Teheranie pogarszała się. Ajatollah wyraźnie przejmował kontrolę nad Radą Rewolucyjną. Narastała groźba konfliktu zbrojnego między Iranem a Irakiem. Ostateczny impuls nadszedł tuż po Świętach Wielkanocnych. Ajatollah Chomeini sprzeciwił się planowi przekazania zakładników pod opiekę rządu Bani Sadra.

Dlatego wynik dyskusji na posiedzeniu Narodowej Rady Bezpieczeństwa był przesądzony. 11 kwietnia, o godzinie 12.48 prezydent Carter powiedział:

– Musimy bezzwłocznie przystąpić do akcji.

Wśród jego najbliższych współpracowników jeden się z tym nie zgadzał. Był to sekretarz stanu Cyrus Vance*. Wiedział oczywiście, że od dawna przygotowywano plany zbrojnego odbicia zakładników, ale był przekonany, że zostaną zrealizowane wówczas, gdy Irańczycy zdecydują się skazać któregoś z Amerykanów na śmierć. Vance ciągle wierzył w sukces dyplomatycznych negocjacji.

11 kwietnia, gdy zapadła decyzja o ataku, Cyrusa Vance'a, nie było na posiedzeniu Narodowej Rady Bezpieczeństwa. Dzień wcześniej został poinformowany, że Rada będzie dyskutować na temat ekonomicznych i militarnych możliwości działań przeciwko Iranowi. Dlatego zdecydował się wyjechać na krótki odpoczynek na Florydę, a na obrady posłać swojego zastępcę, Warrena Christophera.

Decyzja o ataku zaskoczyła Christophera. Wiedział, że musi natychmiast powiadomić o tym szefa, ale nie miał takiej możliwości, gdyż w domu sekretarza stanu na Florydzie nie było „bezpiecznego" telefonu. Próba osobistego skontaktowania się z Vance'em i nagły wyjazd z Waszyngtonu mógłby zaalarmować prasę i groził zwróceniem uwagi radzieckiego wywiadu na decyzje rządu. Christopher zdecydował się czekać.

15 kwietnia Vance wrócił do swojego biura i wówczas dowiedział się, że zapadła decyzja zbrojnego odbicia zakładników. Natychmiast

---

* **Vance Cyrus** (ur. 1917) – absolwent Yale University, w 1942 r. wstąpił do marynarki wojennej, w której służył do 1946 r. Po demobilizacji pracował w firmie prawniczej w Nowym Jorku. W 1960 r. został radcą w Departamencie Obrony, w 1962 r. objął stanowisko sekretarza wojsk lądowych, a rok później prezydent L. B. Johnson powołał go na stanowisko zastępcy sekretarza obrony, z którego zrezygnował w 1967 r. Początkowo był zwolennikiem interwencji zbrojnej w Wietnamie, od 1968 r. domagał się zakończenia wojny. Od maja tego roku był zastępcą szefa amerykańskiej delegacji prowadzącej rokowania pokojowe w Paryżu. W 1969 r. powrócił do praktyki adwokackiej. Do służby państwowej powrócił w 1977 r. na stanowisko sekretarza stanu (ministra spraw zagranicznych). Był zwolennikiem odprężenia w stosunkach ze Związkiem Radzieckim i przyczynił się do podpisania w 1979 r. układu SALT II, ograniczającego zbrojenia strategiczne. Odegrał ważną rolę w podpisaniu układu izraelsko-egipskiego w Camp David (1978). W 1980 r. zrezygnował ze stanowiska sekretarza stanu i powrócił do zawodu prawnika.

Warren Christopher: „Jak powiadomić szefa?"

podjął kroki, aby nie dopuścić do akcji, która w jego przekonaniu mogła przynieść ogromne szkody. Niezwłocznie udał się do prezydenta, aby powstrzymać wykonanie rozkazu. Dzień później przedstawił swoje argumenty na posiedzeniu Narodowej Rady Bezpieczeństwa. Już 15 kwietnia był obecny na jej obradach. Twierdził, że próba zbrojnego odbicia zakładników zaszkodzi interesom Stanów Zjednoczonych w rejonie Zatoki Perskiej i doprowadzi do napięcia między USA a europejskimi sojusznikami, którzy nic o tych planach nie wiedzieli, a nawet byli wprowadzani w błąd. Przekonywał, że zostanie zagrożone życie dwustu obywateli USA przebywających w Teheranie, którzy w najlepszym wypadku staną się zakładnikami w miejsce odbitych pracowników ambasady. Wreszcie, powołując się na doświadczenie z Pentagonu, dowodził, że plany militarne załamią się w zderzeniu z rzeczywistością.

Prezydent odrzucił wszelkie zastrzeżenia. Powiedział:

– Utrzymuję moją decyzję w mocy.

Cyrus Vance zdecydował się pozostać przy swoim zdaniu. 21 kwietnia wszedł do swojego biura na siódmym piętrze Departamentu Stanu i napisał list do Cartera, w którym podał się do dymisji. Carter schował ten list do szuflady uważając, że po udanej akcji Vance zmieni zdanie. Operacja „Szpon Orła" rozpoczęła się. Komandosi wyruszyli ze Stanów Zjednoczonych do bazy amerykańskich sił powietrznych pod Kairem.

Wciąż jednak brakowało podstawowej informacji, od której mogło zależeć powodzenie akcji: w którym budynku są przetrzymywani zakładnicy. Co prawda Richard Meadows wskazał na cztery budynki: kancelarię, rezydencję ambasadora, oficjalną rezydencję i siedzibę wywiadu nazywaną „Pieczarką", ale nie było pewności, czy jego rozpoznanie jest prawdziwe, a poza tym przeszukiwanie czterech gmachów i tak trwałoby za długo i dawało Irańczykom szansę zabarykadowania się z zakładnikami i ściągnięcia posiłków.

Istniała nadzieja, że pomocny okaże się satelita *KH-1*, niezwykły szpieg. Wprowadzono go na orbitę 20 stycznia 1977 roku, kilka godzin przed zaprzysiężeniem Jimmy'ego Cartera na prezydenta. Inne satelity szpiegowskie robiły zdjęcia na taśmie filmowej, którą wyrzucały w kapsule przechwytywanej w powietrzu przez samoloty. Jakość tych zdjęć nie była zbyt dobra. *KH-1*, nazwany przez CIA kryptonimem „Kennan", transmitował na ziemię cyfrowe obrazy, które można było powiększać, uzyskując najdrobniejsze szczegóły, dostrzeżone przez obiektywy elektronicznych kamer. 4 listopada, już kilka godzin po wtargnięciu Irańczyków na dziedziniec ambasady, prezydent Carter mógł obejrzeć „kosmiczną transmisję" z tego wydarzenia. Jednakże zdjęcia satelitarne nie pozwalały ustalić, w którym budynku uwięziono zakładników.

I nagle szczęście uśmiechnęło się do Amerykanów. Cztery godziny przed startem śmigłowców pułkownik Beckwith otrzymał z Waszyngtonu wiadomość, której nie spodziewał się w najpiękniejszych snach: „Zakładnicy są w pomieszczeniach kancelarii. Trzech znajduje się w budynku ministerstwa spraw zagranicznych" – informowała CIA. Co się stało? Skąd ta nagła wiadomość?

21 kwietnia, zaledwie trzy dni przed terminem rozpoczęcia akcji Irańczycy zwolnili pakistańskiego kucharza, pracującego w ambasadzie i uwięzionego wraz z dyplomatami. Niezwykły zbieg okoliczności sprawił, że w samolocie usiadł obok niego Amerykanin pracujący dla CIA. Gdy tylko wystartowali, Pakistańczyk odprężył się i zaczął opowiadać o przejściach w irańskiej niewoli. Po wylądowaniu we Frankfurcie agent CIA wezwał policję i parę godzin później, po intensywnym przesłuchaniu Pakistańczyka, amerykańskie tajne służby wiedziały precyzyjnie, gdzie przebywają zakładnicy: w którym budynku, na którym piętrze, w których pokojach.

Czemu Irańczycy wypuścili człowieka, który wiedział tak dużo? Było to nadzwyczaj nierozważne posunięcie. Czy jednak nie była to zasadzka? A może przewidując, że Amerykanie zaatakują, wypuścili kucharza, aby wprowadzić ich w błąd i skierować atak na budynek, w którym zakładników już nie będzie? Wątpliwości były tym bardziej uzasadnione, że w tym samym czasie zdarzył się inny wypadek, który nakazywał zwiększenie czujności.

Na przedmieściu Teheranu, przed magazynem, gdzie stały samochody, którymi komandosi mieli dotrzeć z „Desert Two" do stolicy, zjawiła się grupa irańskich robotników. Wykopali długi i głęboki rów blokujący bramę wyjazdową. Przypadek czy podstęp? Meadows wypłacił robotnikom pokaźne kwoty, aby zgodzili się zasypać rów na kilka dni.

Czy pułkownik Beckwith zastanawiał się nad dziwnymi wydarzeniami w Teheranie? Czy myślał, dlaczego CIA tak łatwo wyjaśniła zdarzenia, które powinny wzbudzić niepokój? Trudno powiedzieć. Być może uwzględnił w planach akcji, że informacje Pakistańczyka i CIA mają go wprowadzić w błąd. Miał rozkaz ataku i musiał go wykonać. Zresztą, czy miał inne wyjście? Nadchodził czas orłów...

W szponach orła

Nadchodził zmrok 24 kwietnia 1980 roku. Lotniskowiec USS *Nimitz*, patrolujący w eskorcie dwóch okrętów wojennych wody Zatoki Omańskiej, zbliżył się na odległość około 80 kilometrów do brzegu Iranu. Za horyzontem szedł drugi lotniskowiec, USS *Coral Sea*, na którego pokładzie przygotowywano do startu myśliwce *F-4N Phantom II*.

O godzinie 19.05 na pokładzie lotniskowca USS *Nimitz* zaczęły wirować łopaty wielkiego śmigłowca *RH-53D Sea Stallion* pomalowanego na piaskowy kolor.

Chwilę potem pilot podpułkownik Edward R. Seiffert zwiększył obroty silników. Powietrze wypełniał już warkot i spaliny z dysz siedmiu innych maszyn.

O godzinie 19.17 śmigłowiec Seifferta uniósł się nad pokład, pochylił dziób i odleciał poza burtę lotniskowca, gdzie zatoczył koło i wzbił się, aby w powietrzu poczekać na pozostałe śmigłowce. Jeden po drugim unosiły się nad pokładem i dołączały do dowódcy. Gdy już wszystkie wystartowały i utworzyły szyk, w jakim miały lecieć nad pustynią, Seiffert poprowadził swoją maszynę niżej i tuż nad wodą skierował ją w stronę irańskiego brzegu. Gdy oddalili się o kilkaset metrów od lotniskowca, założył gogle noktowizyjne AN/PVS-5 umożliwiające mu obserwowanie terenu. Drugi pilot przysunął się nieco bliżej. Odtąd do niego miało należeć

Lotniskowiec USS Nimitz w oczekiwaniu na rozkaz prezydenta

Śmigłowce RH-53D na pokładzie USS „Nimitz"

MAPA OPERACJI „SZPON ORŁA"

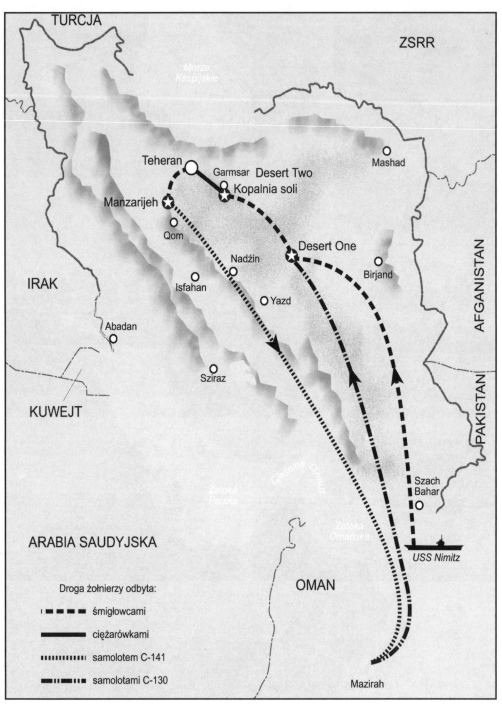

USS Coral Sea, na którego pokładzie przygotowywano do startu myśliwce F-4N Phantom II

obserwowanie wskaźników, gdyż pilot w goglach nie mógł ich dostrzec. Po pół godzinie, gdy wzrok Seifferta zmęczy się obserwacją terenu, mieli się zamienić rolami.

W tym czasie trzy samoloty transportowe *C-130* z komandosami na pokładzie wzbiły się w powietrze z bazy na omańskiej wyspie Masirah, gdzie przerzucono je z Egiptu.

W pierwszym, wyprzedzającym dwa pozostałe o godzinę, lecieli dowódcy operacji: pułkownik James H. Kyle i pułkownik Charles Beckwith. Za ich plecami siedziało 32 żołnierzy „Delty" tworzących oddział „Blue Element", a także kilku oficerów lotnictwa, którzy mieli zapewnić koordynację działań komandosów i samolotów, i 12 żołnierzy z oddziału mającego za zadanie blokowanie dróg w rejonie lądowisk. W dwóch pozostałych samolotach leciało 48 żołnierzy z oddziału „Red Element", 39 – z „White Element", 12 kierowców, dwaj tłumacze i przewodnicy oraz 13 komandosów z „Zielonych beretów", którzy mieli uwolnić trzech dyplomatów przetrzymywanych w Ministerstwie Spraw Zagranicznych. Z omańskiej wyspy wystartowały również trzy samoloty *EC-130E Hercules*, z których każdy przewoził zbiornik 3 tysięcy galonów (tj. około 12 tysięcy litrów) paliwa.

Śmigłowce i samoloty zmierzały do tego samego miejsca: pustyni Posht-i-Badam odległej o około 400 km od Teheranu.

Zapadła noc, gdy śmigłowce minęły brzeg Iranu. Dowódca postanowił prowadzić je na wysokości 30 metrów, aby uniknąć wykrycia przez dwie stacje radiolokacyjne pracujące na irańskim wybrzeżu w Jask na zachód od ich kursu i w Chah Bahar na wschód.

Była to zbędna ostrożność, która miała tragicznie zaważyć na całej operacji.

Nikt nie przekazał dowódcy zespołu śmigłowców szczegółowej wiedzy, jaką mieli amerykańscy specjaliści z US Military Assistance Advisory Group

24 kwietnia – windy wywożą śmigłowce z hangarów na pokład lotniskowca

(co można przetłumaczyć: Wojskowa Grupa Wspomagająca i Doradcza). W 1977 roku dokładnie zbadali oni funkcjonowanie irańskiego systemu radiolokacyjnego i ustalili, że efektywne zabezpieczenie przestrzeni powietrznej tego kraju wymaga zainstalowania od 12 do 21 naziemnych stacji oraz 7 latających radarów AWACS. Do 1979 roku Iran zakupił tylko 7 radarów naziemnych, co pozwalało strzec zaledwie 10% przestrzeni powietrznej kraju. Co więcej: podczas gdy amerykańskie śmigłowce mijały linię brzegową, część radarów nie działała ze względu na brak części zamiennych, a warunki klimatyczne sprawiły, że od kwietnia do listopada stacje nad Zatoką Perską nie mogły wykrywać celów. W tej sytuacji specjaliści rekomendowali lot na wysokości 300 metrów. Podpułkownik Seiffert o tym nie wiedział. Podejmował niepotrzebne ryzyko. Tym więk-

Ostatnie przygotowania przed startem (z silników zdemontowano filtry przeciwpyłowe)

Sea Stallion tuż przed startem na pokładzie Nimitza

sze, że piloci musieli utrzymywać ciszę radiową. Niepotrzebnie. Wystarczało zainstalować w śmigłowcach radiostacje o niewielkiej mocy, nadające zakodowane sygnały, aby załogi, nie obawiając się wykrycia, mogły porozumiewać się między sobą oraz z pilotami samolotów. Być może wówczas misja przebiegłaby całkowicie inaczej...

Minęła godzina 21.30, gdy w kabinie śmigłowca nr 6 zamigotała czerwona lampka sygnalizująca spadek ciśnienia azotu w wirniku. Przy założeniu, że czujnik działał poprawnie, mogło to oznaczać niebezpieczeństwo pęknięcia łopaty, co mogło nastąpić zwłaszcza przy locie nisko nad ziemią. Jedynym wyjściem było lądowanie w celu sprawdzenia, czy sygnał ostrzegawczy jest prawidłowy. Niestety inspekcja urządzeń umieszczonych na zewnątrz wirnika potwierdziła elektroniczne wskazania przesyłane do kabiny. Dalszy lot śmigłowcem może zakończyć się katastrofą – uznał pilot. Musiał więc pozostawić swoją maszynę na piasku. Na szczęście dla niego, pilot śmigłowca nr 8 zauważył awarię i wylądował tuż obok. Na jego pokład przesiadła się załoga *Sea Stallion* nr 6, zabierając wszystkie materiały. Musieli pozostawić na pustyni uszkodzony śmigłowiec, gdyż nie mieli ładunków wybuchowych, aby go zniszczyć, a ponadto obawiali się, że huk i blask płomieni może zaalarmować Irańczyków.

Wydawało się, że ten wypadek nie będzie miał wpływu na dalszy przebieg akcji. Siedem *Sea Stallion* kontynuujących lot całkowicie wystarczało, aby przewieźć komandosów w rejon Teheranu, a następnie zabrać stamtąd uwolnionych zakładników.

Pogoda była piękna, wiał lekki wiatr, widoczność była doskonała.

Pułkownik Seiffert był zadowolony, że prognoza pogody, opracowana na postawie zdjęć z satelity NOAA 6, całkowicie się sprawdza. Należało się spodziewać, że burza, jedyne zagrożenie, jakie wykrył satelita, zgodnie z przewidywaniami meteorologów będzie się przesuwała na południe, wystarczająco daleko od trasy, jaką do „Desert One" zmierzały śmigłowce.

Seiffert spojrzał na zegarek. Minęła 21.15. Lecieli z prędkością 220 kilometrów na godzinę, co oznaczało, że powinni przybyć do celu 15 minut przed wyznaczonym czasem.

– Stary się ucieszy, widząc nas tak szybko – powiedział do drugiego pilota. Miał na myśli dowódcę operacji.

Piloci samolotów wyprzedzający śmigłowce pierwsi dostrzegli niebezpieczeństwo. Tuż po 21.00, daleko przed sobą zobaczyli wielką białą chmurę. Dla samolotów lecących wysoko nie stanowiła żadnego zagrożenia. Amerykanie po raz pierwszy spotkali się z tym nieznanym w Stanach Zjednoczonych fenomenem, nazywanym w Iranie „haboob", gorącym pustynnym wiatrem, podrywającym piasek i unoszącym go na wysokość setek metrów. Pułkownik Kyle, który przez parę minut z zainteresowaniem obserwował to zjawisko, nie zdecydował się powiadomić dowództwa operacji działającego w Qenie w Egipcie. Obawiał się przerwać ciszę radiową. W rezultacie ostrzeżenie nie dotarło do pilotów śmigłowców. Zanim wsiedli do kabin swoich maszyn, nic nie wiedzieli o występowaniu „haboob", nigdy dotąd nie latali nad irańską pustynią, a nad pustyniami amerykańskimi ten gorący wiatr pojawiał się bardzo rzadko.

O 22.30 śmigłowce pogrążyły się w białej, gęstej mgle. Drobiny piasku wciskały się w każdą szczelinę, pokrywały cienką warstwą przyrządy, osiadały na twarzach, drażniły oczy.

Pułkownik Seiffert zdecydował się wylądować, aby spokojnie rozważyć sytuację. Tuż za nim osiadł na piasku asekurujący go śmigłowiec nr 2. Pozostałe kontynuowały lot.

Żadna z prognoz meteorologicznych nie ostrzegała przed tym niebezpieczeństwem, żaden z meteorologów nie wyjaśnił pilotom, cóż to takiego „haboob". Biała chmura ciągnęła się prawdopodobnie przez kilka lub nawet kilkanaście kilometrów i ominięcie jej było niemożliwe ze względu na szczupłość zapasów paliwa. Poza tym Seiffert nie miał żadnej pewności, że wiatr nie przemieszcza piaskowej chmury w stronę, w którą zdecydowaliby się lecieć, aby ją ominąć. Można było spróbować lecieć wyżej, gdzie tuman nie był tak gęsty, lecz Seiffert nie chciał się na to zdecydować, obawiając się wykrycia przez irańskie radary. Radary, których w rzeczywistości nie było...

Nie znalazł innego wyjścia, jak tylko kontynuować lot i przebić się przez tę mleczną zasłonę, choć nie wiedział, na jaką odległość się ona rozciąga. Mógł tylko mieć nadzieję, że chmura piasku nie spowoduje uszkodzenia żadnego ze śmigłowców. Tuż przed startem zdemontowano osłony przeciwpiaskowe silników, aby zmniejszyć ciężar śmigłowców i zaoszczędzić paliwo. Nikt przecież nie przewidywał, że napotkają ten straszny „haboob". Wystartowali, aby dogonić śmigłowce, które nie przerwały lotu i wysforowały się do przodu.

„Haboob" zakończył się równie nagle, jak się pojawił na ich kursie. Przejrzyste powietrze wydało się najcudowniejszym widokiem, jaki mogli obserwować w swoim życiu. Oczy, które przez kilkanaście minut wypatrywały przeszkody w mlecznym obłoku, mogły wreszcie odpocząć. I nagle przed dziobami śmigłowców powietrze zaczęło mętnieć. Napływała nowa chmura!

- Panie pułkowniku, mamy kłopoty z OMEGĄ - zameldował dowódcy drugi pilot śmigłowca nr 5, obserwujący przyrządy. - PINS chyba też źle wskazuje!

Pułkownik Pitman, wypatrujący przeszkody w mlecznym obłoku, zerwał gogle i począł się wpatrywać we wskazania urządzeń nawigacyjnych.

- Nie działa żyrokompas - skonstatował po chwili. - Schodzimy niżej.

Obniżył lot, starając się dostrzec jakiekolwiek obiekty terenowe, które by mu pozwoliły zorientować się, jakim kursem lecą, jednakże piaskowa mgła dokładnie zakrywała ziemię.

- Odnoszę wrażenie, że szorujemy brzuchem o kamienie - odezwał się drugi pilot.

- To nie jest najgorsze, co może nas spotkać - Pitman zastanawiał się nerwowo, co ma robić dalej. - Przed nami góry. Trzy tysiące metrów. Jeżeli nie ustalimy kursu, wpakujemy się w tę kupę skał. Nie wiem, jak daleko jesteśmy od „Desert One" ani jak długo trwać będzie ta cholerna burza - mówił jakby do siebie, zastanawiając się, jaką decyzję powziąć.

- Czy potrafisz namierzyć irańskie sygnały nawigacyjne? - zapytał drugiego pilota, licząc, że w ten sposób uda im się utrzymać na kursie.

- Nie nadają lub nasz odbiornik jest martwy - odpowiedział po chwili.

- Zawracamy - zdecydował Pitman. Nie wiedział, że już jeden śmigłowiec pozostał na pustyni. Dokonał zwrotu o 180 stopni i, kierując się sygnałami nawigacyjnymi wysyłanymi przez lotniskowiec *Nimitz*, rozpoczął lot w jego stronę. Jak na ironię po kilkunastu minutach system nawigacyjny zaczął działać, lecz było już za późno, aby zmienić decyzję. Pitman nie miał pewności, że awaria się nie powtórzy, a ponadto, po manewrach jakie wykonał, mogło mu nie starczyć paliwa na dotarcie do „Desert One".

Gdy wylądował na pokładzie lotniskowca, okazało się, że do kanału wentylacyjnego żyrokompasu wpadła kamizelka ratunkowa, która spowodowała przegrzanie silnika tego urządzenia. Skąd się tam wzięła? Jeszcze dziwniejsza była awaria innych urządzeń nawigacyjnych, której specjaliści nie potrafili wyjaśnić inaczej, jak tylko przypisać ją wpływowi bardzo trudnych warunków, w jakich znalazł się *Sea Stallion* pułkownika Pitmana.

Dowódca operacji nic nie wiedział o awarii dwóch śmigłowców. Ale nawet gdyby ta wiadomość do niego dotarła, nie zmartwiłby się zbytnio. Przewidywał, że w wyniku niesprzyjających warunków lub potyczek z żołnierzami irańskimi liczba śmigłowców może się zmniejszyć. Dlatego z lotniskowca wystartowało ich więcej niż było potrzebnych do sprawnego przeprowadzenia akcji w Teheranie. Jednak po wycofaniu się pułkownika Pitmana komandosi nie mieli już rezerwy. Każda następna awaria lub uszkodzenie śmigłowca mogło oznaczać konieczność przerwania misji.

W tym czasie samolot pułkownika Kyle'a oraz Beckwitha znalazł się w pobliżu lądowiska „Desert One". Na radiowy sygnał wysłany z kabiny na dole rozbłysły różnokolorowe paciorki wskazujące teren najlepiej nadający się na lotnisko dla ciężkich samolotów. To był podarunek od agen-

Lądowanie C-130 na pustyni

tów CIA, którzy 31 marca wylądowali w tym miejscu w małym samolocie, wybrali odpowiednie miejsce na lądowisko i oznaczyli je za pomocą lampek zasilanych bateriami, które miały być włączone na sygnał z samolotu podchodzącego do lądowania.

Wielki transportowiec *C-130E* wyhamował dobieg, zakręcił przy końcu prowizorycznego pasa i zjechał na bok, aby zostawić wolną drogę dla następnych samolotów. Jego silniki jeszcze pracowały, gdy z tyłu kadłuba otworzyły się szerokie drzwi ładunkowe, przez które wyjechał jeep. Oddalił się o kilkaset metrów z kilku żołnierzami sił powietrznych, aby mogli tam zainstalować punkt kontroli lotów, który miał być wykorzystany, gdyby piloci samolotów lub śmigłowców mieli kłopoty z odnalezieniem lądowiska.

Drugi jeep wiozący żołnierzy ochrony skierował się w stronę drogi. I w tym samym momencie dostrzeżono światła na drodze prowadzącej do Tabbas. Jeep, za którym podążyli dwaj komandosi na motocyklach, zmienił kierunek i wyjechał na środek kamienistej drogi. Po chwili okazało się, że nadjeżdża autobus marki mercedes, prawdopodobnie zapełniony pasażerami. Nie wiadomo, czy kierowca nie dostrzegł komandosów blokujących drogę, czy też uznając, że są to bandyci, zdecydował się staranować przeszkodę, gdyż kontynuował jazdę z tą samą prędkością.

– Zatrzymać go! – krzyknął pułkownik Beckwith. Puścił się pędem w stronę drogi, wyciągając z kabury pistolet. Oddał kilka strzałów w powietrze. Kierowca autobusu nie zareagował. Dopiero gdy pociski z pistoletów maszynowych komandosów trafiły w chłodnicę i oponę, zahamował z piskiem. Wewnątrz było 44 pasażerów, głównie kobiet i dzieci, najwyraźniej przestraszonych strzelaniną. Beckwith kazał ich odprowadzić na bok i trzymać pod strażą. Mieli być jeńcami do czasu zakończenia akcji.

Droga prowadząca do wymarłego miasta okazała się nadzwyczaj ruchliwym traktem, czego Amerykanie zupełnie nie przewidzieli. Kilkanaście minut po zatrzymaniu autobusu, ledwo komandosi z ochrony lądowiska wrócili na swoje miejsca na poboczach, z ciemności wynurzyła się wielka cysterna, za którą podążała półciężarówka. Samochody z dużą prędkością minęły posterunek kapitana Wade'a Ishimoto i wszystko wskazywało na

Wyładunek komandosów z C-130

to, że za chwilę znikną w ciemnościach. Jednak któryś z żołnierzy nie stracił głowy i wyciągnął granatnik przeciwpancerny *M72A2*. Przyklęknął na jedno kolano i, zanim cysterna dotarła do zakrętu, wystrzelił w jej stronę. Pocisk trafił w podwozie, powodując eksplozję. Płomienie błyskawicznie objęły cysternę i nagle zaskoczeni komandosi zobaczyli w ich blasku, jak otworzyły się drzwi kabiny i wyskoczył z niej kierowca. Półciężarówka, która zjechała na pobocze, aby uniknąć płomieni, zatrzymała się na moment. W tej samej chwili podbiegł do niej kierowca cysterny. Jeden z pasażerów pomógł mu się dostać do szoferki. Koła zabuksowały, wzbijając kurz i kamienie, i samochód ruszył ostro do przodu. Zjechał z drogi. Kapitan Ishimoto rzucił się do swojego motocykla, aby ścigać oddalających się uciekinierów. Gdy kopał zaciekle w starter, irański samochód skrył się w ciemnościach. Pościg nie miał już sensu.

Pułkownik Beckwith, obserwujący tę scenę z daleka, nie przejął się nią.

– Prawdopodobnie przemycali benzynę – powiedział do pułkownika Kyle'a. – Na pewno nie pojadą na policję.

Nie mylił się. Jak wykazały późniejsze doniesienia wywiadu, w najbliższym mieście Yazd nikt nie zgłosił się na posterunek policji, aby zameldować o wydarzeniu na drodze. Kierowca cysterny i pasażerowie towarzyszącego samochodu najpewniej nie rozpoznali komandosów nie noszących odznak przynależności państwowej. Przemytnicy doszli do wniosku, że wpadli w zasadzkę zastawioną przez policję i wojsko irańskie, i byli szczęśliwi, że udało im się ujść z życiem, i nie mieli zamiaru się skarżyć, że stracili przemycany towar.

Mijały minuty. Beckwith niecierpliwie zerkał na zegarek. Zbliżała się godzina, kiedy powinny się pojawić następne samoloty. Wreszcie o 23.00 usłyszał warkot silników nadlatującego samolotu. Jego załoga była zdziwiona niespodziewaną iluminacją, jaką spowodowała płonąca cysterna, ale jej blask doskonale oświetlał lądowisko.

Jeden po drugim, pięć samolotów wylądowało bez przeszkód i cztery z nich odkołowały na miejsca wyznaczone zgodnie z planem po obydwu stronach drogi Tabbas–Yazd. Piąty, na pokładzie którego znajdowali się komandosi z grupy oznaczonej jako „Red Element", po wyładowaniu części ekwipunku wystartował do Manzireyh, gdzie komandosi mieli zabezpieczyć opuszczone lotnisko dla śmigłowców, wracających z zakładnikami po akcji w Teheranie.

Pierwsza część operacji „Szpon Orła" została wykonana zgodnie z planem. Pozostawało oczekiwać przybycia śmigłowców, które powinny nadlecieć za 15 minut.

W warkocie samolotów, które nie wyłączały silników, aby wystartować bardzo szybko w przypadku pojawienia się wojsk irańskich, komandosi wyciągali sprzęt z ładowni i rozkładali pakunki w pobliżu spodziewanego miejsca lądowania śmigłowców. Nie ćwiczyli tej fazy operacji i brak treningu dawał się we znaki. Żołnierze błądzili, usiłując odnaleźć przypisane im miejsca, nikt nie wiedział, gdzie znajduje się stanowisko dowódcy operacji, pułkownika Kyle'a. Mało kto mógł odszukać pułkownika Beckwitha, który mundurem nie różnił się od innych komandosów, a porozumiewanie się w hałasie silników samolotów było bardzo utrudnione.

Po raz pierwszy w całej operacji Kyle i Beckwith, korzystając z łączności satelitarnej, mogli porozumieć się z kwaterą główną w Egipcie i Richardem Meadowsem, który dotarł do miejsca oznaczonego jako „Desert Two".

– Wszystkie towary są na półce – usłyszał Beckwith głos Meadowsa, co oznaczało, że osobiście dokonał on inspekcji „Desert Two". Łączność satelitarna działała znakomicie.

Mijały minuty. Śmigłowce powinny lądować około 21.30. Wciąż ich nie było. Zbliżała się 24.00.

– Potrzebuję paru śmigłowców – powiedział Beckwith do mikrofonu.

Słuchający go w Egipcie generał Vaught już wiedział, co się stało na trasie, ponieważ któryś z pilotów zdecydował się przerwać ciszę radiową i poinformować dowództwo o kłopotach.

– Będą u ciebie za 10 minut – odpowiedział generał. Nie powiedział Beckwithowi o wycofaniu dwóch śmigłowców. Dlaczego tak postąpił? Może uznał, że nie ma to większego znaczenia dla dalszego przebiegu akcji. Może się obawiał, że taka wiadomość przed samym rozpoczęciem głównej części akcji osłabi ducha bojowego komandosów i ich dowódców.

Beckwith włączył latarkę i pochylił się nad raportówką. Opóźnienie przybycia śmigłowców zmuszało go do zmiany planów.

Po wylądowaniu należało rozpocząć tankowanie paliwa, co potrwa około godziny – obliczał. Następnie najmniej dwie godziny zajmie przelot do

„DESERT ONE" – SZKIC LĄDOWISKA DLA ŚMIGŁOWCÓW I SAMOLOTÓW

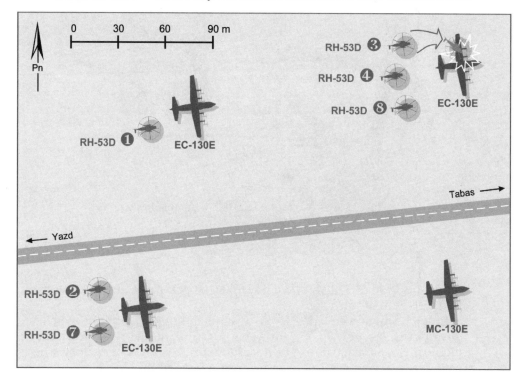

„Desert Two". Dwie godziny komandosi będą maszerować do kopalni soli, gdzie mieli przeczekać dzień. Szanse na wykonanie tego planu przed świtem były znikome.

– Nie ma znaczenia, kiedy śmigłowce przylecą – skonstatował, zamykając raportówkę. – Nie ma znaczenia, kiedy dotrzemy do „Desert Two". Trzeba działać!

Z daleka dobiegł go nasilający się warkot śmigłowca, którego pilot, dostrzegając światła wyznaczające lądowisko i dopalający się wrak ciężarówki, zapalił reflektory pod kadłubem. Beckwith zerknął na zegarek: było 10 minut po północy. Zerwał się i pobiegł w kierunku siadającego śmigłowca. Spodziewał się, że przybędzie w nim dowódca zespołu, podpułkownik Seiffert. Jednakże był to inny śmigłowiec i z kabiny wysiadł major James Schaefer.

Zdjął hełmofon i, widząc nadchodzącego dowódcę, powiedział tylko:
– To był piekielny lot.

Widać było, jak bardzo jest zmęczony. Jego twarz, pokryta pustynnym pyłem, miała kolor popielaty i nawet w przyćmionym świetle latarek można było zauważyć, jak bardzo zmęczone i przekrwione są jego oczy. Z trudem dobierał słowa. Beckwith nie bardzo mógł zrozumieć, o co chodziło w jego relacji na temat śmigłowców pozostawionych na pustyni. Odesłał

355

*Śmigłowiec RH-53
i jego uzbrojenie
strzeleckie*

go, żeby odpoczął, i postanowił poczekać na przybycie dowódcy zespołu, podpułkownika Seifferta.

Kolejne śmigłowce lądowały w odstępach kilkunastominutowych, ale dowódcy wciąż nie było. Wylądował dopiero 10 minut po pierwszej. Spóźnienie wynosiło więc ponad półtorej godziny, co mogło mieć duży wpływ na dalszy przebieg akcji. Oznaczało to bowiem, że śmigłowce przybędą na lądowisko „Desert Two" nie w nocy, która zapewniała możliwość ukrycia całej operacji przed irańskimi obserwatorami, lecz nad ranem. Beckwith odłożył te zmartwienia na później.

– Sir... – do Beckwitha podszedł jeden z pilotów – mam panu przekazać, że pozostało pięć śmigłowców nadających się do lotu.

Beckwith zaklął i odwrócił się na pięcie. Odszukał pułkownika Kyle'a.

– Jim, porozmawiaj z Seiffertem. Tylko ty rozumiesz ten cholerny żargon lotników – powiedział wściekły.

Kyle wrócił po kilku minutach. Był wyraźnie zmartwiony.

– Musimy nawiązać łączność radiową [z dowództwem – BW] – powiedział. – Śmigłowiec nr 2 ma problemy z hydrauliką i Seiffert obawia się, że dalszy lot może być niebezpieczny.

– Jim, sprawdź to! – powiedział z naciskiem Beckwith, choć zdawał sobie sprawę, że dowódca zespołu śmigłowców mówi prawdę. – Muszę mieć całkowitą pewność.

Kyle zasalutował i odszedł bez słowa w stronę śmigłowca nr 2, ustawionego w pobliżu samolotu transportowego. Wspiął się do kabiny, gdzie pilot pokazał mu pęknięty przewód hydrauliczny, z którego wyciekł płyn. Nie wyglądało to zbyt groźnie. Awaria nastąpiła w systemie pomocniczym i śmigłowiec mógł lecieć dalej, jednakże gdyby nastąpiła awaria głównego systemu, oznaczałoby to katastrofę. Kyle uznał, że nie można podjąć takiego ryzyka, gdyż w najbliższym czasie śmigłowiec miał się znaleźć w ogniu walki, co mogło zmusić jego urządzenia do pracy pod największym obciążeniem.

– Możecie to naprawić? – zwrócił się do pilota.

– W śmigłowcach 1, 3 i 7 są kontenery z częściami zamiennymi. Na pewno mają takie przewody i płyn hydrauliczny – odparł pilot bez przekonania.

– Jak długo będzie trwała naprawa?

– Do świtu lub dłużej...

Kyle zeskoczył na ziemię i ruszył w stronę Beckwitha.

– Charlie, czy możesz rozważyć udział w operacji tylko pięciu maszyn? Przemyśl to dokładnie, zanim odpowiesz... – powiedział do dowódcy.

Beckwith doskonale rozumiał powagę sytuacji. Do lądowiska „Desert Two" mieli przerzucić wiele ciężkiego sprzętu, w tym wielkie siatki maskujące, którymi trzeba było okryć śmigłowce, aby nie dostrzegły ich irańskie samoloty zwiadowcze, a także wyrzutnie rakiet przeciwlotniczych „Redeye" służące do obrony przed atakiem myśliwców. Jeżeli miało lecieć tylko pięć śmigłowców, to trzeba było porzucić część sprzętu. Ponadto w pięciu nadających się do lotu śmigłowcach mogło się pomieścić 185 pasażerów. Z Teheranu mieli zabrać 90 komandosów i 53 uwolnionych zakładników, a więc 143 osoby. Awaria kolejnej maszyny oznaczałaby, że w Teheranie trzeba by zostawić komandosów lub zakładników.

Jeden ze śmigłowców miał lądować na terenie ambasady, aby zabrać stamtąd uwolnionych zakładników. Należało się liczyć z tym, że mógł zostać ostrzelany przez wartowników. Z drugiej strony nie było to tak niebezpieczne, ponieważ mieli oni jedynie lekką broń i nie należało się obawiać, że pociski spowodują poważniejsze uszkodzenia. O wiele trudniejsza byłaby sytuacja śmigłowców lądujących na stadionie, skąd miały zabrać komandosów. Miało to nastąpić około pół godziny później i można się było spodziewać, że do tego czasu Irańczycy ochłoną z zaskoczenia i zmobilizują siły. Mogli ściągnąć w rejon walki samochody pancerne, a może nawet czołgi. Wielkie *Sea Stallion*, zniżając lot i wolno opuszczając się na płytę stadionu, a następnie wzbijając się w powietrze, były łatwym celem dla ciężkich karabinów maszynowych i działek. Beckwith musiał się więc liczyć z utratą co najmniej jednego śmigłowca. Ale najbardziej obawiał się braku umiejętności pilotów.

Piloci nie trenowali lądowania wśród trybun. Co prawda w czasie przygotowań w Stanach Zjednoczonych powstał pomysł przeprowadzenia generalnej próby na stadionie w pobliżu Fort Carson w Colorado, ale władze tego miasta nie zgodziły się na to ze względów bezpieczeństwa.

Piloci trenowali więc nad łąką, gdzie zaznaczono owal o wymiarach boiska piłkarskiego. Nigdy jednak nie udało im się wykonać tego zadania bez zarzutu. Nawet próba nocnego lądowania na pustyni wypadła fatalnie. Helikoptery rozpierzchły się na obszarze dwóch kilometrów kwadratowych.

– Było to najgorsze widowisko, jakie kiedykolwiek widziałem – ocenił jeden z wyższych oficerów, obserwujący te ćwiczenia.

Pułkownik Kyle połączył się z dowództwem w Egipcie i zrelacjonował sytuację.

– Poproś „Orła" [pseudonim pułkownika Beckwitha – BW], aby rozważył możliwość przeprowadzenia akcji z pięcioma – usłyszał odpowiedź dowódcy.

– Gówno! Nie! – krzyknął Beckwith, którego nerwy nie wytrzymywały już napięcia. Później wspominał: „W tym momencie straciłem szacunek dla generała Vaughta. Do diabła, myślałem, jak, do cholery, szef może tego ode mnie wymagać!" Jednak szybko się opanował.

– Daj mi chwilę na zastanowienie – odpowiedział do Kyle'a. Po chwili stwierdził:

– Nie widzę możliwości. Musimy przerwać akcję – przekazał generałowi Vaughtowi. Ten nie mógł sam zaakceptować takiej decyzji. Natychmiast powiadomił Waszyngton.

O godzinie 16.45 czasu lokalnego sekretarz obrony Harold Brown sięgnął po słuchawkę „czerwonego telefonu", łączącego go bezpośrednio z doradcą prezydenta, Zbigniewem Brzezińskim.

– Sądzę, że mamy sytuację skłaniającą do przerwania akcji – stwierdził zdawkowo. – Jeden z helikopterów na pustyni ma awarię hydrauliki, co oznacza, że zostało mniej niż sześć helikopterów koniecznych do przeprowadzenia akcji. Możemy użyć samolotów *C-130* do ewakuowania naszych żołnierzy z „Desert One".

Brzeziński poczuł, jak ziemia usuwa mu się spod stóp. Akcja przerwana! Akcja, która mogła tak wiele zmienić!

– Czy zaniechanie misji jest konieczne? – zapytał, choć znał odpowiedź.

– Plan przewidywał użycie sześciu helikopterów jako minimum – odparł Brown, unikając zdecydowanej odpowiedzi.

– Czy mógłby pan się porozumieć z generałem Jonesem, a przede wszystkim z dowódcą misji, pułkownikiem Charlesem Beckwithem? – nie ustępował Brzeziński. – Jeżeli zdecyduje się on kontynuować misję z pięcioma helikopterami, będę go w pełni popierał. Poinformuję prezydenta, lecz najpierw oczekuję od pana odpowiedzi.

Odłożył słuchawkę i natychmiast udał się do gabinetu Cartera. Prezydent był zajęty konferencją z kilkoma politykami, ale Brzeziński nie miał zamiaru czekać, aż skończą. Wszedł do gabinetu i powiedział Carterowi, że musi z nim porozmawiać w cztery oczy. Wyszli do niewielkiego korytarzyka prowadzącego do Owalnego Gabinetu. Tam Brzeziński zreferował sytuację.

– A nich to szlag trafi! – wykrzyknął Carter.

– Powinien pan zażądać opinii dowódcy operacji. Należy rozważyć jego stanowisko – podpowiedział Carterowi Brzeziński. Upierał się przy kontynuowaniu misji, nie wiedząc, że to właśnie Beckwith uważał przedsięwzięcie za niemożliwe do wykonania. Prezydent nie odpowiedział. Wzburzony wrócił do gabinetu i zadzwonił do Browna.

– Jaka jest ocena dowódcy akcji? – zapytał go i dodał: – Zastosujemy się do jego opinii.

Słuchał przez chwilę, a następnie odłożył słuchawkę. Brzeziński domyślił się, że sekretarz obrony poznał już opinię pułkownika Beckwitha i generała Vaughta, którzy uznali, że należy przerwać misję w Iranie.

Carter milczał przez kilka minut, zastanawiając się nad ostateczną decyzją.

– Potwierdzam tę opinię – powiedział w końcu i po chwili dodał: – Nie było ofiar i akcja nie została wykryta.

Na pustyni była godzina 1.57, gdy pułkownik Beckwith dowiedział się o decyzji prezydenta. Nie miało to jednak większego znaczenia. Był tak bardzo przekonany, że nie może kontynuować operacji tylko z pięcioma śmigłowcami, że nawet gdyby w Waszyngtonie zapadła inna decyzja, udałby, że nie dowiedział się o niej na skutek zakłóceń łączności radiowej.

Beckwith, stary i doświadczony żołnierz, który stworzył jednostkę „Delta" i przygotowywał ją do najtrudniejszych zadań, nagle przestraszył się akcji, która tak źle toczyła się od samego początku. Nie należy podejrzewać, że bał się o siebie. Prawdopodobnie uznał, że ze względu na złe przygotowanie operacji i małe umiejętności pilotów ryzyko niepowodzenia jest bardzo duże. Obawa, że straci wszystkich swoich żołnierzy, wydawała mu się bardzo realna.

O godzinie 2.10 komandosi zaczęli przenosić ekwipunek ze śmigłowców do samolotów. Piloci przygotowywali się do długiej podróży powrotnej.

Czas naglił. Zbliżał się świt. Stojące na pustyni śmigłowce i samoloty nie zostały zamaskowane ani nie ustawiono stanowisk obrony przeciwlotniczej. W każdej chwili mogły być wykryte przez lotnictwo irańskie.

Wszyscy działali w ogromnym pośpiechu. Śmigłowce napełniały zbiorniki przed liczącym blisko 900 km lotem w kierunku lotniskowca *Nimitz*.

Pułkownik Beckwith patrzył z niepokojem na tę krzątaninę. Nigdy nie trenowali przerwania akcji i odwrotu. To mogło być bardzo niebezpieczne...

Ta zawodna machina

Dlaczego do akcji na pustyni wybrano śmigłowce należące do morskiego oddziału zwalczania min?

Najkorzystniejsze byłoby zastosowanie wielkich *HH-53C*, które miały duży udźwig i zasięg, a w dodatku mogły tankować paliwo w powietrzu. Nie stwarzały więc potrzeby użycia samolotów cystern i przelewania benzyny na pustyni. Jednakże śmigłowce musiały wystartować z lotniskowców, a *HH-53C* były za duże, żeby się zmieścić w hangarach pod pokładem. Przewożone na pokładach mogły zostać natychmiast zauważone przez radzieckie satelity szpiegowskie i należało się obawiać, że Rosjanie powiadomią Teheran. Wobec takiego zagrożenia generał Vaught zdecydował się użyć śmigłowców *RH-53D Sea Stallions* z Helicopter Mine Countermeasures Squadron (eskadra śmigłowców do zwalczania min morskich), które można było ukryć pod pokładem.

Lotniskowiec USS Nimitz. Pod jego pokładem mogły się zmieścić tylko RH-53

RH-53 w hangarach lotniskowca USS Nimitz

26 grudnia 1979 roku sześć śmigłowców wylądowało na lotniskowcu USS *Kitty Hawk*, patrolującego wody Zatoki Omańskiej. Miesiąc później przeleciały na USS *Nimitz*, gdzie zespół uzupełniono dwiema maszynami tego typu, na stałe bazującymi na tym lotniskowcu. W sumie osiem *RH-53D Sea Stallion* mogło wystartować do Iranu. Czy nie było ich za mało? Lotniskowiec mógł pomieścić pod pokładem jedenaście takich maszyn. Na pokładach innych okrętów operujących w tym rejonie – USS *Coral Sea* i USS *Eisenhower* – było w sumie trzydzieści *RH-53*. Dlaczego więc ograniczono ich liczbę do ośmiu, co tak ogromnie zaważyło na przebiegu akcji?

Paradoksalnie przesądził o tym strach przed fiaskiem operacji. Zbigniew Brzeziński żądał zachowania absolutnej tajemnicy, co było zrozumiałe, i ograniczenia do najbardziej niezbędnego minimum sił, aby utrudnić ich wykrycie, zanim przystąpią do walki o budynki ambasady.

– Jeżeli Irańczycy wykryją nasz zespół ze względu na wielkość powietrznej armady, która będzie penetrować ich przestrzeń powietrzną, wszyscy bez wątpienia zostaniemy oskarżeni o typową dla Amerykanów skłonność do przesady i niechęć do tego, aby wkroczyć twardo i niewielkimi siłami w sposób, jaki na przykład zrobili to Izraelczycy w Entebe.

Brzeziński porównywał zadanie, jakie mieli wykonać amerykańscy komandosi w Iranie, do skutecznej akcji izraelskich komandosów w Entebe w Ugandzie. Tam, w czerwcu 1976 roku, wylądował samolot Air France uprowadzony przez terrorystów palestyńskich i niemieckich. 4 lipca, minutę po północy w Entebe wylądowały cztery izraelskie samoloty *C-130* z komandosami. Po 44 minutach walk, w czasie których zginął dowódca grupy uderzeniowej, pułkownik Jonathan Netanyahu (brat późniejszego premiera Izraela) i trzej zakładnicy, uwolnieni pasażerowie wsiedli na pokład *C-130* i bezpiecznie odlecieli. Na lotnisku Entebe pozostali martwi wszyscy terroryści i 20 wspierających ich żołnierzy ugandyjskich. Bez wątpienia akcja ta była majstersztykiem, ale przeprowadzono ją w całkowicie odmiennych warunkach niż te, z jakimi mieli się zmierzyć komandosi amerykańscy w Iranie.

O przerwaniu akcji na pustyni zadecydowały awarie trzech śmigłowców. Czy oznaczało to, że wybrano maszyny złe, nie sprawdzone, niedostatecznie przygotowane do bardzo trudnego lotu nad pustynią?

Żaden z ośmiu śmigłowców nie został sprawdzony w locie na podobnej trasie. Najdłużej przebywały w powietrzu przez 3,5 godziny w czasie podróży z bazy do lotniskowca *Kitty Hawk*, gdy pogoda była dobra. Jednakże później opiekę nad nimi przejęli doświadczeni mechanicy z załogi *Nimitza* oraz cywilni technicy przysłani przez producenta śmigłowców, zakłady Sikorsky Aircraft. Twierdzili, że przed startem wszystkie maszyny były w jak najlepszym stanie.

Podobnego zdania był podpułkownik Seiffert, dowódca zespołu śmigłowców, oraz jego ekipa pilotów i mechaników. Seiffert był doświadczonym pilotem i jego ocenie można było wierzyć. Ponadto jego mechanicy sprawdzili wszystko bardzo dokładnie i nie znaleźli niczego, co mogłoby budzić niepokój. Nawet awarii, jaka nastąpiła 24 kwietnia, tuż przed startem. Spowodował ją jeden z marynarzy, który włączył przez pomyłkę system gaśniczy w hangarze. Przez kilka minut słona woda zmieszana z pianą zalewała śmigłowce. Nikt jednak się tym nie przejął. Uznano, że słona woda nie może zaszkodzić śmigłowcom przeznaczonym do służby morskiej, a poza tym niespodziewana kąpiel trwała krótko i bardzo szybko spłukano pianę i sól.

Dlaczego więc aż w trzech śmigłowcach wystąpiły usterki, które wyeliminowały je z akcji?

Pęknięcie łopaty wirnika w śmigłowcu nr 6 i przewodu hydraulicznego w śmigłowcu nr 2 może dowodzić zmęczenia lub wadliwość materiału, może też być wynikiem sabotażu. Żadna z tych awarii nie zagrażała bezpieczeństwu załogi. Można było kontynuować lot, lecz w warunkach bojowych, w nocy nad pustynią żaden z pilotów nie miał możliwości prawidłowej oceny stopnia zagrożenia, jakie stwarzała awaria.

Pierwszy ze śmigłowców, którego czujniki sygnalizowały pęknięcie jednej z łopat wirnika, mógł kontynuować lot. Załoga wiedziała, że wszystkie śmigłowce z zespołu przebywały w powietrzu przez 38 216 godzin, w czasie których 43 razy czujniki sygnalizowały podobne awarie, i zawsze okazywało się, że to przyrządy pomiarowe były zbyt czułe. Specjaliści z zakładów Sikorsky'ego ocenili, że śmigłowiec porzucony na pustyni mógł z pełnym obciążeniem kontynuować lot z prędkością 220 kilometrów na godzinę. Decyzja pilota była więc pochopna, jakkolwiek sądził, że wycofanie jednej maszyny nie zmieni niczego, skoro jeszcze dwie były w zapasie.

Major Pitman, pilotujący śmigłowiec nr 5, zawrócił, ponieważ przestały działać przyrządy nawigacyjne. Powodem było przegrzanie silnika żyrokompasu, którego kanał wentylacyjny został zatkany kamizelką ratunkową. Skąd się tam wzięła? Nigdy tego nie wyjaśniono. Czy mógł to być sabotaż? Bez wątpienia. Jednakże major Pitman mógł lecieć dalej, zwiększając wysokość i korzystając z asekuracji innego, sprawnego śmigłowca. On jednak nie wiedział, że jeden śmigłowiec już odpadł i, na wszelki wypadek, zawrócił.

Podobnie pochopną decyzję podjął pilot śmigłowca numer 2, w którym stwierdzono pękniecie przewodu i wyciek płynu hydraulicznego. Awaria nastąpiła w systemie pomocniczym. Główny system działał i śmigłowiec funkcjonował. To strach przed awarią, która mogła się zdarzyć w czasie akcji, przesądził o wycofaniu tej maszyny i przerwaniu akcji.

To nie maszyny zawiodły. To ludzie okazali się zbyt płochliwi. Załamany i rozwścieczony Beckwith nazwał ich tchórzami. Nigdy nie wycofał się z tego obraźliwego określenia, nawet gdy już opadły emocje. W 1982 roku w wywiadzie dla tygodnika „Newsweek" powiedział:

– Jeżeli pytacie mnie, czy mógłbym jeszcze raz wyruszyć z tym tłumem – mówił o pilotach – odpowiedź brzmi: „absolutnie nie!".

Po powrocie do Stanów wysłał gniewny telegram do generała Jonesa, skarżąc się na bardzo małe umiejętności pilotów. Sekretarz obrony Harold Brown usiłował ich bronić:

– Nie wiem, ilu z was przeleciało za jednym zamachem ponad 500 mil (800 km) na pokładzie śmigłowca, ale chyba niewielu. To jest trudne zadanie i według mojej opinii żaden inny kraj nie odważyłby się na podjęcie podobnej akcji – powiedział.

Bez wątpienia przelot kilkuset kilometrów i to w burzy piaskowej był trudnym wyczynem, ale przecież była to tylko niewielka cześć całej akcji. Plan przewidywał lądowanie i to w ogniu strzałów w centrum Teheranu, odwrót na pustynię i powrót na lotniskowiec. Organizatorzy musieli uwzględnić zmęczenie, stres i niesłychanie trudne warunki całej operacji. Powinni więc wybrać najbardziej doświadczonych i odpornych pilotów. W ocenie dowódcy komandosów stało się inaczej. Dlaczego?

Jeden z izraelskich ekspertów wojskowych powiedział:

– Aż trudno uwierzyć, że planowanie i wykonanie tej operacji mogło być tak niekompetentne. Jeżeli Amerykanie musieli przerwać akcję z powodów, które podali – to mieli szczęście, że stało się to w pierwszej fazie. Jeżeli tak przygotowani przeprowadzaliby rajd w Teheranie – doprowadziliby do katastrofy.

Cała historia przygotowań do tak trudnej misji zawiera wiele pytań, na które nie ma odpowiedzi.

Dlaczego piloci pułkownika Seifferta stanowili przypadkowy zespół złożony z ludzi ściągniętych z różnych jednostek? Trzynastu pochodziło z dwóch oddziałów marines, dwaj przyszli z lotnictwa morskiego, a jeden z sił powietrznych. Decyzja o takim składzie zespołu, który miał przelecieć 800 kilometrów nad pustynią, lądować w centrum miasta i pod ogniem ewakuować zakładników, jest trudna do zrozumienia. Tym bardziej, że w siłach powietrznych USA było 96 pilotów śmigłowców *HH-53C* przeszkolonych w lotach długodystansowych i tankowaniu w powietrzu. Ponadto można było sięgnąć po 86 pilotów śmigłowców *Jolly Green Giant*, bardzo doświadczonych, którzy współpracowali z siłami specjalnymi lub brali udział w akcjach ratunkowych.

Dlaczego szesnastu pilotów z różnych jednostek połączono w jedną grupę dopiero w grudniu 1979 roku, podczas gdy plan przewidujący użycie śmigłowców opracowano już 12 listopada? Nigdy nie zostało to wyjaśnione.

Piloci i komandosi trenowali na pustyni w Arizonie, w warunkach całkowicie odmiennych od panujących w Iranie. W ciągu niespełna pięciu miesięcy przeprowadzono tylko 6 ćwiczeń obejmujących wspólne działania komandosów, załóg samolotów i śmigłowców. Dla porównania, w 1970 roku, gdy przygotowywano łatwiejszą akcję ataku na Son Tay, komandosi i piloci śmigłowców odbyli 170 wspólnych ćwiczeń!

Dlaczego nie przeprowadzono treningów najtrudniejszej części operacji: lądowania na stadionie i ewakuowania stamtąd komandosów, skoro tę operację trzeba było przeprowadzić bardzo szybko i wymagała ona zsynchronizowania działań trzech lub czterech śmigłowców? Na to pytanie nie udzielono odpowiedzi.

Dlaczego piloci śmigłowców nie zostali poinformowani o anomaliach pogodowych, jakie można napotkać na trasie? Meteorolodzy doskonale wiedzieli o możliwości burzy piaskowej. Zwracali na to uwagę w analizach, jakie przygotowali dla oficerów planujących trasę przelotu. Żaden z tych raportów nie dotarł do pilotów. Przed rozpoczęciem misji meteorologów nie dopuszczono do odprawy z pilotami, tłumacząc to koniecznością ograniczenia liczby osób wtajemniczonych w plany. Tymczasem zespół meteorologów na pokładzie lotniskowca *Nimitz* brał udział w wielu innych specjalnych misjach. Podejrzenia, że mogą nie dochować tajemnicy, nie miały żadnych podstaw, a skutki „zerwania tradycyjnych związków między pilotami i meteorologami były poważne" – jak później określiła to komisja badająca przebieg akcji.

Dlaczego nie poinformowano pilotów, że mogą lecieć wyżej, skoro irańskie radary ledwo pokrywają przestrzeń powietrzną kraju i nie istnieje niebezpieczeństwo wykrycia śmigłowców?

Wiele pytań bez odpowiedzi...

Wielka machina, jaką uruchomiono, aby uratować 53 zakładników, toczyła się ku katastrofie.

Tragedia na pustyni

Na pustyni przygotowania do startu w powrotną drogę dobiegały końca. O godzinie 2.52 śmigłowiec nr 3 pilotowany przez majora Schaeffera wystartował, aby podlecieć do samolotu-cysterny i zatankować paliwo. Po drodze musiał przelecieć nad samolotem transportowym, do którego wsiadali komandosi.

Chmura pyłu uniesiona powietrzem wypychanym spod łopat wirnika zakryła wszystko. Śmigłowiec wzbił się na kilka metrów. Pod nim było skrzydło transportowca *C-130*. Pilot pochylił maszynę i wtedy łopaty zahaczyły o kadłub samolotu. Trafiły dokładnie w przegrodę między kabiną pilotów a przedziałem pasażerskim, w którym było 40 komandosów. Śmigłowiec, wytrącony z kursu, runął na ziemię. Paliwo w jego zbiornikach eksplodowało i w ułamku sekundy wielka ognista kula objęła samolot. W jego wnętrzu major Fitch poczuł silne uderzenie, zobaczył, jak pęka poszycie kadłuba, i tuż potem dostrzegł ognistą kulę. Temperatura w kabinie gwałtownie rosła. Przez sekundę był przekonany, że to Irańczycy wykryli pustynne lądowisko i przystąpili do ataku. Chwycił karabin. Za jego przykładem kilku komandosów rzuciło się w stronę tylnych drzwi kadłuba.

– Zachować spokój! Bez paniki – krzyczał sierżant Don Linkey, który stał najbliżej drzwi i starał się zapanować nad grupą żołnierzy przepychających się w tamtą stronę.

Komandosi zaczęli wyskakiwać na zewnątrz. Padali natychmiast na ziemię, słysząc wybuchy i gwizd pocisków nad głowami. To eksplodowały skrzynki z amunicją we wnętrzu kadłuba ogarniętego płomieniami. Dopiero po chwili zorientowali się, że był to wypadek, a nie atak.

Czterech komandosów, choć odbiegli wystarczająco daleko od płonącego wraku, zawróciło, aby wyciągnąć z kokpitu uwięzionych tam pilotów. Uratowali dwóch. Żar bijący z płonących kadłubów uniemożliwił udzielenie pomocy innym. W samolocie zginęło pięciu lotników.

Obok płonął wrak śmigłowca, w którym zginął pilot i dwaj strzelcy.

Pociski eksplodujące w płomieniach uszkodziły stojący najbliżej śmigłowiec nr 1 pułkownika Seifferta.

Panikę udało się szybko opanować. W świetle płomieni strzelających wysoko w górę komandosi zajmowali miejsca w trzech samolotach. Wielu nie mogło odnaleźć swojej broni. Na kamienistym podłożu walały się skrzynki z ekwipunkiem i materiałami, których już nikt nie potrafił rozpoznać. Piloci śmigłowców, które miały pozostać na pustyni, zabierali z kabin mapy i najważniejsze dokumenty. Jednakże załogi dwóch śmigłowców stojących najbliżej płonących wraków nie odważyły się zbliżyć do kabin. Pozostały tam tajne materiały. Wśród nich mapy, na których zazna-

Jimmy Carter i Zbigniew Brzeziński –
wiadomość dotarła o godz. 17.58

czono „Desert Two" i kopalnię soli, gdzie pułkownik Meadows czekał na przybycie komandosów.

Po pół godzinie komandosi i piloci śmigłowców siedzieli już w samolotach. Silniki pracowały i wielkie transportowce jeden za drugim ustawiały się na pasie startowym.

– Charles – pułkownik Kyle pochylił się nad siedzącym nieruchomo Beckwithem. – Na pustyni zostawiamy pięć śmigłowców. Nie mogę ustalić, co z nich zabrano, a co jeszcze jest na pokładach. Musimy zniszczyć te maszyny.

– Powiadomię lotniskowce – odpowiedział Beckwith. – Niech przyślą myśliwce...

Nie pomyślał, że w pobliżu pozostało kilkudziesięciu irańskich jeńców – pasażerów autobusu. Nie było wiadomo, czy do czasu, gdy nadlecą myśliwce, ci ludzie zdążą się oddalić, czy też pozostaną na miejscu. Żaden pilot myśliwca nie mógłby ich dostrzec z powietrza i bez wątpienia padliby ofiarami bomb i rakiet amerykańskich samolotów, przysłanych w celu zniszczenia pozostawionych śmigłowców.

W Waszyngtonie o godzinie 17.58 na biurku Jimmy'ego Cartera zadzwonił telefon. To generał Jones telefonował, aby poinformować prezydenta, że jeden ze śmigłowców zderzył się z samolotem.

– Są straty w ludziach – zakończył relację.

Carter zachował spokój, ale na jego twarzy rysowało się wszystko: ból, załamanie, rozpacz.

Start odbywał się w wielkim pośpiechu. Nikt nie zdążył pogrzebać zabitych ani zabrać tajnych dokumentów

Dopiero o godzinie 23.00 dostał dokładny raport: na pustyni zginęło ośmiu ludzi, czterech odniosło poważne rany.

Prezydent, choć wcześniej polecił opracowanie oficjalnego komunikatu, na żądanie szefa CIA, admirała Stansfielda Turnera, wstrzymał jego opublikowanie. Można było przypuszczać, że Irańczycy nie odkryli jeszcze wraków na pustyni, a zbyt wczesne poinformowanie ich o tym mogło zagrozić bezpieczeństwu agentów. Admirał Turner miał rację.

Richard Meadows długo czekał na przylot komandosów. Nie wiedział o katastrofie. Jego radiostacja milczała. Z dowództwa operacji w Egipcie nie nadchodziły żadne wiadomości. Burza przerwała łączność. W Teheranie tkwili na stanowiskach pozostali agenci, którzy przygotowali ciężarówki i obserwowali ambasadę.

Nad ranem Meadows zdecydował się na powrót do Teheranu. Wiedział, że samoloty transportowe wylądowały na pustyni, gdyż poinformował go o tym pułkownik Beckwith. Skoro więc śmigłowce nie nadleciały o świcie, znaczyło to, że stało się coś złego, co zmusiło komandosów do przerwania lub odwołania akcji. Meadows musiał jak najszybciej usunąć ślady wszelkich przygotowań na przyjęcie komandosów w stolicy i wynieść się stamtąd, zanim irański kontrwywiad wpadnie na jego trop.

Przyjechał do magazynu, aby zwolnić czekających tam współpracowników. Żaden z nich nie wiedział, że znaleźli się w śmiertelnym niebezpieczeństwie. Na mapach pozostawionych przez pilotów w kabinach śmigłowców był zaznaczony magazyn na przedmieściach Teheranu. Po co? Piloci nie musieli znać położenia magazynu.

Od tego momentu o życiu Meadowsa i jego ludzi decydowała seria przypadków.

O świcie samoloty irańskie wykryły opuszczone na pustyni śmigłowce. Gdyby przeszukano je od razu – los agentów w Teheranie byłby przesądzony. Irańczycy uznali jednak, że pustynia i śmigłowce zostały zaminowane. Dlatego otoczyli cały teren, a następnie myśliwce ogniem działek zniszczyły dwa śmigłowce.

Radio Teheran podało, że w czasie przeszukiwania wraków zginął jeden żołnierz, a dwaj inni odnieśli rany, gdy usiłowali wydobyć z samolotu zaminowaną „czarną skrzynkę". Było to kłamstwo lub, co najbardziej prawdopodobne, żołnierze irańscy dostali się pod pociski własnych samolotów.

Richard Meadows miał trzy drogi ucieczki: przedrzeć się przez granicę do Turcji, udać się do Abadanu, skąd mógłby go zabrać amerykański śmigłowiec, lub wsiąść na pokład pasażerskiego samolotu i odlecieć do Europy. Wybrał trzecią możliwość, licząc na to, że zamieszanie, jakie powstało w Teheranie po opublikowaniu informacji o wykryciu śmigłowców, ułatwi mu przejście przez kontrolę paszportową na lotnisku. Miał szczęście. W niedzielę wylądował bezpiecznie na lotnisku w Ankarze. Jego współpracownicy w tajemniczy sposób pojawili się we Frankfurcie.

Około godziny 10.00, gdy samoloty irańskie zakończyły nalot, na „Desert One" dotarli żołnierze

Komandosi w popłochu opuścili „Desert One" pozostawiając zwłoki kolegów i sprzęt

Los prezydenta

25 kwietnia o godzinie 7.00 rano Jimmy Carter wystąpił przed kamerami telewizyjnymi.

– Ja podjąłem decyzję o próbie uratowania zakładników. Ja zdecydowałem się przerwać tę akcję, gdy pojawiły się problemy. Ponoszę całkowitą odpowiedzialność – powiedział prezydent.

The Gallup Organization przeprowadziła natychmiast badanie opinii publicznej.

„Czy uważasz, że Carter miał rację, podejmując zbrojną próbę uwolnienia zakładników?" – brzmiało pierwsze pytanie. Większość respondentów (71%) odpowiedziała „tak". Tylko 18% badanych uważało, że prezydent nie miał racji.

„Jakie jest prawdopodobieństwo, że w wyborach będziesz głosował na Cartera?" – taki był sens drugiego pytania.

„Prawdopodobnie tak" – odpowiedziało 45% ankietowanych. „Prawdopodobnie nie" – stwierdziło 50%.

Fiasko zbrojnej akcji miało ogromny wpływ na szanse ponownego zdobycia urzędu prezydenckiego przez Jimmy'ego Cartera. Wiedział o tym.

Prezydent Jimmy Carter i Ronald Reagan w październiku 1980 r. Nieudana operacja „Szpon Orła" przesądziła o tym, kto zwyciężył w nadchodzących wyborach

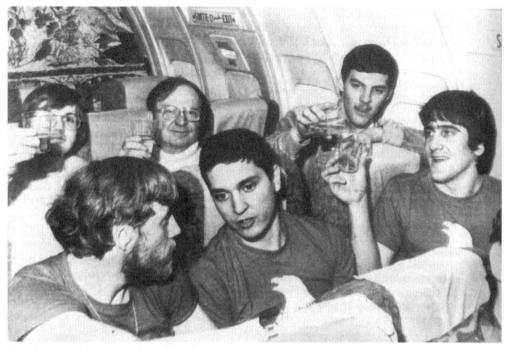

Uwolnieni zakładnicy wracają do domu na pokładzie boeinga 727

Wiedzieli jego przeciwnicy, którzy uważali, że Carter jest za miękki i za słaby, aby rządzić Ameryką i stawić czoło radzieckiemu wyzwaniu.

Dwa dni później prezydent poleciał śmigłowcem na spotkanie z żołnierzami „Delty". Przyglądał się zbliżającemu się do niego sprężystym krokiem szczupłemu mężczyźnie średniego wzrostu. Jak później przyznał, najtwardszemu facetowi, jakiego widział.

Pułkownik Beckwith podniósł dłoń do beretu. W oczach miał łzy.

– Panie prezydencie – powiedział. – Przepraszam, że pana zawiedliśmy.

Carter nie odpowiedział. Podszedł do niego i objął go ramieniem. Po jego twarzy też popłynęły łzy.

4 listopada 1980 roku odbyły się wybory prezydenckie. Większością ośmiu milionów głosów wygrał Ronald Reagan.

Carter do końca miał nadzieję, że uzyska satysfakcję i w ostatnich dniach jego prezydentury Iran zdecyduje się zwolnić zakładników, a on, jeszcze jako prezydent, będzie mógł ich powitać na lotnisku. Przecież sobie na to zasłużył. Mimo nieudanej misji komandosów negocjacje z Iranem, za pośrednictwem rządu algierskiego, trwały cały czas. 18 stycznia 1981 roku, dwa dni przed zaprzysiężeniem nowego prezydenta, stało się jasne, że zakładnicy zostaną zwolnieni. Kiedy?

Minęła noc z 19 na 20 stycznia, którą Jimmy Carter spędził w Owalnym Gabinecie, oczekując wiadomości z Iranu. O 7.55 rano na jego biurku zadzwonił „czerwony telefon". Prezydent podniósł powoli słuchaw-

371

kę i słuchał przez chwilę. Widać było, jak na jego twarzy pojawia się radość.

– Rejs 133 jest gotowy do startu! – niemalże wykrzyknął, co wywołało euforię wśród jego współpracowników zebranych w gabinecie.

To jeden z szefów NSA [Agencji Bezpieczeństwa Narodowego – BW] informował, że udało się podsłuchać rozmowę telefoniczną prowadzoną z wieży kontrolnej lotniska w Teheranie o tym, że boeing 727 gotowy do lotu oznaczonego jako „rejs 133" z zakładnikami na pokładzie stoi na pasie startowym. Na lotnisku znajdował się jeszcze drugi samolot tego samego typu, który Irańczycy chcieli wykorzystać jako zabezpieczenie lub wabik oraz niewielki samolot z algierskimi lekarzami, którzy badali zakładników przed zwolnieniem ich z ambasady.

„Czerwony telefon" zadzwonił ponownie o 8.28. Tym razem CIA informowała, że boeing z zakładnikami wciąż stoi na pasie. Dlaczego nie startują? Kiedy to nastąpi? Nie było odpowiedzi.

O godzinie 9.45 zadzwonił Warren Christopher, szef amerykańskiego zespołu prowadzącego w Algierze negocjacje w sprawie zwolnienia zakładników:

– Panie prezydencie, start jest opóźniony – powiedział – ale bez wątpienia nastąpi zanim Reagan obejmie urząd.

Carter czekał. Mijały minuty. O godzinie 11.00 musiał wyjść na spotkanie prezydenta-elekta. Wsiedli do limuzyny, która zawiozła ich na Capitol, gdzie Ronald Reagan miał złożyć przysięgę jako czterdziesty prezydent Stanów Zjednoczonych.

– Wszystko, o czym mogłem myśleć, to czy zakładnicy wystartowali – przyznał później Carter – i czy wiadomość o tym nadejdzie.

Nadeszła. Kilka minut po zakończeniu ceremonii zaprzysiężenia nowego prezydenta boeing 727 wystartował z Teheranu...

Spis treści

W KSIĘGARNIACH

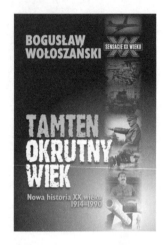

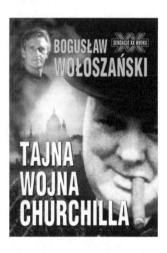

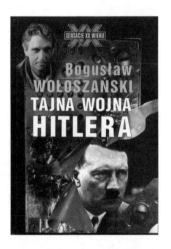

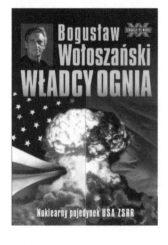

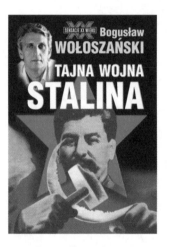

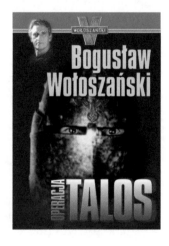

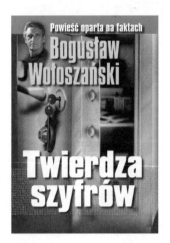

W KSIĘGARNIACH

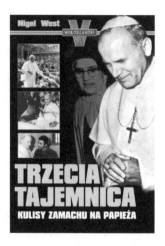

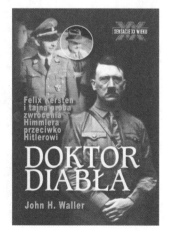

W KSIĘGARNIACH

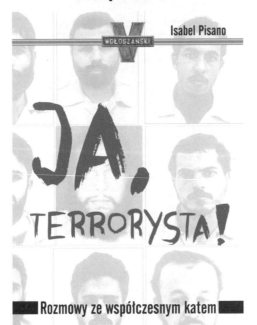

Isabel Pisano

JA, TERRORYSTA!

Rozmowy ze współczesnym katem

UTAJNIONA MISJA RAF-u

TRAGEDIA NA MORZU

Benjamin Jacobs
Eugene Pool

Ian Valentine

BAZA 43

CICHOCIEMNI